Droomvlucht

Van Tamara McKinley verschenen eveneens bij Uitgeverij De Kern:

Onderstromen
Windbloemen
Zomerstorm

Tamara McKinley

Droomvlucht

Oorspronkelijke titel: *Dreamscapes*
Oorspronkelijke uitgever: Judy Piatkus (Publishers) Ltd, Londen

Uitgeverij De Kern, De Fontein bv, Postbus 1, 3740 AA Baarn
Vertaling: Hans Verbeek
Omslagontwerp en -illustratie: Wil Immink Design
Zetwerk: v3-Services, Baarn
ISBN 978 90 325 1018 3
NUR 302

www.uitgeverijdefontein.nl

1

1921

Het was hartje zomer en de zes beschilderde wagens rolden langzaam voort over de slingerende, smalle zandweg die het hart van de Australische outback doorsneed. Elke wagen droeg in felle rode letters het opschrift *Summers' Revue* en werd voortgetrokken door een zwaar Engels trekpaard waarvan de kastanjebruine huid en de elegant gepluimde vetlokken glansden in de zon. De troep reizende artiesten was al langer dan een jaar bij elkaar en het gezelschap was nu op weg naar Charleville voor ze naar het noorden zouden afbuigen om de winter aan de kust van Queensland door te brengen.

Velda Summers zat naast haar echtgenoot op de bok en probeerde de zeurende pijn in haar rug kwijt te raken. Het schokken en slingeren van de wagen maakten haar misselijk en ze kon bijna niet wachten tot de reis ten einde was. 'Hoe ver is het nu nog?' wilde ze weten.

Declan draaide zijn hoofd om naar haar te kijken en er lag een bezorgde uitdrukking in zijn blik. 'Dat is nu al de vijfde keer vanochtend dat je dat vraagt,' zei hij met die warme Ierse tongval waar het vrouwelijk deel van zijn publiek zo dol op was. 'Gaat het niet goed met je, schat?'

Velda legde haar handen op de uitpuilende berg die haar buik was. 'Ik denk dat de baby niet zo dol is op al dit geschud,' zei ze pruilend. 'En eerlijk gezegd, Declan, ik ook niet.' Ze keek hem door haar wimpers aan en probeerde met een flauwe glimlach de scherpe kantjes van haar humeurigheid te halen.

Declan glimlachte toegeeflijk, terwijl zijn donkere haar over zijn voorhoofd viel en de zon in zijn bruine ogen weerkaatste. 'We zijn er bijna, liefje,' zei hij zachtjes. 'Straks kun je uitrusten terwijl we ons klaarmaken voor de optocht.'

Velda zuchtte diep om hem te laten weten dat ze helemaal niet blij was en probeerde een plekje op de harde bok te vinden dat iets comfortabeler was. Ze had geen andere keuze dan hier blijven zitten en lijden, maar zelfs een kussen dat in haar lendenen gepropt was hielp niet om de pijn te verlichten. Ze proefde het laagje zweet op haar bovenlip en plukte aan haar jurk. Het dunne katoen plakte aan haar lichaam en ondanks de breedgerande hoed die ze altijd droeg om haar gezicht tegen de zon te beschermen, voelde ze hoofdpijn opkomen.

De hitte hier in de outback was overweldigend. Er viel niet aan te ontkomen, zelfs niet wanneer ze door omringende bomen beschut waren tegen de helse schittering. Vliegen en muggen dansten in dichte wolken om hen heen en het eeuwige gezoem en geratel van miljoenen insecten gonsden in haar hoofd. Haar krachten waren weggevloeid en ze verwelkte net als de bleekgroene eucalyptusbladeren die treurig boven haar hoofd hingen. Wat miste ze de koele, mistige ochtenden thuis in Ierland. De geur van natgeregend gras, het geluid van de golven die stuksloegen op de zwarte rotsen en het doordringende aroma van turfvuur in de haard.

'Je hebt hier toch geen spijt van, hè?' vroeg Declan terwijl hij de teugels op de brede rug van het trekpaard liet neerkomen in een poging hem tot meer spoed aan te zetten.

Velda schudde de verraderlijke herinneringen aan Ierland van zich af, want die staken alleen op momenten van zwakte de kop op, en ze wist dat ze haar man tot het einde van de wereld zou volgen – zelfs als het daar zo heet als de hel was en twee keer zo oncomfortabel. Ze glimlachte naar hem toen ze zijn onvoorwaardelijke liefde voor haar in zijn ogen las. 'Geen moment,' zei ze ademloos. 'Hoe had ik jou nou in je eentje helemaal hier naartoe kunnen laten gaan?'

Hij leek tevredengesteld door dat antwoord en, nadat hij haar een kus op haar wang had gegeven, richtte hij zijn aandacht weer op het vergezicht dat zich voor hen ontvouwde.

Velda keek naar de kilometers leegheid, met slechts door de zon gebleekt gras en bloedrode aarde, en voelde ondanks haar dappere woorden de diepgewortelde angst die altijd ergens diep binnen in haar op de loer lag. Ze waren zo ver verwijderd van elke vorm van beschaving – zo alleen – hoe moest dat als er weer iets fout zou gaan? Dit Australië was een ongetemde plek die zelfs de meest vastberaden ziel angst aanjoeg, en hoewel ze Declan had om haar te beschermen en te koesteren, waren er momenten dat ze met heel haar hart wou dat ze hier niet naartoe gekomen waren.

Tranen vertroebelden haar blik en ze beet op haar lip terwijl ze aan het eenzame kleine graf dacht dat ze een jaar geleden achter hadden gelaten. Haar eerste baby was te vroeg geboren en had zelfs niet lang genoeg geleefd om adem te halen. Ze zouden er waarschijnlijk nooit meer langskomen en de elementen en het oprukkende struikgewas zouden de rustplaats van haar kleine zoon wegvagen, tot niets meer herinnerde aan het feit dat hij ooit had bestaan.

Ze slikte haar tranen weg en deed haar uiterste best om het opkomende gevoel van eenzaamheid en het brandende verlangen naar haar moeder te negeren. Ze had haar keuze gemaakt en was met Declan getrouwd in de wetenschap dat ze de kust van Ierland nooit meer zou zien. Want dit was hún avontuur, hun zoektocht naar een ander leven en misschien zelfs roem en rijkdom. Het was nu te laat om ergens spijt van te hebben.

De zon stond hoog aan de hemel toen de bonte stoet een open plek in de bosjes bereikte en het gezelschap zijn kamp begon op te slaan. Charleville lag minder dan drie kilometer verderop en ze moesten zich voorbereiden op de Grote Parade. Dit zou hun kans zijn om klandizie te trekken, om pamfletten uit te delen en het publiek een voorproefje te geven van wat ze konden verwachten als ze hun twee pence entree betaalden.

Declan tilde Velda van haar hoge zitplaats en zette haar zachtjes neer. 'Ik heb wat kussens en dekens onder die boom daar neergelegd,' zei hij. 'Rust maar wat terwijl ik probeer dit zooitje ongeregeld in het gareel te krijgen.'

Velda streek over zijn wang en zag in zijn ogen de angst om haar en hun ongeboren kind.

'Heb ik je ooit wel eens verteld hoeveel ik van je hou?' zei ze zachtjes. Haar prikkelbaarheid was vergeten.

'Heel vaak, schat,' zei hij met zijn lippen tegen de hare. 'Maar ik word het nooit beu om het je te horen zeggen.'

Ze kusten elkaar en terwijl ze elkaar voorzichtig omhelsden bewoog de baby zachtjes tussen hen in. Toen was hij verdwenen; hij stapte met grote passen de cirkel van wagens binnen en begon iedereen die maar wilde luisteren commando's toe te roepen en zijn zware, diepe stemgeluid weergalmde in de stilte van het hen omringende struikgewas.

'Jeetje, die weet ook van geen ophouden,' mopperde Poppy terwijl ze Velda bij haar arm pakte.

Velda glimlachte terwijl ze haar rug ontspande. Poppy en zij waren allebei tweeëntwintig en de kleine Cockneydanseres was in de twaalf maanden dat ze bij elkaar waren een goede vriendin geworden. 'Hij wil gewoon dat alles in orde is,' mompelde ze.

'Laten we jou dan maar eens installeren. Je ziet er uitgewoond uit.'

Velda gaf geluidloos te kennen dat dat inderdaad het geval was. 'Ik wou dat ik maar half zo energiek was als jij, Poppy. Heb je dan nooit last van de hitte?'

Het geblondeerde haar schitterde in de zon en de sproeten dansten op haar neus terwijl ze lachte. 'Als je twintig winters in Londen hebt weten door te komen, dan ben je maar al te blij met een beetje warmte. Ik kan er niet genoeg van krijgen.'

Ze zochten hun weg door afgevallen takken en het lange scherpe gras naar de bomen waarvan de takken zich over het beekje bogen dat zich slingerend een weg had gebaand door het omringende struikgewas en dat een zacht murmelend geluid maakte op de glanzende kiezelstenen. Nu kon Velda zich eindelijk ontspannen. Ze had Poppy naast zich, het geluid van Declans zangerige, geruststellende stemgeluid verdreef haar angst, en ze wist dat Charleville dichtbij was, waardoor haar grootste zorgen tot het verleden behoorden. Dit kind zou in een echt bed worden geboren, met een dokter die alles in de gaten hield; ze hadden het geld, want deze dorpen in de outback waren volledig verstoken van amusement en de inwoners waren in drommen naar hun voorstellingen gekomen.

Ze zette de breedgerande strohoed af die ze had versierd met rozen van zijde en rode linten, en schudde haar lange, zwarte haar los, dat bijna tot aan haar middel kwam. Hier bij het water was het een stuk koeler omdat het zonlicht voor een groot deel werd tegengehouden door de waterval van overhangende eucalyptustakken. Ze zou niet meer optreden tot deze baby geboren was en het was heerlijk om hier te zitten niksen en toe te kijken hoe de anderen al het werk deden. Toch kon ze het knagende verlangen om bij hen te zijn niet helemaal van zich afschudden. Ze was tenslotte artiest, sopraan, en ze zou het missen om vanavond niet op het toneel te staan; ze zou het applaus missen, het voetlicht en de opwinding die optreden voor een nieuw publiek met zich meebracht.

'Ik weet wat je denkt,' mompelde Poppy, terwijl ze Velda hielp zich op de dekens te installeren. 'Maar het duurt nog wel even voor je weer op de planken staat, dus je kunt maar beter genieten van het feit dat je voor de verandering eens een dame met vrije tijd bent.'

Velda kneep zachtjes in haar hand. 'Dank je, Pops.'

Poppy grijnsde en zonder de gebruikelijke dikke laag make-up leek ze niet ouder dan zestien. 'Ik moet ervandoor, anders begint die vent van je weer tegen me te schreeuwen.'

Velda keek hoe ze naar de wagens terugrende en glimlachte. Poppy zat nooit een moment stil en leek ondanks haar magere gestalte te beschikken over de kracht en het uithoudingsvermogen van een trekpaard. Declan had al lang geleden gemerkt dat Poppy haar eigen plan trok en had het opgegeven om te proberen haar in het gareel te krijgen.

Ze leunde achterover in de kussens, schopte haar schoenen uit en stak haar voeten in het koude water terwijl ze keek naar de inmiddels bekende drukte in het kamp waar men zich klaarmaakte voor de optocht. Poppy liep de meisjes te commanderen en haar Cockneyaccent en haar hese lach weerklonken in het omringende struikgewas. De jongleurs, muzikanten en acrobaten waren aan het oefenen en Max, de clown en hondentrainer, was zijn attributen bij elkaar aan het zoeken. Vlekkie, zijn kleine terriër, liep in het lange gras te snuffelen met een van opwinding heen en weer zwiepende staart. Hij had één zwart oog en nog een zwarte vlek op zijn lijf, en deed daarmee zijn naam eer aan. Ze aaide hem over zijn kop en duwde hem uiteindelijk weg. Hij was vandaag té energiek voor haar.

De wagens waren schoongewassen met het water dat ze met emmers vol uit de beek hadden gehaald en het groene, rode en gele schilderwerk schitterde in de zon. De witte maskers die komedie en tragedie symboliseerden glansden als geestverschijningen tegen de donkergroene achtergrond en vormden voor de troep een herinnering aan het feit dat ze gehoorzaamden aan een oude traditie – een traditie die in de loop der tijd was aangepast en veranderd – maar nog steeds een die de mensen die er hun rol in vervulden, in verrukking bracht.

De paarden hadden te eten en te drinken gekregen en waren vervolgens geborsteld tot hun kastanjebruine vacht en hun witte manen glansden in het zonlicht. Ze kregen pluimen op het kopstuk en koperen ornamenten aan het gareel en aan de dieprode dekens op hun rug waren snoeren met kleine zilveren belletjes bevestigd. Vlekkie danste rond op zijn achterpoten en pronkte met zijn kraag vol glitters. Zijn piraatachtige oogvlek zorgde ervoor dat hij een losbandige indruk maakte terwijl hij om bewondering van de spelers bedelde.

Onder de mannen en vrouwen van de troep heerste een sfeer van onderdrukte opwinding terwijl de kostuums uit de koffers tevoorschijn kwamen en werden gladgestreken. In dit geroezemoes van geklets en gelach werden hoge hoeden afgeborsteld en schoenen gepoetst en met de waaiers in de lucht gewuifd om ze te ontdoen van het stof dat zich overal aan leek te hechten, hoe goed het ook was ingepakt. Dikke lagen make-up werden aangebracht, boa's en veren geschikt en kousen werden aan een laatste inspectie onderworpen om te zien of er ladders in waren gekomen. De rekwisieten kregen nog een laatste controle op eventuele beschadigingen en de artiesten verdeelden onder elkaar de folders die ze in het vorige stadje hadden laten drukken, zodat ze die tijdens de grote optocht konden uitdelen.

Velda liet haar rug in de kussens zakken. De pijn was afgenomen tot een vaag gezeur en ze voelde zich slaperig, in slaap gewiegd door het vlekkerige zonlicht en het gemurmel van het water. Het was een zegen om niet meer in die wagen te zitten en niet meer te hotsen en te botsen en door elkaar geschud te worden.

Ze slaakte een zucht van slaperige tevredenheid. De meisjes van het koor kletsten en kibbelden terwijl ze hun vrolijk gekleurde rokken opschudden en ondertussen elkaar verdrongen om een plekje te bemachtigen voor de enige spiegel. Namaakjuwelen fonkelden in het zonlicht en veren hoofdtooien zwaaiden heen en weer en bogen voorover terwijl de meisjes ruziemaakten over lippenstift. Ze deden haar denken aan de vogels uit de streek: een en al gekleurde veren en uitgespreide staartveren, dan weer hier, dan weer daar, nooit een moment rust.

Ze werd wakker door het scherpe geluid van een trommel en ze ging geschrokken overeind zitten. Ze was niet van plan geweest om in slaap te vallen, maar het zag er naar uit dat de stoet klaar was om naar de stad te marcheren.

'Blijf hier en rust lekker uit,' zei Declan die op zijn hurken naast haar ging zitten.

'Geen haar op m'n hoofd die daaraan denkt,' zei ze stellig terwijl ze haar schoenen pakte en overeind kwam. Ze keek hem in zijn ogen en zijn blik was zo liefdevol en vriendelijk, dat ze hem wel móést zoenen.

'*The show must go on*, weet je nog?' plaagde ze. 'Bovendien heb ik nog nooit een optocht gemist en ik ben zeker niet van plan daar nu mee te beginnen.'

Hij keek onzeker, maar ze nam hem de beslissing uit handen door blootsvoets weg te lopen en op de wagen te klauteren. Het dutje had een beetje geholpen en de pijn was weggetrokken. Ze pakte de teugels beet, ze keek op hem neer en grijnsde. 'De voorstelling begint. Kom op.'

Charleville was een kruispunt in de outback, met wegen die waren ontstaan uit de karrensporen van de vroege pioniers en ontdekkingsreizigers. De straten waren breed en stoffig, een overblijfsel uit de tijd van de grote kuddes stieren, de tijd waarin dertig ossen de enorme met balen wol geladen sleperswagens door het stadje trokken op weg naar de markt in Brisbane. Het was een welvarende stad met een hotel op elke straathoek. Die hotels voorzagen in de behoeftes van de veehandelaren en de drijvers die met hun kudde naar het kleine victoriaanse station kwamen waarvandaan de dieren per trein naar het oosten gingen.

De stad werd omringd door duizenden hectares goed grasland en bossen die hun water vonden in ontelbare ondergrondse stroompjes en diepe kreken. Wol en vlees waren er in overvloed en na de Eerste Wereldoorlog waren de bewoners rijk geworden. Hun geld had gezorgd voor houten trottoirs, winkels, twee kerken, een politiebureau en een renbaan.

Het beste hotel was het Coronas. Het was gebouwd om de aristocratie van de outback – de veeboeren – te ontvangen en het was een sierlijk victoriaans gebouw met een schaduwrijke veranda die uitkeek op de hoofdstraat en op de paal waaraan de paarden werden vastgebonden. De eetzaal had lambrisering en balken van het mooiste eikenhout, de tafels waren gedekt met hagelwit linnen en gepoetst zilver en daarboven hingen kristallen kroonluchters die uit Frankrijk waren geïmporteerd.

De receptie was een oase van rust, vol comfortabele leunstoelen, tiffany lampen en glanzend geboende vloeren. De luxueuze kamers op de eerste verdieping hadden elk hun eigen badkamer – een nieuwigheid die bij de plaatselijke bevolking nog steeds de mond deed openvallen van bewondering – en hadden toegang tot het brede balkon dat over de hele breedte van het hotel liep. Hier konden de veeboeren in grote rieten stoelen zitten en hun sigaren roken terwijl ze bier en whisky dronken en uitkeken over het stadje dat ze vol trots het hunne noemden. Verscheidene van de kamers werden permanent verhuurd, zodat die aristocraten van de binnenlanden en hun gezinnen naar de stad konden komen wanneer ze daar maar zin in hadden en altijd verzekerd waren van een fatsoenlijke plek om te overnachten.

Het Coronas Hotel was een beroemd gebouw en de zaal aan de achterkant van het hotel was een populaire plek voor feesten en bals, en mensen die het helemaal niet weten konden fluisterden dat het vaak het toneel was van losbandigheid en losse zeden. Deze zaal was lang en breed, met een podium aan een uiteinde, en zou een paar dagen het theater vormen voor de rondreizende artiesten.

Ze waren nu aan de rand van de stad aangekomen en Velda voelde die vertrouwde adrenalinestoot terwijl ze daar zat met de teugels in haar handen en op het teken wachtte om aan het hoofd van de stoet de hoofdstraat in te rijden. Er waren al boodschappers vooruit gestuurd om hun komst aan te kondigen en het energieke gevoel en de nerveuze opwinding bereikten een koortsachtig hoogtepunt terwijl de paarden transpireerden en met hun hoofdtooi zwaaiden. Vlekkie danste in grote kringen in het rond en de artiesten maakten hun kostuums in orde en waren er klaar voor.

Declan keek naar haar op en wierp haar een kushand toe. Vervolgens gaf hij een rukje aan zijn jacquet en trok even aan zijn vlinderdas. Na een teken aan het adres van de muzikanten leidde hij de stoet de stad in. Trommel en doedelzak, fluit, accordeon en viool begeleidden hun langzame, majestueuze intocht. De paarden voerden het tempo op; hun grote hoeven wierpen het stof op en ze hielden hun hoofd geheven, alsof ze wisten dat er naar hen werd gekeken. De danseressen zwaaiden met hun rokken en lieten hun welgevormde benen zien, de acrobaten in hun witte maillots maakten salto's en radslagen, de jongleurs gooiden ballen en kegels en de krachtige bariton van Declan zong boven alles uit.

De bevolking van Charleville stond in rijen langs de straat en keek vol verbazing toe terwijl de kinderen naast de wagens renden en het snoepgoed probeerden te vangen dat Velda en de andere koetsiers hen toewierpen. Mannen bogen zich over de balustrades van balkons en riepen schunnige aanmoedigingen naar de zangeressen; vrouwen bewonderden de spierpartijen van de acrobaten en zwaaiden met hun zakdoekjes in de richting van Declan. De paarden die aan de reling stonden gebonden steigerden en stampten door alle lawaai en verscheidene honden renden in en uit de stoet, blaffend en grauwend vanwege alle onbekende geluiden en geuren. Vlekkie gromde met ontblote tanden terug, klaar om deze plaatselijke indringers in zijn optocht weg te jagen en ze te laten zien dat hij geen mietje was, ondanks de glitterkraag om zijn nek.

De stoet kwam in het centrum van de stad tot stilstand en Declan klom bij Velda op de wagen. Met een zwierig gebaar met zijn hoge hoed legde hij de muziek – en de menigte – het zwijgen op. 'Inwoners van Charleville,' zei hij met luide stem vanaf zijn plek op de bok. 'Het is een formidabel voorrecht onze fraaie voorstelling te vertonen tot uw vermaak en verrukking.' Hij pauzeerde even, want timing was alles in dit vak. 'Onze illustere illusionist zal zijn immense intelligentie inzetten om inzicht te incarneren in de incroyabele mystiek.'

Velda grijnsde toen ze hoorde hoe er een golf van o's en ah's door het toegestroomde publiek ging. Declan slaagde er met zijn spreekstalmeesteropvoering altijd weer in om het publiek aan zijn lippen te kluisteren. Niemand kon vermoeden hoe moeilijk het was om de juiste woorden te vinden, ze aan elkaar te rijgen en vervolgens met zo'n zelfverzekerdheid zo prachtig vloeiend te declameren.

Terwijl Declan de toeschouwers tot nieuw verrukt applaus wist te brengen, hield Velda plotseling haar adem in. De pijn was weer terug, feller nu, alsof er een klem om het onderste deel van haar buik werd aangedraaid. Haar handen waarin ze nog steeds de teugels hield, trilden en ze proefde zweet op haar bovenlip. Ze kon haar snelle polsslag voelen, ze was licht in het hoofd en ze voelde een onbedwingbare aandrang om uit de zon te gaan. Ze wilde niets liever dan gaan liggen, maar ze moest op de harde houten bok blijven zitten in de slopende hitte van een middag in de binnenlanden, want dit was de enige kans die ze hadden om de mensen ertoe aan te zetten hun geld uit te geven. Ze zat in de val: omringd door wagens en paarden en mensen. Ze keek omlaag naar de anderen die zich tussen het publiek hadden begeven en folders en ballonnen uitdeelden – het zou niet zo lang meer duren, hield ze zichzelf voor, maar o, wat leken de minuten eindeloos te duren.

Declan ging ten slotte onder donderend applaus weer zitten en pakte na een snelle, bezorgde blik op Velda de teugels en leidde de stoet naar de brede poort aan de zijkant van het Coronas Hotel. De met kinderkopjes geplaveide binnenplaats weerklonk met het geluid van wagenwielen en het getrappel van de zware paardenhoeven, maar de zon stond al laag genoeg aan de hemel, zodat die schuilging achter het hoge gebouw en daar was Velda dankbaar voor. Ze transpireerde en haar hart ging tekeer terwijl felle pijnscheuten haar naar adem deden snakken. Ze steunde op Declan die haar van de bok af hielp en haar de koelte van de zaal binnenbracht.

'Ik geloof dat ik maar beter de dokter kan waarschuwen,' mompelde hij terwijl Poppy en hij haar in een stapel kussens in een hoek installeerden.

Ze knikte. 'Ik zou me geruster voelen als je dat doet,' zei ze zachtjes. 'We willen niet het risico lopen dat we deze baby ook kwijtraken.' Ze zag hoe er een getroffen blik in zijn ogen verscheen en ze forceerde een glimlach. 'Het is waarschijnlijk loos alarm, maar we kunnen maar beter het zekere voor het onzekere nemen, vind je niet?'

Declan bleef in de buurt rondhangen, duidelijk in tweestrijd staand tussen de verplichtingen aan zijn vrouw en die aan de troep, waar al wat onenigheid aan het ontstaan was.

Poppy sloeg haar armen over elkaar en keek op haar neer. 'Je ziet er niet goed uit,' stelde ze vast. 'Je kunt maar beter een dokter laten komen, meid, voor de baby eruit floept.'

'Declan ging hem net halen,' zei Velda zo vastberaden dat haar echtgenoot met grote passen de hal verliet. 'Ga die meiden eens tot de orde roepen, Poppy. Ze lopen weer te ruziën.'

Poppy vertrok haar gezicht en haalde haar schouders op. 'Wat is daar zo bijzonder aan?' zei ze. 'Die stomme koeien hebben geen idee hoe goed getroffen ze het hebben.'

Velda moest ondanks zichzelf glimlachen. Poppy had het hart op de tong en maling aan goede manieren. 'Maar wil je eerst een kop thee voor me halen, Pops? Je bent een schat.'

Poppy grijnsde en de sproeten op haar neus maakten een dansje. 'Komt voor de bakker. Ben over een paar tellen terug.' Ze liep met grote passen en zwierende rok weg en haar hakken weerklonken op de houten vloer. Haar stem klonk boven het gekwetter van de andere zangeressen uit toen ze iemand de opdracht gaf de ketel en de primusbrander te zoeken tussen alle tassen en manden.

Velda leunde achterover in de kussens en luisterde met gesloten ogen naar het geklaag over de kleedkamers en het gezeur over de toiletten, terwijl steeds meer ruzie om ruimte werd gemaakt naarmate de dozen en manden verder werden uitgepakt. Het was een zegen om uit de zon te zijn – om te liggen en buiten die chaos te blijven.

Declan kwam terug met een ernstige uitdrukking op zijn gezicht. 'De dokter is de stad uit,' zei hij en bezorgdheid blonk in zijn ogen. 'Maar hij kan ieder moment terugkomen.' Hij nam haar hand in de zijne en bracht die naar zijn lippen. 'Het komt goed, schat, dat beloof ik.'

Haar paniek nam toe. Hoe kon hij daar zo zeker van zijn? Wat als er nu eens iets verkeerd ging? Ze voelde tranen opkomen en wilde gillen en schreeuwen en doktershulp eisen – maar ze wist dat hysterie haar deze keer niets zou helpen. Declan en zij waren hulpeloos overgeleverd aan de grillen van het lot.

'Het komt wel goed met me,' zei ze met zoveel zekerheid als ze onder de omstandigheden kon opbrengen. 'Zorg jij nou maar dat de troep op orde komt. Poppy zorgt wel voor me.'

Hij kuste haar op de wang, bleef nog een paar tellen rondhangen en ging vervolgens bij haar weg toen Poppy kwam aanzetten met een kop thee.

'Waar is de dokter?' wilde ze weten. Haar blauwe ogen werden donker van bezorgdheid.

'De stad uit,' bracht Velda uit. 'Ik geloof dat het deze keer menens is, Pops.' Ze greep Poppy's hand. 'Ren naar het hotel en vraag of hij al onderweg is en of er eventueel iemand anders beschikbaar is die kan helpen. Maar zeg nog niks tegen Declan, tot we zeker weten dat het geen loos alarm is. Ik wil niet dat hij zich zorgen maakt.'

'Als dat is wat jij wilt,' zei Poppy die er allerminst overtuigd uitzag.

Velda knikte gedecideerd. 'Dec heeft al genoeg omhanden – en je weet hoe hij is, Pops. Hij heeft geen flauw idee en zal alleen maar in paniek raken.'

Poppy schudde de kussens op en ging ervandoor. Velda nam kleine slokjes van haar thee en toen er een paar minuten waren verstreken, begon ze zich een beetje een aanstelster te voelen. De pijn was net zo plotseling gestopt als hij was begonnen en behalve dat ze zich voelde alsof ze door de mangel was gehaald, was er eerlijk gezegd niet veel met haar aan de hand. Toch, dacht ze, zou het geen kwaad kunnen om een dokter in de buurt te hebben voor het geval alles ineens halsoverkop gebeurde.

Enige tijd later kwam Poppy met een rood hoofd en zwetend terug. 'De dokter is nog steeds op pad, maar ze denken dat hij vanavond weer terug is,' zei ze buiten adem. 'Ik moest dat hele pokkeneind door de stad rennen, maar zijn vrouw is erg aardig en ze zei dat ze hem onmiddellijk zou sturen zodra hij thuiskomt.'

Velda liet het nieuws tot zich doordringen en ze realiseerde zich dat ze er weinig aan kon doen. De pijn was in ieder geval gezakt en ze bevonden zich niet ergens midden in de rimboe, zei ze tegen zichzelf. Deze keer had ze een betere kans om een baby ter wereld te brengen. Ze besloot dat ze genoeg had gelummeld en hees zichzelf overeind zonder acht te slaan op Poppy's protesten. 'Tijd om aan de slag te gaan,' zei ze dapper. 'Ik kan niet zo maar wat rondhangen terwijl er nog zo veel te doen is en ik moet eens wat anders aan m'n hoofd hebben.'

Declan die de toneelgordijnen had opgehangen, kwam terug. 'Jij blijft hier,' zei hij gedecideerd. 'Het enige dat jij moet doen is voor jezelf en voor de baby zorgen.'

Velda protesteerde, maar haar argumenten klonken niet overtuigend en toen Declan weigerde te luisteren, liet ze zich dankbaar weer in haar stapel kussens zakken. En toch, hoewel ze zich vertroeteld en tevreden voelde, keek ze met toenemende frustratie toe hoe de rest bezig was met de gebruikelijke voorbereidingen voor de voorstelling. Ze zou eigenlijk moeten helpen met de rekwisieten en de manden vol kostuums – had eigenlijk de gordijnen moeten ophangen en het toneel moeten vegen – en in plaats daarvan lag ze zich hier zo dik en sloom te voelen als een volgevreten kat.

Ten slotte was de zaal in gereedheid. De pluchen stoelen van het hotel waren in keurige rijen gezet en de rode, fluwelen gordijnen die ze in een kast ergens achter hadden gevonden staken grandioos af tegen de maagdelijk witte verf van de zaal. Het voetlicht was een wonder van moderne techniek. De lichten zaten al op hun plek en waren verbonden met de stroomvoorziening van het hotel die werd geleverd door een enorme generator die achter stond. Dit was zo veel verfijnder dan die oude gaslampen waar ze aan gewend waren.

Nu alles klaar was, richtten Declan en twee andere mannen hun aandacht op zijn speciale spreekgestoelte. Dat was een oude kansel die tevoorschijn was gekomen bij de restauratie van een plattelandskerkje en die ze – letterlijk – voor bijna niets op de kop hadden getikt, want Declan had een solo-optreden gegeven en zijn favoriete aria's gezongen voor het groepje opgetogen dames die de financiën van de kerk beheerden. Ze waren zo verrukt dat ze hem de kansel maar al te graag in ruil voor zijn optreden gaven.

Dit bouwsel was gevoerd met kapok dat was bekleed met dieprood fluweel. Het fluweel was op zijn beurt versierd met goudkleurig koord met grote kwasten aan de uiteinden. Wanneer het eenmaal op zijn plek aan de zijkant van het podium was gehesen, kondigde Declan van daar af de nummers aan en vermaakte het publiek – zijn voorzittershamer in de aanslag – met zijn ingewikkelde teksten die foutloos van zijn lippen rolden.

Velda werd steeds ongeruster omdat ze niets meer hoorde over de komst van de dokter. Maar er was niets dat ze daaraan kon doen en toen ze eindelijk van haar stapel kussens mocht komen en een comfortabel plekje in een oude rieten stoel achter de coulissen kreeg, hield ze zich bezig met het bemiddelen in kleine ruzies, veters helpen strikken en, samen met haar vriendin Poppy, het bewaren van de vrede in het algemeen.

De avond viel snel in de outback en terwijl lichten werden ontstoken nam de opwinding toe en begon het publiek binnen te druppelen. Het orkest was klein maar bedreven, en dankzij de gezamenlijke inspanning van de accordeon, de trommel, piano en viool, hadden ze de toehoorders al snel zo ver dat ze op de maat van hun favoriete liedjes meeklapten.

Velda had in de kleedkamer zo goed mogelijk geholpen – het was erg krap met zo veel mensen die zich ellebogend een weg baanden – en had kapotte waaiers gerepareerd, ladderende kousen gemaakt, ruzies onder de meisjes gesust en geprobeerd iets wat op orde leek te bewaren. Nu was ze moe en de pijn was teruggekeerd in nietsontziende golven die haar bijna deden bezwijken. Maar ze wist dat ze door moest gaan en niemand mocht laten merken hoe erg het was – de voorstelling moest doorgaan en de artiesten mochten niet worden afgeleid. Wanneer het echt te erg werd, kon ze tijdens de voorstelling altijd nog wegglippen naar het hotel om daar hulp te vragen, want Poppy had haar verzekerd dat de dokter onderweg was.

Het opgewonden geroezemoes nam toe toen de lichten werden gedimd en het doek opging en Poppy en vijf andere danseresjes zichtbaar werden die hun benen hoog in de lucht gooiden. De rest van de troep stond te wachten in de coulissen. De voorstelling was begonnen.

Velda was eindelijk alleen in de kleedkamer en ze luisterde naar de muziek en het geluid dat de voeten van de dansers maakten op het houten podium. Ze rook het stof van de zaal, de doordringende geur van kamfer en schmink en het parfum van de vrouwen in het publiek. Haar verscherpte zintuigen pikten een valse noot van de violist op, een zangeresje dat twee maten te laat inviel en het geluid van de ventilator aan het plafond die met weinig resultaat de lucht in beweging hield.

De stem van Declan deed de daksparren trillen terwijl hij de monoloog van de Schotse sketch hield en Velda liet zich naar adem snakkend van de pijn achterovervallen in de rieten stoel. Het was een klem die haar steeds steviger in zijn greep hield en die haar de adem benam, waardoor ze in een leegte verdween waarin geen geluid kon worden gehoord, niets was te zien of te voelen, behalve de essentie van pijn. Haar angst was groot en niet-aflatend. Ze had eerder al naar het hotel moeten gaan en om hulp vragen – ze had acht moeten slaan op de waarschuwingen die haar lichaam gaf en niet haar ongeboren kind in gevaar moeten brengen omwille van een voorstelling. Ze probeerde te roepen, maar het publiek lachte en applaudisseerde en haar stem ging verloren. Terwijl ze puffend en oppervlakkig ademhaalde worstelde ze zich overeind en schuifelde de benauwde kamer uit naar de nauwe gang die naar de coulissen leidde. Als ze iemands aandacht kon trekken zou het allemaal wel goed komen, hield ze zichzelf voor. En als dat niet lukte, dan moest ze het in haar eentje zien te redden en hopen dat ze op tijd in het hotel zou zijn.

'Stommeling,' hijgde ze. 'Wat ben je toch een stommeling om niet eerder hulp te zoeken.'

De meisjes kwamen het toneel afgerend en liepen haar bijna omver. 'Velda?' Poppy greep haar bij een arm en zag nog net kans haar overeind te houden.

'Het is begonnen,' siste Velda. 'Ga hulp halen, snel.'

Poppy nam onmiddellijk de leiding, zoals ze altijd deed op momenten van crisis. Ze was een verstandig meisje met heel weinig talent, maar een oogverblindende schoonheid, een prachtig figuur en een goed karakter. Ze keek de andere vijf meisjes doordringend aan en begon bevelen te fluisteren. Een van hen rende de duisternis in in de richting van het hotel en de anderen hielpen Velda terug de kleedkamer in. Ze maakten een provisorisch bed op de vloer van oude gordijnen, kussens en achterovergedrukte lakens die Poppy in haar kledingmand bewaarde.

Velda wist dat Poppy de verzamelwoede van een ekster had en ze was op zo'n punt aanbeland dat het haar niet meer kon schelen waar de lakens vandaan kwamen. De pijn was nu dieper en kwam in golven. Haar vliezen waren gebroken en ze wist dat de geboorte nu snel zou beginnen. Terwijl ze zwetend de weeën onderging en zich afvroeg waar de dokter bleef, kon ze horen hoe Declan Max en zijn hondje aankondigde. Het geluid van zijn stem kalmeerde haar een beetje en ze deed haar uiterste best om haar kreten te onderdrukken, zodat ze zijn voorstelling niet zou bederven. Ze kon dit aan, zei ze tegen zichzelf. Ze had hem hier niet bij nodig.

'Waar is de dokter?' hijgde ze en ze kneep in Poppy's hand.

'Nog steeds buiten de stad,' antwoordde Poppy en haar anders zo vrolijke gezicht stond ernstig van bezorgdheid. 'Het is maar goed dat ik m'n moeder met al haar koters heb geholpen, ik weet wat ik moet doen. Kom op, Velda. Zeg het maar wanneer je klaar bent voor de grote klap en dan zetten we dit kleine wurm in een oogwenk op de wereld.'

Velda raapte haar laatste beetje energie bij elkaar en na één grote perswee voelde ze hoe het kind uit haar gleed. Terwijl ze terugviel in de kussens van haar provisorische bed, hield maar één gedachte haar bezig. 'Ademt het?' vroeg ze, terwijl Poppy de navelstreng doorsneed en de baby snel in een handdoek wikkelde.

Alsof het haar had gehoord liet het kind een gezonde kreet horen, zwaaide met de vuistjes in de lucht en schopte met de kleine, dikke beentjes als protest omdat het zo ruw gestoord was. Het protest verstomde niet toen Poppy baby en moeder waste en alles schoonmaakte en opruimde.

Velda's tranen biggelden heet over haar wangen terwijl ze haar armen uitstak naar haar kind. De pijn en de angst waren vergeten toen ze het wriemelende en protesterende schepseltje in haar armen hield en er naar keek, terwijl haar hart zwol van een emotie die ze met geen mogelijkheid had kunnen beschrijven.

Het gebonk van voetstappen in de gang kondigde Declans komst aan. 'Ik hoorde een baby huilen,' zei hij, terwijl hij zich op zijn knieën liet vallen en zijn vrouw en kind in zijn armen nam. 'Mijn liefste, liefste meisje. Waarom heb je niets gezegd?'

'En de voorstelling verpesten?' Ze grijnsde. 'Nooit van m'n leven – we hebben een traditie hoog te houden, weet je nog?'

Declan nam de baby voorzichtig van haar over en wiegde haar in zijn armen. 'Dan moet ook volledig aan de traditie worden voldaan,' zei hij, en de tranen blonken in zijn ogen en biggelden over zijn knappe gezicht.

Velda wist wat hij van plan was en worstelde om overeind te komen. Ze wuifde de protesten van de meisjes weg, nam zijn arm en steunde op hem terwijl ze de coulissen instapten. Ze knikte hem bemoedigend toe, leunde zwaar tegen de stevige oude muren van de zaal en keek toe hoe Declan met grote passen het toneel op liep. Er is geen twijfel mogelijk, dacht ze, ik hoor bij deze man – en nu zijn we compleet.

'Hooggeëerd publiek,' zei Declan met luide stem terwijl hij voor het voetlicht stond en de stevig ingepakte baby omhooghield voor de toeschouwers. 'Ik presenteer u Catriona Summers. De nieuwe ster van Summers' Revue.'

2

'Kitty, schiet je op, meid? We moeten weg.'

Catriona schrok op uit haar dagdroom en keek met knipperende ogen op naar haar moeder. Ze was zo opgegaan in de schoonheid van haar omgeving dat ze al het andere was vergeten. 'Moeten we gaan, mam?' vroeg ze. 'Ik vind het hier fijn.'

Velda Summers knuffelde haar even, waarbij ze haar slanke armen om haar heen sloeg en haar omhulde met de geur van haar bloemenparfum. 'Ik weet het, *acushla*, maar we moeten verder.' Ze deed een stap achteruit en hield Catriona op armlengte terwijl ze glimlachte. 'We komen wel weer een keer deze kant op, Kitty. Maar je weet hoe het gaat.'

Catriona zuchtte. Ze was geboren in de stoffige kleedkamer van een plattelandszaaltje tijdens een van hun voorstellingen. Haar wieg was een kostuummand geweest, haar huis een fel geschilderde wagen en ze had haar hele leven – de volle tien jaren – doorgebracht langs de zandwegen die kriskras door de outback van Australië liepen.

Een nieuwe stad betekende een nieuwe show – een voortdurende reeks van reizen over de zandwegen, repetities en kostuums passen – en door de stadsmensen als buitenstaander, zigeuner beschouwd worden. Haar vrienden waren de mannen en vrouwen van de troep – haar opleiding was in handen van haar vader, die haar vellen en vellen tekst van Shakespeare liet leren en van haar verwachtte dat ze die op het toneel zou declameren zodra ze oud genoeg was om te beseffen hoe belangrijk het was om voor publiek te spelen.

Ze was geboren met de geur van schmink en zweet in haar neus en van meet af aan had ze een reizend leven geleid, maar zo nu en dan verlangde ze naar rust, naar stilte en de kans om eens, zonder het alomtegenwoordige lawaai van danseressen en artiesten, langer dan een paar dagen op één plek te blijven. De gedachte aan een school en vrienden en vriendinnen van haar eigen leeftijd was aanlokkelijk, maar ze wist dat het een droom zou blijven, want, zoals haar ouders haar vaak genoeg hadden verteld, mensen zoals zij waren niet voorbestemd om een doorsnee leven te leiden – ze was een ster van het toneel, en onderscheidde zich dientengevolge van gewone stervelingen.

Catriona keek in de violette ogen met de dikke zwarte wimpers en wilde dat ze haar moeder deelgenoot kon maken van haar gedachten. Maar ze wist dat als ze dat deed, Velda ze zou afdoen als kinderlijke dagdromen, als het verlangen naar iets dat nog nooit ervaren was en alleen maar een teleurstelling zou zijn als het eenmaal geprobeerd werd. 'Wanneer komen we terug?' drong ze aan.

Velda haalde haar elegante schouders op. 'Gauw,' mompelde ze, haar gedachten duidelijk ergens anders. Ze stak haar hand uit naar Catriona. 'Kom op. Straks rijden de wagens zonder ons weg.'

Catriona deed een stap opzij en negeerde de uitgestoken hand. Ze wilde nog een keer naar de boerderij kijken die in de grote vallei onder haar genesteld lag. De boerderij lag in de beschutting van groepjes gombomen en werd omringd door een reeks bijgebouwen. Hij zag er gezellig en gastvrij uit – leek een thuis.

De Great Dividing Range was een paarse vlek aan de horizon; het was onbewolkt en van waar zij stond op de uitstekende rotspunt en over de vallei uitkeek, hoorde ze het geluid van stromend water bij de watervallen een stukje verderop. Paarden en runderen aten van het lange, gele gras onder haar en de witte hekken schitterden in het zonlicht. Er kwam rook uit de schoorsteen en wasgoed wapperde in de warme bries. Ze haalde diep adem en vocht tegen de tranen die haar blik plotseling vertroebelden en zwoer dat ze op een dag terug zou keren om nooit meer weg te gaan.

Ze draaide zich met tegenzin om en volgde haar moeder over de rotsblokken en door het struikgewas naar de open plek waar ze de vorige avond hun kamp hadden opgeslagen. Ze slikte haar tranen en teleurstelling weg en hielp haar moeder met het inladen van de wagen.

Declan Summers had Jupiter, het prachtige trekpaard, al ingespannen en was, terwijl zijn zwarte lokken in zijn ogen vielen, bezig de dikke leren riemen vaster aan te trekken. 'Kitty, mijn schatje,' bulderde hij. 'Ik dacht dat je ons in de steek had gelaten.'

Ze glimlachte terwijl ze de laatste van de manden achter in de wagen hees. 'Nog niet, pap,' antwoordde ze.

Hij stak met grote passen de open plek over, sloeg een arm om haar schouder, drukte haar stevig tegen zich aan en gaf haar een kus boven op haar hoofd. 'Ik ben blij dat die dag nog in het verre verschiet ligt,' zei hij plechtig. 'Wat zou ik moeten beginnen zonder mijn beste meid?'

Catriona grinnikte terwijl ze haar gezicht in zijn overhemd verborg en haar vaders lekkere geur inademde. Een uitgesproken geur van zeep, tabaksrook en haarolie – ze belichaamden de man die ze aanbad en hoewel het haar ouders verdriet deed, was ze op dit moment blij dat ze niet meer kinderen hadden gekregen.

Declan liet haar eindelijk los en draaide zich om naar de overige leden van het gezelschap. Hij stapte naar het midden van het kamp. '"Laat ons dan, aan de slag,"' declameerde hij uit volle borst. '"Voorbereid op ieder lot; Altijd slagen, altijd streven."'

Catriona kende haar vaders favoriete citaat van Longfellow* maar al te goed. Hij zei het elke keer dat ze op weg gingen naar een nieuwe stad. Toch kreeg ze altijd koude rillingen van opwinding wanneer hij die woorden uitsprak, want het versterkte op de een of andere manier het avontuur van hun levens en het nam voor even het verlangen weg om hier te blijven.

Er waren nu nog maar vier wagens en Catriona zat tussen haar ouders in op de bok van de voorste wagen, terwijl de stoet langzaam het kamp verliet. De troep was haar familie – een steeds veranderende, maar uitdunnende familie van mannen en vrouwen die haar ouders' passie voor alles wat met theater te maken had deelden. Er waren jongleurs en muzikanten, zangers, dansers, vuurvreters en acrobaten – en elk van hen was bereid meerdere rollen te vervullen in ruil voor de kans om te schitteren met hun bijzondere talenten.

Catriona maakte het zich gemakkelijk voor de reis en ze was vervuld van trots op haar familie. Pa kon zingen en voordragen en het publiek helemaal gek maken met zijn ingewikkelde en slimme aankondigingen van de verschillende nummers. Mam was sopraan, de echte ster van de show, en de enige die niet hoefde mee te zingen in het koor of de goochelaar moest assisteren.

* Uit het gedicht *Psalm of Life* van Longfellow, vert. J.L.L. ten Kate

Catriona had al vroeg geleerd dat er van haar werd verwacht dat zij haar deel voor haar rekening nam wanneer het aankwam op het vermaken van het publiek en hoewel ze soms misselijk werd bij de gedachte dat ze het toneel op moest, had ze de dansen ingestudeerd die Poppy haar had geleerd en kon inmiddels, na heel veel oefenen, een redelijke melodietje uit de oude piano krijgen die achter op de laatste wagen was gebonden. Maar wat ze het liefste deed was meezingen met de langspeelplaten die ze op de oude, zware koffergrammofoon draaide. De meeste liedjes kwamen uit opera's en waren in een vreemde taal, maar mam had haar verteld waar de opera's over gingen, zodat ze de hartstocht achter de liedjes begreep. Het was haar grote ambitie om in haar moeders voetsporen te treden en als sopraan de hoofdrol te spelen.

Catriona's gedachten dwaalden af en ze geeuwde terwijl de wagen hen schuddend en schokkend verder de outback in voerde. Ze had de nacht ervoor niet veel geslapen, omdat ze uit haar slaap was gehouden door de verhitte discussie over de vraag of ze hun paard-en-wagens niet moesten verruilen voor vrachtwagens. Het was 1931 en hoewel het leven moeilijker was dan ooit tevoren vanwege de crisis, begonnen ze achter te lopen. Volgens haar vader liepen ze het gevaar verward te worden met circusvolk – en dat was vermaak van een heel ander niveau.

De discussie had tot diep in de nacht rond het kampvuur gewoed en Catriona, opgerold in haar dekens achter in de wagen, zag de logica van beide standpunten. Met een vrachtwagen konden ze sneller reizen, maar hij zou duurder zijn in onderhoud dan de paarden. De ouderwetse manier om dingen te doen had een zekere charme, maar de ongemakken die ze nu het hoofd moesten bieden, zouden niet verdwijnen, want ze zouden zich nog steeds niet meer dan een tent kunnen veroorloven om in te slapen.

Er bleven maar weinig dingen geheim in zo'n kleine gemeenschap en Catriona wist dat de inkomsten terugliepen, de nummers een beetje belegen raakten en het gezelschap naarmate de tijd verstreek het gevaar liep nog verder uit te dunnen omdat weer iemand zijn biezen pakte om zijn geluk elders te beproeven. Het werd steeds moeilijker om zelfs de kleinste zaal vol te krijgen, want de mensen hadden gewoon geen geld om aan ontspanning te besteden. De crisis had heel wat op haar geweten.

Het schokken van de wagen bracht haar terug in het heden en Catriona keek even over haar schouder in de hoop nog een laatste glimp op te vangen van die sprookjesachtige vallei. Maar die was al uit het zicht, verborgen achter de bomen en de rotsige helling, en ze had nu alleen nog maar de heldere beelden in haar hoofd om de droom dat ze daar ooit zou terugkeren levend te houden.

De volgende middag bereikten ze de buitenwijken van Lightning Ridge en sloegen op een open plek hun kamp op. Er was hier geen theater, dus de voorstelling van de volgende dag zou in de openlucht worden gegeven. Hun verwachtingen waren niet erg hooggespannen, want ze hadden onderweg gehoord dat de opaalzoekers een arm stelletje vormden en – net als iedereen – de terugslag voelden.

Lightning Ridge was een geïsoleerde gemeenschap van provisorische onderkomens die waren gemaakt van tentdoek, oude kerosineblikken en al het overige materiaal dat maar voorhanden was. Er stonden muildieren en paarden en een merkwaardige verzameling karren en wagens bij elke diepe mijnschacht. De grond was bezaaid met heuvels van waardeloos gesteente en het geknars en gepiep van roestige wielen en katrollen weerklonken terwijl ze puin en kiezelaarde naar boven haalden. Dit was een mannenwereld, een wereld vol hoop en uiteengespatte dromen – een wereld vol achterdochtige blikken en norse gezichten die toekeken hoe de troep neerstreek bij de bomen op enige afstand van het gebied waar de schachten waren.

Catriona hielp met de paarden voor ze de kostuums ging uitpakken en het jongste dans- en zangnummer ging repeteren dat Poppy voor haar had bedacht. Het was maar een rare plek, dit Lightning Ridge, dacht ze terwijl ze de bekende passen maakten en zich probeerde te concentreren. Het rook hier ook vreemd, maar pap had gezegd dat dat kwam door de zwavelplassen die zo geheimzinnig groen tussen de rotsen lagen. Er waren hier geen rivieren, geen poelen of kreken – alleen maar struikgewas en kale rotsen waar in de barsten en spleten plukjes gras zich aan het leven vastklampten. Maar toch, als Catriona over Poppy's schouder naar de vallei keek, zag ze kilometers grasland waar wilde bloemen voor felle kleuren zorgden tegen de zachtgroene achtergrond van groepjes bomen en het dieprood van de aarde.

'Kitty, hou je hoofd eens bij je voeten,' zei Poppy boos. 'Dit is nou al de derde keer dat je de verkeerde passen maakt.'

Catriona was het repeteren meer dan beu. Ze kende de passen en zou ze keurig uitvoeren wanneer de show eenmaal was begonnen. Op dit moment wilde ze alleen maar vrij zijn – ze wilde over de rotsen rennen en de zwavelplassen aan een onderzoek onderwerpen. Ze sloeg haar armen over elkaar en trok een pruillip. 'Ik ben het zat,' zei ze.

Poppy streek haar haar achter haar oren. De uitbundige pluk geblondeerd haar was kortgeleden omgetoverd tot een modieuze korte krullenbol met een gepermanent randje dat in haar blauwe ogen viel. 'Ik denk dat het hoe dan ook niet veel zal uitmaken,' verzuchtte ze. 'Het is hier nou niet bepaald de Windmill.'

Catriona was dol op verhalen over de Londense theaters en ze wist hoe makkelijk het was om Poppy van haar onderwerp af te brengen. 'Heb je daar ooit gedanst?' vroeg ze, en ze hield niet langer de schijn op dat ze nog aan het repeteren was. Ze ging op een rotsblok in de buurt zitten en trok een gezicht vanwege de leersmaak toen ze uit de waterzak dronk.

Poppy grinnikte en veegde het zweet van haar gezicht. 'Natuurlijk,' antwoordde ze terwijl ze naast Catriona ging zitten en een slok uit de waterzak nam. 'Eén keertje maar. De manager kwam erachter dat ik gelogen had over mijn leeftijd.' Haar grijns werd breder. 'Ik was ook toen al een groot meisje, als je begrijpt wat ik bedoel.' Ze nam haar stevige boezem in beide handen en schudde even. 'Maar iemand verklapte aan de manager dat ik nog maar vijftien was en hij stuurde me de laan uit.' Ze trok een gezicht. 'Ze hadden regels, snap je, en ik had op school moeten zitten in plaats van in m'n onderbroek lopen paraderen voor een stelletje kerels.'

Catriona's ogen werden groot. 'In je onderbroek?' zei ze ademloos. 'Bedoel je dat je helemaal geen kleren aanhad?'

Poppy gooide haar hoofd in haar nek en lachte luidkeels. 'Dat klopt, schatje. Zo naakt als een pasgeboren baby – nou ja, het bovenste stuk dan. Er zaten maar een paar veren en sterren tussen mij en een flinke longontsteking. Je hebt geen idee hoe koud het in die kleedkamers was en op het podium tochtte het als de ziekte – het floot gewoon om je...' Het leek tot haar door te dringen hoe jong haar toehoorder was en deed er het zwijgen toe. 'Het was een mooie tijd,' mompelde ze ten slotte.

Catriona probeerde zich Poppy voor te stellen in veren en ondergoed, heen en weer paraderend op een groot toneel. Ze beet op haar lip in een poging het gegiechel te onderdrukken dat ze voelde opkomen – dit was ongetwijfeld weer een van haar sterke verhalen. 'Maar toch heb je er geen spijt van dat je hierheen bent gekomen, of wel?'

'Ik ben tweeëndertig jaar, schat. Natuurlijk zijn er dingen waar ik spijt van heb en deze rotplek is gewoon te groot en te leeg voor een meisje als ik.' Ze keek om zich heen voor ze haar blik weer op Catriona richtte en zuchtte. 'Ik denk dat het binnenkort tijd voor me wordt om weer naar de stad te gaan. Ik word een beetje te oud voor dit gedoe.' Ze maakte een gebaar met een slanke arm dat hun hele geïsoleerde omgeving leek te omvatten. 'Ik zal de wereld nooit versteld doen staan. En als ik niet uitkijk, ben ik straks te oud om nog een man en baby's te krijgen.'

Catriona voelde een brok in haar keel. Poppy maakte deel uit van haar leven – had geholpen haar ter wereld te brengen en was haar beste vriendin geworden. Ze was als een tweede moeder voor haar en ze kon de gedachte dat ze weg zou gaan niet verdragen. 'Je gaat toch niet echt weg, Poppy?' Haar stem klonk smekend en vormde een afspiegeling van wat ze voelde.

De blauwe ogen stonden afwezig terwijl ze over de kilometers leeg land uitkeken. 'We moeten allemaal moeilijke beslissingen nemen, schat, en hier zal ik mijn prins op het witte paard nooit vinden.' Toen sloeg Poppy haar arm om Catriona en drukte haar tegen zich aan. 'Maak je geen zorgen, liefje,' zei ze, en haar Cockneyaccent had in al die jaren Australië nog niets van zijn kracht verloren. 'Ik ga er heus niet vandoor zonder jou eerst te waarschuwen.'

Catriona nestelde zich in de warme omhelzing. Poppy was zo lief en ze kon zich een leven zonder haar niet voorstellen. 'Ik wil niet dat je weggaat,' zei ze zachtjes. 'Ik laat je gewoon niet gaan.'

Poppy hield haar van zich af en keek haar diep in haar ogen. 'Ik heb behoefte aan méér dan dit, Kitty,' zei ze zachtjes. 'Ik wil een thuis, een man en baby's.' Ze lachte schel. 'En die vind ik niet door een beetje in een stomme wagen aan het einde van de wereld rond te scharrelen.'

Catriona huiverde. Poppy klonk alsof ze echt van plan was te vertrekken. 'Maar waar ga je dan heen? Wat moet je zonder ons?'

Poppy ging staan en streek met haar handen haar katoenen jurk glad die maar net over haar knieën viel. 'Ik red me wel,' zei ze met een zucht. 'Ik rooi het al sinds ik zo oud was als jij – dus maak je over mij maar geen zorgen.' Ze stak haar hand uit en trok Catriona overeind. 'Tijd om nog even te repeteren voor je pa terugkomt, anders krijgen we op ons donder omdat we tijd aan het verlummelen zijn. Kom op.'

Catriona zag in de manier waarop Poppy liep een nieuwe doelgerichtheid. Een nieuwe vastberadenheid in haar manier van doen terwijl ze het nummer afwerkten en naarmate de dag vorderde begon ze in te zien dat Poppy de kans moest krijgen om te kiezen hoe ze haar leven wilde inrichten. Dat ze wilde dat ze bleef was egoïstisch, besefte ze nu. Maar toch was het moeilijk om haar ergens anders voor te stellen – moeilijk om zich er bij neer te leggen dat haar familie in hoog tempo uiteenviel.

Declan kwam terug uit het mijnwerkerskamp waar hij folders had uitgedeeld. Hij werd vergezeld door een vreemdeling. Dat was een lange, blonde man met een hoge hoed en een wandelstok met zilveren knop en de vreemdeling glimlachte vriendelijk terwijl hij werd voorgesteld.

'Dit is Francis Kane,' legde Declan uit. 'Hij zal ons laten zien waar we zoet water kunnen vinden.'

'Goedemiddag, medereizigers.' Hij nam met een zwierige zwaai zijn hoed af voor hij zich tot Velda wendde. 'Francis Albert Kane, tot uw dienst, mevrouw.' De vreemdeling boog zich met een diepe buiging over haar hand en kuste de lucht boven haar vingers.

'Kane is toneelspeler,' legde Declan uit aan de verbijsterde toeschouwers.

'Helaas, beste kerel. Ik ben in deze verre van gezonde omgeving ten prooi gevallen aan de opaalkoorts en mijn carrière is in het slop geraakt.' Hij zette de fraaie hoge hoed weer op zijn blonde haren. 'Wat verlang ik ernaar om weer op de planken te staan.'

'Als je geen bezwaar hebt tegen hard werk, eenvoudig eten en weinig loon, dan ben je van harte welkom om je bij ons te voegen,' bood Declan aan.

'Beste kerel.' Kane legde beide handen lang genoeg op zijn hartstreek om er verzekerd van te zijn dat hij de volle aandacht van de kring acteurs had. 'Ik voel me vereerd.'

Catriona keek naar hem. Niet alleen waren zijn manieren bloemrijk en overenthousiast, hij sprak ook met een accent dat ze nooit eerder had gehoord. Het was alsof hij probeerde te praten met een hete aardappel in zijn mond.

Poppy moest haar gedachten hebben gelezen, want ze boog zich voorover en fluisterde achter haar hand: 'Hij is een Engelsman. En een chique ook, als ik me niet vergis.'

'Hij is grappig,' giechelde Catriona.

Poppy keek naar de nieuwkomer en haar gezicht stond bedenkelijk. 'Ergens klopt er iets niet. Wat moet een knaap als hij in een plaats als deze?' Ze schudde haar hoofd. 'Volgens mij moeten we hem in de gaten houden, en dat meen ik.'

Catriona haalde haar schouders op. Poppy was altijd achterdochtig wanneer nieuwe mensen bij het gezelschap kwamen en de manier waarop deze man iedereen aan het lachen maakte beviel haar wel. 'Als pa hem mag, dan is dat voor mij goed genoeg.'

Poppy haalde haar schouders op. 'Hij klinkt dan misschien als een acteur, maar ik ken niemand die zich zo kleedt als hij – en zeker hier niet.'

Catriona trok een gezicht. Dit gesprek begon haar vervelen. 'Het is aan pa. Ik ga een stukje wandelen,' zei ze zachtjes. 'Tot straks.'

Ze klauterde de steile helling naar de vallei af en ging op zoek naar bessen in de wirwar van struiken die onder de ranke bomen groeiden. Ze keek ademloos hoe felgekleurde vogels kwetterden en zwenkten en elkaar verdrongen om een plekje op de overhangende takken. Ze deden haar aan Poppy en de meisjes van het koor denken die samen een wagen deelden, want zij droegen ook felgekleurde veren, zelfs wanneer ze niet op toneel stonden, en ook zij hielden nooit op met kwetteren en klagen.

Ze nam de bessen mee terug naar het kamp en hielp een handje bij het bereiden van de laatste groenten voor ze de bessen in de grote pot boven het kampvuur kieperde waarin een stoofpot van geitenvlees pruttelde.

Samen met het zuurdesembrood en de aardappelen die in de as lagen te bakken zou dat vanavond een heerlijke maal worden. In dit gebied wemelde het van de wilde geiten en de vaudevilleartiest had er drie gevangen. De andere twee waren gevild en gezouten en hingen nu achter in zijn wagen.

Pa was nog steeds weg met meneer Kane en ma had zich ergens genesteld om wat verstelwerk te doen nu er nog voldoende licht was. De paarden waren gekluisterd en graasden van het armetierige gras onder het groepje trieste bomen. Het was ongewoon rustig in het kamp nu de meeste bewoners bezig waren zich voor te bereiden op de voorstelling van de volgende dag. Zelfs Poppy en de meisjes waren bezig hun kostuums uit te zoeken en hun stemmen klonken eindelijk eens gedempt nu een zekere wanhoop hen allemaal in zijn greep leek te hebben.

Catriona was enig kind en opgegroeid te midden van volwassenen die met haar omgingen zoals ze met elkaar omgingen – toch voelde ze maar zelden de behoefte aan het gezelschap van andere kinderen. Ze was een snelle leerling, een gretige lezer en dagdromer. Poppy was haar beste vriendin, ook al was zij net zo oud als haar moeder en ze had van haar veel over het leven geleerd tijdens lange, op fluistertoon gevoerde gesprekken achter in de wagen. Sommige dingen waren tamelijk verrassend, andere ronduit schokkend, maar het werd allemaal op zo'n humoristische manier verteld dat Catriona alleen maar kon lachen en vermoedde dat het allemaal sterke verhalen waren. Maar het liefst van al was ze alleen en toen ze zag dat iedereen bezig was, besloot ze een deken en haar boek te pakken en weg te glippen op zoek naar een beschut, afgezonderd plekje waar ze lekker kon lezen.

Ze ging het kamp uit en vond een rustig stekje onder een breed uitwaaierende boom buiten het zicht van iedereen. Ze kleedde zich uit tot op haar onderbroek, deed haar schoenen en sokken uit en ging op de deken liggen en keek hoe het zonlicht schaduwen toverde op haar borst en buik. Een briesje ademde door haar schuilplaats waardoor het er aangenaam koel werd na de hitte van de lange dag en ze rekte zich vol genoegen geeuwend uit. Nu begreep ze hoe katten zich voelden wanneer ze het naar hun zin hadden.

Haar fantasie ging aan het werk. Als dit water was geweest, dan zou ze een zeemeermin zijn, met een lange zilveren staart die ze zou gebruiken om door de donkere, groene diepten van de oceaan te zweven. Ze had de oceaan nog nooit gezien, behalve in sprookjesboeken, maar pap had haar verteld hoe die eruitzag en ze kon zich voorstellen hoe het moest zijn.

Ze voelde dat ze niet langer alleen was en schrok op uit haar dagdroom.

Vlak bij haar op de oever tekende zich het silhouet van een man af. De zon stond achter hem, waardoor zijn gezicht in de schaduw verborgen bleef. Het was een haar onbekende gestalte en er ging een rilling door haar heen.

Catriona kwam instinctief overeind en sloeg haar armen om haar knieën. 'Wie bent u?' vroeg ze terwijl ze haar ogen dichtkneep tegen de zon. 'En wat doet u hier?'

'De naam is Francis Albert Kane.' Zijn woorden gingen in elkaar over op die ronde, rollende manier die ze in het kamp had gehoord. 'Acteur en voordrachtskunstenaar aan het Engelse toneel, om u te dienen, *mademoiselle.*' Hij maakte een lichte buiging en zijn hoge hoed maakte dezelfde zwierige zwaai die ze eerder had gezien.

Ondanks zijn vriendelijke houding voelde ze zich niet op haar gemak. De jaren van aan- en uitkleden in de aanwezigheid van anderen hadden een einde gemaakt aan alle verlegenheid, maar ze was zich de laatste tijd bewust geworden van veranderingen die in haar lichaam plaatsvonden – en haar naaktheid in aanwezigheid van die vreemdeling maakte haar aan het blozen. 'Draai u om terwijl ik me aankleed,' commandeerde ze.

Hij pakte de katoenen jurk en gaf die aan haar alvorens zich om te draaien en zijn aandacht op het uitzicht te richten. 'Haast u, nimf, en breng met u scherts en jeugdige vrolijkheid.'

Catriona keek naar zijn rug terwijl ze vlug de jurk over haar hoofd liet glijden. Hij was lang, net als haar vader en ongeveer van dezelfde leeftijd, dacht ze. Maar, afgezien van de overduidelijke behoefte om geen gelegenheid voorbij te laten gaan om uit gedichten te citeren en de theatrale manier van uitdrukken, hield daar de gelijkenis op. Ze ging naast hem staan en keek naar hem op. Hij had blond haar en blauwe ogen, een keurige snor en sik, en terwijl Catriona naar hem keek, besefte ze dat zijn pak er nieuw uitzag en zijn schoenen gepoetst waren. Poppy had gelijk. Dat was vreemde kledij voor een mijnwerker, ook al was hij dan acteur in ruste.

Hij bekeek haar op zijn beurt onderzoekend en zijn gezichtsuitdrukking gaf niets prijs van wat hij dacht. 'Adieu, goede vriendin, adieu. Ik kan niet langer bij u blijven. Ik hang mijn harp aan gindse wilg en hoop dat de wereld u goed zal behandelen.'

Ze keek hem na terwijl hij wegliep, schouders naar achteren, rug recht, en de wandelstok elegant zwaaiend aan een hand die weinig zwaar werk had hoeven doen. Hij was mysterieus – op een intrigerende manier – maar het zou niet verstandig zijn om hem te vertrouwen, want er was inderdaad iets aan Francis Albert Kane dat niet helemaal klopte.

Alles was in gereedheid gebracht voor de voorstelling van de volgende dag en het kamp had zich klaargemaakt voor de nacht. De wagen was lang en tamelijk smal en het bed dat elke avond werd neergeklapt, nam het grootste deel van de ruimte voor in de wagen in beslag. Catriona sliep aan de andere kant op een matras, omringd door manden vol kostuums en dozen. Onder de wagen was een ruime bergplaats waar rekwisieten en kookbenodigdheden waren opgeborgen en boven hen, in linnen zakken die aan het houten dak hingen, werden de pruiken en maskers bewaard. Die waren te kostbaar om ergens weg te proppen.

Velda kroop dicht tegen Declan aan; het was koud 's nachts hier in de hooggelegen rotsen van ijzersteen, en ze was dankbaar voor zijn warmte onder de dekens. Toch kon ze niet slapen, hoe moe ze ook was. In haar hoofd maalde het vanwege de zorgen die ze zich maakte over hun toekomst, en zelfs de komst van zo'n voorname figuur als Kane had haar geen hoop gegeven. Hun manier van leven werd aan twee kanten bedreigd. Niet alleen werden ze langzaam gewurgd door de crisis – die alle energie en enthousiasme uit hen kneep – maar nu was daar ook de film, waarin beelden van komedie en drama werden vertoond die ze nooit op het toneel konden evenaren. Het leek wel of niemand meer naar de revue wilde.

Ze lag in het duister met haar hoofd op Declans arm terwijl zijn vingers haar schouder liefkoosden. Ze hadden eindeloze discussies gevoerd over wat ze nu het beste konden doen, maar er leek maar één oplossing mogelijk. Ze moesten hun rondreizende leven opgeven. Ze moesten proberen werk te vinden in de theaters in de stad – zelfs wanneer dat betekende dat ze het variété in moesten. Ze huiverde. Geen enkele zichzelf respecterende artiest zou zo diep zinken en ze ging nog liever de straat vegen dan het gezelschap zoeken van doodgewone stripteasedanseressen en ranzige komedianten.

Zoals altijd leek Declan ook nu haar gedachten te kunnen lezen. 'We vinden wel een oplossing,' fluisterde hij. 'Misschien betekent de komst van meneer Kane het begin van betere tijden.'

Rekening houdend met Catriona aan het andere uiteinde van de wagen, hield ze haar stem gedempt. 'Meneer Kane is inderdaad erg vermakelijk,' stemde ze in. 'Het is lang geleden dat we zo gelachen hebben.'

Hij moest de twijfel in haar stem gehoord hebben, want hij trok haar tegen zich aan en gaf haar een kus op haar voorhoofd. 'Hij is een geboren verteller. Ik snap niet dat hij ooit het toneel heeft verlaten.'

Velda nestelde zich dieper in zijn armen en trok de dekens op tot aan haar kin. Door de kier in het gordijn aan het einde van de wagen kon ze de sterren zien en ze hoorde wind ritselen in de bomen. 'Wat is zijn verhaal?' vroeg ze toen ze weer lekker lag.

Declan grinnikte. 'Ze hebben er allemaal een, hè?'

Hij was even stil en Velda vroeg zich af wat hij dacht. Veel van de mannen en vrouwen die de afgelopen elf jaar met hen rondgetrokken hadden, deden dat omdat ze voor iets – of iemand – op de vlucht waren. Het was waar dat veel van de spelers een geheim met zich meedroegen en dat werd geaccepteerd en gerespecteerd, zo lang ze hun aandeel leverden en het gezelschap niet te schande maakten. Maar Kane was anders en Velda vond het moeilijk hem te plaatsen.

'We hebben een lang gesprek gehad toen we water gingen halen bij de schaapskooi. Hij komt uiteraard uit Engeland. Met zo'n accent kan hij moeilijk ergens anders vandaan komen.' Velda hoorde de lach in zijn stem. 'Hij is een paar jaar geleden hier naartoe gekomen met een rondreizend gezelschap en is gebleven toen hij een plek kreeg aangeboden bij een theatergezelschap in Sydney. Hij heeft in alle grote theaters gestaan, de mazzelkont.'

Velda verschoof in zijn armen en keek hem aan. 'Wat doet hij dan in Lightning Ridge?'

Declan haalde zijn schouders op. 'Het is zoals hij zei. Het mijnvirus kreeg hem te pakken en hij besloot het er op te wagen. Volgens hem heeft hij goed geboerd in de goudvelden en hij wilde hier eens zien of zijn geluk aanhield.'

'Waarom wil hij zich dan bij ons aansluiten?' hield Velda aan. 'Als hij geld heeft, waarom gaat hij dan niet terug naar de stad?'

'Dat heb ik hem niet gevraagd. Je kent de regels, Velda. Een mens heeft recht op zijn privacy – we stellen geen vragen.'

Velda was allesbehalve tevredengesteld. 'Poppy vertrouwt hem niet,' mompelde ze. 'En ik ook niet. Hij is niet een van ons.'

Declan steunde op zijn elleboog en keek op haar neer. 'Hij is acteur – en hij heeft zelfs theaterprogramma's die dat bewijzen. Maar het beste aan hem is dat hij geld op de bank heeft en geen salaris hoeft zolang hij bij ons is.'

Velda staarde hem aan. 'En jij vindt niet dat dat toevallig wel erg goed uitkomt?'

Declan leunde in de kussens en trok de dekens hoog op terwijl hij op zijn zij ging liggen. 'Het komt ons op dit moment inderdaad erg goed uit,' mompelde hij in de kussens. 'Je moet niet zo achterdochtig doen, Velda. De man heeft het recht om zijn leven te leiden zoals hem goeddunkt, het is niet aan ons om aan zijn motieven te twijfelen.'

Velda was nog steeds niet overtuigd, maar ze moest zich bij Declans beslissing neerleggen. Misschien zou Kane inderdaad een zegen blijken – maar haar gevoel zei het tegenovergestelde.

De show zou 's morgens om elf uur beginnen. Het toneel bestond uit een vierkant platgetrapte aarde en het publiek zou er in een halve cirkel op dekens omheen zitten. Grote lappen zeildoek en fluwelen gordijnen waren aan de omringende bomen gehangen om de indruk van coulissen te wekken. Declans spreekgestoelte dat aan de zijkant was opgesteld zag er in het felle zonlicht maar sjofel uit en de oude piano die achter op een van de wagens stond was vals, maar het uitgedunde gezelschap spelers was, ondanks de sombere stemming, in vol ornaat, klaar om te beginnen.

De tijd verstreek en Catriona zag hoe haar vader wel honderd keer op zijn horloge keek voordat het eerste publiek kwam binnendruppelen. Het was een vreemd stelletje, deze mannen die hier op de Ridge leefden. Zo mager dat ze ondervoed leken, hun kleren doordrongen van het stof en het zweet door hun werk diep in de opaalmijnen die de ijzersteen van Lightning Ridge doorkliefden. Hun haar was lang en onverzorgd, hun baarden vielen warrig tot op hun borst en wekten de indruk nog nooit in aanraking te zijn geweest met water en zeep. Ze kwamen alleen of met z'n tweeën, achterdochtig, hun ogen neergeslagen terwijl ze hun geld neertelden en een plekje zochten.

'Mijn hemel,' zei Poppy binnensmonds. 'Ik heb lijken gezien die nog levendiger waren.'

'In dat geval, mijn lieve dame, moeten we hen tot leven wekken.' Kane glimlachte en draaide zijn wandelstok in het rond. 'Ik heb mijn aandeel al geleverd door ze mijn laatste bier te verkopen, dus kom op, dames, laat ze eens zien wat jullie in je mars hebben.' Hij keek naar Declan die een knikje gaf in de richting van de pianist.

Bij de eerste tonen grepen de drie meisjes de rand van hun rok en dansten onder het slaken van wilde kreten het podium op, gooiden hun benen in de lucht en wervelden in het rond.

Catriona wierp een blik op de mijnwerkers. De aanblik van de meisjes had hen inderdaad uit hun verdoving gewekt en er waren er een of twee die met een grijns op hun gezicht op de maat meeklapten. Kanes biervoorraad was al achterovergeslagen en dat droeg bij aan hun enthousiasme.

Zolang de zaken maar niet uit de hand lopen, dacht ze. Ze had al eens eerder dronken publiek meegemaakt en ze zat niet te wachten op een herhaling.

Het was toen uit de hand gelopen, er was een gevecht uitgebroken en pap had tussenbeide moeten komen om sommige meisjes te redden.

Toen de meisjes klaar waren met hun dansnummer, kondigde Declan Max en zijn kleine hond aan. Er klonk hoongelach en er werd luid geroepen om de meisjes. Max droop halverwege zijn nummer af en liet de jongleurs en acrobaten zijn plek innemen. Maar het publiek liet zich niet tot bedaren brengen. De uitwerking van de drank begon zich te doen gelden en ze hadden geen zin om de liedjeszanger te horen; ze wilden al evenmin naar Velda luisteren en haar stem ging verloren in gefluit en geschreeuw en schunnige opmerkingen.

Ze verliet het provisorische podium en pakte Catriona bij de hand. 'Je treedt vandaag niet op,' zei ze dringend. 'Het zou wel eens uit de hand kunnen lopen. Als je vader klaar is met zijn voordracht stuurt hij de meisjes het toneel weer op. Wij moeten inpakken en zorgen dat we klaarstaan om te vertrekken zodra hun nummer is afgelopen.'

Catriona hielp haar moeder met het inpakken van de wagen en met het inspannen van Jupiter. Velda verstopte het schamele entreegeld in een blik en stopte dat tussen de kostuums die ze al had ingepakt. Vervolgens klom ze op de bok en nam de teugels in haar hand. 'Ga naar binnen,' commandeerde ze. 'En kom niet eerder tevoorschijn dan dat ik het zeg.'

Catriona ging achter in de wagen zitten en gluurde door de kier tussen de gordijnen. De meisjes waren weer op het podium, maar behalve Kane en papa, hadden alle spelers stilletjes hun spullen bij elkaar gepakt en waren naar hun wagens gegaan. Paps spreekgestoelte werd achter op een wagen gehesen en de twee mannen wankelden zwetend van inspanning en de hitte onder het gewicht, terwijl de meisjes hun dans probeerden te rekken om tijd te winnen. Het stof wervelde onder hun voeten omhoog terwijl zij in de rondte draaiden en hun rokken hoog genoeg opgooiden om de mijnwerkers een blik te gunnen op gewelfde dijen of fraai gevormde kuiten. Gefluit en toejuichingen moedigden hen aan en Poppy wierp onderzoekende blikken in de richting van Declan, wachtend op het teken om het podium te verlaten en ervandoor te gaan.

Declan keek om zich heen en zag dat alles in gereedheid was. Na een knikje aan het adres van Kane stapten beide mannen het aarden podium op.

Dit was het teken waar de meisjes op hadden gewacht en ze liepen snel in de richting van de wagens. Declan deed zijn best om de orde te bewaren toen de stemming vervelend werd en de mijnwerkers overeind kwamen, vloekend en tierend dat ze waren opgelicht.

Catriona keek met kloppend hart en droge mond toe hoe de mannen een woedende kring vormden om haar vader en Kane. Toen stak Kane een hand omhoog en er schitterde zilver in de lucht. Als één man doken ze in het stof, vechtend en duwend om de munten te pakken te krijgen.

De twee mannen zagen kans te ontsnappen zonder dat iemand ze in de gaten had, Kane naar zijn mooie kastanjebruine ruin en Declan naar de veiligheid van zijn wagen. 'Weg,' riep hij boven het lawaai uit. 'Ervandoor vóór ze in de gaten krijgen wat we hebben gedaan.'

Catriona werd op de vloer geworpen toen Velda met de teugels op Jupiters brede rug sloeg en het grote paard overging in galop. De kostuummand schaafde haar arm en ze voelde hoe iets hards haar been raakte, maar de opwinding van dat alles, in combinatie met de angst dat ze konden worden gepakt, zorgde ervoor dat ze niet veel voelde. Maar toch, terwijl de overhaaste vlucht ten slotte overging in een wat rustigere en kalmere draf over de zandweg door de outback, realiseerde ze zich dat haar manier van leven inderdaad ten einde liep. Het ging niet langer om de vraag óf dat zou gebeuren, maar wannéér.

3

Er hing een gevoel van verslagenheid over hen terwijl de twee wagens over de brede onverharde weg reden die de kleine nederzetting Goondiwindi doorsneed en vervolgens achter de horizon uit het zicht verdween. Goondiwindi was de naam die de oorspronkelijke bewoners er aan hadden gegeven – het betekende rustplaats voor vogels – maar Catriona vroeg zich af of de troep ooit ergens een rustplaats zou vinden waar ze welkom waren. Door de opkomst van de geluidsfilm en de verlokkingen van de steden was het gezelschap in de maanden na de ramp van Lightning Ridge nog verder uitgedund. Ze konden niet langer opboksen tegen het wonder van het flikkerende scherm dat een heel nieuwe, opwindende wereld de outback binnenbracht en hun publiek was zo gering in aantal geworden dat het nauwelijks de moeite loonde om uit te pakken of te repeteren.

Catriona zat tussen haar ouders in en probeerde zichzelf op te monteren door iets hoopvols te vinden tussen de kriskras neergezette, vervallen gebouwtjes die samen Goondiwindi vormden. Het victoriaanse douanekantoor zag er best goed uit, maar zijn uiterlijk stak schril af tegen stoffige krotten die doorgingen voor werkplaatsen en winkels voor veevoer. Er stond een houten kerk op een door onkruid overwoekerd stuk land. De planken waren verweerd en de ramen dichtgetimmerd. Het enige teken van leven leek uit een hotel te komen waar, te horen aan het geschreeuw en het geluid van brekend glas, een vechtpartij gaande was.

Ze hoorde haar vader een diepe zucht slaken terwijl hij het paard stil liet houden. 'Het komt wel goed, pa,' zei ze met geforceerde opgewektheid – de bijna verdwenen hoop dat zou blijken dat ze gelijk had, zorgde ervoor dat haar stem onzeker klonk. 'Als er een hotel is, hebben we in ieder geval kans op publiek.'

Declan Summers' ogen stonden donker van de zorgen en zijn wenkbrauwen kwamen samen in een diepe frons terwijl hij toekeek hoe een vechtende kluwen door de hoteldeuren naar buiten de straat op rolde. Hij hield Jupiter in bedwang die schuw werd van het geweld voor zijn voeten en Declan leidde hem uit het gewoel naar de watertrog aan de andere kant van de straat. 'We hebben hier niets te zoeken,' zei hij, bijna tegen zichzelf. 'Kijk eens naar die affiches. De film komt morgen. Ze zullen hun geld hier niet aan ons besteden.'

'Dat is moedeloos gepraat en ik wil het niet horen,' snauwde Velda. 'We hebben geld nodig om de kust te kunnen bereiken, dus we moeten hen ervan zien te overtuigen dat we een paar centen waard zijn.' Ze klauterde van de bok, klopte het stof van haar jurk en stopte een paar ontsnapte lokken terug in haar knot. 'Ga je met me mee, Declan, of ben je van plan de rest van de dag daar te blijven zitten?'

Declan glimlachte mat, maar hij leek moed te putten uit haar ongewone uitbarsting van vastberadenheid en zijn schouders hingen iets minder toen hij zich bij zijn vrouw op straat voegde. 'Kunnen we niet beter wachten tot ze zijn uitgevochten?' vroeg hij terwijl hij zijn hoge hoed pakte en die met weinig enthousiasme afstofte.

'Helemaal niet,' zei ze vastberaden. 'Ze moeten alleen even tot de orde geroepen worden. Vindt u ook niet, meneer Kane?' Ze keek op naar de Engelsman die nog steeds op zijn stoffige paard zat, in stilte hopend dat hij de leiding zou nemen.

'Inderdaad, mevrouw Summers,' antwoordde hij met toegeknepen ogen tegen de zon terwijl hij naar de stuk of vijf mannen keek die met elkaar worstelden en elkaar vuistslagen toedienden. Na een snelle blik op Declan draaide hij zich om in zijn zadel. 'Poppy. Pak de trom en al het andere waar geluid uitkomt. Het wordt tijd om dit godvergeten oord te laten weten dat we zijn aangekomen.'

Poppy trok een gezicht. 'Komt voor de bakker,' antwoordde ze. 'Maar ik stap niet van deze wagen voor het stof is opgetrokken.'

Kane deelde de fluiten en tamboerijnen rond en klemde de grote trom voor Catriona tegen het voetenschot. 'Laat eens horen hoe hard je daarop kunt slaan,' moedigde hij haar glimlachend aan.

Catriona grinnikte terwijl ze enthousiast op de grote trom beukte. Ze was meneer Kane in de maanden die achter hen lagen gaan mogen.

Hij maakte haar aan het lachen en zijn verhalen waren zo boeiend dat ze uren naar hem kon zitten luisteren en de tijd en alle karweitjes die moesten worden gedaan helemaal vergat. Mam en pap leken hem ook wel te mogen en naarmate ze meer op hem steunden toen de troep verder uitdunde, had ze haar twijfels en het feit dat Poppy de man duidelijk niet mocht terzijde geschoven en besloten dat ze haar eigen oordeel over hem zou vellen.

Bij het horen van de flarden muziek, kwam er een verward einde aan het gevecht. De deuren van het hotel vlogen open en waterige ogen werden groot van verbazing bij het zien en horen van de overblijfselen van Summers' Revue.

Catriona keek toe hoe Kane met de tamboerijn zwaaide en zijn paard rondjes liet dansen te midden van de van hun stuk gebrachte mannen, die elkaar nog maar enkele ogenblikken daarvoor van onder uit de zak hadden gegeven en nu alles in het werk stelden om buiten het bereik van de flitsende hoeven te blijven. Ze grinnikte en bleef ondertussen op de trom slaan, want Poppy had besloten zich niet onbetuigd te laten en deed de cancan: rokken hoog, lange benen en een in de zon glinsterende hoofdtooi die bezet was met namaakjuwelen. Catriona hield niet op zich te verbazen over de snelheid waarmee Poppy zich in haar kostuum wist te hijsen, want nog maar een paar tellen eerder droeg ze een katoenen jurk en verstandige schoenen.

Max droeg de op leeftijd rakende Vlekkie achter Kane aan die zijn paard zover wist te krijgen dat hij de houten treden opliep en het hotel binnenging, en zich voorover moest buigen om zijn hoofd niet tegen de bovendorpel te stoten. Catriona sprong van de wagen en ondersteunde de oude man terwijl deze achter Kane aan schuifelde. Max was de pensioengerechtigde leeftijd al lang voorbij en dat gold ook voor Vlekkie, maar Catriona wist dat zij en de anderen zijn enige familie vormden en niemand had het over zijn hart kunnen verkrijgen om hem aan de genade over te leveren van een van de bejaardentehuizen die ze op hun reizen waren gepasseerd. De vrouwen bleven buiten de hotelbar wachten – het was een ongeschreven regel dat geen enkele vrouw ooit het heiligdom mocht betreden van deze op mannen gerichte poel van verderf – maar ze stonden in de deuropening en vergaten voor een ogenblik hun zorgen voor de toekomst terwijl ze het schouwspel gadesloegen.

Kane bracht zijn paard bij de bar tot stilstand. 'Voor de prijs van een glas bier, verzorgen wij voor u entertainment,' zei hij in de verbluftе stilte. 'Voor een paar stuivers brengen wij u de verrukkingen van Parijs en de Moulin Rouge.' Hij zwaaide met zijn arm in de richting van Poppy die in de deuropening stond en met haar rokken zwaaide. 'Het genoegen van de Bard.' Declan maakte een buiging. 'En de Nachtegaal van het Zuidelijk Halfrond, Velda Summers.' Velda maakte een reverence en ze moest blozen onder de onbeschaamde blikken van de mannen in de bar.

De stilte was verpletterend en het schouwspel voor Catriona's ogen leek bevroren in dit ene moment waarin hun lot zou worden beslist. Kanes paard schuifelde en brieste, tilde vervolgens zijn staart op en deponeerde een dampende berg paardenvijgen op de stoffige vloer.

De ban was gebroken en de kring mannen deed een stap achteruit. 'Je ruimt die smerige troep op, maat, en dan opgedonderd,' schreeuwde de barman met rood aangelopen gezicht. 'Komt notabene met een paard binnenzetten. Wat krijgen we straks?'

Poppy stapte door de deuropening, negeerde de verafschuwde blikken en sprong met een zwaai op de bar. 'Dat brengt geluk, maat,' zei ze terwijl ze de barman onder zijn kin aaide. 'Eerlijk gezegd is het voor jullie allemaal je geluksdag. Nou, wat zeggen jullie ervan? Krijgen we de kans om jullie te vermaken, of niet?' Ze maakte een pirouette en toonde het stomverbaasde publiek een brede lach. 'Het lijkt erop dat jullie wel iets kunnen gebruiken om je op te vrolijken en het kost jullie maar een schijntje.'

'Verdomde zigeuners,' mopperde de barman. 'Nog erger dan die verrekte Aborigines.' Hij sloeg zijn armen over elkaar. 'Ik moet geen opgedirkte hoeren in mijn hotel. Ruim die rotzooi op en donder op, voor ik mijn honden op je af stuur.'

'Ik ben geen hoer,' schreeuwde Poppy. 'Ik ben toneelspeler.'

De uitbater boog zich voorover over de bar en bracht zijn dikke rode hoofd vlak bij dat van Poppy. 'Het maakt niet uit wat je jezelf noemt, het komt allemaal op hetzelfde neer. Als je eropuit bent om de hoer te spelen, dan worden we het wel eens – zo niet, donder dan maar op met de rest van het zootje.'

Catriona zag hoe Poppy inzakte en op dat moment besefte ze dat ze het absolute dieptepunt hadden bereikt. Want Poppy vond altijd en overal wel iets waar ze om kon lachen, wist altijd wel ergens de energie vandaan te halen om de discussie aan te gaan of zich ergens uit te kletsen. Deze keer was ze met stomheid geslagen en Catriona zag tranen glinsteren op haar wangen vol rouge toen ze zich omdraaide en ervandoor ging.

Het lawaai had de rest van de bevolking naar het houten trottoir gelokt. Het geroezemoes zwol aan tot het gezoem van een zwerm woedende bijen terwijl ze toekeken hoe de reizigers de rommel opruimden. Catriona werd afgeschermd door haar ouders, maar ze wist dat ze nooit van haar leven de achterdocht in de blikken van de dorpsbewoners zou vergeten, of de afkeer die op hun gezichten stond te lezen terwijl ze zonder iets te zeggen uiteen weken om het gezelschap het hotel te laten verlaten. Ze voelde hun vijandigheid als een mes in haar rug steken terwijl ze op de wagen klom en voor het eerst van haar leven was ze bang.

De eerste kluit modder raakte de zijkant van de wagen. Hij werd gevolgd door vele andere terwijl het gemopper overging in kreten van spot en de plaatselijke honden gromden en naar de benen van de paarden hapten.

Declans gezicht stond strak toen hij de teugels op de rug van het paard liet neerkomen en ze het dorp uitrolden. Velda zweeg terwijl ze Catriona dicht tegen zich aan trok. Kane lachte niet meer en maakte ook geen grapjes terwijl hij naast hen reed en Poppy zat in de andere wagen naast de trillende Max, haar gezicht asgrauw en alle vuur uit haar verdwenen door het bittere besef van wat er van hen geworden was.

Het was een triest groepje dat twee uur later uiteindelijk zijn kamp opsloeg. Ze zaten in somber stilzwijgen rond het vuur en aten het laatste zuurdesembrood met stroop, dat ze wegspoelden met thee. Catriona keek naar de gesloten gezichten, gedachten en gevoelens diep weggestopt.

Max zat in de vlammen te staren en zijn ogen stonden dof terwijl hij de terriër met zijn grijze snoet in zijn trillende armen hield. Vlekkie gaf het gezicht van de oude man een lik, maar die merkte het gebaar niet op. De sympathie die erin lag opgesloten ging verloren in het drijfzand van de hopeloosheid die de oude man bevangen had. Poppy's make-up was uitgelopen door haar tranen en haar schouders onder de zware wollen sjaal hingen naar beneden terwijl ze met haar armen om haar knieën geslagen heen en weer wiegde. Haar opzichtige jurk glinsterde koud in het licht van de vlammen en de veren hoofdtooi hing triest in haar ogen. Dit was een verslagen Poppy – een Poppy die het zelfs niet kon opbrengen om haar gezicht te wassen of iets aan te trekken dat lekkerder zat.

Kane rookte een dun sigaartje. Het licht van het vuur glom in de robijn van de ring die hij aan zijn pink droeg en hij had zijn ogen tot spleetjes geknepen terwijl hij nadenkend de duisternis in staarde. Catriona vroeg zich af wat hij dacht, want ze was hem dan wel gaan mogen, maar Kane bleef toch een raadsel. Hij was nu al maanden bij hen en hoewel hij hun heel wat verhalen had verteld, had hij nooit specifieke details gegeven over het leven dat hij leidde voor hij zich bij het gezelschap had gevoegd – hij had nooit een verklaring gegeven waarom hij de voorkeur gaf aan dit leven terwijl hij zich een beter kon veroorloven.

Terwijl Catriona naar hem zat te kijken ging er plotseling een steek van angst door haar heen. Kane liet dan misschien niet het achterste van zijn tong zien en wilde maar weinig kwijt over zijn verleden, maar hij was nooit gierig en zijn geld had hen al vaak gered. Wat als hij besloot weg te gaan? Wat moesten ze dan? Catriona beet op haar lip. Ze wist dat ze ervoor moest zorgden dat hij bleef. Maar hoe? Ze keek naar haar ouders in de hoop daar inspiratie uit te putten.

Velda en Declan zaten op een afgebroken tak met hun handen in elkaar verstrengeld en hun schouders tegen elkaar en Catriona voelde hoe ze werd overspoeld door een vreemd en onwelkom gevoel van eenzaamheid. Want hun saamhorigheid sloot haar uit. Het leek wel alsof ze haar niet meer nodig hadden – of zelfs maar merkten dat zij er was. Ze huiverde en staarde in de diepe duisternis achter het kampvuur. Ze was nooit eerder bang geweest voor het donker, maar vanavond lag dat anders. Alles was anders en ze wist zeker dat het leven nooit meer hetzelfde zou zijn. De troep had zijn ziel verloren – de essentie van wie ze waren was weggevaagd door de schande van wat er gebeurd was in Goondiwindi.

Niemand leek bij de warme gloed van het vuur weg te willen – het was net alsof het vuur op deze trieste avond het enige was dat troost kon bieden. Ten slotte ging Catriona even bij de paarden kijken. Ze klopte ze allebei zachtjes op de hals en legde haar wang op de warme, stoffige vacht terwijl de dieren liepen te grazen. De volgende dag zouden ze verder trekken, en de daaropvolgende dag en de dag dáárna – een ogenschijnlijk eindeloze reis naar nergens. Catriona zuchtte terwijl ze zich omdraaide en naar de wagens liep. Haar leven viel stukje bij beetje in duigen, maar zo lang ze pap en mam had zou alles toch wel goed komen?

Maar ondanks alle ellende die hun was overkomen, was er nog steeds een sprankje hoop. Toowoomba lag aan de rand van de Great Dividing Range. Volgens Declan was die stad de poort naar de vruchtbare Darling Downs en nog steeds een belangrijk verzamelpunt waar de veedrijvers hun kuddes naartoe brachten vanuit de uitgestrekte graslanden in het westen. Ze hadden goede hoop dat ze in Toowoomba wat geld konden verdienen, want het was een grote stad met fraaie gebouwen, verschillende kerken en een spoorwegstation.

'Het heeft geen zin om een optocht te houden,' zei Declan terwijl hij met zijn handen diep in zijn zakken naast de wagen stond. 'We zijn nog maar met zo weinig. Dat zou er belachelijk uitzien.'

Catriona en Poppy hadden nog steeds nachtmerries van de gebeurtenissen in Goondiwindi en bij allebei liepen de rillingen over de rug.

Kane kwam, zoals gewoonlijk, met de oplossing. 'Ik ben naar het postkantoor geweest en heb mijn geld gehaald,' zei hij opgewekt. 'En ik heb de vrijheid genomen voor vanavond een kleine zaal te huren. Als we vlug wat pamfletten maken, dan kunnen we die uitdelen. In een welvarende plaats als deze zijn vast wel mensen die ze aannemen.'

Velda keek op naar Kane en in haar ogen schitterden niet-vergoten tranen. 'Wat zouden we zonder u moeten, meneer Kane?' zei ze met hese stem. 'U bent zo vrijgevig. Zo aardig.'

Kane sloeg zijn armen om Catriona en haar moeder en trok hen tegen zich aan. 'Ik doe alleen maar wat in mijn vermogen ligt, lieve dame,' zei hij. Hij keek glimlachend neer op Catriona. 'We kunnen dit lieve, jonge kind toch niet met een lege maag naar bed laten gaan?'

Poppy snoof en Catriona moest blozen. Ze was nog nooit eerder 'lief, jong kind' genoemd en wist niet goed hoe ze onder Poppy's misprijzende blik moest reageren op Kanes complimentjes.

Declan klom van de wagen. Zijn ogen stonden somber. 'Het is eigenlijk mijn werk om voor het welzijn van mijn familie te zorgen,' gromde hij. 'Maar ik dank je, Kane.' Declan schudde de Engelsman de hand terwijl hij trots zijn rug rechtte.

Catriona maakte zich los uit Kanes omhelzing en keek naar de drie volwassenen. Ze was zich bewust van de onderhuidse spanning die zich in het gesprek deed voelen – maar toch kon ze er niet helemaal de vinger op leggen, want volwassenen hadden bepaalde hebbelijkheden waarvoor zij nog te jong was om die te begrijpen. Ze wist alleen dat haar vader het vreselijk vond om, wat hij noemde, liefdadigheid van Kane te aanvaarden. Hij zou het ook geweigerd hebben als hij het zich had kunnen veroorloven. Zijn trots was gebroken.

Haar moeder was alleen maar dankbaar, opgelucht dat ze de komende paar uur zouden doorkomen en dat er iemand was die alle beslissingen nam – want Velda was, ondanks haar vastberadenheid om vrolijk te blijven in het aangezicht van rampspoed, een vrouw die het leven een stuk makkelijker vond wanneer ze niet voor zichzelf hoefde te denken. Ze had altijd op Declan vertrouwd voor raad en steun – en nu had ze zich daarvoor tot Kane gewend die de sterkste van de twee leek te zijn.

Ze liepen langzaam door de stad, zich verbazend over vrachtwagens en auto's die door de straten reden en grote stofwolken opwierpen vanonder hun wielen. Toowoomba was inderdaad een stad vol rijkdom en de mensen droegen mooie kleren terwijl zij over de houten trottoirs liepen en hun inkopen deden.

Velda zuchtte van verlangen bij de aanblik van hoeden en handschoenen en schoenen, zo mooi, zo volgens de laatste mode – zo onbereikbaar. Catriona wou dat ze een winkel kon binnenstappen om een mooie hoed voor haar moeder te kopen, maar aangezien er alleen maar wat kleingeld in het blik zat, kon deze wens niet in vervulling gaan.

De zaal was in een lang, smal houten gebouw dat in slechte staat van onderhoud verkeerde en overduidelijk was verwaarloosd ten faveure van het nieuwe theater in het centrum. Het gebouw stond naast het station en was bedekt met een laag roet, afkomstig van de stoomlocomotieven. De verf bladderde af, de toneelgordijnen vielen van ouderdom en schimmel uit elkaar, en het beschimmelde hout van het enige, smerige venster was zo uitgezet door het vocht dat er geen beweging in was te krijgen. Aan een kant was een verhoogd podium en aan de zijkant van de zaal stonden oude stoelen opgestapeld. De vloer was in geen maanden geveegd en in de hoeken en op de balken boven hen waren tekenen die er op wezen dat er ratten huisden.

Maar er waren ook aangename verrassingen. De elektriciteit deed het, dus ze hadden de beschikking over licht en een werkende plafondventilator. Buiten was aan de achterkant een toilet dat ze uiteindelijk zo ver kregen dat het kon worden doorgetrokken en een kraan waar koud water uitkwam waar ze zich konden wassen.

Declan en Kane gingen de stad in om de haastig in elkaar gezette pamfletten uit te delen. De vrouwen vonden ergens bezems, dweilen en oude lappen en gingen aan de slag. Hun katoenen jurken waren al gauw doordrenkt van het zweet, de witte kragen grauw van het stof en vuil dat zich in de loop van jaren had verzameld. Handen werden rood en het vuil drong in hun knieën terwijl ze de vloer schrobden. Lokken ontsnapten aan haarspelden en plakten aan hun bezwete gezichten terwijl ze worstelden om de zware, fluwelen gordijnen naar beneden te krijgen zodat ze het stof eruit konden kloppen. En al die tijd zat Max met zijn kleine hondje in een hoekje te dagdromen.

Catriona wierp steeds steelse blikken in zijn richting. Ze maakte zich zorgen, want Max leek niet meer te weten waar hij was, en toen ze eerder naar hem toe was gegaan om te vragen of hij een kop thee wilde, had hij haar aangekeken alsof hij niet meer wist wie ze was. Hij zat in een vreemdsoortige trance zachtjes voor zichzelf en Vlekkie te neuriën en zo nu en dan keek hij op, glimlachte en vroeg of het al theetijd was.

'De arme drommel is bezig gek te worden,' fluisterde Poppy toen ze eindelijk de schoonmaakspullen opborgen en naar de kraan liepen. 'Hij is sinds Goondiwindi niet meer de oude.'

Catriona en Velda keken over hun schouder de zaal in. 'Hij is alleen maar oud,' zei Velda.

Poppy was klaar met het inzepen van haar haar en stak haar hoofd onder de waterstraal. Ze kwam er met druipende haren weer onder vandaan. 'Ik ben de hele dag bij hem,' antwoordde ze terwijl ze met een handdoek over haar hoofd wreef. 'Hij weet niet meer wie ik ben, weet je. Hij vraagt steeds maar hoe ik heet en of de thee al klaar is en of hij zijn ontbijt wel heeft gehad.' Ze droogde haar gezicht af en gaf de handdoek die ze samen deelden door. 'Het is niet eerlijk om hem nog steeds te laten reizen,' mompelde ze.

'Hij kan nergens anders heen,' zei Velda met een bezorgde blik terwijl zij haar beurt bij de kraan benutte. 'De tehuizen nemen hem niet op zolang hij Vlekkie nog heeft en die twee zijn al zo lang samen. Het zou vreselijk zijn om ze van elkaar te scheiden.'

Het drietal voltooide zwijgend hun wasbeurt. Van al hun zorgen was de snelle aftakeling van Max de moeilijkste om te aanvaarden.

De show was anders dan alle voorgaande. In plaats van apart op te treden, waren Catriona's ouders als duo het toneel opgegaan om te zingen. Poppy was de zaal ingelopen en had een beetje geflirt met de mannelijke toeschouwers terwijl ze de ondeugende liedjes zong die ze zo lang geleden in Londen had geleerd. Kanes monoloog had gelach en applaus geoogst en zijn schuine moppen waren welwillend ontvangen. Zelfs Max was uit zijn droomtoestand ontwaakt en had, gekleed in slobberbroek en met zijn verfomfaaide hoed op zijn hoofd, Vlekkie die zijn kraag om had zijn vermoeide passen laten doen. Het was een dapper optreden geweest en ze hadden met tranen in hun ogen toegekeken hoe de oude man en zijn hond zich door het optreden worstelden dat werd beloond met een beleefd, maar welgemeend, applaus.

Catriona had last gekregen van plankenkoorts. Dit zou de eerste keer worden dat ze alleen op het toneel stond. De roze jurk van tafzijde was te strak, te kort en te kinderlijk, maar het was het enige wat ze had om aan te trekken. Maar toen de grammofoon eenmaal was opgewonden en de muziek begon, verdwenen haar zenuwen en vergat ze hoe ongemakkelijk ze zich in die jurk voelde en ging ze helemaal op in de aria. Ze verliet het podium verhit en opgetogen, want ze wist dat ze vanavond goed had gepresteerd. Het publiek had genoten van haar zang en had zelfs om meer geroepen. De voorstelling was een succes en stemde haar hoopvol voor de toekomst, dus wat deed het ertoe dat de pofmouwtjes van haar jurk in haar armen sneden of dat de jurk maar nauwelijks tot haar knieën kwam – ze had haar eerste solo-optreden achter de rug – ze voelde zich eindelijk een ster.

De zaal stroomde langzaam leeg en het was tijd om het geld te tellen. Er was genoeg om de volgende etappe naar het noordoosten door te komen. Ze trokken hun daagse kleren weer aan en gingen naar het dichtstbijzijnde hotel waar ze zichzelf trakteerden op een feestmaal van vlees en aardappelen en verse groenten, dat alles geserveerd met een dikke, volle jus. Als nagerecht was er fruit uit blik en een overvloed aan vanillevla.

Zelfs Max genoot van de maaltijd. Hij had zijn terriër verborgen in de diepe plooien van zijn jas en voerde hem stiekem kleine hapjes wanneer de vrouw van de hotelbaas even niet keek.

Voldaan en tevreden ging de troep op weg naar de omheinde weide achter het theater waar ze de paarden en de twee wagens hadden achtergelaten.

'Je bent zo stil, Poppy,' zei Catriona terwijl ze arm in arm over de door de maan verlichte zandweg liepen. 'Ik had gedacht dat je wel blij zou zijn over de manier waarop de voorstelling vanavond is verlopen.'

Poppy trok haar vest strakker om zich heen en huiverde. Het was 's nachts koud in de outback en haar kleren waren dun en versleten. 'Ik kan er geen enthousiasme meer voor opbrengen,' zei ze stilletjes. 'Niet na Goondiwindi.'

'Het komt allemaal wel goed. Wacht maar af,' zei Catriona. 'Goondiwindi was gewoon een akelige plek. Nog een paar avonden zoals vanavond en je bent weer de oude.'

'Mm.' Poppy bleef staan en de anderen haalden hen in. 'Ik ben het beu, schat. Ik zal nooit meer worden dan een derderangs danseresje en ik word een beetje te oud om in m'n ondergoed rond te huppelen. Het wordt tijd dat ik iets anders ga doen.'

'Dan meen je niet,' zei Velda geschokt. 'Wat moet ik zonder jou beginnen? Alsjeblieft, Poppy.' Ze strekte haar arm uit en legde een hand op die van Poppy. 'Denk er alsjeblieft nog eens over na.'

'Ga niet weg, Poppy,' jammerde Catriona terwijl ze haar armen om Poppy's middel sloeg en zich aan haar vastklampte. Ze huilde hete tranen en de angst dat ze haar enige vriendin zou kwijtraken was bijna ondraaglijk. 'Het gaat straks echt wel beter, dat zul je zien,' smeekte ze terwijl de tranen over haar wangen stroomden en Poppy's vest doorweekten. 'Ze waren vanavond dol op je. De mensen zijn altijd dol op je, wat er ook gebeurt.' Ze maakte zich los en keek met smekende blik op naar Poppy's gezicht. 'Ik hou ook van je,' snikte ze. 'Laat me alsjeblieft niet in de steek.'

Poppy's stem klonk hees van emotie toen ze Catriona's handen in de hare hield en haar aankeek. 'En ik zal altijd van jou houden, Kitty. Maar het is tijd voor me om verder te gaan. Het is voor ons allemaal tijd om iets beters te vinden. Dit is het einde, Kitty. Dat beseffen we allemaal.'

'Maar waar ga je naartoe?' vroeg Velda en de tranen klonken in haar stem. 'En wat ga je doen?'

'Ik vind wel ergens werk,' antwoordde ze, terwijl ze Catriona's handen losliet. 'In een hotel misschien, of in een winkel. In Brisbane moet wel iets te vinden zijn, of anders in een van de steden aan de kust.'

'Maar je zult daar helemaal alleen zijn,' snikte Catriona.

'Ik ben wel vaker alleen geweest,' zei ze zachtjes. 'Ik red me wel.'

'Heb ik al gegeten?' klonk een ijle stem.

Opgelucht dat de spanning werd verbroken, stak Poppy een arm onder die van Max en manoeuvreerde hem in de richting van de tweede wagen. 'Ja,' zei ze vastberaden. 'En nu is het voor jou en voor Vlekkie tijd om te gaan slapen.'

'Ik heb geen slaap,' mopperde de oude man. 'En wie ben jij? Waarom praat je zo tegen mij?'

'Ik ben het, Poppy,' zei ze opgewekt terwijl ze hem voortduwde. 'En als je lief bent, mag je het laatste koekje hebben.'

'O, god,' verzuchtte Velda. 'Ik kan het niet aanzien. Arme Max. Arme Poppy.'

Catriona keek hoe haar vriendin de nacht in liep met de oude man schuifelend naast zich. 'We raken ze allebei kwijt, hè mam?' snikte ze.

Velda's arm om haar schouder bood weinig troost en haar woorden maakten de pijn die in haar hart had gesluimerd alleen maar groter. 'Max is oud en in de war,' legde ze uit. 'Hij is beter af wanneer hij in een tehuis zit waar goed voor hem gezorgd kan worden. Misschien kunnen we een plek vinden waar Vlekkie bij hem kan blijven.'

'En Poppy? Hoe moet het met Poppy?' drong Catriona aan.

'Poppy is een volwassen vrouw, Kitty. Ze moet zelf over haar toekomst beslissen.' Velda draaide Catriona zo dat ze haar recht kon aankijken en veegde met een vriendelijk gebaar de tranen weg. 'We weten allemaal dat het voorbij is, Kitty, ondanks het feit dat het vanavond zo goed ging. Waarom zouden we de pijn maar laten voortduren door dat niet te erkennen?'

'Ze kan toch gewoon met ons meegaan tot ze iets anders gevonden heeft?' zei Catriona koppig.

Velda schudde met een verdrietig gezicht haar hoofd. 'Ze heeft er genoeg van,' legde ze voorzichtig uit. 'Er is hier een station en een trein die haar naar de kust kan brengen waar ze een goede kans heeft om beter betaald werk te vinden. Dat mag je haar niet misgunnen, Kitty. Laat haar zich niet schuldig of beschaamd voelen omdat ze weg moet. Het wil niet zeggen dat ze niet meer van je houdt – het betekent niet dat ze je niet net zo zal missen als jij haar zult missen.'

Catriona slikte nieuwe tranen weg. 'Maar dan zal ik haar nooit meer zien,' snikte ze.

'Afscheid nemen hoort bij het leven, schat,' zei haar moeder met een glimlach. 'We zijn allemaal bezig met een reis en onderweg komen we veel mensen tegen. Sommigen zullen we jaren kennen, anderen maar vluchtig. Tijdens ons leven maken we vrienden en vijanden. Maar al die mensen raken ons stuk voor stuk en geven ons iets dat – hopelijk – ons leven verrijkt of ons een beter begrip bijbrengt van de wereld waarin we leven en waarom we zijn zoals we zijn.'

Catriona dacht over die woorden na en hoewel ze niet alles wat haar moeder zei helemaal begreep, voelde ze zich wel getroost.

De ruziënde stem van Max klonk door de nacht terwijl Poppy hem in bed probeerde te krijgen en Catriona kroop diep onder de zware dekens terwijl haar gedachten door haar hoofd maalden. Er moest een manier zijn om Poppy over te halen om te blijven, maar hoe? Ze keek naar de nachtelijke hemel, zo helder, zo bezaaid met sterren dat hun stralen de wei en de paarden een gouden glans gaven waardoor het net een tafereel uit een sprookje leek. Als Poppy nou maar bij hen bleef tot ze de kust bereikten, dan konden ze allemaal samen ergens werk vinden en dan hoefden ze niet uit elkaar te gaan.

'We zullen de andere paard-en-wagen moeten verkopen,' zei Declan zachtjes tegen zijn vrouw terwijl ze dicht tegen elkaar aan lagen aan de andere kant van de wagen.

Catriona spande zich in om hun op zachte toon gevoerde gesprek te kunnen horen.

'Misschien wil Kane hem liever gebruiken dan die oude tent,' antwoordde Velda. 'Bovendien zitten we nog met Max. Waar zou die dan moeten slapen? We komen hier nu al ruimte tekort.'

'We hebben het geld nodig, schat,' zei hij zachtjes. 'Kane en Max zullen de tent moeten delen tot we een geschikte plek vinden waar we Max kunnen onderbrengen.'

'Maar ik dacht dat we genoeg hadden om het een tijdje uit te zingen?' Velda's stem klonk scherp van bezorgdheid.

'Als Poppy vastbesloten is om weg te gaan, dan zal haar moeten worden betaald waar ze recht op heeft. Ze heeft geld nodig voor de treinreis, eten en onderdak. Er zal niet veel voor ons overblijven en niets garandeert ons dat we nog zo'n avond als vanavond zullen hebben.'

'O, Declan.' Velda's zucht was er een vol pijn. 'Is het werkelijk zo ver gekomen? Meneer Kane zal de wagen toch zeker wel kopen wanneer het tot hem doordringt dat we blut zijn?'

Het bleef lang stil. 'In de maanden dat hij bij ons is, is meneer Kane buitengewoon vrijgevig geweest,' zei Declan ten slotte. 'En hoewel ik hem dankbaar ben, wil ik niet dat we te veel op hem vertrouwen om ons uit de narigheid te halen. Ik sta nog steeds aan het hoofd van deze familie – van deze troep, of wat er van over is – en ik beslis wat er moet gebeuren.' Er viel een korte stilte. 'De wagen en het paard moeten weg, net zo goed als alle rekwisieten en kostuums die we kunnen verkopen. Die zullen we niet meer nodig hebben.'

'Hoe moet het met Catriona?' fluisterde haar moeder gejaagd. 'Ze heeft de stem van een engel, je hoefde alleen maar naar het applaus vanavond te luisteren en de gezichten van het publiek te zien toen ze zong om te weten dat ze een mooie toekomst tegemoet gaat. We mogen het niet opgeven.'

'Catriona is elf en nog maar een kind,' antwoordde hij zachtjes. 'Wie weet wat er met haar stem gebeurt wanneer ze in de puberteit belandt? We kunnen ons niet veroorloven te speculeren dat we het redden met die paar centen die we binnenhalen. We moeten verkopen wat we kunnen en verder trekken.'

'Waarheen?' snikte Velda. 'Wat moet er van ons worden?'

'Cairns,' zei hij vastbesloten. 'Kane kent daar mensen die ons misschien kunnen helpen werk te vinden. Hij heeft een oude vriend van hem die daar ergens een hotel heeft, al een brief gestuurd. We kunnen alleen maar hopen dat hij werk voor ons allemaal heeft.'

Catriona verborg haar gezicht onder de dekens en hete tranen rolden over haar wangen en doorweekten het kussen. Ze was dol op zingen – dol op de manier waarop haar stem harmonieerde met die van haar moeder wanneer ze aan het repeteren waren. Ze was dol op de passie in de aria's die ze leerde van de krassende platen die haar vader had verzameld en die ze afspeelde op de koffergrammofoon. Nu leek het erop dat al haar dromen in duigen vielen.

Terwijl de maan onderging en de sterren verbleekten en hun glans verloren, deed Catriona haar uiterste best om zich neer te leggen bij de akelige vooruitzichten voor de nabije toekomst.

De dag brak aan in Toowoomba en Catriona was de eerste die opstond. Ze klauterde uit de wagen. Haar ogen waren roodomrand door slaapgebrek en ze was triest gestemd, ondanks de schoonheid van de omgeving. Er hingen nog wat mistflarden in de boomtoppen en op de toppen van de omringende heuvels en het lange gras glinsterde van de dauw. In de verte hoorde ze de kakelende lach van een kookaburra, een geluid dat haar normaal gesproken vrolijk stemde, maar vanochtend was ze te veel terneergeslagen om zelfs maar flauwtjes te glimlachen. Een zwerm rosella's en rosékaketoes dook uit een boom in de buurt en vloog onder het slaken van alarmkreten als een grote wolk vol heldere kleuren de bleke hemel tegemoet toen zij op blote voeten door het natte gras naar de plek liep waar de paarden stonden te doezelen.

Kanes opvallende ruin snoof en zwaaide met zijn hoofd toen hij ontdekte dat ze geen wortel voor hem had meegenomen, maar de oude trekpaarden, Jupiter en Mars, bleven geduldig in het vroege ochtendlicht staan terwijl ze over hun sterke nekken aaide en over hun problemen vertelde. Zo lang ze zich kon herinneren hadden beide paarden deel uitgemaakt van haar leven. Ze had op hun brede rug leren paardrijden, ze had ze geborsteld en eten gegeven en voor ze gezorgd als bijzondere leden van haar uitgebreide familie. Nu zou Mars worden verkocht. Het was meer dan ze kon verdragen en zonder acht te slaan op de dauw die de rand van haar nachtjapon doorweekte en haar voeten verkleumde, begroef Catriona haar gezicht in de lange manen en huilde bittere tranen.

'Je loopt nog een longontsteking op,' zei een zachte stem achter haar.

Catriona draaide zich met een ruk om. Ze was zo diep in gedachten verzonken geweest dat ze hem niet had horen aankomen. 'Koopt u Mars en de wagen, meneer Kane?' vroeg ze smekend. 'We hebben het geld nodig, ziet u, en ik kan het niet verdragen als we Mars achter moeten laten en de wagen is zo'n stuk comfortabeler dan uw oude tent.' Ze raakte eindelijk buiten adem.

De hoge rijlaarzen van Kane maakten een suizend geluid in het gras toen hij naar voren stapte en het trekpaard op zijn brede neus klopte. 'Het spijt me, liefje, maar ik heb niet nog een paard nodig en de tent is goed genoeg voor mij.' Hij slaakte een zucht. 'Het doet altijd verdriet om afscheid te moeten nemen van oude vrienden, maar Mars heeft zijn rust verdiend, vind je ook niet?'

Catriona keek op naar het knappe gezicht. Het haar van Kane blonk goud in het licht van de opkomende zon, zijn ogen staken helderblauw af tegen zijn bruinverbrande gezicht en hij had onlangs zijn snor en sik bijgeknipt. Er leek oprecht verdriet in zijn gezichtsuitdrukking te liggen en ze voelde een nieuwe huilbui opkomen.

'Huil maar niet, kleintje,' zei hij vriendelijk en zijn vingers gingen langs het tranenspoor op haar wangen. 'Wees blij voor Mars dat hij straks een mooie stal krijgt en een heleboel hooi. En ook voor Poppy. Ze gaat een groot avontuur tegemoet – net als wij.'

Catriona snoof en liet haar kin zakken. Ze wist dat hij gelijk had, maar op dit moment stond haar hoofd er niet naar om voor wie dan ook blij te zijn.

'Kom, kind. Je voeten moeten bijna bevroren zijn.'

Catriona stond op het punt een weerwoord te geven toen hij haar plotseling van de grond tilde en haar dicht tegen zijn borst drukte. Ze lag in zijn armen, te verbaasd om een protest te laten horen terwijl hij op haar neerkeek en glimlachte. Ze kon voelen hoe snel zijn hart klopte, voelde de kracht in zijn armen en het ruwe tweed van zijn jasje tegen haar wang terwijl hij haar dicht tegen zich aan hield. Zijn adem ging gejaagd en rook naar tabak toen hij een lichte kus op haar voorhoofd drukte. Zijn ogen, zag ze, waren helderblauw en leken tot diep binnen in haar door te dringen toen hij naar haar keek. Ze zette zich af tegen zijn borst, plotseling verlegen en onbeholpen. 'Ik kan zelf lopen,' zei ze ferm. 'Ik ben geen baby.'

'Waarom zou je lopen als je ook gedragen kunt worden?' vroeg Kane met een lach. 'Ik durf te wedden dat Cleopatra nooit ergens heen liep. Vind je het niet leuk om als een koningin behandeld te worden?' Hij wachtte niet op antwoord en begon met haar in de richting van de wagens te lopen. 'Laten we eens zien wat we voor het ontbijt kunnen vinden,' mompelde hij.

Het werd een ernstige aangelegenheid, want ze wisten allemaal dat dit hun laatste maaltijd samen was. Zelfs Max leek de terneergeslagen stemming aan te voelen en at in stilte voor hij terugging naar zijn bed in de andere wagen. Ze waren het erover eens dat hij kon uitrusten terwijl zij afscheid namen van Poppy, want hij leek de greep op de realiteit te hebben verloren en het had geen enkele zin hem verder van streek te maken.

Het spoorwegstation was een langgerekt victoriaans gebouw met een dak van golfplaat en houten raamwerk tussen de pilaren van de brede veranda. Het keurig aangeveegde perron bood uitzicht op de glimmende rails die zich in beide richtingen eindeloos uitstrekten. In het oosten lagen Brisbane en de kust. In het westen lag Channel Country, waar honderdduizenden hectaren de uitgestrekte kuddes vee van de outback van Queensland herbergden. Er stond een trein te wachten; er kwam rook uit de schoorsteen en stoomwolken sisten tussen de grote ijzeren wielen. Achterin werden paarden ingeladen en een flinke lading runderen werd de loopplanken van de veewagens op geleid. Een paar passagiers stonden op het perron, in kleine groepjes of alleen, te wachten tot ze moesten instappen en staarden langs de rails naar de kilometers leegte die ze spoedig op weg naar hun bestemming zouden doorkruisen.

Catriona zat te midden van de kostuummanden en keek toe hoe haar vader Poppy haar treinkaartje gaf en het restant van haar loon overhandigde. Ze raakte verblind door tranen toen ze probeerde het beeld van haar vriendin in haar geheugen te prenten zodat ze haar nooit zou vergeten. Poppy droeg een mooie katoenen bloemetjesjurk met knopen aan de voorkant en witte boorden om hals en mouwen. Om haar middel droeg ze een smalle, witte riem en ze had een zwierig zelfgemaakt hoedje op haar pasgewassen haren, handschoenen aan haar handen en glimmend gepoetste schoenen met een lage hak en een bandje over de instap aan haar voeten. Ze had Poppy nog nooit zo netjes gekleed gezien – of zo anders. Het was alsof Poppy door de beslissing te nemen om te vertrekken, alle franje van zich had afgeschud en gewoon en kleurloos was geworden – was veranderd in een vreemde – en alsof de kloof tussen haar verleden en de toekomst al wijder werd.

Catriona kwam van de wagen af en leed in stilte terwijl haar vriendin afscheid nam van de anderen. Ze slikte haar tranen weg en deed haar best er onverstoorbaar uit te zien toen Poppy haar stevig omhelsde.

'Kom op, schat,' zei Poppy in haar haar. 'Geen tranen, grote meid.'

'Ik wil geen afscheid nemen,' zei Catriona snuffend terwijl ze zich losmaakte uit Poppy's omhelzing en haar aankeek.

'Ik ook niet,' zei Poppy zachtjes, haar stem onvast en haar blauwe ogen onnatuurlijk helder. 'Daarom ga ik nu weg, voor je mij ook aan het huilen hebt.'

Catriona zag hoe Kane en de anderen stonden toe te kijken en kreeg plotseling een ingeving. Ze pakte Poppy bij de arm toen deze zich omdraaide. 'Als je met meneer Kane zou trouwen, zou je niet weg hoeven, of een baan hoeven te zoeken, of wat dan ook.' Ze lachte verrukt vanwege het feit dat ze zo slim was geweest om op het laatste moment zo'n prachtige oplossing te hebben gevonden. 'Dan kun je bij ons blijven en kinderen krijgen en dan kan ik je helpen voor ze te zorgen.' Ze keek haar vriendin aan en haar blijdschap werd tenietgedaan door wat ze daar zag.

Poppy leek helemaal niet verrukt van het idee – eerlijk gezegd leek ze geschokt. Ze keek even naar Kane voor ze zich weer tot Catriona wendde. 'Hij is mijn type niet,' zei ze kortaf. 'En ik zeker het zijne niet.' Ze aarzelde even, alsof ze meer wilde zeggen, maar gaf Catriona in plaats daarvan een snelle kus op haar wang. 'Leuk geprobeerd, schat, maar ik moet ervandoor, anders mis ik mijn trein. Ik heb een paar van mijn jurken voor jou achtergelaten. Ze zijn een beetje verschoten, maar ze zullen je beter passen dan je oude kleren. Pas goed op jezelf en ik weet zeker dat ik je naam op een dag in grote letters op de lichtreclame zal zien.' Ze wierp hun allemaal een laatste kushand toe, haastte zich door de deuren van de stationshal en verdween uit het zicht.

Catriona wist dat ze zich gedroeg als een klein kind, maar ze kon er niets aan doen. Ze rukte zich los uit haar moeders greep en rende zonder acht te slaan op de vrachtwagens de onverharde weg over naar het station. Het was donker bij de loketten en haar voetstappen weerklonken in de stilte. Het perron was koel in de schaduw van het schuine dak en afgezien van de perronchef die met zijn vlag zwaaide verlaten. Het leek wel of Poppy verslonden was door het grote ijzeren monster dat rook en stoom uitbraakte.

Catriona rende over het perron en keek bij alle coupés naar binnen. Ze wilde een laatste kans om gedag te zeggen. Een laatste kans om haar nog een keer te zien voor ze voor altijd uit haar leven zou verdwijnen. Maar het mocht niet zo zijn. Onder het uitbraken van een grote rookwolk en gesis van stoom zetten de grote wielen zich in beweging. Terwijl de trein schuddend en rammelend met schommelende rijtuigen vaart meerderde, kregen de wielen meer snelheid en trokken de lange ijzeren trein het verblindende zonlicht in. Ze stond op het verlaten perron en keek toe hoe de trein zich over de glimmende rails voortbewoog tot het laatste rijtuig niet meer was dan een vlekje in de verte. Het klaaglijke gejammer van de fluit weerklonk over het lege grasland – een laatste, trieste afscheidsgroet aan het adres van Toowoomba en degenen die waren achtergebleven.

Mars stond geduldig naast Jupiter met zijn gepluimde poten stevig in het stof geplant. Hij gooide bij wijze van welkom zijn hoofd in de lucht en wroette met zijn neus in haar haar terwijl Catriona haar wang tegen hem aandrukte en hem voor de laatste keer borstelde. Dit was een dag van afscheid nemen, en Catriona's hart stond op het punt te breken.

'Dit is meneer Mallings,' zei Velda zachtjes terwijl ze haar arm om Catriona sloeg. 'Hij zal Mars een goed tehuis geven.'

'Zeker weten, liefje,' zei de vreemdeling met het blozende gezicht en hij tikte even tegen zijn hoed. Hij stak een eeltige hand uit en gaf het paard waarderende klopjes op zijn hals. 'Dat is een mooi paard, dat meen ik, en ik heb hectares grasland waar hij kan grazen.' Hij boog zich voorover, zodat zijn gezicht op gelijke hoogte was met dat van Catriona. 'Je mag hem altijd komen opzoeken, mocht je ooit weer deze kant uitkomen, en ik beloof je dat hij niets tekort zal komen.'

Catriona hield zich afzijdig en keek toe hoe Mars wegsjokte met zijn nieuwe eigenaar. Hij keek niet om en leek zich niet te realiseren dat hij nooit meer een wagen van de Revue zou trekken. Ze slikte haar tranen weg en lachte beverig toen Jupiter haar met zijn neus een duwtje tegen haar schouder gaf. Het was alsof hij met haar meeleefde, want ook hij raakte een levenslange vriend kwijt.

'Laten we maar teruggaan naar het kamp,' mompelde Velda. 'We kunnen Max niet te lang alleen laten en er komt een vertegenwoordiger naar de andere wagen kijken.'

De dag sleepte zich voort, elke minuut leek wel een uur te duren. De handelaar kocht de tweede wagen en Max' schamele bezittingen werden in de bijna lege voorraadkist onder de eerste gestopt. De kostuummanden werden verkocht aan een vrouw die een modezaak had in de hoofdstraat. Zij kon ze gebruiken om de rollen stof in op te slaan. De piano was al een tijd geleden een prooi geworden van termieten en houtworm en was een paar maanden geleden in elkaar gezakt en achtergelaten toen ze verder trokken. De meeste van de kostuums waren al weg; de voorraad was uitgedund naarmate meer leden van de troep op zoek gingen naar nieuwe horizonten en de paar stukken die nog over waren werden voor een grijpstuiver verkocht of verbrand. De ooit zo grootse kansel was vergeven van de wormen, het fluweel en de gouden kwasten aangetast door motten en schimmel en was compleet waardeloos.

Declan en Kane groeven een groot gat en gooiden daar alle rommel in. Het spreekgestoelte waar Declan zo veel jaar zijn voordrachten had gehouden, was het laatste dat op de stapel werd gegooid. Het brandde vrolijk en al spoedig was er niets meer over dan een berg smeulende as.

Ondanks de pijn die Catriona voelde, besefte ze dat ze niet de enige was die leed. Paps gezicht zag er afgetobd en strak uit terwijl hij met de neus van zijn laars in de as roerde. Mam liep af en aan, haar gezicht gespannen, ogen vastberaden droog terwijl ze nerveus bleef kletsen. Maar aan het trillen van haar handen en de zwarte kringen onder haar ogen kon je zien hoe ze leed. Zelfs Kanes gewoonlijk zo vrolijke gezicht stond somber terwijl hij door de resten van het kamp liep en stilletjes voor Max zorgde.

Het vijftal vertrok in stilte uit Toowoomba. Geen van hen keek om.

Een paar dagen later hadden zij hun kamp opgeslagen onder de apenbomen en dennen in het regenwoud van het Bunya-gebergte. Het was een prima locatie om uit te rusten – een uitgelezen plek om na te denken en de geest te verfrissen – want er waren orchideeën in het bos en bossen wilde bloemen te plukken tussen de wirwar van wortels en afgebroken boomtakken. Wallaby's en kangoeroes sprongen rond in het grasland; een overvloed aan veelkleurige vogels kwetterde boven hun hoofden, en het lawaai gaf leven aan het duistere en mysterieuze woud.

Catriona en haar ouders beklommen de rotsachtige heuvels en keken ademloos naar het prachtige uitzicht op het grasland en het groene bladerdak van de bossen onder hen. Enorme watervallen stortten zich van de eeuwenoude rotsen en vulden snelstromende rivieren die zich halsoverkop naar de kust spoedden. De aarde was rood en vruchtbaar en in de akkers rond Kingaroy zagen ze de rijke oogst aan pinda's en bonen die de boerengemeenschap in deze streek zo welvarend maakte.

Ze keerden terug naar hun kamp, aangenaam vermoeid door hun tocht in de heuvels, en werden begroet door een duidelijk aangedane Kane. Hij wierp een blik in de richting van Catriona, pakte Declan bij een arm en leidde hem buiten gehoorsafstand.

Catriona zag haar vader verbleken, zag de ongeruste blik over zijn schouder en de woordloze boodschap voor haar moeder die naast haar stond. 'Wat is er aan de hand, mam?' vroeg ze angstig.

'Blijf hier,' beval Velda kortaf. 'Maak jezelf nuttig en zet de ketel op het vuur. We zijn wel toe aan een kop thee.' Ze liep snel weg en voegde zich bij de twee mannen en vervolgens, na een korte beraadslaging, liepen ze naar de tent die onder een enorme naaldboom was opgezet.

Catriona huiverde. Ze wist wat er was gebeurd. Ze liet het kookblik bij het smeulende vuur staan en liep langzaam naar de tent.

Velda kwam met een grauw gezicht van verdriet tevoorschijn. Ze keek naar Catriona en de reprimande bestierf op haar lippen toen de eerste traan over haar wang biggelde. 'Hij is gaan slapen, schat,' zei ze met hese stem. 'Max is aan het einde van zijn reis gekomen. Hij heeft nu eindelijk rust, de arme oude man.' Ze sloeg haar handen voor haar gezicht en huilde.

Catriona had nog nooit een dode gezien en hoewel ze bang was voor wat ze zou aantreffen, verdrong ze haar tranen en keek door de opening in het zeildoek. Wat zag hij er vredig uit, dacht ze verrast. Net alsof hij sliep, de door zorgen en piekeren veroorzaakte rimpels waren weggevaagd door die droomloze, eindeloze slaap waaruit hij nooit meer zou ontwaken.

Haar aandacht werd getrokken door Vlekkie. De kleine terriër lag opgerold naast Max, zijn oren hingen en ogen vol vloeibaar verdriet keken naar haar op. Ze stapte aarzelend de tent binnen waarin door het omringende bos een groene schemer hing, en deed een stap in de richting van de stille figuur die zo streng bewaakt werd door zijn terriër.

Vlekkie gromde, zijn haren gingen overeind staan en hij spitste zijn oren. Iedere vezel in zijn lichaam waarschuwde Catriona dat ze hem met rust moest laten – dat ze weg moest blijven en zijn baas met rust moest laten.

'Kom mee, schat,' zei Velda zachtjes. 'Dit is geen plek voor jou.'

'Maar we kunnen Vlekkie toch niet hier laten,' wierp ze tegen.

'Hij komt wel als hij honger krijgt,' zei Velda. Ze nam Catriona mee naar buiten en liet de flap voor de tentopening vallen. 'Ik wil dat jij theezet terwijl ik voor Max zorg. Je vader is naar Kingaroy om een priester te zoeken en je helpt me het beste als je doet wat ik zeg.'

Catriona wilde vragen wat 'voor Max zorgen' betekende, maar de uitdrukking op haar moeders gezicht was genoeg voor haar om er het zwijgen toe te doen. Door haar tranen zag ze nauwelijks iets toen ze op zoek ging naar meer droog hout voor het kampvuur. Toen de vlammen eenmaal hoog oplaaiden ging ze op een omgevallen boomstam zitten en staarde in het vuur.

Kane zag uiteindelijk kans om Vlekkie bij zijn nekvel te pakken en hem de tent uit te sleuren. Hij vond ergens een stuk touw dat hij aan zijn halsband vastmaakte en waarvan hij het andere eind stevig om een boomstam bond. Vlekkie leek verslagen en in de war. Hij lag met zijn kop op zijn voorpoten te jammeren. Maar hij leek er de voorkeur aan te geven om alleen te rouwen, want wanneer er iemand bij hem in de buurt kwam dan liet hij zijn tanden zien en gromde hij.

De priester kwam net toen de zon achter de bomen verdween. Hij was een lange, magere man met een verweerd gezicht en een vriendelijke glimlach. Zijn paard zat onder het zweet door de snelle rit vanuit Kingaroy en Catriona bracht hem naar het beekje om hem te laten drinken terwijl de priester de tent binnenging.

Vlekkie sprong overeind en rukte aan het touw toen Kane en pa hun stille vracht naar het diepe gat brachten dat ze eerder hadden gegraven. Velda had medelijden met hem en met de provisorische hondenriem stevig in haar vuist geklemd, moest ze haar uiterste best doen om hem onder controle te houden omdat hij vocht en trok om bij zijn baas te komen.

Catriona stond naast haar moeder terwijl ze Max voorzichtig in de aarde lieten zakken. Hij was gekleed in zijn toneelkostuum, zag ze, en een van zijn oude dekens was om hem heen gewikkeld als om hem te beschermen tegen de kilte van de donkere, rode aarde die hem spoedig zou bedekken. Ze huiverde terwijl de priester de korte plechtigheid leidde en slikte een paar tranen weg toen de aarde langzaam het grote, diepe gat vulde en Max van hen wegnam.

Vlekkie jankte en krabde toen een ruwhouten kruis bij het graf werd geplaatst en Max' zwierige hoed erbovenop werd gezet. De groene veren waren verbleekt, het goudgalon versleten, maar het was een sterke herinnering aan de man die in de loop der jaren zo veel mensen had vermaakt.

Velda was bezig de priester te bedanken toen Vlekkie eindelijk kans zag te ontsnappen. Hij trippelde de zachte berg aarde op en snuffelde aan het houten kruis. Hij jankte zachtjes toen hij de hoed aan een inspectie onderwierp en naar Max zocht. Toen ging hij met een zucht van oneindige droefheid met zijn kop op zijn voorpoten liggen wachten tot hij terugkwam.

Pater Michael moest het verdriet op haar gezicht hebben gezien, want hij nam haar hand. 'Hij moet rouwen, net als wij allemaal,' zei hij met een zachte Ierse tongval die jaren van verblijf in Australië niet hadden kunnen uitwissen. 'Ik heb het eerder gezien. Er is niets of niemand zo trouw als een hond – inderdaad de trouwste kameraad.'

'Maar we kunnen hem hier niet achterlaten,' snikte ze. 'Wie zal hem te eten geven en voor hem zorgen?'

De priester glimlachte. 'Ik zal elke dag langskomen en ervoor zorgen dat het goed met hem gaat,' beloofde hij. 'En wanneer hij het beu is om hier in z'n eentje te zitten, dan neem ik hem mee naar huis.'

'Belooft u dat u hem niet zult vergeten?'

Hij knikte. 'We zijn allemaal schepselen van God, Catriona, en Onze Lieve Heer let zelfs op de verzorging van een klein hondje.

Ik zou Hem net zo goed als jou tekortdoen als ik mijn belofte niet hield.'

In de vroege ochtend na de begrafenis braken ze het kamp op. Vlekkie lag nog steeds opgerold op de berg aarde te wachten op Max. Catriona probeerde hem met een kippenbout weg te lokken, maar hij weigerde. Ze aaide hem over zijn kop en hij likte met een trieste blik haar vingers, maar hij maakte geen aanstalten om haar naar de wagen te volgen.

Jupiter werd ingespannen, Kane zat op zijn onrustige ruin en Catriona zat ingeklemd tussen haar ouders op de bok. Ze kon het niet helpen, ze moest even achteromkijken toen ze de open plek verlieten. De berg aarde zag er al eenzaam en verlaten uit en de tranen stroomden over haar wangen bij de gedachte dat ze hen allebei achterlieten.

'Het is een vredige plek,' zei Velda zachtjes, terwijl ze met een zakdoek Catriona's tranen droogde. 'God heeft er zeker voor gezorgd dat het hier zo mooi is. Kijk eens naar de waterval, Kitty. Kijk eens hoe het water spettert en brult en luister eens naar het gezang van al die vogels.' Ze sloeg haar arm om Catriona en hield haar dicht tegen zich aan terwijl Declan de teugels stevig in handen nam en Jupiter over het bochtige pad stuurde. 'Het is nooit goed om achterom te kijken, *acushla*,' zei ze zachtjes. 'En er zal voor Vlekkie worden gezorgd. De priester is een eerlijk mens.'

Catriona wreef de tranen uit haar ogen en probeerde te genieten van de pracht van de omgeving die haar gisteren nog zo had vervuld van bewondering en opwinding. Maar het enige waar ze aan kon denken was de zonnige open plek, het donkere woud en het eenzame graf met zijn trieste, kleine wachter. Ze hoopte met heel haar hart dat de priester woord zou houden.

Het zou jaren duren voor Catriona naar die plek in het bos zou terugkeren en te weten zou komen dat de priester inderdaad zijn belofte was nagekomen. Vlekkie had zijn laatste jaren in het huis van de priester doorgebracht en was uiteindelijk begraven naast Max, de baas van wie hij altijd had gehouden.

4

De dagen hadden zich aaneengeregen tot weken terwijl ze hun weg naar het noorden vervolgden toen de volgende tegenslag hen trof. Het geld van Kane was in rook opgegaan. Hij kwam met een asgrauw gezicht terug van zijn bezoek aan de stad en hield een krant in zijn hand geklemd. Zijn investeringen waren verdwenen, samen met de belangrijkste aandeelhouders van de scheepvaartmaatschappij waarvan hij zo zeker was geweest dat het een veilige zaak was om zijn zuurverdiende geld in te beleggen. Van nu af aan zou hij moeten teren op de kleine bedragen die zijn familie in Engeland via de posterijen aan hem overmaakte. Dat was een bittere tegenvaller – en het gevolg was dat hij zijn opgeruimde houding verloor en veranderde in een norse en zwijgzame man.

Bunyip Station strekte zich uit over tientallen hectaren midden in de outback van Queensland en er was volop werk als je tegen de hitte en de vliegen kon en de onbarmhartige eenzaamheid tijdens het palen slaan of omheiningen repareren. Dankzij de regen die in de winter viel, groeide het gras er welig en in grote hoeveelheden, zodat de schapen vet waren en dik in hun vacht zaten. Nu was het hoogzomer – tijd om de schapen te scheren – en er waren veel monden te voeden. Velda en Catriona namen het op zich om de enorme keuken te beheren tijdens de vier weken dat de schaapscheerders er waren.

De boerderij was een lang, laag gebouw dat tegen de zon werd beschermd door de omringende bomen – de keuken was dicht bij de scheerschuur en de lucht boven het golfplaten dak trilde van de hitte. Er klonk voortdurend lawaai uit de schuren: protesterende dieren, vloekende mannen en het eindeloze gezoem van de elektrische tondeuses dat de verlammende hitte doorsneed. Vliegen zwermden in niet-aflatende wolken in het rond en de hitte werd zelfs nadat de zon was ondergegaan niet minder en maakte het bijna onmogelijk om in slaap te vallen.

Catriona's wereld bestond uit bergen aardappelen en groenten die geschild en schoongemaakt moesten worden voor ze konden worden gekookt. En wanneer ze daar niet mee bezig was, hielp ze bij de afwas. De met ijzer beklede keuken leek wel een oven door de hitte van de fornuizen die van 's morgens vroeg tot 's avonds laat stonden te gloeien in het schemerduister. Drie maaltijden per dag voor honderd man was een taak die Velda bijna te zwaar was, maar ondanks de lange uren en de verlammende hitte hielden ze het vol tot het einde van die maand.

'Jullie hebben goed gewerkt,' zei de eigenaar toen hij hun het loon uitbetaalde. 'Denk je dat jullie volgende jaar weer deze kant op komen?'

Catriona keek naar haar moeder die er ontzettend moe en verfomfaaid uitzag, volledig uitgeknepen door de hitte in die vreselijke keuken. Velda schudde haar hoofd. 'We komen deze kant niet meer op,' zei ze zachtjes voordat ze zich afwendde. Toen ze buiten gehoorsafstand waren, pakte ze Catriona bij de hand. 'Ik voel me alsof ik net ben ontslagen uit de gevangenis,' verzuchtte ze. 'Er moet toch een gemakkelijkere manier zijn om je geld te verdienen?'

'We hebben een heleboel geld. Daar kunnen we het een hele tijd mee uitzingen,' zei Catriona toen ze zich bij haar vader en Kane voegden.

Velda gaf haar geld aan Declan. 'Bewaak het met je leven,' mompelde ze. 'Ik wil zoiets nooit meer doen.'

Terwijl ze verder naar het noorden trokken, werden de hitte en de luchtvochtigheid alleen maar erger. Zelfs de dunste kleren voelden loodzwaar aan en waren in een mum van tijd doorweekt van het zweet. Bijtende insecten lieten hun sporen na op blote armen en benen en de vliegen zoemden in dikke wolken om hun hoofd. 's Nachts viel de hitte als een vochtige deken over hen heen; de enorme, lelijke reuzenpadden maakten voortdurend een vreselijk lawaai en het diepe gerommel van de donder en de felle, gevorkte bliksemschichten wekten hen uit hun onrustige slaap.

Het glooiende grasland maakte plaats voor het eindeloze groen van de suikerrietvelden die zich uitstrekten van de in een paars waas gehulde heuvels tot het glinsterende strookje zee dat aan de horizon zichtbaar was. Het suikerriet was meer dan manshoog en stond in keurige lange rijen die bogen en zwaaiden in de hete wind. Er ging een rilling door Catriona toen ze verder hobbelden over de roestige rails van de spoorlijn in de richting van Bundaberg en de rokende schoorstenen van de suikerraffinaderijen. Dit noordelijke gebied was net een ondoordringbare jungle, donker en meedogenloos en ze vermoedde dat ergens, ongezien, roofdieren op de loer lagen om de onoplettende reiziger te verschalken.

Terwijl de mannen de raffinaderij binnengingen om te zien of er werk voor hen was, gingen Velda en Catriona op weg naar de verlaten winkel. Lage duintjes kwamen uit op een strand dat zo uitgestrekt was dat het naar het noorden en naar het zuiden achter de horizon verdween. De geur van naaldbomen en eucalyptus verdrong de misselijkmakende zoete lucht van de rook die uit de schoorstenen van de raffinaderij kwam en een paar plukjes sprietig gras klampten zich met hun wortels vast in het zand en ritselden in de wind.

Catriona stond boven op een duin en keek vol verbazing voor zich uit. De zee strekte zich voor haar uit als een sprankelende deken van het helderste en fijnste blauw dat ze ooit had gezien. Zeilboten staken hun boeg in de schuimende golven en hun zeilen glansden in het zonlicht. Maar het was de enorme uitgestrektheid van de oceaan die haar de adem benam, want dit had ze zelfs in haar stoutste dromen nooit verwacht. Velda en zij trokken onder het slaken van opgetogen kreten hun schoenen uit en renden over het zachte, warme zand naar de golfjes die loom het strand op rolden.

'Het water is warm,' zei ze stomverbaasd. Ze hield de zoom van haar rok omhoog terwijl ze zich wat verder waagde en moest lachen toen het water op haar dijen spetterde en de golven haar enkels liefkoosden. Ze keek hoe de zeevogels boven haar zweefden en doken, hoorde hun klagelijke kreten, en ademde de schone, zilte lucht in die de warme bries met zich meevoerde. Dit was een magische plek – ze had het gevoel dat dit een plek was waar alles mogelijk was als je het maar hard genoeg wenste.

'Kunnen we een poosje blijven?' smeekte ze Velda.

Velda spetterde in het water; op haar gezicht lag een tevreden uitdrukking en de harde lijnen aan weerszijden van haar mond en om haar violette ogen leken zich wat te hebben verzacht. 'Als je pa en meneer Kane werk kunnen vinden,' zei ze. Toen lachte ze terwijl ze haar prachtige haardos losmaakte, met haar hoofd schudde en haar lokken vrijelijk in de wind liet waaien. 'Maar ik denk dat we allemaal wel wat rust kunnen gebruiken. Dus waarom niet?'

Catriona keek toe hoe haar moeder haar armen spreidde en haar gezicht naar de zon keerde. Ze zag er zo jong uit, zo onbezorgd ondanks het grijs dat nu in het donkere haar glinsterde, en voor het eerst in lange tijd voelde ze hoe het gewicht van alle zorgen van haar schouders werd genomen. Ze spreidde ook haar armen uit en omhelsde de warmte van de zonnestralen, draaide in het rond tot ze een beetje duizelig was en haar zwarte haar over haar schouders golfde. Dit ene, kostbare ogenblik kon ze alles even vergeten en gewoon weer kind zijn.

Er was geen werk in de raffinaderij en Declan en meneer Kane waren gedwongen werk te zoeken bij de suikerrietplantages. Dat was een ruwe, harde en meedogenloze mannenwereld en er waren maar weinig vrouwen dapper genoeg om zich er staande te houden – dus was er geen werk voor Velda en Catriona.

Het werk in de suikerrietvelden was iets dat alleen gedaan werd door het taaiste slag mannen. Ze werkten hard, leefden hard en, wanneer het eenmaal zondag was, dronken en vochten hard. Kameraadschap was alles; topsnijder zijn, de man die het snelst riet kon snijden, was een positie waar ze allemaal jaloers op waren en die ze allemaal nastreefden. Er braken regelmatig knokpartijen uit en de ploegen snijders vormden bijna middeleeuwse stammen met elk zijn eigen territorium dat ze angstvallig bewaakten en beschermden.

De mannen leefden in lange, vervallen hutten die op palen stonden. Ze waren oud voor hun leeftijd, bruingebrand door de zon, murw gebeukt door de hitte en hun gezichten werden doorsneden door lijnen van uitputting. Ze droegen gescheurde hemden en ruimzittende korte broeken en dikke sokken en zware laarzen om hun enkels te beschermen. Stuk voor stuk droomden ze ervan hun eigen plantage te bezitten en ze waren vastbesloten het grote geld binnen te halen dat ze konden verdienen door aan het einde van de dag meer riet te hebben gesneden dan de dag ervoor.

Maar die ambities waren snel vergeten wanneer in het weekeinde hun zuurverdiende geld opging aan drank – suikerriet snijden was dorstig werk en als een man niet dronk, hoorde hij er niet bij, dan was hij geen lid van de stam.

De niet-aflatende hitte en de vochtigheid vergden in combinatie met de voortdurende aanvallen van de muggen het laatste restje van hun krachten. Maar deze mannen kenden geen ander leven; ze hadden geen enkele behoefte om deze wereld, waar een man werd beoordeeld op zijn kracht en zijn volhardendheid, vaarwel te zeggen en te ontdekken wat er buiten het suikerriet verder nog bestond. Veel van hen leden aan de ziekte van Weil, dysenterie en malaria, maar ze hielden vol, want de droom van het geld dat kon worden verdiend, was een koorts op zich.

Pa en meneer Kane werkten van zonsopkomst tot zonsondergang met machetes in de dampende, van vliegen vergeven hitte. Ze sneden zich aan het suikerriet en waren doodsbenauwd voor de enorme ratten die voor hun voeten wegschoten – één beet van die dodelijke tanden betekende ziekte, misschien wel de dood. Hun zachte handen waren al snel bedekt met blaren en hun van zweet doordrenkte kleren hingen in flarden aan hun zonverbrande en door de muggen aangevreten lijven. Het vuil van het riet en van het afbranden van de velden zat vastgekoekt op hun huid en drong zo diep in de poriën dat ze zelfs tijdens het zwemmen niet schoon werden. Het was slopend werk dat nog erger werd gemaakt door de schampere opmerkingen van de mannen die in deze hel leefden en er nog van leken te genieten ook.

Velda en Catriona verzorgden hun wonden en smeerden ze in met zalf, maar ze konden niets doen aan de roodomrande ogen, hun door de zon verbrande huid en de insectenbeten en het feit dat ze zo tot op het bot uitgeput waren dat ze 's avonds boven hun schamele maaltijd in slaap vielen. Zelfs Kane leek zijn optimisme kwijt te zijn en hij amuseerde hen niet langer met zijn sterke verhalen die Catriona meestal zo aan het lachen maakten dat ze er steken van in haar zij kreeg.

Velda had er binnen twee weken genoeg van. De plek die ze voor de wagen hadden uitgezocht was prima en lag boven de suikerrietvelden op een plateau in de buurt. Het was er iets koeler, de rivier stroomde er snel en ze hadden er niet zo veel last van vliegen en muggen. Maar ze zag wat het leven in de rietvelden met haar echtgenoot deed en het stond haar helemaal niet aan dat hij langzaam maar zeker deze schemerwereld werd binnengezogen.

Ze keek naar de twee mannen die uitgeput over hun kop thee gebogen zaten en nam een besluit. 'We gaan weg uit dit godverlaten oord,' kondigde ze aan. 'Morgenochtend halen jullie je loon op en dan zijn we weg. Ik blijf niet langer toekijken hoe jullie jezelf te gronde richten.'

'Maar het betaalt goed, Velda,' protesteerde Declan. 'Over een week verdien ik nog wat extra's. En over een maand verdien ik meer dan ik ooit heb gedaan.'

'Nog een week en je bent dood,' zei ze kortaf. 'Morgen vertrekken we, Declan, punt uit!'

Catriona had haar moeder nog nooit zo tegen hem horen praten, en ze zou er misschien tegen hebben geprotesteerd als ze niet eventjes haar vaders ogen had zien oplichten van dankbaarheid. Het kwam door zijn enorme vermoeidheid en zijn gebrek aan eigenwaarde dat zijn schouders zo hingen en dat hij aan haar eisen toegaf – en pas toen ze hem het kamp zag uitsloffen en in de wagen zag klimmen, begreep ze waarom mam hem de beslissing uit handen had genomen. Hij was te trots om toe te geven dat hij het niet aankon, te bedroefd om uiting te geven aan zijn gedachte dat dit alles was wat hij kon doen om zijn gezin te onderhouden.

Er ging een steek door haar heen toen ze zag hoe hij zich op zijn matras liet vallen. Hij zou binnen een paar tellen vast in slaap zijn – maar misschien zou hij prettiger dromen nu hij wist dat hij de volgende dag niet opnieuw het suikerriet in hoefde.

Ze keek naar Kane en zag dat ook hij zich bij haar moeders eisen had neergelegd. Het suikerriet moest wel iets vreselijks zijn als het zoiets teweeg kon brengen bij twee van die sterke kerels. En hoewel ze het jammer vond om de oceaan achter zich te moeten laten, was alles beter dan hen zo uitgeput en verslagen te zien.

De volgende ochtend brak stralend aan, maar er kwamen vanuit de bergen dikke wolken opzetten, die al snel voor een verfrissende koelte zorgden op de helling.

Pap en Kane waren naar het kamp van de rietsnijders gegaan om hun loon te halen en Catriona hielp haar moeder alles in gereedheid te brengen voor het vertrek.

'Kunnen we nog even naar het strand, mam?' vroeg ze toen de laatste doos was ingeladen en het vuur was uitgetrapt en bedekt met zand.

Velda glimlachte, maar het was een vermoeide glimlach terwijl ze haar met zweet doordrenkte lokken met de rug van haar hand uit haar ogen veegde. 'We wachten nog even op je vader,' antwoordde ze. 'Ik denk dat de mannen ook wel even een frisse duik willen nemen voor we op pad gaan.'

Toen het weekloon veilig was opgeborgen, leidden ze de paarden en de wagen voor de laatste keer naar het strand. Catriona was te ongeduldig om op de volwassenen te wachten en rende de zee in zodat het water in een regen van diamanten druppels opspatte. Ze schepte het zoute water op met haar handen en waste haar armen en gezicht. Het verzachtte de muggenbeten en waste het vuil weg en ze wou dat ze haar kleren kon uittrekken en zich kon onderdompelen in de frisheid van de zee.

Terwijl de volwassenen spetterden en plezier maakten in het water, ging Catriona op jacht naar schelpen en ze keek gefascineerd toe hoe een kleine krab over het harde, natte zand schuifelde en daarbij een kralenspoor in het zand achterliet alvorens zich aan de rand van de golven razendsnel in te graven.

Ze raakte het spelletje beu en staarde naar de ongelooflijk blauwe, enorme uitgestrektheid voor zich om dat prachtige schouwspel in zich op te nemen. Ze moest haar ogen beschermen, want het licht dat op het water weerkaatste was oogverblindend door de zon die tussen de zich samenpakkende wolken door scheen. De schaduwen van die wolken zaten elkaar achterna op het wateroppervlak en veranderden het turkoois in donkergroen dat nu doorregen werd door wit terwijl de zeemeeuwen hun duikvluchten uitvoerden en boven haar hoofd schreeuwden.

Ze draaide zich om naar Kane die naast haar aan de waterkant was komen staan. 'Het is zo'n fijne plek,' zuchtte ze. 'Ik wou dat we niet weg hoefden.'

Hij sloeg zijn arm om haar heen en drukte haar even tegen zich aan. 'We moeten allemaal verder, liefje,' zei hij. 'En de zee is in Cairns net zo mooi.'

Ze keek op naar de lucht. De wind werd kouder en het wolkendek was dikker geworden, waardoor de wereld in een vreemde schemering werd gehuld. Ze huiverde en sloeg haar armen stevig om zich heen. 'Het wordt koud,' zei ze.

'We krijgen een tropische storm,' zei Kane binnensmonds terwijl hij zijn hand boven zijn ogen hield en naar de zee tuurde. 'En als mijn geheugen me niet bedriegt, gaat het straks pijpenstelen regenen. We kunnen maar beter de wagen van het strand af halen, anders zitten we hier straks vast.'

'Maar het is zomer,' protesteerde Catriona. ''s Zomers regent het nooit.'

'In het zuiden niet, nee,' gaf Kane toe terwijl hij naar haar omlaag keek en glimlachte. 'Maar hier in het noorden is het nu regentijd – wat de plaatselijke bevolking de Natte Tijd noemt. Rivieren treden buiten hun oevers, wegen worden weggespoeld, de bliksem slaat in en overal hoor je gedonder.' Hij legde een vinger onder haar kin en keek haar doordringend aan. 'Maar je hoeft je geen zorgen te maken, Catriona,' zei hij zachtjes. 'Ik zal ervoor zorgen dat je niets overkomt.'

Catriona ontweek zijn aanraking. 'Mijn vader zal me beschermen,' zei ze vastberaden. 'Bovendien ben ik geen baby die bang is voor een of andere stomme storm.'

'Nee, natuurlijk ben je dat niet,' zei hij bedachtzaam terwijl hij haar vochtige katoenen jurk bekeek die aan haar lichaam zat geplakt. 'Eerlijk gezegd ben je behoorlijk groot geworden.' Zijn duim raakte even het kuiltje in haar kin. 'Hoe oud ben je nu? Dat vergeet ik steeds.'

'Ik ben elf,' zei ze terwijl ze achteruitging om zijn duim te ontwijken en zich ongemakkelijk voelde onder zijn vorsende blik. Ze sloeg haar armen over elkaar voor haar kleine, ontluikende borsten en werd zich er plotseling van bewust hoe het natte katoen aan ze plakte. 'En oud genoeg om niet langer als een kind te worden behandeld.'

'Daar heb je groot gelijk in,' mompelde Kane met een bedachtzame blik in zijn ogen terwijl hij op haar neerkeek.

Al snel ging de zon schuil achter dikke, zwarte wolken die vanuit de bergen kwamen aangestormd. Een kille wind zwiepte de omringende palmbomen en varens heen en weer en liet hen zwaaien en ratelen terwijl de wagen en de paarden hun weg zochten over de onverharde weg die door het achterland voerde. Ze hadden gehoopt de storm te kunnen ontlopen door verder van de kust te gaan – of daar in ieder geval beschutting te vinden – maar er was geen ontkomen aan.

Het begon te regenen. Aanvankelijk nog zachtjes, met een zacht drup, drup, drup op het dak van de wagen dat aangenaam was om naar te luisteren. Maar dat veranderde al snel in een snel geroffel dat al het andere geluid overstemde en verstikte. De regen geselde de bomen, stuiterde op de harde aarde en beukte die tot een modderige substantie. Het enorme, grijze gordijn van water sloot het groepje in en onttrok de omgeving aan hun blik. De regen bracht nacht waar het daglicht was geweest en beukte op alles wat het op zijn weg vond.

Catriona en haar ouders kropen tegen elkaar aan om zich te beschermen tegen de aanval. Hun lichtgewicht regenkleding was niet bestand tegen de rauwe kracht van de regen. Jupiter liet zijn hoofd zakken en zijn doorweekte manen plakten aan zijn hals waar het water vanaf stroomde terwijl hij door de modder voortploeterde. Hij moest nu harder werken, want de wagenwielen begonnen weg te zakken in de modder. Kane, die een dikke waterdichte veedrijversjas droeg die hem van top tot teen bedekte, zat op zijn eigen paard met zijn kin in zijn kraag en het water liep in stromen van zijn breedgerande hoed.

'Kruip achterin,' schreeuwde Declan, en zijn woorden werden bijna overstemd door het geraas van de regen. 'Jullie worden nog doodziek op deze manier.'

Catriona en Velda klauterden van de bok en door de nauwe opening de relatieve veiligheid van de wagen in. Ze droogden hun haar met een handdoek en trokken snel droge kleren aan. Het was onmogelijk een woord te wisselen, want de kleine ruimte weergalmde van de mokerslagen van de regen op het dak.

Catriona ging op de kapokmatras zitten en hield door een van de kleine deuren die een beetje openstond een oogje op haar vader. Met gebogen schouders en doorweekte kleren probeerde hij grip te houden op de glibberige leidsels. Zijn hoed van koolbladeren, die een van de Chinese koelies in de suikerrietvelden had gemaakt, hing slap naar beneden en het water stroomde er in kleine watervallen vanaf.

Vanaf haar hoge uitkijkpost achter de bok zag ze hoe de brede palmbladeren doorbogen onder het gewicht van de regen en hoe de beek die ze hadden gevolgd gezwollen was en nu over de donkerrode rotsen stroomde die nog maar zo kort geleden hoog en droog hadden gelegen.

Catriona kroop tegen haar moeder aan en samen gluurden ze naar buiten naar die waterige schemerwereld. Ze voelde zich veilig en geborgen in deze cocon die hun thuis was – tevreden dat ze weer kind in haar moeders armen kon zijn terwijl ze moest lachen om de capriolen van de vogels.

De rosékaketoes en rosella's hingen ondersteboven en spreidden hun veren uit en ontdeden zich zo al krassend en kwebbelend van luizen en teken. De witte kaketoes zetten hun felgele kam op en schreeuwden scheldwoorden terwijl ze met hun vleugels klapperden en hun uiterste best deden om zich vast te klampen aan de glibberige takken. Kookaburra's zetten hun veren op en lieten hun snavel op hun borst zakken. Hun doorgaans luidruchtige gegniffel ging voor het grootste deel verloren in het geluid van de regen.

Er ging een rilling door Catriona toen ze de donder vanuit de verte hoorde naderen. Het gerommel klonk diep en boven het voortdurende geraas van de regen uit. Oogverblindende flitsen verlichtten het omringende struikgewas en deden de zwarte rotsblokken die als wachters tussen de bomen stonden scherp afsteken. Ze had een gezond ontzag voor onweer, maar was er niet bang voor. Het hoorde net zo bij haar leven als de hitte en het stof – en dit beloofde een prachtbui te worden.

Het gegrom van de donder klonk nu dieper en kwam naderbij. De bliksem flitste met brede banen fel wit licht tussen de voortrazende dieppaarse wolken en veranderde de regen in een glinsterend gordijn. De donkere, rode aarde plakte aan Jupiters hoeven terwijl hij dapper voortsjokte door de steeds groter wordende plassen en de snelstromende, voortjagende stroompjes die vanuit de heuvels kwamen en zich over het uitgedroogde land verspreidden.

Een donderslag deed de aarde onder hen trillen toen hun wereld werd verlicht door een bliksemstraal die knetterend en sissend de hemel doorkliefde en een boom vlakbij trof.

Er klonk een geluid als een geweerschot en de boom veranderde in een pilaar van vlammen.

Jupiter steigerde, klauwde met zijn voorpoten in de lucht en gilde van angst.

Declan schreeuwde terwijl hij vocht om de slingerende, hotsende wagen in balans te houden.

Catriona en Velda werden tegen de houten wanden geslingerd en schaafden ellebogen en knieën op de harde vloer. Hun hoge gegil ging verloren in het lawaai van de storm.

Kane klampte zich vast aan zijn zadel en trok aan de teugels terwijl zijn ruin steigerde en bokte. Het dier draaide in een kleine cirkel rond met zijn oren plat en van angst rollende ogen terwijl hij probeerde de man op zijn rug kwijt te raken en te ontsnappen aan de aanblik en geluiden van deze dol geworden wereld.

Rafelige bliksemschichten doorkliefden de hemel terwijl de donder boven hun hoofden rommelde en weerklonk. De pilaar van vuur brandde fel in de duisternis en hongerige vlammen likten aan de afgevallen takken en het kreupelhout dat droog was gebleven onder de overhangende takken. Met de handigheid van een slang slingerde het zich door het kreupelhout, klom tegen de broze, witte bast van jonge boompjes en begon zich tegoed te doen.

Jupiter vocht om zich te bevrijden van de belemmeringen van zijn harnas – vocht tegen de teugels en de man die ze in handen had. Zijn grote hoeven raakten met een donderende klap de grond – vonden houvast – en zijn door angst verdubbelde kracht joeg hem vooruit in een dolle, blinde rit over het modderige pad.

Declan klampte zich vast aan de teugels, zijn voeten stevig tegen de voetensteun om meer houvast te hebben. Hij kon bijna niets zien, kon nauwelijks de teugels in zijn verkleumde natte handen voelen. Terwijl hij worstelde om zijn evenwicht te bewaren, schreeuwde hij naar Kane. Maar zijn stem ging verloren in het gebulder van de donder dat klonk alsof de dag des oordeels was aangebroken.

Jupiter schudde zijn hoofd en rende voort op zoek naar een schuilplaats. Zijn machtige benen strekten zich in een lompe galop over de modderige weg. Hij wilde alleen maar ontsnappen en trok zich niets aan van de wagen die als kinderspeelgoed achter hem aan hotste.

Het rotsblok lag aan de kant van het pad. Het was groot en getand en lag precies op hun weg. Het met ijzer beslagen wiel raakte het met een vernietigende klap die de hele wagen deed trillen.

Declan werd de lucht in geslingerd. Hij vloog als een lappenpop door de regen. Hij kwam met een klap op een ander rotsblok terecht en zijn botten knapten als twijgjes.

Catriona gilde toen ook zij haar evenwicht verloor. Ze kwam met een doffe bons op de vloer terecht en voelde hoe iets scherps in haar pols drong. Velda klampte zich vast aan de houten deur aan de voorkant en schreeuwde naar Kane om hulp terwijl de wagen onbestuurbaar voortdenderde.

Kane schreeuwde een vloek, bracht zijn paard met een paar schoppen van zijn hiel weer onder controle en dwong hem achter de doodsbange Jupiter aan te gaan. Hij leunde opzij, schatte de afstand en greep de teugels waar hij zich uit alle macht aan vastklampte terwijl hij uit het zadel werd getrokken en door de modder werd gesleurd.

De ruin was eindelijk vrij en ging ervandoor.

Jupiter was een oud paard en niet gebouwd voor een dergelijke overijlde vlucht. Hij vocht tegen het gewicht aan de teugels en schudde zijn hoofd, maar al snel drong tot hem door dat hij er nooit in zou slagen zich te bevrijden van de lamgeslagen wagen of van de man die zich zo koppig aan de teugels vastklampte. Ten slotte raakte zijn energie uitgeput en kwam hij met van inspanning zwoegende flanken trillend tot stilstand.

Velda was al uit de wagen en rende terug langs het pad.

De pols van Catriona voelde als een band van kloppend vuur. Ze zag een stuk bot glinsterend door de huid steken en haar maag draaide zich om terwijl ze de gal in haar keel proefde. Ze was vastbesloten haar vader te gaan helpen. Ze slikte en haalde een paar keer diep adem terwijl ze haar gewonde arm ondersteunde en omlaag klauterde, de modder in. Het werd zwart voor haar ogen en ze dreigde te bezwijken toen ze probeerde te rennen – maar ze vocht ertegen en haastte zich om haar vader te hulp te schieten.

Declan lag stil, zijn gezicht grauw terwijl de regen op zijn gesloten oogleden spetterde en langs zijn wangen stroomde. Velda knielde naast hem in de modder en nam zijn hand in de hare. Haar haar was aan de spelden ontsnapt en hing in natte slierten op haar rug en over haar schouders. Haar jurk zat aan haar lichaam geplakt, waardoor de knobbels van haar ruggengraat en haar uitstekende heupbeenderen zichtbaar waren terwijl ze haar handen over zijn lichaam liet gaan.

Catriona liet zich in de modder vallen. Ze was misselijk van de pijn in haar pols – misselijk ook van ongerustheid over wat er met haar vader aan de hand was. 'Hij is toch niet dood, hè?' vroeg ze angstig.

Ze moest de vraag herhalen, want haar moeder had haar niet gehoord door het geraas van de regen.

Velda schudde haar hoofd. 'Nee, maar hij is er slecht aan toe,' schreeuwde ze terug. 'Haal een deken, en dat flesje cognac uit mijn mand,' beval ze.

Catriona stond op. De pijn schoot door haar heen en het werd opnieuw zwart voor haar ogen, waardoor ze het tafereel voor haar niet meer zag. Ze probeerde te roepen, probeerde zich te verzetten, maar deze keer lukte het niet. Terwijl ze haar knieën voelde knikken en de grond op zich af zag komen, hoorde ze haar moeder gillen.

Catriona voelde de ijskoude speldenprikken van de regen op haar gezicht en deed haar ogen open. Ze was in de war. Waarom lag ze in de modder? Waar was ze en waar kwam die verzengende, kloppende pijn in haar pols vandaan?

Ze knipperde met haar ogen tegen de stortvloed van water en toen drong het tot haar door dat Kane zich over haar heen boog, zijn handen in de modder stak en haar optilde. Hij negeerde haar zwakke protesten, hield haar dicht tegen zich aan en droeg haar door de regen snel naar het afdak van zeildoek dat tussen de bomen was gespannen. Toen wist ze het weer. 'Pap,' huilde ze en ze worstelde om los te komen. 'Waar is pap?'

'Hou je rustig,' schreeuwde Kane boven het geluid van de stortregen. 'Het is goed met hem.'

Catriona kronkelde en wrong zich in allerlei bochten tot hij gedwongen was haar neer te zetten. Ze spetterde door de modder en liet zich, met haar kloppende arm stevig tegen haar borst geklemd, bijna de schuilplaats binnenvallen.

Haar vader lag op een deken met zijn hoofd op een kussen dat vol vlekken zat van zijn bloed. Dat had zich over het katoen verspreid, net als de afzichtelijke, donkerrode bloesems die rond zijn enkels en bij zijn ribben waren verschenen. Zijn gezicht was asgrauw en hij had zijn ogen dicht. Het enige teken van leven was het snellen rijzen en dalen van zijn borst en het verstikte gegorgel terwijl hij worstelde om adem te halen.

Velda liet hem even alleen en nam Catriona in haar armen. Ze bekeek voorzichtig haar pols. Ze haalde een lange zijden sjaal uit haar omvangrijke tas tevoorschijn, maakte handig een mitella voor de beschadigde pols en dwong Catriona zachtjes op de deken naast haar vader. Ze hield haar mond vlak bij Catriona's oor zodat ze goed kon horen wat ze zei.

'Het is maar goed dat je flauwviel,' zei ze. 'Het is Kane gelukt om het bot weer op zijn plaats te krijgen terwijl jij buiten westen was. Het is alleen aan zijn snelle handelen te danken dat je niet bent doodgebloed.'

Catriona bekeek haar pols. Net onder haar elleboog was een reep katoen gebonden en een stevige stok hield het materiaal zo strak dat haar hele arm klopte. Om haar pols zat nog een reep katoen die was vastgemaakt met een grote veiligheidsspeld. Gelukkig was er geen bloed of een glimmend stuk bot te zien waar ze weer duizelig van zou kunnen worden.

Ze wilde de stok pakken, maar haar moeder duwde haar hand weg.

'Laat zitten,' beval ze. 'Dat is om te voorkomen dat het weer gaat bloeden.'

'Hoe is het met pap?' vroeg ze en ze keek naar de steeds groter wordende plassen. 'Waarom stoppen jullie bij hem het bloeden ook niet?'

Kane legde de laatste hand aan het spalken van Declans verbrijzelde been en leunde achterover. 'Het verband blijft niet zitten,' zei hij. 'Ik kan er niet genoeg druk op zetten.' Hij controleerde het verband rond Declans middenrif en ging staan. 'We moeten ze allebei bij een dokter zien te krijgen, en snel ook,' riep hij boven het geluid van de donder. 'Kom op, Velda, je moet me helpen het wiel te repareren.'

Catriona lag naast haar vader, haar kleine hand in de zijne terwijl hij worstelde om adem te halen en voor zijn leven vocht. De tranen vermengden zich met het restje regenwater op haar gezicht terwijl ze keek hoe haar moeder en meneer Kane met hun hoofden gebogen tegen de regen door de modder ploeterden. Mams jurk was doorweekt; hij plakte aan haar benen en de modder kreeg haar schoenen te pakken en rukte ze van haar voeten. Kane, die met zijn lange, waterdichte veedrijversjas bestand was tegen de omstandigheden, liep met grote passen rond in zijn soppende laarzen.

Ze keek naar haar vader. Hij maakte vreemde gorgelende geluiden in zijn keel en er zat een bel bloederig slijm in een mondhoek. Ze greep zijn hand en probeerde iets van haar eigen jeugdige energie op hem over te brengen. Hij mocht niet de kans krijgen dood te gaan.

De wereld buiten het zeildoeken afdak was grijs en de twee figuren die met de wagen aan het worstelen waren leken zo klein en kwetsbaar. Catriona wou dat ze kon helpen. Maar daar was geen kans op, want de pijn nam weer toe – ging in martelende golven door haar lichaam – en dompelde haar in duisternis en een welkome vergetelheid. Ze hield haar vaders hand vast en gaf zich eraan over.

Francis Kane sloeg de laatste spijker in het hout en slaagde er met Velda's hulp in het wiel weer op de as te schuiven. Vervolgens zette hij de naaf aan het einde ervan weer op zijn plaats. Hij zweette in zijn dikke jas en zijn ellende werd nog vergroot door het ijskoude regenwater dat van zijn hoed in zijn nek sijpelde.

Zijn hand gleed weg en de punt van een spijker maakte een diepe voor in het vlezige deel van zijn handpalm. Hij vloekte zachtjes en wikkelde snel een niet al te schone zakdoek om de wond. Dit was een godvergeten oord, dacht hij grimmig terwijl hij door de modder naar de schuilplaats ploeterde. De zon kookte en brandde, de luchtvochtigheid verstikte je en de regen dreigde hem te verdrinken. Wat had hij hier eigenlijk te zoeken? Hij had maanden geleden al weg moeten gaan, in zijn eentje verder moeten trekken en iets beters dan dit moeten vinden om zijn leven aan te besteden.

Hij bleef een ogenblik staan en keek neer op de gewonde man en diens dochter. Het waren allemaal retorische vragen – hij kende de antwoorden al. Er was geen ander leven, geen andere keuzes; zijn geld was verdwenen en hij was gedoemd om in dit ballingsoord te blijven zolang zijn familie hem betaalde om hier te blijven.

Hij nam het kind in zijn armen en droeg haar naar de wagen. Hij legde haar op de matras en dekte haar toe met een deken. Hij bleef op zijn hurken zitten en keek naar het bleke, kleine gezicht en ging in een zacht gebaar met een vinger langs de ronding van haar kaak. Ze zag er zo onschuldig uit, zo breekbaar – als een porseleinen pop, en hij kon zich niet bedwingen en beroerde haar hete, kleine voorhoofd even met zijn lippen.

'Meneer Kane. Opschieten. We moeten opschieten.'

Bij het geluid van Velda's stem draaide hij zich met een ongeduldige grom om en klom de regen weer in. Hij stapte door de modder en dacht verdrietig aan zijn dure rijlaarzen die ongetwijfeld voorgoed bedorven waren. Hij deed zijn uiterste best om zijn slechte humeur te verbergen door een kunstmatige, bezorgde glimlach op te zetten toen hij Velda rillend van kou en angst aantrof in de schuilplaats. Hij werd misselijk van de blik van dankbaarheid die ze hem toewierp toen hij opnieuw de leiding op zich nam. Rekende ze maar niet zo erg op hem – had hij maar de wilskracht gehad om samen met de anderen weg te gaan. Even vlamde de woede in hem op, maar hij verdrong die – het was nu te laat, de teerling was geworpen.

'Pak een kant van de deken, dan pak ik de andere. Maar probeer hem niet te veel te laten schokken.'

Declan was geen lichtgewicht en het was een hele worsteling om hem op de deken door de regen en modder naar de wagen te dragen. Het was onmogelijk om hem op deze manier naar binnen te tillen, dus nam Francis de man in zijn armen, hees hem zo voorzichtig als hij maar kon naar boven en legde hem naast zijn dochter op de matras.

Zijn lichaam deed nog steeds pijn van de tijd in het suikerriet en de inspanning die het had gekost om het wiel te repareren en Declan naar de wagen te dragen had hem uitgeput. Hij steunde met zijn handen op zijn knieën en probeerde op adem te komen, terwijl Velda achter in de wagen klom om haar gewonden te verzorgen. Hij keek woedend naar buiten, naar de regen. In ieder geval had dat de bosbrand geblust. Maar dat was ook het enige positieve dat erover viel te zeggen.

Hij kwam overeind toen hij hoefgetrappel hoorde. De ruin had besloten terug te keren, ongetwijfeld banger om alleen te zijn dan in gezelschap tijdens de storm. Stom beest, dacht hij terwijl hij vlug de teugels greep en het dier op zijn gemak stelde. Dat was het probleem met die dure fokpaarden, ze hadden geen idee hoe goed ze het hadden. Als hij zo'n dier was geweest, was hij er allang vandoor gegaan, bedacht hij terwijl hij de teugels stevig vastmaakte aan de achterkant van de wagen.

'We moeten gaan, meneer Kane,' riep Velda vanuit de wagen. 'Het gaat slechter met Declan.'

Hij tikte tegen zijn hoed en zijn glimlach was bijna een grimas toen hij zijn hoofd boog en naar de bok liep. Hij klom er op, pakte de teugels en liet ze op de brede rug van het trekpaard neerkomen. Het werd tijd om Velda duidelijk te maken dat hij haar bediende niet was – tijd om zijn positie te bepalen en zijn plannen te heroverwegen.

De donder daverde en dreunde, bliksemschichten flitsten door de lucht en de regen stroomde neer als een niet-aflatend grijs scherm. Het geluid van de regen op het dak was van zichzelf al gedonder en verdrong alle andere geluiden. Het hield hen gevangen in die kleine ruimte als veroordeelden in hun cel.

Ondanks haar deken rilde Catriona van de kou. Haar jurk zat aan haar lichaam gekleefd en haar haar plakte aan haar gezicht in vochtige slierten waaruit ijzig water in haar nek drupte en het kussen doorweekte. Ze hoorde Kane vloeken terwijl de arme Jupiter zich afbeulde om hen door de kolkende stroom waterige modder te trekken en ze vroeg zich af hoeveel tijd het zou kosten om terug te keren naar Bundaberg. Ze had het gevoel alsof ze al uren achter in de wagen lag – ze verlangde ernaar te ontsnappen uit de benauwde ruimte van haar thuis.

Ze lag naast haar vader op de matras en deed haar best om niet te jammeren wanneer de pijn in haar pols niet meer te verdragen leek. Ze hield haar blik strak op Declans gezicht gericht terwijl de wagen hotste en botste op het ruwe pad waar ze nog maar pas over waren gekomen. Ook hij leed vreselijke pijn. Ze kon het aflezen aan zijn grijze gezicht, de diep ingevallen wangen en slapen – ze hoorde het gejammer in zijn keel wanneer de pijn bij elke hobbel, elke schok en elke onverwachte beweging van de wagen door hem sneed.

Velda zat tussen hen in, maar haar grootste bezorgdheid ging uit naar Declan. Ze probeerde hem met haar stem te troosten, probeerde het comfortabeler voor hem te maken door hem over zijn voorhoofd te strijken en het zweet en het bloed van zijn gezicht te vegen. Ze boog zich over hem heen. Haar doorweekte jurk plakte aan haar ranke figuur, haar haar zat in een verwarde, natte knot in haar nek en haar tranen trokken sporen in het vuil op haar gezicht.

Catriona voelde een warme golf van liefde voor haar moeder door zich heen trekken en ze verlangde ernaar om vastgehouden te worden, om getroost te worden – maar ze besefte dat ze egoïstisch was, want pap had haar harder nodig. Ze gleed de duisternis in en uit, ontwaakte alleen als ze haar vader hoorde roepen of wanneer het schokken van de wagen een pijnsteek in haar pols veroorzaakte.

Ze deed haar ogen open toen ze voelde hoe handen haar uit de wagen tilden. Ze zocht naar haar vader. Hij was verdwenen.

'Maak je niet druk,' zei Kane terwijl hij haar door de regen naar een lang houten huis droeg dat bijna schuilging onder overhangende takken. 'Hij is bij de dokter.'

'Het gaat toch wel goed met hem, hè?' vroeg ze door het waas dat de koorts bij haar had veroorzaakt.

'Laten we nou eerst maar eens zorgen dat jij behandeld wordt, dan kun je hem daarna zelf opzoeken,' antwoordde hij terwijl hij haar een kamer binnendroeg aan de achterkant van het gebouw.

Het plattelandsziekenhuis lag te midden van de bomen aan de uiterste rand van Bundaberg. Het was opgericht en gefinancierd door de eigenaren van de suikerrietplantages. Het ziekenhuis was uitstekend uitgerust, werd efficiënt gerund en voorzag in de behoefte van de gemeenschap in de wijde omtrek. Suikerriet snijden was een gevaarlijk beroep en de mannen werden voortdurend ziek of raakten gewond, dus de twee dokters en de drie verpleegsters hadden hun handen vol.

Het gebouw bestond uit een grote zaal voor de snijders, twee kleine zalen voor de vrouwen en kinderen en een kleine operatiekamer. Een brede veranda liep langs de voorkant van het gebouw en lag in de beschutting van het schuin aflopende dak van golfplaat dat bijna schuilging onder de bougainville – dit was de favoriete plek van patiënten die aan de beterende hand waren en hier in rieten stoelen zaten te praten en hun sigaretten rookten en de tijd sleten tot ze het veld weer in mochten.

Toen Catriona uit een diepe slaap ontwaakte, ontdekte ze verschillende dingen tegelijk. Haar arm zat stevig verpakt in wit gips en deed geen pijn meer. Ze lag in een echt bed, tussen kraakheldere lakens en met een zacht kussen onder haar hoofd. Ze nestelde zich wat dieper en genoot van het heerlijke gevoel van schoon zijn en lekker liggen en nam haar omgeving in zich op.

Ze lag alleen in de kleine kamer, maar door de open deur kon ze het gebruikelijke gedoe zien en horen dat bij een druk ziekenhuis hoorde. Voor Catriona was dit een paradijs vol schone lakens, schone geuren en vriendelijke gezichten. Er stonden bloemen in de vensterbank, er waren vrolijke gordijnen en beddenspreien en de vloeren waren geboend. De verpleegsters zagen er prachtig uit met hun gevleugelde kappen en gesteven schorten en ze vroeg zich af hoe ze er in slaagden die zo stijf en wit te houden.

Terwijl de mist van de slaap langzaam optrok, drong tot haar door dat ze haar vader helemaal vergeten had. Ze kwam moeizaam overeind en wilde de dekens van zich afgooien, maar ze werd misselijk van de duizeligheid en liet zich weer in de kussens vallen. Ze moest hem vinden – ze moest zeker weten dat alles in orde was met hem. Waar was mam? Ze had mam nodig.

Alsof ze de stilzwijgende, wanhopige smeekbede had gehoord, verscheen Velda in de deuropening.

Catriona's aanvankelijke gevoel van opluchting en blijdschap om haar moeder weer te zien, werd onmiddellijk tenietgedaan. Velda's gezicht was doodsbleek, de jukbeenderen staken uit en ze had donkere kringen onder haar ogen. Het leek alsof ze kleiner was geworden, ouder, en ze leunde zwaar op meneer Kane toen hij haar in een stoel naast Catriona's bed hielp.

'Mam?' Haar stem trilde en ze kon nauwelijks nog iets zien door haar tranen. Ze was bang – banger dan ze ooit was geweest.

Velda nam haar handen in de hare. Haar vingers waren koud, haar stem laag en de woorden waren nauwelijks te onderscheiden toen ze Catriona vertelde dat haar vader dood was. 'Hij was zo dapper,' snikte ze. 'Maar de verwondingen waren te ernstig. De dokters deden wat ze konden, maar het was te laat.'

Catriona was verdoofd. De tranen stroomden over haar wangen en haar adem stokte in haar keel terwijl ze haar moeder aanstaarde en probeerde te begrijpen wat ze zei. Het kon niet waar zijn, dacht ze. Er moest een vergissing in het spel zijn. Pap was zo sterk – hij was nog een jonge man – natuurlijk was hij niet dood.

Velda snoot haar neus en depte haar tranen weg met een doorweekt stukje zakdoek. 'Ik had hem niet moeten vervoeren,' mompelde ze. 'Ik had hem nooit mogen optillen, laat staan die afschuwelijke reis terug laten maken.' Ze stortte in; haar snikken pijnigden haar slanke lichaam terwijl ze haar gezicht in haar handen verborg en zich liet gaan.

'Wat hadden we anders kunnen doen?' vroeg Kane die naast haar stond en een hand op haar schouder legde. 'Kom, liefje. Je moet jezelf niet de schuld geven.'

Velda keek met gezwollen oogleden naar hem op. 'Maar dat doe ik wel,' jammerde ze. 'Dat doe ik wel.'

Catriona keek van haar moeder naar meneer Kane. De brok in haar keel dreigde haar te verstikken en terwijl de vreselijke herrie van de werkelijkheid in haar hoofd dreunde, legde ze zich neer bij de waarheid dat haar vader echt dood was. Ze zou hem nooit meer zien. Zou nooit meer zijn stem horen, of zijn armen om zich heen voelen – ze zou nooit meer naast hem zitten en naar zijn verhalen luisteren terwijl hij de teugels in zijn handen hield en Jupiter door de outback leidde.

Ze begon te huilen, viel woedend uit naar haar moeder omdat die hem had laten sterven. Ze was woedend op haar vader omdat hij haar had verlaten. Woedend op meneer Kane omdat die ervoor gezorgd had dat ze deze afschuwelijke reis hadden ondernomen. Ze schudde Velda's hand van zich af. Ze smaalde om de voorzichtige pogingen van Kane om haar te kalmeren. Ze haatte hem – ze haatte hen allebei. Ze wilde alleen maar haar vader.

De scherpe prik van een naald in haar arm sloot haar ogen en bracht haar naar een plek waar geen pijn bestond, geen verdriet – alleen maar een enorme leegheid en eeuwige duisternis.

Toen ze wakker werd had ze het gevoel dat haar hoofd vol zat met watten, en een ogenblik lang had ze geen idee wat er allemaal was gebeurd. Toen zag ze haar moeder en Kane naast het bed naar haar zitten kijken. 'Ik wil hem zien,' zei ze.

Velda stak haar arm uit en pakte haar hand. 'Dat kan niet, mijn *mavourneen*,' zei ze zachtjes en haar ogen zagen zwart van verdriet. 'We hebben hem twee dagen geleden begraven. Hij is nu bij de engelen, God hebbe zijn ziel.'

Catriona leunde achterover in de kussens, verbijsterd en in de war. 'Hoe kan dat?' fluisterde ze. 'We zijn pas vandaag hier aangekomen.'

Kane stond op uit zijn stoel en ging op de rand van het bed zitten. De matras boog door onder zijn gewicht toen hij zich naar haar toe boog en zachtjes wat haren uit haar gezicht streek. 'Je bent een heel ziek meisje geweest,' zei hij rustig. 'Je had hoge koorts en de dokter vond het het beste om je zo lang mogelijk te laten slapen. We zijn hier al bijna een week.'

Haar ogen werden groot en ze keek naar haar moeder voor een bevestiging. Hoe kon ze nou een hele week kwijt zijn? Hoe kon ze zo ziek zijn dat ze niet wist dat haar vader was gestorven? Ze zou zich toch zeker zelfs toen de koorts op zijn hoogst was wel hebben gerealiseerd dat hij haar verlaten had?

Velda kwam naast Kane staan. 'Hij heeft gelijk, schat,' zei ze. 'Je was heel erg ziek en ik was bang dat ik jou ook kwijt zou raken.' Ze schonk Catriona een waterige glimlach en pakte haar handen en hield die stevig vast. 'Je vader is nooit meer bijgekomen. Hij heeft op het laatst niet geleden.'

Catriona kon niet de woorden vinden om de vreselijke emoties te beschrijven die haar verscheurden.

Velda stopte Catriona's handen onder de lakens en stapte bij het bed vandaan. 'De dokter zegt dat je hier morgen weg mag, schat. Je bent goed opgeknapt en hij zegt dat je voldoende genezen bent om weer te reizen.'

Catriona staarde hen aan. Ze wilde hier niet weg. Ze wilde nergens naartoe zonder haar vader. Hoe kon mam zoiets voorstellen? Ze knipperde met haar ogen en probeerde zich te concentreren op wat meneer Kane zei.

'Ik zal van nu af aan voor jullie beiden zorgen,' zei hij terwijl hij ging staan en zijn arm om Velda's slanke middel sloeg. 'We vertrekken morgen naar Cairns.'

De manier waarop meneer Kane haar moeder vasthield stond Catriona helemaal niet aan, net zomin als de manier waarop haar moeder naar hem opkeek alsof haar leven van hem afhing. 'Ik wil niet naar Cairns,' zei ze koppig. 'Waarom kunnen we niet hier blijven?'

Kane trok Velda dicht tegen zich aan en fluisterde iets in haar oor, en met een trieste glimlach in de richting van Catriona ging ze de kamer uit. Hij kwam terug naar het bed en de matras boog weer door onder zijn gewicht. 'Je moeders hart is gebroken en ik geloof niet dat jij haar nog meer verdriet wil bezorgen,' zei hij zachtjes. Hij veegde haar haar uit haar gezicht. 'Ik denk dat je wel weet hoe moeilijk het voor haar zou zijn om hier te blijven, dus wees nou een lieve meid – als je het niet voor mij doet, doe het dan voor je moeder.'

Zijn woorden mochten dan op zachte toon zijn uitgesproken, maar Catriona hoorde de ijzeren, vastberaden ondertoon en was er volkomen zeker van dat Kane de leiding wilde nemen. 'Ik ben wel lief,' snufte ze, 'ik wil alleen mijn pa.'

Hij nam haar hand en hield die in zijn schoot. 'Natuurlijk ben je een lieve meid,' mompelde hij. 'Maar we kunnen hier niet langer blijven.' Hij glimlachte. 'De paarden en de wagen zijn al verkocht,' zei hij. 'Ik heb treinkaartjes gekocht en we vertrekken morgen naar Cairns waar me werk is aangeboden.' Zijn helblauwe blik was vast terwijl hij met zijn vinger langs de omtrek van haar gezicht ging. 'Van nu af aan, Catriona, zal ik voor je zorgen.'

5

Velda kon het niet opbrengen om nog een keer naar het kerkhof te gaan. Ze had zo veel tranen vergoten dat ze uitgeput was. Maar ze was ook bang. Wat moest er zonder Declan van haar en Catriona worden? Hoe moesten zij zich redden – hoe zou ze erin slagen werk en onderdak te vinden terwijl ze zo weinig ervaring had met het leven buiten een theatergezelschap?

Catriona luisterde naar het vertwijfelde gemompel en realiseerde zich dat haar moeder zo opging in haar eigen angstige ellende dat ze nauwelijks in de gaten had dat Catriona ook leed. Velda leek meer en meer op Kane te steunen, zowel letterlijk als figuurlijk – ze liet hem alle beslissingen nemen en klampte zich aan hem vast alsof ze dreigde te verdrinken. Het was net alsof ze zich niet meer om zichzelf bekommerde, of om haar dochter. Ze bewoog zich voort als een geest, haar levendigheid was verdwenen, haar energie uitgeput. Ze had het leven opgegeven – het kon haar niets meer schelen.

Catriona hielp haar moeder zich te installeren in de wachtkamer op het station en verzekerde zich ervan dat ze lekker zat en een boek had, terwijl Kane en zij naar Declans graf gingen om hem eer te betuigen. Toen Catriona zich in de deuropening omdraaide, zag ze dat het boek ongeopend in Velda's schoot lag terwijl ze aan de bladzijden plukte en in de verte staarde. Zwaar te moede schikte Catriona haar arm in de mitella en volgde Kane naar het kerkhof.

Ze kon geen bloemen betalen, dus had ze onderweg wat klimop en madeliefjes geplukt. Het was een mooi kerkhof, als je zoiets als een kerkhof tenminste mooi kon noemen, dacht ze toen ze de omgeving in zich opnam. Het gras was pas gemaaid en de bomen zaten vol vogels – het was een stille, vredige plek en ze hoopte, op haar kinderlijke manier, dat hij hier rust zou vinden. Ze legde de al verwelkende bloemen op het verse graf, keek naar het houten kruis en nam afscheid van hem.

Ze kwamen op nieuwjaarsdag 1933 in Cairns aan. Catriona had het heet, ze had dorst en was doodmoe. Haar kleren waren smerig van het roet en vuil van de locomotief en ze verlangde naar een bad en een fatsoenlijke maaltijd.

Het was een lange reis geweest vanuit Bundaberg, de trein was traag en het wachten op de verschillende stations had eindeloos geduurd. Hun maaltijden hadden bestaan uit brood en schapenvlees en een eindeloze reeks koppen thee. Ze moesten slapen op de harde banken waar ze op zaten en ze keken, zonder veel belangstelling, naar het landschap dat zich majestueus naast hen uitstrekte in een nooit veranderende waas van groene suikerrietvelden, groene palmen en groene varens.

Ze stapte uit de trein en hielp haar moeder en Kane met het uitladen van hun tassen en dozen. Velda was magerder dan ooit, haar gezicht zag bleek en haar met zweet doordrenkte kleren waren smerig van de reis. Ze had nauwelijks een woord gezegd sinds ze uit Bundaberg waren vertrokken en had geen enkele poging gedaan om Catriona te troosten of zelfs maar haar aanwezigheid op te merken. Nu stond ze op het perron en de hoedendozen bungelden aan haar vingers terwijl ze als een verward kind voor zich uit staarde.

Catriona worstelde met de zware tas. Haar pols was nog niet helemaal genezen en ze had al moeite met het kleinste gewicht.

Kane nam de tas van haar over en pakte de andere bij elkaar. 'Ik zet ze wel even apart in het kantoor van de kruiers,' zei hij. 'We halen ze wel op als ik vervoer heb geregeld.' Hij glimlachte naar haar en gaf haar de waterfles. 'Je ziet er dorstig en vermoeid uit,' zei hij vriendelijk. 'Het duurt niet lang meer voor we in het hotel zijn.'

'Is het ver, meneer Kane?' vroeg ze en ze schaamde zich voor het kinderachtige toontje in haar stem.

Hij glimlachte en schudde zijn hoofd. 'Niet echt,' zei hij. 'Maar de reis zal iets prettiger zijn en de hitte iets beter te verdragen, want we gaan dáárheen, de bergen in.'

Catriona keek over de uitgestrekte, lege vallei naar de beschermende rij met naaldbomen bedekte bergen die de kleine stad leken te overheersen. Dreigende, donkere wolken rolden over de toppen en wierpen zwarte schaduwen over de dennenbomen en brachten de belofte van stortregen met zich mee. Toch was de hitte hier in de vallei bijna niet te verdragen. Die leek zich bijna ongemerkt om haar heen te slingeren, haar in een vochtige, zware deken te wikkelen en de laatste krachten uit haar te zuigen.

'Kunnen we hier even uitrusten?' vroeg ze klaaglijk.

'We hebben het geld niet om in Cairns rond te blijven hangen,' antwoordde Kane terwijl hij de tassen met een plof neerzette en het bonnetje van de kruier tekende. 'En net zo min kunnen we de trein naar de bergen betalen, of een auto huren. Daarom moet ik goedkoop vervoer voor ons zien te vinden. Maar je moeder zal daarboven beter kunnen rusten – het is er koel en rustig, de perfecte plek om weer op krachten te komen.'

Hij onderdrukte zijn duidelijke ongeduld en knuffelde haar even. 'Je bent nu een grote meid, Kitty,' mompelde hij in haar haar. 'Kop op.'

Catriona gaf zich over aan zijn omhelzing. Ze voelde zich niet langer ontrouw aan haar vader wanneer ze meneer Kane omhelsde, want de Engelsman kon nooit zíjn plekje in haar hart innemen – maar hij was alles wat ze nog had om zich aan vast te klampen. Nu Velda zo overweldigd was door haar verlies, waren zijn kracht en vriendelijkheid haar redding geweest. Ze hadden vele uren doorgebracht met kaartspelen en praten – lange nachten dicht tegen elkaar aan op die harde houten banken om het warm te krijgen terwijl de trein schudde en schokte op de rails – en ze was uiteindelijk gaan beseffen dat ze net zoveel op hem was gaan vertrouwen als haar moeder deed. Want ze hadden geen geld, geen huis en geen werk, zelfs geen familielid dat voor eten en onderdak kon zorgen – zonder hem waren ze verloren geweest.

Kane liet haar los en liep naar Velda. 'Kom, lieverd,' zei hij terwijl hij haar bij de arm nam. 'We moeten vervoer zien te vinden voor de volgende etappe van onze reis.'

Velda retourneerde zijn blik, maar haar gezicht was uitdrukkingsloos en haar ogen stonden dof van verdriet. Ze bewoog wanneer hij bewoog en ze gleed naast hem voort als een geestverschijning terwijl hij haar de verschroeiende hitte van de middag binnenleidde.

Cairns was niet zo groot, meer een toevallige verzameling witte, houten huizen die her en der onder de palmbomen stonden, een paar hotels en verschillende kerken. Op de bedrijvige kades waren grote vrachtwagens bezig hun lading over te brengen in de schepen en de houten trottoirs boden schaduw voor degenen die daar wandelden om de etalages te bekijken. Catriona vond het strand een teleurstelling – het was eb en het water was ver weg waardoor een moddervlakte was komen bloot te liggen die alleen een toevluchtsoord was voor meeuwen en steltlopers.

Er was maar weinig tijd om rond te lummelen en geen geld om in de schaduw te gaan zitten om limonade te drinken, want Kane had iemand gevonden die hen mee wilde nemen naar de hoogvlakte.

Herbert Allchorn was een vreemd en nogal angstaanjagend individu met een paard-en-wagen. Zijn kleren hingen als vuile was in lagen om zijn lijf, zijn laarzen waren gebarsten en werden met touw bij elkaar gehouden en zijn hoed was zo doordrenkt van het zweet en vuil dat moeilijk te zeggen viel wat de oorspronkelijke kleur was geweest.

Het was geen man van veel woorden en hij keek hen doordringend aan vanonder de rand van zijn hoed en zijn bloeddoorlopen ogen ontging niets terwijl Kane de tassen en dozen inlaadde en Velda op het houten bankje hielp. Hij spoog een straal tabakssap uit, veegde zijn mond af aan zijn smerige mouw en klom op de bok. Met een scherpe knal van de zweep gingen ze op weg.

Catriona zat achter in de wagen tegenover Kane en haar moeder. Het schudden en slingeren waren net zo normaal als ademhalen en deden haar terugverlangen naar vroeger – naar pap en de toneelspelers, naar Poppy en Max en naar de lieve paarden. Maar terwijl de zon ongenadig op hen brandde en het paard aan de lange tocht naar de bergen begon, wist ze dat die tijd voor altijd achter haar lag.

Herbert Allchorn zat voorovergebogen op de bok met zijn hoed diep in zijn ogen terwijl hij naar een plek tussen de oren van het paard staarde. Hij had niets te zeggen, geen enkele opmerking over hun omgeving, en Catriona trok haar neus op vanwege de lucht die van hem opsteeg. Het leek er sterk op dat meneer Allchorn en zeep vreemden voor elkaar waren.

De wolken schoven voor de zon en brachten een welkome verkoeling terwijl zij langzaam voortrolden langs de steile, slingerende onverharde weg die hen naar de hoogvlakte voerde. In de lucht weerklonk het zoemende geluid van duizenden insecten. Dennenbomen wierpen diepe schaduwen, klimplanten wikkelden zich om enorme varens en felgekleurde tropische planten terwijl vogels heen en weer schoten en hun roep lieten horen. Diepe, angstaanjagende ravijnen openden zich naast haar en ze durfde niet naar beneden in de peilloze afgrond te kijken – maar wanneer ze voorbij de ravijnen keek, zag ze de vallei zich uitstrekken in de zon en de glinstering van de oceaan die zo fel was dat het pijn deed aan haar ogen.

Ze kwamen langs een waterval die zich van de glimmende zwarte rotsen stortte en door de ravijnen naar de rivier beneden raasde. Er was een spoorlijn uitgehakt in deze rotsen en met een weergalmende stoot op de fluit verdween de kleine trein rook uitbrakend en rammelend in een tunnel en uit het zicht.

Catriona ving een glimp op van keurige houten huizen die onder de bomen op palen balanceerden en ze keek ademloos hoe een havik in de lucht zweefde op zoek naar prooi. Kleine wallaby's keken toe terwijl ze voorbijreden en een grote rode kangoeroe sprong voor hen op de weg en stuiterde met volmaakt gemak omlaag het ravijn in.

Als ze niet zo verdrietig was geweest, had ze deze plek waarschijnlijk fantastisch gevonden – maar zoals de zaken er nu voor stonden, kon ze nergens enthousiasme voor opbrengen. Ze wilde alleen maar dat er een einde aan de reis kwam, zodat ze kon slapen en vergeten.

Kuranda was een kleine nederzetting die was ontstaan toen de spoorlijn werd aangelegd. Ze bestond uit een paar blokhutten, een of twee keurige huisjes, een kroeg en een uitgebreide Aboriginesgemeenschap die bijna in zijn geheel aan het oog onttrokken werd door de bomen. De zon kwam door het bladerdak van het regenwoud en Catriona's adem stokte. Het bos was weelderig en groen en had een overvloed aan tropische kleuren. Het lag overal om hen heen, donker, groen en koel, en de exotische bloemen en vogels gaven de hele omgeving een wonderbaarlijke vitaliteit.

De voerman gaf het paard een licht tikje met zijn zweep en ze rolden Karunda uit en het hart van de Atherton Tablelands in. Het was goed akkerland, de grond was vruchtbaar en er viel meer dan genoeg regen. Het was overduidelijk een populaire plek om vee te fokken. Ze werden omringd door dicht regenwoud waarin hun af en toe een blik werd gegund op kratermeren, eeuwenoude rotsformaties en fantastische watervallen.

Met zijn hoed diep over zijn borstelige wenkbrauwen volhardde Herbert Allchorn in stuurs zwijgen terwijl het paard de wagen over het hobbelige karrenspoor voorttrok naar het kleine plaatsje Atherton.

Velda lag opgerold op de andere bank en was in slaap gevallen, zich niet bewust van, maar ook niet geïnteresseerd in haar omgeving. Catriona leunde tegen de brede schouder van meneer Kane, soezerig van de hitte en dankbaar voor dit comfort, maar anders dan haar moeder was ze te nieuwsgierig om te gaan slapen.

Dit land in het hoge noorden verschilde volledig van alles wat ze ooit eerder had gezien. Het regenwoud was een wirwar van enorme varens, sierlijke bomen en donkere, geheimzinnige klimplanten die zich rond de brede, glanzende bladeren slingerden van planten waarvan ze de naam niet kende. Felgekleurde bloemen wedijverden met felgekleurde vogels en de lucht was vol van het gegons en gekras van insecten.

Toen ze de koele schaduwen van het regenwoud achter zich hadden gelaten reden ze al spoedig door een weidelandschap dat zich eindeloos uitstrekte in de trillende hitte. Vee graasde tevreden van het dikke gras dat uit aarde groeide die zo rood was dat het pijn deed aan de ogen. Watervallen stortten zich in poelen van zwarte, glinsterende rotsen en palmbomen strekten hun lange, rechte stammen naar de hemel alsof ze de competitie aan wilden gaan met de schoorstenen van de suikerraffinaderijen.

Die schoorstenen braakten grijze rook uit die verzadigd was van de misselijkmakende geur van melasse – het hing overal in de lucht, drong door tot in haar kleren en haar huid en wanneer ze haar lippen aflikte meende ze de weemakende zoetheid vermengd met het stof op haar tong te kunnen proeven.

'Ik heb twee dagen geleden een telegram gestuurd om te zeggen dat we kwamen,' mompelde Kane terwijl hij met zijn kin op haar hoofd steunde. 'Hopelijk is er iemand om ons op te vangen.'

Catriona kroop tegen hem aan, blij met zijn aanwezigheid nu Velda helemaal niets zei. 'Ik hoop alleen maar dat ze een lekker bed hebben,' zei ze geeuwend. 'Ik ben zo moe en het zal heerlijk zijn om niet steeds onderweg te zijn.'

Kane kneep in haar schouder en ging vluchtig met zijn vinger over haar blote arm. 'Het duurt nu niet lang meer,' beloofde hij.

Toen de raffinaderijen achter hen lagen naderden ze een uitgestrekt houthakkerskamp waar het door de hars zoetgeurende hout hoog lag opgetast. De geur was niet zo misselijkmakend als die van de melasse. Er zat een scherpe, citroenachtige zweem in die de lucht leek te reinigen. Dit houthakkerskamp lag aan de rand van een dorpje dat bestond uit één brede straat, een paar huizen, een kerk en twee hotels.

Herbert Allchorn sloeg met de leidsels op de rug van het paard en ze sjokten het plaatsje door en aan de andere kant er weer uit, waarna ze opnieuw werden opgenomen in de welkome koele, groene schaduwen van het regenwoud. Terwijl ze een lange bocht in de weg volgden, ving Catriona de eerste glimp op van haar nieuwe thuis.

De ijzeren poorten zagen er grimmig uit en toen Kane van de wagen klom om ze open te duwen, zag ze onwillekeurig hoe de schaduwen van het omringende bos over de oprijlaan vielen. Ze huiverde en trok haar vest dichter om haar schouders. Het was alsof de duisternis haar probeerde aan te raken met zijn ijzige vingers en de warmte van de zon wegjoeg.

'Waar zijn we?' Velda kwam overeind terwijl ze slaperig met de ogen knipperend haar hoed rechtzette en haar jurk gladstreek.

'Petersburg Park,' zei Kane. 'Je nieuwe thuis.' Hij sprak zachtjes tegen Allchorn en liep toen snel de oprijlaan op.

Allchorn spoog in het stof en hield de teugels losjes in zijn handen terwijl het paard aan het grazen was.

'Waarom wachten we?' vroeg Catriona. Ze had haar duistere gedachten van zich afgeschud en besloten dat ze alleen maar moe was en uit haar doen – haar fantasie speelde haar parten, dat was alles. Nu stond ze te trappelen om het huis te bekijken. Ze kon niet wachten om aan dit nieuwe avontuur te beginnen.

Allchorn haalde zijn schouders op. 'Ik doe alleen maar wat me gezegd wordt,' gromde hij.

Catriona fronste haar voorhoofd. Waarom zou meneer Kane alleen naar het huis willen?

Na wat een eeuwigheid leek sloeg Allchorn met de leidsels op de rug van het paard en reden ze het grindpad op.

Catriona zat voorovergebogen en kon niet wachten tot ze het huis zou zien. En daar stond het. De stenen muren zagen er warm uit in het zonlicht dat door het omringende bos drong en de grote en kleine torens leken haar uit te nodigen tot een ontdekkingstocht. Haar ogen werden groot toen ze alles in zich opnam. Als er niet een hele serie prachtige auto's in een halve cirkel voor het huis had gestaan en als op het gazon niet een gezelschap modieus geklede mensen thee had zitten drinken, dan had het een sprookjeskasteel kunnen zijn. Het enige wat ontbrak was de prins op het witte paard.

Ze keek naar haar moeder in de hoop bij haar tekenen van levendigheid of nieuwsgierigheid te zien, maar Velda staarde met een uitdrukkingloos gezicht voor zich uit terwijl ze verder over de oprijlaan reden.

Catriona weigerde toe te geven aan die neerslachtigheid, ondanks haar moeders onverschilligheid voor haar omgeving, want terwijl ze langzaam dichter bij het huis kwamen, drong tot haar door dat ze niet alleen in een kasteel zou gaan wonen, maar dat er inderdaad ook een prins bij hoorde. Hij stond op de trap bij de grote stenen pilaren en zijn witte pak stak glanzend af tegen de zwarte voordeuren. Zelfs van deze afstand kon Catriona zien dat hij lang en slank en knap was en een keurig geknipte snor en baard droeg. Hij was een beetje oud voor een prins – ongeveer van dezelfde leeftijd als meneer Kane, maar hij glimlachte hartelijk toen de twee mannen elkaar begroetten.

'Welkom, welkom,' zei hij, en zijn stem had een rollend, tamelijk exotisch accent dat Catriona niet kon thuisbrengen. 'Kane, mijn goede vriend,' bulderde hij met een paar stevige klappen op Kanes rug. 'Blij je weer te zien na al die tijd.'

Meneer Kane leek zeker zo blij met de hereniging. De twee mannen schudden elkaar de hand en sloegen elkaar enthousiast op de schouder terwijl ze begroetingen uitwisselden en elkaar probeerden de loef af te steken bij het uitwisselen van nieuws.

Allchorn bracht de wagen tot stilstand en Catriona zag hoe de knappe man zijn wenkbrauwen fronste toen hij haar en haar moeder in het oog kreeg – ze zag de snelle vragende blik die hij meneer Kane toewierp voor zijn glimlach weer op zijn plaats gleed en hij zijn hoed afnam om hen te begroeten.

Catriona volgde Velda de wagen af en voelde zich plotseling slecht op haar gemak terwijl ze stond te wachten tot meneer Kane hen zou voorstellen. De vreemdeling bekeek haar met een merkwaardige uitdrukking op zijn gezicht en zijn donkere ogen stonden bedachtzaam terwijl zijn wenkbrauwen in een frons samenkwamen.

'Dit is Demetri Yvchenkov,' zei Kane. 'Oorspronkelijk uit Sint Petersburg in Rusland – nu een steenrijke ingezetene van Australië.' Hij kietelde Catriona onder haar kin. 'Kijk niet zo, Kitty. Hij zal je niet opeten.' Hij grijnsde weer naar zijn vriend. 'Demetri oogt en klinkt misschien wel woest, maar hij is onze weldoener, de eigenaar van dit imposante landgoed.'

Catriona's hand ging verloren in de grote klauw van de Rus en terwijl ze in die donkere, vragende ogen keek, werd ze overvallen door een ongewoon gevoel van verlegenheid. Hij was erg lang en had brede schouders en zware, donkere wenkbrauwen boven een paar felle ogen; maar zijn glimlach was warm, zijn handdruk stevig en dat stelde haar enigszins gerust. Ze maakte een kniebuiging en hij maakte een lichte buiging voor hij zich tot Velda wendde en de lucht net boven haar gehandschoende vingers kuste.

'Je zit ook vol verrassingen, Kane,' zei hij zachtjes terwijl hij Velda diep in de ogen keek voor hij haar hand losliet. 'Je bent gezegend met zo'n vrouw en dochter.'

Kanes antwoord bestond uit een vreugdeloze lach. 'Mijn hemel, Demetri,' protesteerde hij. 'Ik ben niet van de trouwlustige soort, dat weet je. De omstandigheden hebben het zo gewild dat we reizigers zijn die de ontberingen van dit woeste, ongetemde land samen onder ogen zien.' Hij gaf Demetri een klap op zijn rug. 'Je weet hoe dat gaat, ouwe reus. Wanneer je allemaal in hetzelfde schuitje zit en zo...'

Er ging een schok door Catriona. Wat zette hij hen gemakkelijk aan de kant – hoe makkelijk degradeerde hij hen tot niet meer dan onbetekenende reisgenoten. Wat moest er van hen worden als deze enorme Rus besloot dat ze niet konden blijven?

Ze gluurde naar haar moeder, maar Velda leek niet te luisteren. Ze stond in de brandende zon en staarde zonder enige uitdrukking op haar gezicht naar de torens van dit buitengewone huis. Catriona pakte haar hand en hield die stevig vast terwijl ze haar aandacht weer op de twee mannen richtte.

Demetri keek bedachtzaam terwijl hij zijn panama goed zette. 'Hoop je soms dat zij ook voor me kunnen werken?' vroeg hij. 'Of willen ze maar korte tijd blijven voor ze verder reizen?'

Kane leek niet in het minst uit het veld geslagen door de situatie. 'Velda en Catriona staan alleen in de wereld, Demetri, en ik heb ze zogezegd onder mijn hoede genomen.' Hij gaf Demetri weer een klap op zijn schouder in een poging joviaal te doen. 'Je zei dat je hier hulp nodig had en daar zijn we dan, tot je dienst.'

Demetri plukte bedachtzaam aan zijn baard terwijl hij Velda en Catriona onderzoekend aankeek. 'We moeten hierover praten, Kane,' zei hij zachtjes, zijn woorden bijna onverstaanbaar. Toen leek tot hem door te dringen dat Catriona naar deze woordenwisseling stond te luisteren en zijn gezicht klaarde op – hij werd opnieuw de verwelkomende gastheer. 'Maar de dames moeten eerst de hitte uit en mijn paleis bekijken.' Hij wierp de deuren open en gaf hun een teken dat ze hem de koelte van de grote hal in moesten volgen.

Catriona werd getroffen door de grootsheid van alles. De brede trap die in een boog liep, het ingewikkelde pleisterwerk aan het plafond, de bloemen en schilderijen en de kristallen kroonluchter waren een lust voor het oog. Er hing de geur van bloemen en boenwas en dan was er nog de verleiding van openstaande deuren die schreeuwden om een ontdekkingstocht.

'Ik zie dat uw gasten zijn gearriveerd, meneer. En er staat buiten een persóón met een paard-en-wágen.'

Catriona draaide zich om en zag een vrouw met een verzuurd voorkomen. Ze was in het zwart gekleed en de hooggesloten jurk viel van haar magere hals tot bijna op haar dunne enkels. Haar haar was een onbestemd bruin en was strak naar achteren in een knot gebonden. Ze hield haar handen gevouwen op heuphoogte terwijl haar grijze ogen hen opnamen.

'Edith,' zei Demetri luid. 'Dit is Kane, over wie ik je heb verteld, en dit zijn Velda en Catriona.'

Ze knikte zwijgend en de vijandigheid hing als een donkere wolk om haar heen.

'Thee in mijn privézitkamer, lijkt me zo. De dame is moe.'

De grijze ogen namen Velda in zich op en de dunne lippen knepen samen tot een scherpe lijn. 'Blijft de dáme logeren, meneer?'

'Maar natuurlijk, natuurlijk,' bromde hij, er duidelijk voor kiezend Ediths nauwelijks verhulde belediging te negeren. 'Zij en haar dochter staan zo lang ze willen onder mijn hoede. Vrienden van Kane zijn mijn vrienden.' Hij glimlachte naar Catriona en gaf haar een knipoog. 'En haal wat vruchtensap voor Catriona en een paar van die heerlijke cakejes die kokkie vanochtend gemaakt heeft.'

'Zoals u wilt, meneer.' Ze draaide zich om en leek op te lossen in de deuropening die bijna opging in de omringende lambrisering.

Demetri lachte en gaf Kane een klap op zijn schouder. 'Je kunt de voerman maar beter gaan betalen. Zijn aanwezigheid lijkt Edith nogal te ergeren.'

Kane glipte weg om voor de voerman en de bagage te zorgen en Demetri ging hen voor naar zijn privézitkamer. 'Let maar niet op

Edith,' zei hij. 'Ze is een oude vrijster en geen gelukkige vrouw – maar ze is een uitstekende huishoudster.'

Catriona keek vol verbazing naar het dikke tapijt op de geboende vloer, de rijen boeken in de kasten tegen de muur en de enorme kroonluchter die fonkelde in de late middagzon. Het was duidelijk de kamer van een man, want het meubilair was groot en comfortabel en er hingen geen kanten gordijnen, alleen maar fluwelen overgordijnen die waren vastgemaakt met zware zijden koorden.

Toen ze in de comfortabele, met velours beklede stoelen gingen zitten, kwam Edith binnen met een dienstmeisje en zette de thee op een zware eikenhouten tafel die Demetri duidelijk als bureau gebruikte. Het dienstmeisje deed Catriona aan Poppy denken. Ze was slank en blond en ze had een vriendelijke glimlach die ze Catriona elke keer toonde wanneer de zure oude vrouw niet keek. De korte, zwarte jurk en het parmantige, witte schortje stonden haar goed en Catriona glimlachte terug, terwijl ze bedacht hoe prachtig Poppy het hier zou hebben gevonden. Maar haar meeste aandacht ging uit naar de grote zilveren ketel die in het midden van de tafel werd neergezet. Het was een enorm, rijk bewerkt geval, met cherubijntjes en ranken en iets dat leek op druiventrossen erin gegraveerd.

Demetri moest gezien hebben hoe ze onder de indruk was van die aanblik, want hij leunde voorover en sprak met zachte stem. 'Dat is een samowar,' legde hij uit. 'In Rusland geldt dat als de enige manier om thee te zetten.' Hij richtte zijn blik op Kane die net terug was van Allchorn en nu languit in een leunstoel een sigaar zat te roken. 'Niet zoals die Engelsen met hun benepen porseleinen theepotjes en hun warme melk,' zei hij met een glimlach. 'Als je thee wilt drinken zoals we dat in Rusland doen, dan moet er citroen in.'

Hij stuurde Edith en het dienstmeisje weg en gaf haar de kop en schotel van fijn porselein. 'Probeer dit maar eens, kleintje. Het is heerlijk, maar er is ook vruchtensap als je dat liever hebt.'

Catriona nam een klein slokje van haar thee. Die was heet en geurig en leek in niets op de thee die ze ooit had gedronken. Ze voelde zich wat meer op haar gemak in zijn aanwezigheid en durfde eindelijk de vraag te stellen die haar al bezighield sinds ze hier waren aangekomen. 'Wat voor werk moeten we doen?'

Hij glimlachte naar haar en de humor blonk in zijn donkere ogen.

'Helemaal niets,' antwoordde hij. 'Je mama en jij zijn mijn gasten. Ik, Demetri, ben een man van mijn woord.'

Ze keek naar Velda die van haar thee in het sierlijke kopje nipte en om zich heen keek. 'Maar we kunnen toch niet verwachten dat we helemaal niets hoeven te doen,' zei ze aarzelend.

Demetri zette het kopje neer dat te klein leek voor zijn grote hand en leunde achterover in zijn stoel. 'Waarom niet? Jullie zijn toch alleen op de wereld? Jullie hebben niemand die voor jullie kan zorgen. Jullie moeten hier uitrusten en weer op krachten komen – dit is een uitstekende plek om de wonden uit het verleden te laten genezen.'

Catriona keek naar hem en besefte dat deze man het begreep. Misschien had hij ook een vreselijk verlies geleden en had deze sprookjesachtige plek hem troost gebracht. 'U bent erg vriendelijk,' zei ze verlegen.

'Helemaal niet,' bulderde hij. 'En nu meneer Kane is gearriveerd en de gasten eindelijk de weg naar hierboven hebben weten te vinden, begint mijn droom uit te komen.'

'Waarom heeft u meneer Kane nodig? Gaat u hier een theater beginnen?'

Hij lachte met zijn hoofd in zijn nek en wijd open mond. 'Het is me niet te doen om meneer Kanes ervaring op het toneel, kleintje,' zei hij uiteindelijk. 'Het gaat me om zijn klasse, zijn Engelse deugden.'

'Dat lijkt me een vreemd iets om te willen,' mompelde ze terwijl ze van de Rus naar Kane keek. 'U bent erg rijk. Waarom runt u het hotel niet zelf?' Ze realiseerde zich dat ze te brutaal was tegen deze fascinerende man en richtte haar aandacht gauw op haar kop en schotel. Maar zijn volgende woorden stelden haar gerust.

'Je ziet mijn prachtige huis, mijn dure kleren – maar daaronder ben ik een arm Russisch boertje, kleintje. Ik heb geen familie – die zijn vermoord tijdens de pogroms – dus nu moet ik voor mezelf een nieuw leven creëren in dit geweldige land.'

Catriona keek naar hem en hij toonde een brede glimlach, waarbij het goud in zijn gebit fonkelde. 'Ik weet alleen hoe ik met mijn handen moet werken. Ik verdien mijn geld met het goud dat in de grond van dit genereuze nieuwe land van me zit, maar ik heb geen opvoeding genoten, ik heb geen Engelse manieren waarmee ik de rijke gasten in mijn kasteel zich op hun gemak kan laten voelen.'

'Nou, ik denk dat dat stom is,' zei Catriona ferm. 'Ik durf te wedden dat u een heleboel interessante verhalen hebt te vertellen en ik weet zeker dat uw gasten die maar wat graag willen horen.'

Hij lachte opnieuw, een ongeremde lach met wijd opengesperde mond die tegen de balken weerkaatste en Velda's kopje deed rammelen op het schoteltje. 'Ik mag jou wel, kleintje,' zei hij toen hij was uitgelachen en met een enorme zakdoek de tranen uit zijn ogen veegde. 'Je bent net als de Russen – je zegt wat je op je hart hebt.' Hij grinnikte naar haar en zei toen zachtjes: 'Op een dag zal ik je laten zien hoe ik mijn goud vind en je het geheim verklappen hoe je daar geld van moet maken.'

Catriona was niet langer verlegen. 'Dat lijkt me heel erg leuk,' zei ze.

Hij knikte en tuitte nadenkend zijn lippen. 'Wat zou je ervan zeggen als we mijn paleis eens gingen bekijken, Catriona?'

'Heel erg graag,' zei ze ademloos met kinderlijk enthousiasme.

'Kom mee, dan. We laten de anderen maar hier en gaan op verkenning uit.'

In de grote hal wemelde het van de kruiers die duur uitziende koffers en tassen droegen die toebehoorden aan pas gearriveerde gasten die hier naartoe waren komen rijden in glimmende auto's die buiten in de zon stonden te fonkelen. De vrouwen droegen fraaie jurken met lange rokken en aan hun voeten hadden ze schoenen met hoge hakken en open neuzen. Ze hadden zwierige hoedjes op hun hoofd en juwelen glinsterden om hun nek en in hun oren. De mannen die hen begeleidden droegen mooie pakken van donkere stof, zijden dassen en gepoetste brogues. In hun handen die eruitzagen alsof ze nog nooit een dag hadden gewerkt droegen ze geborstelde hoeden. Dienstmeisjes liepen af en aan met dienbladen en beddengoed en Edith stond achter de receptiebalie en leidde het gewoel in goede banen, snauwde bevelen naar de dienstmeisjes, overhandigde sleutels en glimlachte gemaakt naar de mannelijke gasten.

Catriona was zich pijnlijk bewust van haar afdankertje van een jurk en haar versleten schoenen. 'Ze zien er allemaal zo rijk uit,' fluisterde ze tegen de Rus.

'Dat zijn ze ook,' fluisterde hij terug. 'Daarom heb ik een hotel gebouwd. Om ze te helpen hun geld uit te geven.'

Ze keek grijnzend naar hem op. Hij plaagde haar maar, want ze had onmiddellijk beseft dat dit huis, dit hotel veel meer voor Demetri betekende dan een manier om geld te verdienen.

Demetri riep een kruier en hun bagage werd bij elkaar gezocht en de brede trap op gedragen, waar ze uit het zicht verdween. 'Ik kan je niet alles van het huis laten zien,' zei hij zachtjes. 'De meeste kamers zijn verhuurd. Maar er zijn nog genoeg plekken om te bezichtigen.' Hij stak zijn hand uit. 'Kom, kleine. Laat me je een rondleiding geven door mijn paleis.'

Er waren zo veel kamers, zo veel gangen en hallen, dat Catriona al gauw niet meer wist waar ze was en ze was ervan overtuigd dat ze nooit zou leren haar weg terug te vinden naar de grote ontvangsthal. Maar het was een prachtig huis, met dikke tapijten en vergulde spiegels, geheime deuren en trappen die naar boven naar de torentjes leidden van waaruit je tot aan de zee kon kijken, en naar beneden naar de kelders die geheimzinnig donker en koel waren en waar rijen en rijen rekken vol flessen wijn stonden. De keuken was enorm, met een hele rij fornuizen en spitten en met koperen potten en pannen die aan de balken hingen. De kok was een grote, dikke vrouw met blozende wangen en een vrolijke glimlach. Ze was bezig deeg uit te rollen en bevelen te roepen naar de keukenhulpen die ongeveer net zo oud waren als Catriona. Meneer Kane had niet overdreven, bedacht ze. Demetri was inderdaad uitzonderlijk rijk en hij had kosten noch moeite gespaard om zijn droom waar te maken.

Ze keerden terug naar de zitkamer waar ze Velda aantroffen die lag te dutten en Kane die verdiept was in een krant. Catriona was teleurgesteld. Ze had dolgraag haar moeder willen vertellen over alles wat ze had gezien en haar enthousiasme verdween toen ze zich realiseerde dat het haar moeder eigenlijk niet kon schelen waar ze was.

Opnieuw leek Demetri het te begrijpen. 'Nu is het tijd dat jullie naar je kamers gaan en uitrusten van jullie lange reis. Je moeder voelt zich volgens mij niet goed.'

Catriona voelde zich meteen schuldig. Arme mamma was niet in staat om zich te bekommeren om wat er met hen gebeurde – het was egoïstisch van haar om zich zo opgewonden te voelen. 'Mijn pa is een paar weken geleden overleden,' zei ze zachtjes. 'Mam is er nog niet overheen.'

'En jij, kleine? Ben jij er al overheen?' Zijn blik was vast en in zijn zachte, bruine ogen lag vriendelijkheid.

'Niet echt,' gaf ze toe. 'Maar meneer Kane is erg vriendelijk geweest. Ik weet niet hoe we het zonder hem hadden moeten redden.'

Demetri knikte en plukte aan zijn baard. 'Meneer Kane had gelijk toen hij jullie hierheen bracht. Van nu af aan zijn jullie – je moeder en jij – veilig onder mijn dak. Ik, Demetri, zal daarvoor zorgen.'

Catriona glimlachte dankbaar en liep door de kamer naar Velda. 'Kom, mam,' zei ze zachtjes. 'Het is een lange dag geweest en je ziet eruit alsof je wel wat rust kunt gebruiken.'

Velda werd wakker, knipperde even met haar ogen en schudde Catriona's hand van zich af voor ze overeind kwam uit haar stoel. Ze ging voor Demetri staan en keek hem voor het eerst recht in zijn gezicht. 'Dank u,' zei ze eenvoudig voor ze de kamer uitging en de brede trap op liep.

Catriona haastte zich achter haar aan, want Demetri had haar laten zien waar ze zouden slapen, en ze wilde dolgraag haar enthousiasme delen in de hoop dat iets ervan op haar moeder zou overslaan. Hun voetstappen weerklonken op de bovenste verdieping. Hier lagen geen tapijten, alleen maar kale planken in een nauwe gang met aan beide kanten een rij deuren.

'Dit zijn de bediendevertrekken,' mompelde Velda toen ze de kamer binnenstapte die haar was toegewezen en op het smalle bed ging zitten. 'O god,' kreunde ze. 'Wat moet er van ons worden?' Ze begroef haar gezicht in haar handen en begon te huilen.

Catriona ging naast haar zitten en sloeg een arm om haar middel. 'Het komt wel goed, mam,' zei ze met meer vertrouwen dan ze voelde. 'Demetri lijkt me aardig en hij heeft beloofd dat hij voor ons zal zorgen.' Ze legde haar wang op Velda's schouder. 'We hebben tenminste een fatsoenlijk dak boven ons hoofd en een heerlijk bed om in te slapen.'

Velda kreunde en maakte zich los uit Catriona's omhelzing. 'Dat het zover heeft moeten komen,' snikte ze. 'Liefdadigheid, dat is het. Liefdadigheid. We hebben niets meer te zeggen over wat er met ons gebeurt.' Ze keerde Catriona de rug toe, liet haar hoofd op de kussens vallen, trok haar knieën op en rolde zich op tot een bal van ellende, haar gezicht verborgen in het frisse beddengoed.

'Mam?' Catriona raakte haar schouder aan, maar haar hand werd afgeschud. 'Laat me met rust,' snikte Velda. 'Ik wil Declan. Alleen maar Declan.'

Catriona wilde hem ook, maar ondanks haar jeugdige leeftijd wist ze dat alle wensen van de wereld hem niet terug konden brengen. Ze zat daar zo verlaten en wilde zo graag haar verdriet met haar moeder delen, want ze voelde de pijn van haar verlies, voelde de tranen in haar keel opwellen en wilde niets liever dan ze de vrije loop laten.

Het moment ging voorbij en ze besefte met een ziekmakende zekerheid dat Velda noch de wil, noch de energie had om zich te bekommeren om haar dochters verdriet, want ze was niet eens in staat met haar eigen verdriet om te gaan. Catriona legde zich er terneergeslagen bij neer en ging zachtjes de kamer uit.

Haar eigen kamer was een eindje verderop en was precies hetzelfde als die van Velda. Lang en smal, met een kale vloer en witte muren en hij stond in schril contrast tot de felgekleurde, volgepakte wagen waar ze haar hele leven in had gewoond. Het bed was ook smal en het tot in perfectie gepoetste koper stak geel af tegen het sneeuwwit van de lakens.

Catriona ging zitten en voelde de zachte matras die haar beschermde tegen de metalen spiralen en de uitnodigend dikke kussens die haar wenkten om haar hoofd neer te leggen. Ze ging met haar hand over de kraakheldere lakens, bijna bang om de perfecte gladheid te verstoren. Het zou de eerste keer zijn dat ze echt een kamer voor zichzelf had. Ze voelde de opwinding door zich heen trekken en kon bijna niet wachten tot het donker werd.

Catriona weerstond de lokroep van de kussens en de matras en ging op de rand van het bed zitten terwijl ze de rest van de kamer in zich opnam. Op een klein kastje naast haar bed stond een indrukwekkende porseleinen po en aan de andere kant was een ladekast gepropt. Vanaf een schilderij aan de tegenoverliggende muur keek een nogal strenge vrouw in ouderwetse kleren boos de kamer in en op een kast met marmeren blad onder het enige raam stond een lampetkan. Gekleurde haken waren aan de binnenkant van de deur bevestigd, naast de lampetkan lag een stapeltje keurig gevouwen handdoeken en er lagen een borstel en een kam op de ladekast. Demetri had overal aan gedacht.

Het raam was hoog; Catriona sleepte de houten stoel ernaartoe en klom erop om naar het uitzicht te kijken. Ze slaakte een zucht van teleurstelling. Het enige wat ze kon zien was de grijze lei van het dak, de hoek van een van de schoorstenen en de toppen van de bomen in het omringende regenwoud.

Toen ze de weinige kleding die ze bezat had uitgepakt en opgeborgen in de laden en aan de haken had gehangen, legde ze haar boeken op de ladekast en een kleurige sjaal op het bed om de kamer een vrolijker aanzien te geven. Toen ze eenmaal haar familiefoto's op het kastje had gezet en de grammofoonplaten van haar vader netjes op een stapel in een hoek naast de grammofoon had gelegd, kreeg ze het gevoel dat de kamer een beetje op een thuis begon te lijken.

Catriona ging weer op het bed zitten en vroeg zich af wat ze nu zou gaan doen. Het was nog steeds licht en hoewel ze moe was, wilde ze de dag niet verspillen door te gaan slapen. En ze wilde evenmin hierboven blijven, aangezien er nog zoveel te ontdekken viel.

Ze scharrelde rusteloos door de kamer en zette haar mogelijkheden op een rijtje. Ze kon op haar gemakje de torens gaan verkennen nu meneer Kane en Demetri beneden waren, of ze kon naar buiten gaan en daar een tijdje rondzwerven. Haar maag rommelde en dat herinnerde haar eraan dat ze sinds 's morgens vroeg niet meer had gegeten dan een boterham en een cakeje. De keuken zou een uitstekende plek zijn om te beginnen en ze dacht niet dat Demetri het erg zou vinden als ze de kokkin om iets te eten zou vragen.

Ze ging haar kamer uit en luisterde aan de deur van haar moeders kamer. Velda huilde niet meer en Catriona vermoedde dat ze lag te slapen. Ze draaide zich om en haastte zich naar de trap. Als ze zich goed herinnerde, kwam ze in de keuken door de deur die verborgen zat in de lambrisering van de grote hal en dan een lange, betegelde gang door. Het water liep haar al in de mond bij de gedachte aan brood en kaas en misschien een augurkje.

Ze werd zich plotseling bewust van de veranderde toon in de stemmen die luid uit Demetri's privévertrekken klonken. Gasten en dienstbodes die in de hal waren, bleven staan en luisterden ongegeneerd naar de woordenwisseling. Dit was geen overenthousiaste uitwisseling van nieuwtjes, bedacht ze terwijl ze aarzelend op de overloop bleef staan. Dit was een geweldige ruzie.

Ze stond daar en haar handen omklemden de balustrade terwijl ze zich afvroeg wat ze het beste kon doen. Ze wist dat ze niet hoorde te luistervinken zoals de anderen beneden, maar ze kon het niet helpen.

De stemmen klonken zo luid en zo boos, dat ze er niet van had staan te kijken als ze in Cairns te horen waren.

'Je had het me moeten vertellen,' schreeuwde Demetri.

'Waarom?' gilde Kane. 'Wat maakt dat nou uit?'

'Dat maakt heel veel uit.'

'We hadden een afspraak en dit gaat je helemaal niets aan,' brieste Kane. 'Kijk uit wat je zegt, Demetri, of je krijgt er spijt van.'

'Spijt?' Demetri's stem nam nog in kracht toe. 'Durf je me te bedreigen, Kane? Jíj zult er spijt van krijgen.'

'We hadden een afspraak,' schreeuwde Kane. 'Wat is er nou veranderd?'

'Die afspraak geldt niet meer,' gilde Demetri. 'Je weet waarom, dus beledig me niet door dat te vragen.' Zijn stem zakte enkele decibellen, maar zijn woorden waren nog steeds duidelijk te verstaan. 'Je liegt altijd. Je zegt dat je zult veranderen – maar dat gebeurt nooit.'

Catriona omklemde de glimmend geboende balustrade, verstijfd door hun woede – bang voor de gevolgen. En hoewel de stemmen nu zachter klonken en de woorden niet langer te onderscheiden waren, voelde ze de woede en was bang voor het geweld dat was losgebarsten tussen de beide mannen van wie ze had gedacht dat het vrienden waren.

Zonder enige waarschuwing sloeg de deur van de zitkamer tegen de muur, waardoor het tableau in de hal uiteenviel en de geïnteresseerde gasten en dienstbodes vlug uit de weg gingen.

Catriona liet de balustrade los en kroop angstig weg in de schaduw van de trap naar boven. Ze hield haar hand voor haar mond om het scherpe geluid van haar ademhaling te smoren.

Demetri stormde de kamer uit en zijn hakken bonkten luid op de marmeren vloer terwijl hij door de hal beende en de deur achter zich dichtsloeg die naar de keuken leidde.

Kane kwam eveneens tevoorschijn uit de zitkamer en leunde met een bijna arrogante nonchalance tegen de deurpost en stak een sigaar op. Maar zijn ogen stonden ijskoud terwijl hij door de hal staarde naar de plek waar Demetri was verdwenen en zijn scherpe trekken leken uit steen gehouwen.

In haar uitkijkpost boven aan de trap begon Catriona te trillen. Deze kant van meneer Kane had ze nog nooit gezien – hij maakte haar bang.

6

Demetri was rond etenstijd in geen velden of wegen te bekennen en Velda en Catriona stonden aarzelend in de hal en vroegen zich af waar ze naartoe moesten.

'Het diner wordt opgediend in de eetkamer van meneer Yvchenkov,' zei Edith met een woedende blik op Velda. 'Het zou niet gepast zijn om jullie samen met de gasten te laten eten.'

Velda's violetblauwe ogen staarden terug en haar gezicht was ondoorgrondelijk. 'Vanwaar deze vijandigheid?' vroeg ze.

Edith haalde haar schouders op. 'Sommige mensen zouden hun plaats moeten kennen,' mompelde ze.

Velda liet zich niet uit het veld slaan door haar botheid en haar stem klonk vast en koel toen ze antwoordde: 'En wat is die plaats, precies?'

Edith snoof terwijl ze naar de verschoten katoenen jurk, de kapotte schoenen en de afwezige kousen keek. 'Vlees noch vis,' snauwde ze. 'Dit is een eersteklas hotel. Ik begrijp niet dat hij jullie onderdak biedt.'

Velda's wangen werden rood en Catriona wist niet of dat van woede of van schaamte kwam. 'Je lijkt nogal een hoge dunk te hebben van jezelf, Edith,' zei ze kil. 'Maar jij bent een bediende – terwijl mijn dochter en ik Demetri's gasten zijn. Je doet er goed aan dat niet te vergeten.' Ze stak haar kin in de lucht, schreed weg met de hooghartigheid van een koningin en verdween in Demetri's vertrekken, en liet Edith als een vis op het droge naar adem happend achter.

Catriona keek haar moeder stomverbaasd na. Ze had Velda nog nooit eerder zo kil gezien en zo volkomen meester van de situatie – maar toen de deur achter hen dichtviel, barstte het laagje vernis en Velda plofte in een stoel en liet haar kin op haar borst zakken. 'Gaat het voortaan zo?' verzuchtte ze. 'Afgewezen worden en als vuil worden behandeld door zulk soort vrouwen, alleen omdat we afhankelijk zijn van liefdadigheid?'

'Je was fantastisch, mam,' zei Catriona ademloos. 'Ze zou nooit zo tegen je durven praten als Demetri in de buurt was en ik denk dat ze van nu af aan met een wijde boog om je heen loopt.'

Kane kwam de kamer binnen en ging zitten, net op het moment dat het dienstertje een soepterrine en een mandje versgebakken brood binnenbracht. 'Kokkie zegt dat u maar moet bellen als u hiermee klaar bent, dan breng ik het hoofdgerecht.' Ze wees naar het belkoord bij de deur en ging de kamer uit.

Catriona begon met smaak te eten. De soep was heet en dampte en zat vol groenten en stukken ham. Hij was verrukkelijk.

Velda zat in de soep te roeren met haar lepel, at een beetje en liet het toen staan. Ze pakte een broodje en begon dat te verkruimelen terwijl ze door de ramen naar de tuin staarde. 'Ik vraag me af waar onze gastheer is,' zei ze zonder enige uitdrukking in haar stem.

Kane roerde in de soep en deed er een beetje zout en peper bij. 'Hij is naar zijn schuur,' zei hij. 'Het heeft er alle schijn van dat hij de voorkeur geeft aan zijn eigen gezelschap boven dat van ons.'

'Wat doet hij in die schuur?' vroeg Catriona.

'Wie zal het zeggen,' zei Kane schouderophalend. 'Waarschijnlijk aan het rommelen met zijn chemicaliën en zich verlustigen aan zijn goud.' Zijn stem klonk strak en bitter.

Catriona bekeek hem nadenkend. Kane at zijn soep, zijn servet ingestopt in het gesteven witte boord van zijn overhemd. Hij zag er zeer verzorgd uit, zag ze. Hij droeg een schoon, geperst pak, glimmend gepoetste schoenen, een nieuw overhemd en een nieuwe stropdas. Uit zijn borstzak hing een zakdoek in dezelfde kleur als de das en op het geborduurde vest bungelde de gouden ketting van een zakhorloge. Toch leek hij niet in een beter humeur. De ruzie met Demetri echode blijkbaar nog na.

Hij leek zich bewust te worden van haar onderzoekende blik. 'Demetri heeft me wat spullen gegeven die ik mag gebruiken,' zei hij. 'Ik moet keurig gekleed zijn voor de omgang met de gasten.'

De geweldige ruzie speelde nog steeds door Catriona's hoofd en ze brandde van nieuwsgierigheid om te weten waar die om was gegaan, maar ze wist dat dit niet het moment was om hem ernaar te vragen. 'Wat wil Demetri dat je gaat doen?' vroeg ze in plaats daarvan.

'Ik word de ceremoniemeester,' zei hij terwijl hij het laatste beetje van zijn soep oplepelde en achteroverleunde. 'Ik ga voor de gasten picknicks organiseren, feestjes, kaartavonden en ander amusement. Ik zal jachtpartijen organiseren voor de mannen en theekransjes voor de dames. Ik zal alle problemen gladstrijken die zich maar kunnen voordoen en ervoor zorgen dat ze een prettig verblijf hebben. Om kort te gaan, ik krijg de leiding over dit stelletje ongeregeld dat Demetri personeel noemt.'

'Weet Edith daarvan?' Ze grinnikte, want ze wist dat het een brutale vraag was, maar ze kon het niet weerstaan hem te stellen.

Kane zuchtte. 'Arme Edith. Met dat uiterlijk en die ongelukkige manier van doen zal ze nooit krijgen wat ze hebben wil. Je zou bijna medelijden met haar krijgen.'

Catriona nam hem op. Hij zag er niet uit alsof hij ook maar een greintje medelijden had met Edith, maar hij leek wel een idee te hebben waarom ze zich zo bot had gedragen tegen mam. 'Wat wil ze dan? Ze heeft hier toch alles?'

Kane stond op om aan het koord te trekken en het dienstmeisje te roepen. 'Alles behalve de man naar wie ze smacht,' antwoordde hij. 'Helaas, maar Demetri ziet in haar niet de echtgenote die ze zo graag wil zijn, dus in plaats van vrouw des huizes te worden, moet ze bediende blijven.'

'Arme Edith,' mompelde Catriona. 'Geen wonder dat ze zo zuur doet.' Ze leunde achterover en wachtte terwijl het dienstmeisje hun soepkommen afruimde en grote borden met vlees en groenten voor hen neerzette. Kaas en crackers en een schaal vol fruit zouden hun nagerecht vormen. Catriona had nooit eerder zulk eten gezien, laat staan in dergelijke hoeveelheden, en ze begon met smaak te eten. Het vlees was mals, de jus dik en smakelijk, de groenten waren vers en knapperig en dropen van de boter. De depressie was duidelijk voorbij, althans, voor de mensen die in dit huis woonden. 'Probeer wat te eten, mam,' probeerde ze haar moeder te overreden die weer met haar eten zat te spelen.

'Ik ga naar bed,' zei ze en ze duwde haar bord van zich af en ging staan. 'Welterusten meneer Kane. Welterusten Catriona.' Ze raakte met haar lippen even Catriona's haar en schreed de kamer uit.

'Het zal je arme moeder tijd kosten om haar verlies te verwerken,' zei Kane terwijl hij een stuk kaas aan zijn mes reeg en zich aan boter en crackers hielp. 'Maar vroeg of laat zal ze moeten beseffen dat ze niet voor eeuwig op Demetri's grootmoedigheid kan rekenen.'

'Bedoel je dat we weg moeten?' Catriona's hart ging sneller kloppen en alle plezier die ze aan het eten had beleefd, werd in één klap tenietgedaan.

'Dat hangt ervan af,' zei hij bedachtzaam met een mond vol kaas.

Catriona wachtte. Misschien dat ze er nu achter zou komen waar die ruzie met Demetri over was gegaan.

'Demetri is een rijke man, die zijn fortuin gemaakt heeft in de goudvelden. Hij is hier vijfentwintig jaar geleden naartoe gekomen nadat zijn familie tijdens de pogroms in Rusland om het leven was gekomen. Hij had niets te verliezen en alles te winnen.' Kane zwaaide met zijn mes in de lucht. 'Dit was zijn droom en het lijkt erop dat hij hem heeft waargemaakt.'

Hij nam nog een cracker en keek door het raam naar de duisternis in de tuin. 'Maar je mag nooit uit het oog verliezen dat Demetri een man is die gewend is met zijn handen te werken. Hij is een boer, met een boerenmentaliteit. Hij houdt zich niet altijd aan zijn woord.'

Catriona zweeg, in de war door de tegenstrijdige gedachten en gevoelens die zijn woorden teweegbrachten.

Kane hield op met eten, veegde de kruimels uit zijn snor en baard en ging van tafel. Hij liep naar het dressoir en alvorens een sigaar op te steken, schonk hij zichzelf een glas port in. 'We waren overeengekomen dat ik deze post zou gaan bekleden in de veronderstelling dat we de winst zouden delen. We waren ook overeengekomen dat we partners zouden worden in zijn volgende mijnbouwproject. Demetri is teruggekomen op zijn beloften en ik word niet meer dan zijn factotum. De man is geen heer.'

Catriona zag de nauw verholen woede in Kane en vroeg zich af hoe het kon dat zij de Rus in zo'n ander licht zag.

Kane moest haar terughoudendheid om hem te geloven hebben opgemerkt, want hij glimlachte en klopte haar op de hand. 'Ik wil je niet bang maken, liefje,' zei hij zacht. 'Natuurlijk zal ik alles doen wat in mijn macht ligt om jou en je moeder hier te laten blijven. Maar Demetri is niet te vertrouwen. Hij is een leugenaar en een dief en in staat tot bruut geweld. Het zou beter zijn als je nooit alleen met hem was.'

'Hij zou me nooit wat doen,' protesteerde ze. 'Zo is hij niet.'

Kane legde zijn hand op de hare en glimlachte. 'Mijn schat, luister naar wat mijn levenservaring en mijn ervaring met mannen als Demetri me hebben geleerd. Hij lijkt misschien vriendelijk, maar geloof me, hij heeft nog een andere kant waarvan ik hoop dat je die nooit zult zien.' Hij zweeg even en leek toen een beslissing te nemen. 'Demetri heeft ooit een man gedood,' zei hij zachtjes en zijn vingers klemden zich om haar hand. 'Dat was in de tijd dat we nog in de goudvelden werkten en hij moest er snel vandoor, voor de politie kwam.'

Catriona staarde hem aan terwijl hij ging staan en zijn servet op tafel gooide. 'Kom, liefje. Het is tijd voor je om naar bed te gaan en ik heb nog werk te doen.' Hij liet zijn arm licht op haar schouders rusten en raakte met zijn warme lippen even haar voorhoofd aan. 'Slaap lekker,' zei hij zachtjes terwijl ze bij hem vandaan liep.

Catriona liep de trap op en bleef even staan luisteren aan de deur van haar moeders kamer. Er klonk geen geluid, dus liep ze verder de gang in en ging naar haar kamer. Ze ging op het bed zitten en borstelde haar lange haar voor ze het in vlechten deed om te gaan slapen. Ze sloeg de sprei terug, trok haar verschoten nachthemd over haar hoofd en gleed tussen de koele linnen lakens en deed het licht uit. Toch kon ze, terwijl ze daar in de duisternis naar de maan staarde die door haar raam zichtbaar was, de slaap maar moeilijk vatten. Haar gedachten waren verward. Demetri had zo aardig geleken, zo vriendelijk en voorkomend, en op zijn gulheid was weinig aan te merken. Waarom schilderde Kane hem dan af als een boeman? Had hij echt iemand vermoord? Was hij gevaarlijk? De beelden klopten niet met elkaar. Kane kwam op Catriona over als een verbitterd man en die verbittering was voortgekomen uit de ruzie waarvan ze eerder getuige was geweest. Misschien zou ze nooit achter de ware reden voor die furieuze woordenwisseling komen, maar ze was vastbesloten zelf te bepalen of ze Demetri te vertrouwen vond of niet.

Het land dat Demetri's paleis omgaf was keurig gemaaid en werd verzorgd door een oude tuinman en zijn twee jonge leerlingen. Er waren schaduwrijke priëlen voor de gasten waar ze uit de felle zon konden zitten; tafels, stoelen en parasols stonden her en der op het gazon en in een hoek stonden croquetpoortjes opgesteld voor het geval iemand zin had in een spelletje. Stenen treden leidden naar de rivier waar schildpadden en vissen zich schuilhielden onder de waterlelies en waar reigers samen met vissers hun geluk beproefden. De tennisbaan en het zwembad waren populair en zelfs van een afstandje kon Catriona de kreten en het gelach en getinkel van glazen horen terwijl de barman aan de tuinbar de drankjes inschonk.

Catriona was op ontdekkingstocht gegaan na een voortreffelijk ontbijt in de keuken. Kokkie had haar een bord voorgezet met gebakken eieren met spek en een van de jongere dienstmeisjes was bij haar komen zitten met een kop thee en had haar getrakteerd op roddels over Edith en haar onbeantwoorde liefde voor Demetri. Ze hadden gegiecheld en gekletst en waren helemaal de tijd vergeten tot kokkie de vijftienjarige Phoebe met een streng gezicht weer aan het werk had gezet. Phoebe was met een knipoog weggegaan en Catriona had de indruk dat ze voor het eerst een vriendin van haar eigen leeftijd had.

Nu gluurde ze tussen de bomen door naar de mannen en vrouwen die in luie stoelen in de zon zaten en zich over niets anders druk leken te hoeven maken dan de kleur van hun huid en de koelheid van hun drankje. Op de oprijlaan waren de chauffeurs bezig de elegante auto's te poetsen en ze riepen een vrolijk 'hoi' in haar richting terwijl ze roddelden en de paardenrennen van die dag bespraken.

Catriona zwierf rond het hele huis en nam alles in zich op. Dit was een wereld waarvan ze niet had geweten dat die bestond; een wereld waarin geld werd uitgegeven zonder erbij na te denken en waar kleren werden gedragen met de nonchalance die eigen was aan mensen die wisten dat iemand anders ze zou oprapen, wassen en strijken en zou opbergen. Wat een verschil met het leven dat zij had gekend. Poppy zou hier in haar element zijn geweest, dacht ze verdrietig. Wat zou ze genoten hebben van de kleren, de juwelen, de flitsende auto's en de bergen overheerlijk eten. Ze wou dat Poppy bij de troep was gebleven – dat ze hier deelgenoot van had kunnen zijn.

Ze keerde van haar omzwervingen terug in de tuin achter Demetri's appartement aan de achterzijde van het hotel. Velda zat in een rieten stoel, een parasol beschutte haar tegen de zon, er stond een drankje in een hoog glas op het tafeltje naast haar en er lag een boek op haar schoot. Catriona stoorde haar niet, want het leek erop dat ze in slaap was gevallen.

Ondanks alle levendigheid en de prachtige aanblik en geluiden van het hotel, gaf Catriona de voorkeur aan de rust van deze achtertuin.

Hij was afgeschermd van de gasten door een groepje bomen en een sierlijke houten schutting en het gras ging aan de randen over in de weelderige flora van het omringende regenwoud. De tuin was met zijn grote gazon en aangelegde bloembedden een vredige haven – een plek om na te denken en te rusten en ze hoopte dat haar moeder er profijt van zou hebben.

'Goedemorgen, kleintje. Lekker geslapen, hoop ik?'

Met de herinnering aan Kanes waarschuwing van de avond tevoren, keek ze op haar hoede op naar Demetri. 'Ja, dank u,' antwoordde ze. 'Het was heerlijk om eindelijk eens een kamer voor mezelf te hebben.'

Hij keek op haar neer en glimlachte. Zijn donkere haar leek bijna blauw in het zonlicht en in zijn ogen schitterden gouden vlekjes. Zijn kleding was minder formeel dan de dag ervoor, realiseerde ze zich, want het pak was verruild voor een slobberbroek die duidelijk veel gedragen was, een geruit overhemd en zware laarzen. 'Ik ben ook graag alleen,' gaf hij toe. 'Het is fijn om een plek te hebben waar je kunt denken – waar je jezelf kunt zijn.'

'Waarom heeft u dan een hotel gebouwd?' vroeg ze verbaasd.

'Ik heb geld om uit te geven. Het is altijd mijn droom geweest om een dergelijke plek te bezitten.' Hij grijnsde, maar zijn blik was berouwvol. 'Soms is het genoeg om naar iets te verlangen. Want als het dan werkelijkheid wordt, is het soms niet wat je je ervan had voorgesteld.'

Hij sprak in raadsels en ze fronste haar voorhoofd.

'Daarom heb ik meneer Kane gevraagd te komen,' legde hij uit. 'Hij heeft de opvoeding, de Engelse manier van spreken en manieren die mijn gasten begrijpen.'

Hij keek naar de neuzen van zijn laarzen. 'Ik ben een boer, een man met weinig opvoeding. Ik heb niets gemeen met deze mensen met hun mooie auto's en kleren en vreemde manieren.'

Catriona keek glimlachend naar hem op. Ze mocht Demetri en ondanks het feit dat Kane zo bitter over hem tekeer was gegaan, wist ze instinctief dat hij haar niets zou aandoen. Ze wandelden samen over het grasveld naar het woud waar hij van elke bloem, struik of slingerplant de naam kende. Hij deed een greep in zijn broekzak en haalde een handvol zaadjes en broodkruimels tevoorschijn en toen hij floot, kwamen de rosella's en parkieten uit de bomen aangevlogen en aten uit zijn hand.

'Kom,' zei hij ten slotte. 'Ik zal je laten zien waar ik het grootste deel van mijn tijd doorbreng.'

Ze volgde hem gewillig terug door het bos naar een afgelegen hoek van de tuin. De schuur stond in de schaduw van de bomen en werd omringd door veldbloemen en hoog gras. 'Niemand komt ooit nog hier,' vertelde hij haar, terwijl hij de grote sleutel vanonder een rotsblok tevoorschijn haalde en hem in het slot stak. 'Dit was vroeger de wc en het washok en toen ik dit oude huis had omgetoverd tot mijn paleis was het niet meer nodig.' Hij opende de deur en deed een stap achteruit om haar binnen te laten.

Catriona's adem stokte toen ze naar binnen stapte. Het was er donker, maar niet akelig, en het rook er naar heet metaal en vreemde substanties. Op planken stonden stoffige flessen met op de etiketten namen die ze niet kon uitspreken. In de verre hoek stond een houtkachel en daarnaast een grote ketel en een paar vreemd uitziende lepels die ongetwijfeld bestemd waren voor een reus. Er lagen versleten tenten, en oude laarzen en schoppen en spaden, houwelen en kruiwagens vulden elk beschikbaar plekje. Een enorme houten zeef stond tegen de muur en een oud bureau was bezaaid met boeken en papieren en restjes metaal en draad.

'Ik bewaar dit allemaal voor het geval ik weer ga goudzoeken. Jullie Australiërs noemen het zwerven, maar ik zie het liever als tijd om mezelf weer op orde te krijgen en mijn eigen baas te zijn, de échte Demetri.' Hij zag haar verwarring en moest lachen. 'Ik vind het fijn om rijk te zijn, kleine, maar diep in mijn hart ben ik een zigeuner, een Russische zigeuner, en de open velden zitten in mijn bloed.'

Dat kon Catriona begrijpen; per slot van rekening, redeneerde ze, had zij haar hele leven, de volle twaalf jaar ervan, rondtrekkend doorgebracht. Het zou inderdaad een vreemd gevoel geven om je ergens voor langer dan een paar dagen te vestigen.

'Wat doet u hier in deze schuur?' vroeg ze terwijl ze om zich heen keek naar de vreemde gereedschappen en de ketel.

'Ik maak dingen,' zei hij met een zweem van geheimzinnigheid. 'Kom, dan laat ik het je zien.'

Hij zette haar op een gammele stoel en liep snel naar de houtkachel. Toen hij het vuur hoog had opgestookt pakte hij de grote lepel en legde er iets in. 'Nu moet je goed opletten, Catriona. Dit is tovenarij.'

Ze ging naast hem staan. Het goud siste in de lepel en zond een vreemde geur het vertrek in. Ze keek hoe hij de vloeisof voorzichtig in een metalen vorm goot. Binnen een paar tellen hield hij een prachtige gouden ring in zijn hand. Het was alsof Merlijn zelf naast haar stond.

'Ik zal een keer iets voor jou maken,' beloofde hij. 'Zou je dat leuk vinden?'

'Graag.' Ze wist dat haar ogen glansden en dat haar wangen gloeiden, en niet alleen door de warmte van het vuur.

'Dan gebeurt het ook,' beloofde hij. 'Nu moet je gaan, want ik hoor je moeder roepen.' Hij keek haar vol genegenheid aan en er blonk een traan in zijn oog. 'Je doet me heel erg aan mijn lieve Irina denken,' zei hij verdrietig.

'Wie is Irina?'

'Mijn dochter,' zei hij terwijl hij een grote zakdoek uit zijn zak haalde en zijn neus snoot. 'Maar ze is dood, net als mijn vrouw, mijn vader en moeder en mijn broers. De Kozakken kwamen naar mijn dorp en hebben iedereen vermoord – iedereen. Ik was weg, ik was in het bos op jacht. Het was winter en er lag een dik pak sneeuw. Toen ik terugkwam, trof ik alleen maar dood en bloed aan waar vroeger warmte en liefde waren geweest. Ik ga nooit meer terug.'

Catriona voelde de tranen bij zich opkomen en slikte ze weg. Ze nam zijn grote hand in de hare en kneep in zijn vingers. Er was niets dat ze tegen hem kon zeggen dat de pijn kon wegnemen, maar ze hoopte dat haar aanraking hem een beetje zou troosten.

'Toen kwam ik naar dit geweldige land en vond goud,' zei hij met een flauwe glimlach. 'Rijkdom zal nooit de wond genezen van het verlies van Irina en Lara, maar het geeft me een leven waar ik in Rusland niet eens van kon dromen. Hier bestaat vrijheid, hier heb ik de mogelijkheid om te leven zoals ik wil.'

Catriona glimlachte naar hem en hoorde hoe moeder haar riep. 'Ik moet gaan. Het is tijd voor mijn zangoefeningen en dat geeft mam in ieder geval iets te doen.'

Hij trok zijn borstelige wenkbrauwen op. 'O? Het zou wel eens kunnen dat dat het enige is waar ze iets om geeft; je moet uiteraard mijn piano gebruiken. Hij staat in mijn appartement. Gebruik hem wanneer je maar wilt.'

De weken werden maanden en Catriona begon zich thuis te voelen in haar nieuwe manier van leven. Ze was dikke vriendinnen geworden met Phoebe. Maar het kleine dienstmeisje maakte lange uren en aangezien ze bij haar ouders aan de andere kant van Atherton woonde, hadden ze maar zelden de gelegenheid samen iets te doen, afgezien van die paar gestolen momenten gedurende de drukke dag. Phoebe had ook te kampen met haar eerste verliefdheid en elk vrij moment rende ze de tuin in om met een van de jonge tuinmansleerlingen te flirten en te giechelen.

Het hotel was volgeboekt en ondanks de dreigende aanwezigheid van Edith Powell begon haar leven vorm te krijgen. Ze was meer en meer gesteld geraakt op Demetri. Hij was de vader die ze had verloren, de grootvader die ze nooit had gehad en ze realiseerde zich dat ze in elkaar een band hadden gevonden die de schrijnende leegte in hun hart vulde. Hij mocht dan een Russische emigrant zonder enige opleiding zijn, maar hij was een echte vriend die het nooit iets leek te kunnen schelen hoeveel tijd hij met haar doorbracht. Hij leerde haar de namen van de bomen en de vogels, liet haar de geheime plekken zien waar de wombats met hun jongen sliepen, nam haar mee diep het bos in waar ze gingen zitten kijken hoe de wallaby's en hun jongen aan het eten waren. Maar het meest opwindende van alles was wanneer hij de goudklompjes veranderde in een vlammende vloeistof en daarvan prachtige sieraden maakte.

Demetri had ook Velda onder zijn hoede genomen. Elke ochtend ging hij bij haar in de tuin zitten en sprak met haar. Dan rommelde zijn zware stem in de lome hitte. Maar Velda was de afgelopen maanden ondanks zijn goede zorgen nog magerder geworden. Ze hield zich afzijdig van Edith en de hotelgasten en bewoog zich met een lijkbleek gezicht als een geest door de tuin en Demetri's vertrekken. 's Nachts hoorde Catriona haar zich in slaap huilen en het brak haar hart. Ze wilde haar zo graag troosten en zelf ook getroost worden – ze verlangde ernaar dat Velda zou zien dat zij ook verdriet had. Maar afgezien van de zanglessen 's morgens, bracht Velda de dagen door in een droomtoestand en haar nachten in tranen – ze leek niet de energie te hebben om in te zien dat haar dochter meer nodig had dan zanglessen om haar over haar verlies heen te helpen.

Catriona's relatie met Kane was anders geworden. Het was een subtiele verandering, een die zo langzaam in de loop der maanden tot stand was gekomen dat ze het nauwelijks had gemerkt. Vroeger had ze zijn omhelzingen getolereerd, zijn onschuldige kusjes op haar voorhoofd, zijn arm om haar middel, maar nu besefte ze dat ze het niet prettig vond om door hem te worden aangeraakt en dat ze zich niet op haar gemak voelde met zijn vrijpostigheden. En toch leek hij medeleven en steun te geven waar haar moeder daarin had gefaald, en hij had troost en stilzwijgende vriendschap geboden zoals hij altijd had gedaan. Misschien waren het de veranderingen in haarzelf waardoor ze zich ongemakkelijk voelde in zijn aanwezigheid, want hij had niets gedaan dat dit gevoel rechtvaardigde dat er iets niet helemaal in orde was.

Het was een paar weken voor haar dertiende verjaardag en Velda was zoals gebruikelijk vroeg naar bed gegaan en had haar alleen met Kane achtergelaten in Demetri's zitkamer. Het boek dat ze zat te lezen, verveelde Catriona en ze had het opzijgelegd en was bij het venster gaan staan. Ze hield ervan om naar de tuin te kijken, waar de vuurvliegjes als elfjes in het struikgewas dansten.

'Kom eens bij me zitten en vertel me wat je vandaag allemaal gedaan hebt,' zei Kane lijzig. Hij stak zijn hand uit.

Catriona wendde zich met tegenzin van het raam af.

'Wat is er aan de hand?' Hij grijnsde. 'Je misgunt me toch niet een paar minuten van je tijd? Ik kan me de tijd nog heugen dat je steeds naar me toe kwam rennen met verhalen van wat je nu weer aan het uitspoken was.'

Ze kon zich die tijd onderweg toen ze zijn gezelschap had gezocht goed herinneren. Ze wist nog hoe goed hij voor haar en haar moeder was geweest in die vreselijke tijd na paps dood. Ze voelde zich gegeneerd zoals ze daar stond en pakte de uitgestoken hand.

Hij greep haar hand en voor ze goed en wel in de gaten had wat er gebeurde, had hij haar op schoot getrokken.

'Ik ben veel te groot om nog op je knie te zitten,' protesteerde ze en ze bloosde van gêne.

'Onzin,' zei hij terwijl hij haar dichter tegen zich aan trok. 'Je bent nog maar een klein meisje. Je weegt nog minder dan een mus, ondanks al dat eten dat je hebt verstouwd.' Zijn vingers gleden langs haar arm naar de aanzet van haar mouw van haar jurk. 'Nou, wat heb je allemaal gedaan vandaag?'

'Van alles,' mompelde ze. Ze probeerde stil te blijven zitten, maar ze was verhit en voelde zich ongemakkelijk in zijn omhelzing. Ze was geen klein meisje meer, ze zou over een paar weken dertien worden en ze wist instinctief dat ze zich in een onbetamelijke situatie bevond. Ze rook sigarenrook vermengd met port in zijn adem en voelde zijn snelle polsslag tegen haar blote arm. Ze wist niet wat ze moest doen of zeggen, wist niet hoe ze de vloedgolf aan emoties die haar overspoelde moest verwoorden.

'Samen met Phoebe met die tuinmansjongen zitten flirten, zeker,' fluisterde hij, terwijl hij zachtjes met zijn neus tegen haar oor wreef. 'Je moet goed oppassen, anders krijg je nog een slechte reputatie.' Zijn vingers raakten even haar ontluikende borsten aan en gingen vervolgens langs haar keel.

'Ik moet gaan,' zei ze plotseling terwijl ze zich van hem probeerde los te maken. 'Mam zal zich afvragen waar ik blijf.'

'Geef me dan een nachtzoen,' zei hij zachtjes terwijl zijn greep om haar middel geen moment verslapte.

Catriona aarzelde. Als ze deed wat hij vroeg zou hij haar laten gaan, misschien zou hij tevreden zijn met een snelle kus op zijn wang.

Hij draaide razendsnel zijn hoofd om en beantwoordde haar kus. Zijn lippen drukten zwaar op de hare en hij hield zijn ene hand stevig in haar nek, terwijl zijn andere hand onder haar jurk op weg naar haar onderbroek kroop.

Ze schoof bij hem vandaan en stond op. Haar benen trilden en ze had moeite met ademhalen. Ze veegde haar mond af met de rug van haar hand. 'Dat had je niet moeten doen,' sputterde ze.

Zijn blauwe ogen werden groot. 'Wat krijgen we nu?' zei hij met een onderdrukte lach. 'Ik dacht dat we vrienden waren?'

Ze schudde haar hoofd. Ze kon geen woorden vinden om te beschrijven wat ze voelde; ze was in de war en bang en plotseling erg verlegen, gezien het gemak waarmee hij haar protest had weggewuifd. En toch zei iets haar dat zijn handelwijze van vanavond een voorbode was van iets dat nog onaangenamer was en dat hij genoot van haar verwarring. Ze haastte zich de kamer uit met het geluid van zijn gegrinnik boven de port in haar oren en ging op zoek naar haar moeder. Zij zou de akelige situatie waarin ze zich bevond begrijpen en er wel iets op weten.

Velda lag in bed en het licht wierp een warme gloed over de sneeuwwitte lakens die haar magere gestalte bedekten. 'Ga naar bed, Kitty. Ik ben moe,' mompelde ze met een zucht.

'Mam,' begon ze en haar stem klonk rauw van de tranen. 'Mam, er is iets waar ik met je over moet praten.'

Velda zuchtte en kwam overeind en trok de lakens op tot aan haar kin. Die verhulden nauwelijks de scherp uitstekende botten in haar borst. 'Wat nu weer, Catriona?'

'Het is meneer Kane,' antwoordde ze, vastbesloten te zeggen wat ze op haar hart had. 'Ik mag hem niet.'

'Waarom niet, in hemelsnaam?' Velda's violetblauwe ogen werden groot.

Catriona zocht naar de juiste woorden om haar gevoelens te beschrijven, maar ze was te veel in de war en wist niet goed wat ze precies moest zeggen en het kwam er allemaal precies verkeerd uit. 'Hij behandelt me als een klein meisje,' zei ze ten slotte.

'Is dat alles?' Velda klonk ongeduldig. 'Misschien doet hij dat wel omdat dat precies is wat je bent,' zei ze vlak. 'Ga naar bed, Catriona. Het is te laat voor woedeaanvallen.'

'Ik ben geen klein kind,' reageerde ze. 'En ik hou er niet van als hij...'

'Ga naar bed, Catriona,' herhaalde haar moeder. 'Kane is een goede man. Hij houdt van je als zijn eigen dochter en zou het vreselijk vinden als hij na alles wat hij voor ons heeft gedaan het idee kreeg dat jij hem niet aardig vindt.'

'Hij is mijn vader niet,' snauwde Catriona. 'En het kan me niet schelen of hij weet dat ik hem niet mag. Hij is, hij is...' Ze begon te stotteren onder de kille blik uit die violette ogen.

Velda zuchtte en legde de kussens weer goed. 'In hemelsnaam, Catriona, het is al laat en ik heb Demetri beloofd dat ik morgenochtend vroeg met hem ga wandelen. Stop met zo dramatisch te doen en kalmeer een beetje. Het zijn ongetwijfeld je hormonen die opspelen – je hebt er de leeftijd voor, maar daar zullen we morgenochtend allemaal over praten.'

'Maar...'

Velda kapte haar af.

'Welterusten,' zei ze kortaf.

Catriona bleef nog rondhangen.

Velda zuchtte. 'Wees maar dankbaar dat je een dak boven je hoofd hebt en een lekker bed om in te slapen. Misschien zou je er eens aan moeten denken aan wie je dat allemaal te danken hebt.'

'Dat hebben we aan Demetri te danken,' zei Catriona fel. 'Het is zijn hotel, niet dat van meneer Kane.'

Velda draaide zich op haar zij, deed het licht uit en liet Catriona die geen woord kon uitbrengen van ellende en frustratie in de deuropening staan.

7

Kerstmis was gekomen en weer voorbijgegaan en het nieuwe jaar 1934 was aangebroken. Edith Powell stond bij het raam en keek toe hoe Demetri die Ierse zigeunerin bij de arm pakte terwijl ze het grasveld overstaken en in de richting van het regenwoud liepen. Haar woede en frustratie waren vermengd met wanhoop, want haar langgekoesterde droom om ooit Demetri voor zichzelf te hebben was in duigen gevallen. Hij had nauwelijks nog tijd om met haar te praten; het was alsof ze onderdeel was geworden van dit hotel – onzichtbaar.

Ze balde haar vuisten toen hij een paraplu openvouwde om de vrouw tegen de zon te beschermen, en haar mond vertrok in een grimas. Die Ierse slet had hem pal onder haar neus weggekaapt. Ze was hier gekomen met haar hertenogen, een en al tranen, met dat vroegwijze nest van haar, en Demetri, zachtaardig en altijd vriendelijk, was als een blok voor haar gevallen. Het was niet eerlijk. Alles was oneerlijk. Het leven had haar wreed behandeld en ze wist dat ze daardoor lelijk en verzuurd was geworden.

Ze boog haar hoofd en slaakte een diepe zucht, niet langer in staat naar hen te kijken. Haar verloofde was gesneuveld in de Eerste Wereldoorlog en ze had tot het einde van hun leven voor haar ouders gezorgd. Er waren zo veel jonge mannen van haar generatie gestorven op de slagvelden van Europa dat ze een oude vrijster was geworden, met wie de spot werd gedreven en over wie werd geroddeld en, en dat was nog het ergste van alles, met wie de mensen medelijden hadden. Het was een opwindende kans geweest om voor Demetri te gaan werken. Hij was vrijgezel, knap en rijk en in de periode dat zijn nieuwe gebouw op de heuvel verrees, had ze voor hem gezorgd, ervoor gezorgd dat hij behoorlijk at en dat hij altijd keurige en schone kleren had. Het had hem weinig moeite gekost om haar over te halen de enorme taak van het leiden van de organisatie van zijn hotel op zich te nemen, want ze was verliefd op hem. Ze dacht dat wanneer ze zijn werk gemakkelijker zou maken, hij haar meer zou zien als vrouw dan als huishoudster en zou beseffen wat een goed paar ze vormden.

Maar, hoe vriendelijk hij ook was, ze wist dat ze niet veel voor hem betekende en de gedachte aan haar eenzame huisje aan de rand van Atherton deprimeerde haar. Ooit was dat een toevluchtsoord geweest, maar nu was het de plek waar ze de nachten doorbracht terwijl ze werd geplaagd door dromen over Demetri. Sliep hij met de zigeunerin? Liet hij zijn vingers door dat lange donkere haar gaan en kuste hij haar gezicht? O, wat verlangde ze naar zijn aanraking, naar het geluid van zijn stem die zachtjes in haar oor fluisterde, zijn handen op haar lichaam die haar smachtende ziel zouden vervullen van het leven en de warmte waar ze alleen maar van kon dromen.

'Wat ontroerend. Ik weet zeker dat Demetri opgetogen zou zijn als hij wist dat je zo in zijn zaken geïnteresseerd bent.'

Edith draaide zich met een ruk om en haar gezicht werd rood van gêne. 'Ik kwam hier verse bloemen brengen,' zei ze en ze was zich ervan bewust dat haar stem te hoog klonk en de woorden moeilijk uit haar mond kwamen.

Zijn blonde wenkbrauwen gingen de hoogte in en in zijn blauwe ogen lag een spottende uitdrukking. 'Maar natuurlijk,' zei hij smalend. 'Maar in plaats van de boel te bespieden, zou je je beter bezig kunnen houden met de voorbereidingen voor Catriona's verjaardagsfeestje.'

Edith klemde haar kaken op elkaar. Ze had een bloedhekel aan Kane. Zijn vreselijke Engelse manier van doen werkte op haar zenuwen en ze zou niets liever doen dan uithalen en zijn verwaande gezicht openkrabben. Maar door al die jaren waarin ze haar gevoelens in bedwang had gehouden beheerste ze zich en hield haar handen stevig in elkaar gevouwen voor zich. 'Er wordt hier 's middags thee en taart geserveerd,' zei ze stijfjes.

'Dat lijkt me niet,' zei hij lijzig. 'Haar moeder en Demetri hebben iets veel grootser in gedachten. Ik heb al een dansorkest geregeld en er komt een officieel diner met champagne om op deze dag te toosten.'

'Ze is nog maar een kind,' zei Edith verbijsterd. 'Ze is nog veel te jong voor zoiets buitensporigs.'

'Demetri wil het zo.' Kane torende hoog boven haar uit en zijn toon gaf haar geen andere keuze dan toe te geven. 'Zorg ervoor dat kokkie erop voorbereid is en dat alles op tijd wordt besteld. Het hotel is die nacht volgeboekt en ik wil niets aan het toeval overlaten.'

Edith trilde van woede. 'Bedoel je dat die zigeunermeid haar feestje hier te midden van de gasten viert?' siste ze. 'Ik neem aan dat die trut van een moeder van haar ook nog denkt dat ze de baas over me kan spelen en me al het werk kan laten doen?' Ze kreeg moeite met ademhalen. 'Ik wil het niet hebben,' snauwde ze ten slotte.

Hij keek op haar neer en zijn minachting bleek duidelijk uit zijn blik. 'Ik zou maar uitkijken, Edith. Een dezer dagen brengt die jaloerse tong van je je nog in moeilijkheden. Juist jij zou er aan moeten denken dat je hier alleen maar een bediende bent. Je gehoorzaamt, en anders vlieg je eruit.'

Edith beet op haar lip. Ze wist dat ze te ver was gegaan, maar zijn dreigement haar te ontslaan was als een vreselijke klap aangekomen. Ze keek woedend naar hem op en verliet zonder nog iets te zeggen het vertrek.

Velda liet zich door Demetri in de tuinstoel helpen. Het was prettig hier in de frisse lucht, weg van het lawaai in het hotel en Demetri was erg vriendelijk, maar ze wilde graag alleen zijn.

'Zijn de voorbereidingen voor Catriona's verjaardag in volle gang?' vroeg hij. De rollende medeklinkers en zijn zangerige accent klonken melodieus in de stilte.

'Ik geloof het wel,' antwoordde ze, terwijl ze over het gazon staarde. 'Ik heb de jurk gemaakt en de rest is aan Edith en meneer Kane.'

'Ik laat je nu alleen,' zei hij en hij maakte een lichte buiging. 'Ik heb een paar dingen te doen. Red je het wel hier in je eentje?'

Ze knikte, haar gedachten ergens anders en zijn aanwezigheid vrijwel onmiddellijk vergeten. Ze werd overvallen door een enorme vermoeidheid en ze deed haar ogen dicht. Het leek alsof de wereld op de een of andere manier schuin was komen te hangen en zij erboven bungelde, buiten het bereik van de werkelijkheid, verloren in een mist van verdriet en verwarring. De dagen gingen traag en ongemerkt over van de ene in de andere tot ze samensmolten tot een brij van niets. Ze wilde Declan, ze had hem nodig, verlangde naar zijn vertrouwde aanraking en kalmerende stemgeluid. Wat miste ze hem.

De tranen sijpelden onder haar oogleden vandaan en rolden zonder dat ze het merkte over haar wangen. Hoe vriendelijk hij ook was, Demetri was geen Declan. Dit absurde hotel was mijlenver verwijderd van de beschilderde wagen en het leven dat ze samen hadden geleid. Had ze maar het geld om terug te keren naar Ierland, naar huis en haar familie en de milde regen op de zacht glooiende heuvels. Maar in plaats daarvan zat ze in de val – overgeleverd aan Demetri's goedertierenheid.

Ze knipperde met haar ogen en depte haar tranen met haar zakdoek. Voelde ze zich maar niet steeds zo uitgeput; ze was daardoor niet in staat om te denken, om de dingen in het juiste perspectief te zien en haar leven weer op te pakken. Afgezien van de paar uur dat ze Catriona lesgaf, had ze het gevoel dat ze op een grote golf werd meegevoerd, zonder anker en zonder bestemming. Zou het misschien iets te maken hebben met het drankje dat meneer Kane haar iedere avond voor het slapengaan gaf? Ze schudde haar hoofd. Dat was belachelijk. Meneer Kane had tegen haar gezegd dat het haar zou helpen slapen, maar hij had haar verzekerd dat het geen kwaad kon.

Ze leunde achterover en keek met nietsziende blik de tuin in. Kerstmis was voorbijgegaan in een waas van licht en lawaai en eindeloze feestjes in de danszaal. Niet dat ze daarbij was geweest, dat zou ze niet hebben aangekund. Nu was het januari en Catriona zou spoedig dertien worden. Ze slaakte een diepe zucht. Ze begreep haar dochter niet meer. Het was alsof zich een diepe kloof tussen hen beiden had geopend, zonder ook maar een spoor van het begrip en de saamhorigheid die ze ooit hadden gedeeld. Ze was kribbig en brutaal en slechtgehumeurd geworden en bij de minste of geringste kritiek sloeg ze met de deuren en gedroeg ze zich verschrikkelijk. Catriona was dan misschien wel bijna dertien, maar sinds ze hier in het hotel waren aangekomen gedroeg ze zich als een verwende vijfjarige en als Velda maar de kracht en de energie had gehad, had ze haar dochter wel een pak slaag gegeven.

Velda deed haar ogen dicht, maar ergens diep in haar verwarde en vermoeide gedachten vroeg ze zich af of de schuld van haar dochters gedrag misschien bij háár lag. Ze had geprobeerd haar verdriet te delen, maar dat was onmogelijk gebleken. Ze had geprobeerd alle troost te bieden die ze maar kon, maar haar krachten waren uitgeput door haar eigen tranen. Hoe kon een kind begrijpen wat zij doormaakte?

Catriona was veerkrachtig, zoals alle kinderen. Ze was eroverheen gegroeid en ze stond er ook niet bepaald alleen voor. Ze had Demetri en meneer Kane die voor haar zorgden. Ze zuchtte terwijl de vermoeidheid als een mist bezit nam van haar hersenen. Er was veel te veel om over na te denken.

Het was de avond voor haar verjaardag en ondanks Kanes toenemende vrijpostigheid en zijn bijna schaamteloze pogingen om haar ergens alleen te treffen zodat hij haar kon kussen en strelen, voelde Catriona zich opgewonden bij het vooruitzicht van haar feestje. Ze had in de keuken gekeken hoe kokkie het glazuur op de verjaardagstaart had gedaan en de laatste hand had gelegd aan de schalen met hapjes die zouden worden rondgedeeld tijdens de borrel voorafgaand aan het diner. Er moest nog vlees worden gebraden en groenten worden klaargemaakt en de keuken gonsde van de activiteit.

Catriona had gevraagd of Phoebe bij het feest mocht zijn, maar was overal tegen een muur opgelopen. Phoebe was dienstmeisje en moest die avond werken. Catriona vond het akelig dat Phoebe er niet bij zou zijn en begreep niet waarom er onderscheid tussen hen moest zijn. Het was niet eerlijk. Maar ze bleef niet lang terneergeslagen en die avond haastte ze zich na het eten naar Demetri's schuur. Hij had haar een verrassing beloofd en ze popelde om uit te vinden wat het was.

'Voor jou,' zei hij en hij hield een fluwelen doosje in zijn uitgestrekte hand. 'Ik hoop dat je het mooi vindt.'

Catriona drukte op de kleine sluiting en het deksel sprong open waardoor een halsketting zichtbaar werd. De ketting was prachtig gemaakt en de gouden cirkels die samen de hanger vormden blonken in het licht van de lamp op zijn bureau die hij had aangedaan. 'Hij is schitterend,' zei ze ademloos.

Hij pakte hem uit het doosje en liet hem voor haar ogen bungelen. 'Heb ik gemaakt,' zei hij trots en hij liet haar de in elkaar verstrengelde gouden ringen zien. 'Dit zijn de cirkels van het leven, elke ring heeft een andere kleur en is van een ander soort goud. Ze vertegenwoordigen onze verschillende levens en de manier waarop onze levens met elkaar verweven zijn geraakt tijdens de reizen die we los van elkaar ondernomen hebben. Ik heb er ook een voor mezelf gemaakt,' zei hij met een glimlach. 'Om me te herinneren aan de kleine die mijn vriendin is.'

Ze hield haar haar omhoog, zodat hij de ketting om haar nek kon doen en haar vingers streelden het warme, glanzende goud dat boven haar hart lag. Ze sloeg haar armen om Demetri's brede middel en drukte zich tegen hem aan. 'Het is een prachtig geschenk,' zei ze tegen zijn brede borst. 'Ik zal het altijd koesteren.'

Hij maakte zich zachtjes los uit haar omhelzing en hield haar op armlengte van zich af. 'Als ik ooit nog eens een andere dochter krijg,' zei hij zachtjes, 'dan hoop ik dat ze net zo zal zijn als jij.' Hij glimlachte en klopte haar op de schouder, plotseling onbeholpen. 'Het is tijd voor je om naar bed te gaan, Kitty. Morgen ben je jarig.'

Catriona keek hem glimlachend aan. 'Mijn eerste grotemensenfeest,' zei ze opgewonden. 'Mam zegt dat ik mijn haar mag opsteken en er zal worden gedanst en van alles.'

Hij wierp zijn leeuwenkop in zijn nek en stootte een bulderende lach uit. 'Zo jong en zo'n haast om volwassen te worden,' wist hij ten slotte uit te brengen. 'Kitty, Kitty,' zei hij hoofdschuddend. 'Ik hoop dat het een geweldig feest wordt.'

Er klonk iets in zijn stem waardoor ze hem wat aandachtiger bestudeerde. 'Je komt toch wel naar mijn feest, hè?' wilde ze weten. 'Dat heb je beloofd.'

'Dat weet ik,' zuchtte hij en hij stak zijn handen diep in zijn zakken. 'Maar ik voel me niet op m'n gemak bij dat soort mensen. Ik denk dat het beter is dat ik hier blijf.'

'Je hebt het beloofd,' zei ze koppig, met over elkaar geslagen armen en tranen in haar ogen. 'Het is jouw hotel en je kunt doen wat je wilt.'

'Ik blijf liever hier in mijn werkplaats,' zei hij vastberaden. 'De mensen die in mijn hotel verblijven zullen zich niet op hun gemak voelen bij mijn lompe manieren. Als ik niet in de weg loop zal het feest een succes worden en dan kun je me er later over vertellen.'

Haar teleurstelling was groot, maar nog terwijl ze protesteerde was ze gaan begrijpen dat hij anders was dan Kane en niet gesteld was op het gezelschap van vreemden. Ze zweeg en haar gedachten maalden door haar hoofd. Demetri was haar vriend en er waren dingen die ze hem wilde vertellen – geheime dingen die te maken hadden met Kane en die haar nu al een tijdje dwarszaten. Maar toen ze haar mond opendeed, wist ze dat ze hem niet in vertrouwen durfde te nemen, er niet op durfde te vertrouwen dat hij haar zou geloven. Want als ze hem alles vertelde zouden de gevolgen hen allemaal kapot kunnen maken.

'Ik wil echt heel graag dat je komt,' zei ze zachtjes, de smeekbede duidelijk in haar blik, en de onderliggende boodschap klonk zo hard in haar hoofd, dat ze er zeker van was dat hij hem wel moest horen.

'Hou op, alsjeblieft,' protesteerde hij vriendelijk. 'Ga naar het huis. Ik zie je morgen.'

Catriona stapte met tegenzin naar buiten, de warme, tropische avond in. Er vlogen vuurvliegjes in het struikgewas en het gekras van de krekels klonk op uit het gras. Het omringende regenwoud was donker en mysterieus en boven de open plek zag ze de maan en de sterren. Het was een betoverende avond, maar ze werd er nauwelijks door geraakt terwijl ze over het uitgestrekte grasveld naar het huis keek. Uit elk venster scheen licht en ze hoorde pianomuziek de tuin in zweven terwijl de gasten cocktails dronken in de bar en kaartten in de salon. Ze kon zich voorstellen hoe het zou zijn zonder licht en zonder muziek, met lege kamers waarin de stilte weerklonk. Ze huiverde, alsof ijskoude vingers haar hadden aangeraakt.

Ze draaide zich om en zwaaide naar Demetri die in de deuropening van zijn schuur stond. Het licht achter hem kwam van het kale peertje boven zijn werkbank en hulde zijn gezicht in duisternis en reduceerde hem tot een silhouet. Iets maakte dat ze terugrende en een stevige kus op zijn stoppelwang plantte voor ze zich weer omdraaide en in de richting van het huis liep. Het moment voor ontboezemingen was voorbij – ze was op zichzelf aangewezen.

'Daar ben je eindelijk,' zei Kane toen ze door de zijdeur de grote hal binnenstapte. 'Waar ben je geweest? Het is allang bedtijd.'

'Buiten,' mompelde ze, terwijl ze langs hem gleed om naar de trap te gaan.

Zijn hand lag stevig om haar arm toen hij haar ontsnapping verijdelde. 'Je bent weer bij Demetri geweest, hè?' siste hij. 'Wat bekokstoven jullie allemaal in die schuur van hem?'

Ze maakte zich van hem los en wreef over haar arm waar de indrukken van zijn vingers nog waren te zien. 'Dat gaat je niets aan,' antwoordde ze.

'Dat gaat me wel degelijk wat aan,' zei hij zachtjes terwijl hij een steelse blik wierp op de deur van de zitkamer. 'En ik hoef je er niet aan te herinneren dat je moeder en ik je uitdrukkelijk hebben verboden zo veel tijd met hem door te brengen.'

'Mam heeft de afgelopen maanden nauwelijks iets tegen me gezegd,' wierp ze tegen. 'En het kan haar waarschijnlijk niks schelen waar ik uithang zolang ik haar maar niet voor de voeten loop. Jij bent degene die al die stomme regels verzint – en we weten ook allemaal waarom, hè?'

'Hou je grote mond,' snauwde hij. 'Ik wil niet hebben dat je zo tegen me praat.'

Ze begon bij hem vandaan te schuifelen, haar lef plotseling verdwenen.

'Ik praat tegen je zoals ik dat wil,' mompelde ze. 'Je bent mijn vader niet.'

'Ik kom daar wel het dichtste bij in de buurt en je doet maar wat ik zeg,' zei hij boos en hij deed een stap in haar richting.

Ze deed een pas achteruit; de trap was achter haar. 'Waar is mam?' wilde ze weten.

Zijn ogen waren heel blauw, zijn gezicht stond koud en zijn uitdrukking was ondoorgrondelijk. 'Ze wil niet gestoord worden,' zei hij. 'Ze is helemaal niet in orde en het laatste wat ze nodig heeft is dat jij haar van streek maakt.' Hij deed nog een stap in haar richting, zijn gezicht strak, ogen hard en vastbesloten. 'Velda is heel erg ziek, Catriona, haar geest is wankel en de minste opwinding kan haar over het randje duwen.'

Catriona keek hem aan, niet bereid hem te geloven, ook al wist ze dat hij het waarschijnlijk bij het rechte eind had. Mam was de afgelopen maanden veranderd en het verschil was beangstigend. Ze stond op het punt antwoord te geven toen een groepje gasten druk pratend de hal binnenkwam en meneer Kanes aandacht opeiste. Met een zucht van opluchting rende Catriona de trap op. Hij zou nog uren druk zijn en ze moest met haar moeder praten, ongeacht hoe slecht ze zich voelde.

Op de bovenste overloop was het stil, de deuren waren dicht en er scheen nergens licht onderdoor. Catriona liep op haar tenen naar haar moeders kamer en luisterde aan de deur. Aan de andere kant klonk geen geluid, dus duwde ze voorzichtig de klink naar beneden en gluurde naar binnen.

Velda lag in bed naar het plafond te staren, het schijnsel van de maan viel over haar uitgeteerde gezicht en verlichtte haar ogen. 'Wat wil je, Catriona?' Haar stem klonk scherp, op het randje van ongeduldig, en ze trok de lakens steviger om haar schouders. 'Ik heb tegen meneer Kane gezegd dat ik niet gestoord wilde worden.'

Catriona deed de deur achter zich dicht en liep naar het bed. 'Ik kwam alleen maar even welterusten zeggen,' begon ze.

'Nou. Dat heb je nu gedaan, dus kun je weer gaan.'

'Waarom doe je zo, mam? Wat heb ik verkeerd gedaan?' Catriona stond naast het bed en haar ogen vulden zich opnieuw met tranen, maar ze was vastbesloten ze binnen te houden, vastbesloten haar kalmte te bewaren onder haar moeders vijandigheid.

Velda zuchtte en stak haar hand uit naar het glas op het nachtkastje naast het bed. Toen ze een slokje had genomen, zette ze het terug en leunde tegen de kussens. 'Je hebt al weken nauwelijks iets tegen me gezegd,' zei ze eindelijk en haar stem klonk zacht en had die inmiddels bekende zeurderige toon. 'En als je wat zegt ben je brutaal en absoluut onaardig. Meneer Kane en ik weten ons geen raad met je.'

'Meneer Kane moet zich met zijn eigen zaken bemoeien,' snauwde Catriona.

'Dat is nou precies wat ik bedoel,' zuchtte Velda. 'Hoe durf je zulke taal uit te slaan? Meneer Kane heeft gelijk. Je moet bij die Rus uit de buurt worden gehouden als dit het soort gedrag is dat hij in je losmaakt.'

'Dit heeft helemaal niets te maken met Demetri,' vloog Catriona op. 'Meneer Kane stookt je tegen hem op. Zie je dat dan niet?'

Velda's blik was mistig van vermoeidheid en haar gezicht was volkomen uitdrukkingsloos terwijl ze Catriona bekeek. 'Ik zie een gezeglijk kind dat is veranderd in een chagrijnig, slechtgehumeurd, grofgebekt jong meisje, en als we al niet zo ver waren met de voorbereidingen voor je feest, zou ik alles afblazen. Ga naar je kamer, Catriona.'

De tranen stroomden over Catriona's wangen en haar woorden kwamen er snikkend uit. 'Ik wil niet,' huilde ze. 'Ik vind het daar niet fijn.'

'Doe niet zo raar,' snauwde Velda. 'Het is een heerlijke kamer, ondankbaar nest.'

Catriona dacht aan de avonden dat Kane naar haar kamer was gekomen en op de rand van haar bed was gaan zitten. Aan de lange minuten van stilte waarin hij naar haar keek en die uren leken te duren voor hij haar dwong hem op zijn mond te zoenen. 'Mag ik vanavond bij je blijven, mam? Net als toen we nog in de wagen woonden? Dan kruipen we dicht tegen elkaar aan en dan kunnen we over vroeger praten en...' Ze was nu aan het smeken, wanhopig om haar moeder te laten zien wat de betekenis achter die woorden en tranen was en waar de bron van haar ongelukkigheid lag.

Velda was onaangedaan door dit vertoon van emotie. Ze liet zich weer onder de lakens glijden. 'Je bent veel te oud om nog bij mij in bed te kruipen. Bovendien heb ik mijn slaap nodig. Morgen wordt het een drukke dag, zoals je heel goed weet.'

'Alsjeblieft, mam.' Catriona stak een hand uit, maar die werd genegeerd. Ze ging op de rand van het bed zitten, waardoor de matras een beetje indeukte. Ze veegde de tranen van haar gezicht en deed een geweldige inspanning om kalm te blijven. Het was tijd om haar moeder alles te vertellen. 'Het spijt me, mam,' zei ze zachtjes. 'Het is niet m'n bedoeling om brutaal en ongehoorzaam te zijn, echt niet. Maar er zijn dingen die...'

'Genoeg, Catriona,' snauwde Velda en ze duwde haar weg. 'Je hebt al eens eerder je excuses aangeboden, maar er is bitter weinig verandering te bespeuren in je gedrag. Als je vader hier was, zou zijn hart breken.'

'Als mijn vader hier zou zijn, dan zou hij wel naar me luisteren,' gilde Catriona en ze stond op.

'Eruit.' Velda wees naar de deur. 'En je hoeft niet terug te komen voor je je weer weet te gedragen. Je bent nog niet te groot voor een draai om je oren, jongedame. En de hemel weet dat je daar al maanden om loopt te vragen.'

Catriona klemde haar kaken op elkaar terwijl ze naar de deur liep en de deurkruk greep. 'Je bent een egoïstische trut,' gooide ze eruit. 'Je hebt de hele tijd niets anders gedaan dan jammeren en klagen en je gedragen alsof jij de enige was die verdriet had. Je geeft niets om me – alleen maar om jezelf.' Ze haalde diep adem, geschokt door haar eigen venijn en de ruwe taal die zo gemakkelijk van haar lippen was gerold, maar het had voor één keer wel een reactie van haar moeder uitgelokt. Ze draaide aan de deurkruk en bleef in de deuropening staan, terwijl de woede van haar gezicht spatte toen ze de verbijsterde gelaatsuitdrukking van haar moeder zag. 'Nou, ik heb ook verdriet. Ik ben eenzaam en bang en vandaag of morgen zul je er spijt van krijgen dat je niet naar me hebt geluisterd.' Ze smeet de deur zo hard als ze kon achter zich dicht, rende door de gang naar haar kamer en sloeg de deur daarvan ook met een klap dicht. Ze gooide zich op het bed waar ze haar gezicht in haar kussen verborg en zich overgaf aan een stortvloed van tranen.

De volgende ochtend werd ze wakker met een kloppende hoofdpijn en oogleden die zo gezwollen waren door de tranen dat ze nauwelijks uit haar ogen kon kijken. Zo wilde ze niet naar de badkamer aan het einde van de gang, dus goot ze koud water uit de kan in de schaal en waste zich, boende zichzelf schoon met een washandje tot haar huid rood zag en tintelde. Kanes bezoeken aan haar kamer en de aanraking van zijn handen gaven haar altijd het gevoel dat ze smerig was.

Terwijl ze zich aankleedde, zag ze zichzelf in de kleine spiegel. Ze staarde naar haar spiegelbeeld en zag hoe sterk dit alles haar aangreep. Het zat in haar ogen, in de manier waarop haar mondhoeken naar beneden hingen en in de kleur van haar huid, maar de schade zat nog dieper, gaf ze zichzelf toe. Het had haar ziel geraakt en die veranderd in iets duisters binnen in haar dat langzaam afstierf. 'Hoe kan het dat mam het niet ziet,' zei ze ademloos. Ze keek naar haar evenbeeld in de spiegel, maar de stilte was overweldigend. Ze draaide zich om en rende haar kamer uit.

'Aangezien er vandaag een heleboel te doen is, zou je je voor de verandering eens nuttig kunnen maken,' zei Edith toen Catriona de keuken binnenkwam.

'Mag ik één cadeautje openmaken?' vroeg ze toen ze de stapel op de keukenkast zag.

'Vanavond,' zei Edith streng en haar toon duldde geen tegenspraak. 'Help de meisjes met het opruimen van de eetzaal.'

Catriona wilde op zoek gaan naar Demetri, maar Edith leek vastbesloten haar bezig te houden en de rest van de dag was ze aan haar grillen overgeleverd; ze maakte kamers schoon, hielp gerechten bereiden en zette bloemen neer en dekte tafels.

Het zou een groots feest worden, niet alleen om haar verjaardag te vieren, maar ook het einde van het eerste, en zeer succesvolle, seizoen van het hotel. De tuinlieden hadden klimranken en bloemen gebracht waar linten doorheen gevlochten werden en die tot hoog in de eiken balken werden aangebracht. Ander groen versierde de marmeren schouw in de hal en tussen de bladeren waren bleke, lange kaarsen vastgezet. De eetzaal zou door honderden kaarsen worden verlicht en elke tafel was gedekt met het fijnste linnen en het tafelzilver en het kristal waren blinkend gepoetst. Op iedere tafel stond een bloemstuk en in de kamers beneden stonden enorme boeketten. Hun geur hing in het hele huis en bezorgde Catriona hoofdpijn – het enige wat ze werkelijk wilde was naar buiten gaan voor wat frisse lucht en om Demetri te zoeken.

Maar Edith vond nog steeds dingen voor haar te doen en naarmate de dag vorderde, begon Catriona zich te realiseren dat Demetri zich aan de chaos onttrok. Kane was ook verdwenen en dat was merkwaardig, want normaal gesproken hing hij altijd rond om orders te blaffen en iedereen in de weg te lopen. Velda was in geen velden of wegen te bekennen. Ze was niet in haar kamer en ook niet in de vertrekken van Demetri. Het was een raadsel, maar aan de andere kant was mams gedrag de laatste tijd op z'n zachtst gezegd toch al vreemd en misschien was ze alleen maar naar Cairns om haar haar te laten doen.

Een driemansorkest zette zijn instrumenten in een hoek van de zitkamer; het tapijt werd opgerold en de vloer geboend en in gereedheid gebracht voor het bal. In de keuken hing de verrukkelijke geur van versgebakken brood en van vlees dat lag te braden. Er werden verse groenten klaargemaakt en de dikke kokkin die elke dag uit een stad in de buurt kwam was bezig sausen te maken. En dan was er natuurlijk nog de taart – een geweldige toren van wit glazuur en bloemen van suikergoed en voorzien van nog meer kaarsen.

Het werd rond theetijd even wat rustiger en Catriona besloot van de gelegenheid gebruik te maken om Demetri in vertrouwen te nemen voor Kane nog verderging. Hij was haar enige echte vriend en misschien zou hij iets doen om haar te helpen wanneer hij hoorde wat ze te zeggen had. Ze was stom geweest om hem niet te vertrouwen.

Ze kwam de keuken uit en merkte hoe donker het was geworden. Het had de hele dag geregend en de hemel zag zwart van de dikke wolken. Ze pakte een regenjas van een haak bij de voordeur en was net bezig die aan te trekken toen een stem haar tegenhield.

'Waar denk jij naartoe te gaan?'

Catriona verstijfde toen Kane tevoorschijn kwam uit de schaduwen van een diepe fauteuil bij de rijk bewerkte schouw in de hal waar hij had gezeten. 'Ik ga naar Demetri.' Haar stem klonk hoog en ademloos.

'Ik dacht het niet,' antwoordde hij en hij pakte haar elleboog stevig vast.

Ze rukte zich los uit zijn greep. 'Je kunt me niet tegenhouden,' siste ze.

'Wat is er zo belangrijk dat je hem nu moet zien?' vroeg hij, volstrekt onaangedaan door haar woede.

'Ik ga hem vertellen wat jij me allemaal aandoet,' snauwde ze terug. 'Ik heb het mam al verteld.'

Zijn blonde wenkbrauwen gingen de hoogte in en zijn ogen fonkelden in het licht van de kristallen kroonluchter. 'En hoe reageerde Velda daarop?' Zijn stem klonk glad en spottend en bezorgde haar de koude rillingen.

Ze schudde haar hoofd; ze wilde hem niet vertellen dat haar moeder helemaal geen aandacht had geschonken aan wat ze te zeggen had – dat ze de keren dat ze had geprobeerd het onderwerp ter sprake te brengen nauwelijks had geluisterd.

'Dus je moeder gelooft je niet?' zei hij zachtjes. 'En wat valt er Demetri te vertellen? Nou?' Hij tilde haar kin op met zijn vingers en dwong haar hem in de ogen te kijken. 'Dat de man die al meer dan een jaar voor jou en je familie zorgt het heeft gewaagd zijn dochter een kus te geven? Dat ik de tijd en de moeite neem om jou 's avonds in te stoppen?'

'Ik ben je dochter niet en er is geen vader in de wereld die zijn dochter op die manier kust – of haar aanraakt zoals jij doet.' Haar stem werd luider toen zijn vingers hun greep verstevigden.

'Hou je mond en luister, Catriona.' Zijn stem klonk als een pistoolschot en ze gehoorzaamde onmiddellijk. Angst verlamde haar tong. 'Je moeder is een zieke vrouw. Op het randje van waanzin. Ik ben haar redder en jij nog maar een klein meisje. Ze zal je vandaag niet geloven, en morgen niet en nooit.'

Hij zweeg om de woorden de kans te geven genadeloos tot haar door te dringen. 'Wat Demetri aangaat, hij is een moordenaar. Als je naar hem toegaat met je leugens, zal er bloed aan je handen kleven.'

'Ik geloof je niet,' sputterde ze tegen. 'Dat verzin je maar.'

Hij negeerde haar onderbreking. 'Hij is een gevaarlijk man, Catriona. Hij heeft al eens gemoord – hij zal geen enkele belemmering voelen om het nog een keer te doen.'

Ze staarde hem door haar tranen aan, zo gebiologeerd als een konijn door de blik van een slang.

'Je moeder staat op het punt haar verstand te verliezen. Wat zou het voor haar betekenen als jouw leugens mijn dood werden en Demetri in de gevangenis deden belanden? Dan zou je dakloos zijn en niemand hebben om voor je te zorgen. En terwijl Demetri in de gevangenis op de beul wacht, zou het hotel worden gesloten en jij zou worden weggestuurd en dan moet je moeder haar laatste dagen in een inrichting slijten.'

Ze zag de stalen wil in zijn blik, de krachtige trek om zijn mond en voelde de harde greep van zijn vingers om haar kaak. Ze was een gevangene, ze kon nergens heen, zich nergens verstoppen en ze had niemand die haar kon helpen. 'Het zijn geen leugens,' fluisterde ze. 'Ik weet heus wel wat je van plan bent.'

'Onschuldige kusjes en liefkozingen.' Hij liet haar los en deed een stap achteruit. 'Een vaderlijke belangstelling voor je welzijn. Nauwelijks het vermelden waard, laat staan dit theatrale gedoe.' Hij sloeg zijn armen over elkaar en keek op haar neer. 'Je hebt een levendige fantasie, maar ik vermoed dat dat logisch is, gezien het leven dat je hebt geleid. Ga nu maar kijken of er iets is waarmee je Edith kunt helpen, dan praten we er verder niet meer over.'

Catriona liep bij hem vandaan en vloog vervolgens de trappen op. Ze wist wat ze wist. Kane had haar gekust en aangeraakt, was 's nachts naar haar kamer gekomen en had duidelijk gemaakt dat hij van plan was nog een stapje verder te gaan. Dit waren geen uitingen van vaderlijke liefde, maar iets duisters, iets onaangenaams en heel verontrustend.

Ze rende de badkamer binnen, schoof de grendel ervoor en liet zich vervolgens snikkend op de tegels vallen. Wilde haar moeder maar naar haar luisteren. Zag ze maar wat er aan de hand was. Maar Kane had gelijk, mam was heel erg in de war – en zij wilde er niet de oorzaak van zijn dat ze nog meer moest lijden. Ze moest Demetri zien te vinden. Hij was haar enige hoop.

Na een tijdje stond ze op, haalde een borstel door haar haar en plensde koud water in haar gezicht, alvorens terug te keren naar de warmte en geborgenheid van de keuken. Mam was nog steeds nergens te bekennen en ze voelde zich veiliger bij kokkie dan in haar eentje en Kane kwam hier maar zelden.

Om zes uur stuurde mam een boodschap naar beneden. Ze moest zich gaan klaarmaken. Ze deed de deur van haar kamer open en trof daar Velda aan die op haar wachtte. Op haar bed lag een nieuwe jurk uitgespreid en nieuwe schoenen en kousen en prachtig bijpassend ondergoed.

'Kleed je aan, dan zal ik je haren doen voor je naar beneden gaat,' zei ze terwijl ze de kamer verliet.

Catriona keek naar de mooie kleren op het bed. Ze voelde aan het zijdeachtige ondergoed en de petticoat met kant en bewonderde de jurk waar Velda uren aan had gewerkt. Hij was van een prachtig groen satijn, met fijne linten, een strak lijfje en een waterval van gaas over de rok heen.

Ze trok hem aan en voelde de koelheid op haar huid toen ze de kleine knoopjes aan de zijkant vastmaakte. De rokken ruisten toen ze de kamer op en neer liep in de satijnen pumps die Velda had geverfd zodat ze bij de jurk pasten. Ondanks haar verdriet ging er een rilling van opwinding door haar heen. Het kon haar moeder allemaal dus toch wat schelen, want waarom zou ze anders al die moeite hebben gedaan?

Ze ging snel naar Velda's kamer en klopte op de deur. Haar moeder zat op het bed, zo bleek en lusteloos als de lelies in de vazen beneden. 'Het is een prachtige jurk, mam. Dank je,' zei ze zachtjes.

Velda liet niet merken dat ze het had gehoord en begon in haar tas met borstels en make-up te zoeken. Toen ze klaar was keek Catriona vol verbazing naar haar spiegelbeeld. Haar donkere, weelderige haar was in een elegante wrong gedraaid en versierd met een enkele, witte camelia. Velda had een beetje lippenstift op haar lippen gedaan en een fijn laagje poeder op haar gezicht. Haar wimpers waren donkerder gemaakt met mascara en een vleugje rouge deed haar jukbeenderen beter uitkomen.

'Als je ouder was,' zei Velda terwijl ze haar nadenkend bekeek, 'zou ik je mijn halsketting en oorbellen hebben geleend. Maar ik zie dat je al een hanger hebt. Waar komt die vandaan?'

'Het was een cadeau van Demetri,' antwoordde ze. Catriona kuste haar op de wang, voorzichtig, zodat ze haar moeders make-up niet bedierf. 'Dank je voor alles, mam,' zei ze zachtjes.

Velda ging met haar handen over haar slanke heupen. Het donkerrode satijn deed haar bleke huid en donkere haar perfect uitkomen, maar ze was te mager en de schaduwen onder haar ogen waren net blauwe plekken. 'Je verdient het niet,' zei ze nors. 'Maar je wordt maar één keer dertien en ik kon zo'n belangrijke mijlpaal toch niet negeren.'

Catriona keek toe hoe ze het laatste beetje uit haar glas dronk dat altijd naast haar moeders bed leek te staan en een glinsterende sjaal pakte en die om haar schouders sloeg. Velda had zich nooit eerder onder de gasten gemengd en Catriona kon zien dat het haar enorm veel moeite kostte om de energie te vinden dat vanavond wel te doen.

Velda aarzelde in de deuropening. 'Catriona, er is iets...'

'Waar blijft het feestvarken?' De kreet kwam van beneden. 'De champagne wordt lauw.'

'Wat is er, mam?' Er was iets aan haar moeder dat nog merkwaardiger was dan anders, maar Catriona dacht dat het door de zenuwen kwam.

Velda schudde haar hoofd en haalde diep adem. 'Het doet er niet toe,' mompelde ze. 'Laten we maar naar beneden gaan.'

Catriona voelde vlinders in haar buik toen ze op de laatste overloop kwam. Het was zo'n bijzondere avond, er zou toch niets gebeuren dat alles kon bederven?

De hal was vol gasten, sommigen waren vreemden, anderen bekend, en het personeel stond in een rij langs de muur bij de deur naar de keuken. Terwijl zij aan haar lange afdaling begon, verstomden de geanimeerde gesprekken en de mensen draaiden zich om om naar haar te kijken. Ze liep langzaam de trap af en de rokken ruisten rond haar enkels en het nauwe lijfje maakte het moeilijk om adem te halen. Ze had gewoon weer last van plankenkoorts – alleen leek het jaren geleden dat ze zo'n spectaculaire entree had gemaakt.

De wachtende gasten begonnen te applaudisseren en het personeel riep 'Hartelijk gefeliciteerd'. Ze lachte en klapte in haar handen van blijdschap en maakte een kniebuiging. Maar alle levenslust leek uit haar weg te vloeien en alle plezier die ze in de gebeurtenis had verdween, toen tot haar doordrong dat meneer Kane onder aan de trap op haar stond te wachten. Hij keek naar haar op met een maar al te bekende glans in zijn ogen terwijl hij zijn hand naar haar uitstak om haar en haar moeder de laatste treden af te helpen.

'Hartelijk gefeliciteerd,' zei hij zachtjes in haar oor.

Catriona zag hoe haar moeder haar hand in de kromming van zijn elleboog legde en was gedwongen haar voorbeeld te volgen terwijl hij hen beiden de lounge in leidde voor het aperitief en de hapjes. Phoebe knipoogde naar haar terwijl ze met een enorme zilveren schaal door de kamer liep en ze zocht onder alle gezichten naar dat van Demetri. Hij was te laat – hij zou het toch niet hebben gemeend toen hij zei dat hij niet zou komen?

Het gezelschap verplaatste zich naar de eetzaal. Het eten was waarschijnlijk heerlijk, maar aangezien ze ingeklemd zat tussen haar moeder en meneer Kane, proefde ze er nauwelijks iets van, want ze was zich bewust van de druk van zijn dij tegen de hare en van zijn arm die ogenschijnlijk per ongeluk langs haar borst streek wanneer hij zijn glas pakte.

Velda leek levendiger dan ze in maanden was geweest en vond het zelfs goed dat ze met water aangelengde wijn dronk bij het nagerecht. Toen was het tijd om de taart aan te snijden en haar cadeautjes open te maken. Ze scheurde het papier eraf en maakte strikken los en was oprecht blij met de kralenkettingen, sjaals en handschoenen en boeken die de gasten en het personeel haar hadden gegeven. Ze had nog nooit van haar leven zóveel cadeaus gekregen en als meneer Kane niet iedere beweging van haar in de gaten had gehouden, zou dit de mooiste dag van haar leven zijn geweest.

Het orkest begon te spelen toen ze de lounge binnenkwamen. Het tapijt was opgerold en de stoelen stonden opgesteld langs de muren. Ze verstijfde toen meneer Kane zijn arm om haar middel sloeg en haar de vloer op leidde om de eerste wals te beginnen. Haar voeten weigerden haar te gehoorzamen en ze botste tegen hem aan. Ze kon de warmte van zijn handen en de druk van zijn vingers onder aan haar rug voelen terwijl hij haar stevig vasthield. Zijn eau de cologne verspreidde een sterke geur en ze rook zijn pasgewassen overhemd en de anjer in zijn knoopsgat.

'Je ziet er heel volwassen uit,' zei hij zachtjes terwijl de muziek en het geklets om hen heen wervelden en hen net zo isoleerden als het tij rond een eiland. 'Maar ik zie je liever zonder al die poeder en die verf – je ziet eruit als een snol.'

De belediging deed pijn en ze probeerde zich los te maken uit zijn strakke omhelzing, maar hij glimlachte en wervelde met haar over de dansvloer, volledig de baas en van plan dat te blijven ook.

Toen de muziek ophield zag ze kans te ontsnappen, maar werd onmiddellijk meegesleurd in een snelle foxtrot door een van de jongere gasten, en als Kanes onheilspellende aanwezigheid er niet was geweest, zou ze het waarschijnlijk naar haar zin hebben gehad.

Ze probeerde hem de hele avond te ontlopen. Ze ving af en toe een glimp van hem op terwijl hij met alleenstaande dames en met haar moeder danste, maar ze wist dat hij elke beweging van haar in de gaten hield – wist dat hij het moment afwachtte dat hij haar voor een volgende dans kon strikken, zodat hij haar weer dicht tegen zich aan kon drukken. Hij leek er een soort pervers genoegen uit te putten – uit de wetenschap dat ze niet kon ontsnappen en geen scène kon schoppen in aanwezigheid van al die mensen.

Toen de avond vorderde en hij keer op keer terugkwam om met haar te dansen, besloot ze dat het tijd was om Velda te vertellen wat er gaande was. Maar deze keer zou ze ervoor zorgen dat ze luisterde, zou ze haar dwingen te luisteren als dat nodig was – want hoe erg ze ook leed aan wat haar dan ook mankeerde, ze zou het toch zeker wel begrijpen en iets doen om haar in bescherming te nemen?

Ze keek vlug om zich heen en zag Velda bij een andere dame aan de andere kant van de kamer zitten. Kane danste met een levendige brunette, dus hij was voorlopig even bezig. Catriona schudde haar hoofd toen iemand haar ten dans vroeg en begon zich een weg te banen door de aanwezigen. 'Mam,' zei ze.

'Ik zit te praten, Catriona. Je moet me niet in de rede vallen.'

'Mam,' zei ze dringender. 'Het is belangrijk. Erg belangrijk.'

Velda excuseerde zich bij de andere vrouw en stond op. 'Dat hoop ik wel voor je,' zei ze grimmig. 'Dat was erg onbeleefd.'

Catriona pakte haar moeders hand en begon haar ondanks haar protesten in de richting van de deur te trekken. 'Mam, het gaat om K...' Verder kwam ze niet, want hij stond al naast haar met een ijskoude blik in zijn ogen.

'Daar ben je, Velda,' zei hij gladjes en hij pakte haar bij de hand. 'Het is tijd, vind je niet?'

Velda keek naar hem op, haar ogen stonden dof en ze had een verwarde uitdrukking op haar gezicht. 'Catriona wilde net...'

'Ik weet zeker dat Catriona nog wel even wil wachten. Dit is belangrijk.' Hij keek even naar Catriona en in zijn ogen glom een soort kwaadaardig genoegen dat ze niet begreep. 'Kom, schat.'

Catriona keek toe hoe hij Velda's hand in de kromming van zijn arm legde en haar naar het midden van de dansvloer leidde. Hij knikte in de richting van de orkestleider en de muziek hield op te spelen en de dansers kwamen tot stilstand. De serveersters kwamen binnen met dienbladen vol glazen die waren gevuld met iets dat verdacht veel op champagne leek. Er viel een stilte in de zaal en Catriona realiseerde zich dat Kane waarschijnlijk op het punt stond een toespraak te houden over het succesvolle seizoen. Dit was een uitgelezen moment om te ontsnappen en op zoek te gaan naar Demetri.

'Ik wil een mededeling doen,' zei Kane luid in zijn beste toneelstem.

Catriona schuifelde in de richting van de deur.

'We vieren niet alleen het zeer succesvolle jaar van de Petersburg en de dertiende verjaardag van de verrukkelijke Catriona.' Er ging een golf van applaus door de aanwezigen en Catriona bloosde toen alle blikken in haar richting gingen. 'Maar ook het heerlijke nieuws dat deze geweldige dame, Velda Summers, erin heeft toegestemd mijn vrouw te worden.'

Catriona verstijfde. Kane keek door de zaal en in zijn ogen blonk triomf toen hij zijn glas hief. De kreten van gelukwensen spoorden haar aan tot actie en zonder zich iets aan te trekken van de verbaasde blikken rende ze de kamer uit en de gang in. Ze stopte pas met rennen toen ze in de tuin was.

Het was een drukkende avond. De zachte, gestaag neervallende regen was eerder die dag begonnen en had de hitte en de luchtvochtigheid nog doen toenemen en het gazon doorweekt. Ze schopte haar schoenen uit, tilde haar rokken op en rende over het grasveld naar de beschutting van het overhangende dak van de werkplaats. Ze kon nauwelijks iets zien door haar tranen en zag amper kans op adem te komen toen de afschuwelijke waarheid van wat ze had gehoord tot haar begon door te dringen.

Demetri's werkplaats was in duisternis gehuld en toen ze een harde roffel op de deur sloeg kreeg ze geen antwoord. Ze wierp een blik over haar schouder. De deuren naar de lounge stonden open en het licht en de geluiden van het feest stroomden de duisternis in terwijl de regen harder en vastberadener begon te vallen. Er was niets dat erop wees dat ze was gevolgd of dat Kane naar haar op zoek was.

Ze schuilde onder het overhangende dak en klopte nog harder op de deur. 'Demetri?' riep ze. 'Ben je daar? Demetri? Alsjeblieft. Ik heb je nodig.'

Er kwam geen antwoord. Er was geen welkom licht of beweging aan de andere kant van de deur. Catriona draaide aan de deurkruk, voelde dat de deur niet op slot was en stapte naar binnen. Misschien was hij in slaap gevallen; hij werkte hier altijd de hele nacht en hij ging vaak even liggen op de zakken in de hoek.

Maar toen ze een lamp had aangestoken, keek ze geschokt om zich heen. Het mijnwerkersgereedschap en de oude kleren en tenten waren verdwenen. Het bureau was leeg, de ketel weg, samen met de lepels en de dozen met goudklompjes. Het was net alsof Demetri in rook was opgegaan.

'Hij is gisteravond laat weggegaan,' zei een stem bij haar schouder.

Catriona draaide zich met een ruk om en keek hem aan. Haar hart ging tekeer en de adem stokte in haar keel. 'Dat kan niet,' zei ze. 'Dat zou hij tegen me hebben gezegd.'

Kane glimlachte terwijl hij de schuur binnenstapte en een sigaar koos uit het leren etui dat hij altijd in zijn borstzak had. 'Hij heeft me gevraagd tegen je te zeggen dat het hem speet, maar hij kon niet langer blijven.'

'Maar waarom?' Het was een kreet van wanhoop.

'Zijn droom is niet uitgekomen op de manier die hij had gehoopt,' zei Kane terwijl hij een lucifer bij zijn sigaar hield. Toen die tot zijn tevredenheid brandde, stak hij hem in een mondhoek tussen zijn tanden. 'Demetri miste de strijd van de goudvelden. Hij haatte het lawaai en de ophef hier en hij wilde terug naar de eenzaamheid van het graven in de outback.'

'Maar hij zou nooit zijn weggegaan zonder het mij te zeggen,' zei ze met de koppige logica van een dertienjarige die niet wilde aanvaarden dat haar enige vriend haar in de steek had gelaten op het moment dat ze hem het hardste nodig had.

Kane nam de sigaar uit zijn mond en bestudeerde het brandende puntje voor hij de askegel op de vloer tipte. 'Hij wist dat je van streek zou zijn en hij wilde niet gedwongen worden te kiezen tussen jou en de roep van het goud waarvan hij wist dat het nog steeds daar ergens op hem lag te wachten.' Hij wuifde vaag met zijn arm in de richting van het westen. 'Hij is terug naar de Territory,' zei hij zacht. 'Daar voelt hij zich thuis.'

'Maar dit is zijn thuis. Hier was hij gelukkig.'

Hij zuchtte. 'Catriona, doe niet zo kinderachtig. Hij is een man die van zijn vrijheid houdt, een zigeuner, net als je vader. Hij kon nooit lang gelukkig zijn op één plek. Daarom is hij weg.' Hij keek in de richting van het huis. 'Als je me niet gelooft, vraag het dan maar aan je moeder.'

'Wist mama het?' Dit kwam nog harder aan. 'Komt hij weer terug?' Catriona stapte de werkplaats uit zonder acht te slaan op het feit dat de regen haar jurk bedierf en haar kapsel doorweekte. Ze moest bij hem weg zien te komen; ze moest haar moeder vinden en zorgen dat ze naar haar luisterde.

'Natuurlijk,' zei Kane op zijn nuchtere toon. 'Maar pas wanneer hij daar klaar voor is – tot die tijd zul je moeten accepteren dat dit is wat hij wil.' Zijn glimlach bereikte zijn ogen niet.

Catriona werd verblind door tranen. 'Je kunt niet met mam trouwen,' gooide ze eruit. 'Dat kan gewoon niet.'

'Te laat,' zei hij met een grijnslach. 'We zijn vanmorgen al getrouwd.'

Ze keek hem met open mond aan en knipperde ongelovig met haar ogen. 'Hoe? Wat? Wanneer? Waarom heeft mam niets tegen me gezegd?'

Hij haalde zijn schouders op met een achteloosheid die haar bijna deed gillen. 'Ze dacht dat het een leuke verrassing zou zijn voor je verjaardag.'

Ze keerde zich van hem af en vluchtte terug over het gazon. Ze kon nauwelijks zien waar ze liep door de neerkletterende regen. Ze herinnerde zich haar moeders woorden toen ze op het punt stonden de trap af te lopen. Waarom heeft ze het me niet verteld? Waarom?

Om de lichten en het lawaai van haar verjaardagsfeest te ontlopen rende ze door de achterdeur naar binnen en stormde de trap op naar de bovenste verdieping van het huis. Ze wilde haar moeder nooit meer zien. Ze had haar verraden. Ze liep de gesloten deur van haar kamer voorbij en stommelde de trap naar de toren op. Daar liet ze zich onder het venster op de vloer zakken en gaf zich over aan haar eenzaamheid en de angst die zo lang binnen in haar opgesloten had gezeten.

Kane vond haar daar in de duisternis en terwijl hij haar voor de eerste keer verkrachtte, drong tot Catriona door dat haar jeugd voorbij was.

8

Edith voelde zich warm worden van geluk toen ze de feestvierders in de lounge alleen liet en terugging naar de chaos in de keuken. De zigeunerin en Kane waren getrouwd – Demetri was nog steeds beschikbaar. Misschien dat hij haar nu eindelijk zou zien staan. Ze schonk champagne in een rank glas en nam het mee naar haar kantoortje achter de keuken. Ze deed de deur achter zich dicht, liet zich in de leren stoel achter haar bureau zakken en stak haar glas in de lucht. 'Op de toekomst,' zei ze zachtjes. 'Op jou en mij, Demetri.' De champagne was koud en de bubbels prikten op haar tong.

Het was een lange en vermoeiende dag geweest, maar de opwinding vanwege het feit dat ze een tweede kans kreeg om Demetri te laten inzien wat ze allemaal voor hem kon betekenen, was een sterkere opkikker dan welke champagne dan ook. Ze leunde achterover in haar stoel en dacht terug aan die onverwachte aankondiging. Die was voor iedereen als een complete verrassing gekomen, maar de reactie van die snotneus was pas echt interessant.

Ze nipte van haar champagne en haalde zich voor de geest hoe Catriona met een doodsbleek gezicht en een wilde blik in haar ogen de kamer was uit gevlucht. Het kind was duidelijk niet zo blij, maar misschien dat haar nu, met Kane als stiefvader, eens wat manieren zouden worden bijgebracht. Nog nooit van haar leven had ze dergelijke taal gehoord en zulke woede-uitbarstingen meegemaakt – maar aan de andere kant, wat kon je nou eigenlijk ook van zigeuners verwachten? Ze snoof. Het was een ruw stelletje, vergis je daar niet in, en het kind was gepoederd en geschilderd als een miniatuur van haar moeder. 'Verwend rotkind,' siste ze. 'Wie bij zijn volle verstand geeft nou zo'n feest voor een kind van dertien?'

Edith dacht terug aan haar eigen jeugd, de schamele cadeautjes, de voddige kleren en een droge cake met een beetje jam. Het was allemaal zo oneerlijk en daardoor smaakte de champagne haar een beetje zuur. Ze zette haar glas boven op de kasboeken waarmee haar bureau bezaaid lag.

Ze was nog niet in de gelegenheid geweest om ze grondig door te nemen, maar toen ze eerder even vluchtig had gekeken was ze zich toch dingen gaan afvragen. De cijfers leken te kloppen, maar toch waren er onregelmatigheden in de manier waarop met contant geld werd omgegaan en de onverklaarbare verhoging van sommige salarissen waar zij niet over was geraadpleegd. Als Kane de boel probeerde te beduvelen, dan was dit de perfecte munitie om te zorgen dat hij werd ontslagen.

Edith nam nog een slokje van haar champagne en zat diep in gedachten verzonken. Ze zou de boeken vanavond mee naar huis nemen en ze nauwgezet bestuderen. Als Kane de winst afroomde, zoals ze vermoedde, zou ze met haar bevindingen naar Demetri stappen. Dat zou de perfecte wraak zijn en een uitstekende manier om van Kane, de zigeunerin en die snotaap af te komen. Ze zette het glas weer op het bureau, pakte de zware boeken en sloot ze in de muurkluis. Ze hing de sleutel weer aan de ketting die ze om haar smalle middel droeg, dronk haar glas leeg en stapte het kantoortje uit.

Het feest liep ten einde en de regen sloeg tegen de ramen en roffelde op de oprijlaan. Veel gasten waren uit Cairns gekomen en zij waren onder paraplu's en jassen naar hun auto's gerend. Onder de gasten die de nacht in het hotel doorbrachten werd gefluisterd dat ze de volgende dag misschien maar beter konden vertrekken. Het weer hier op de Tablelands was berucht en wegen konden zomaar wegspoelen of onbegaanbaar worden door landverschuivingen, waardoor het onmogelijk zou worden nog te ontsnappen, en ze leken er weinig trek in te hebben om hier misschien wel weken vast te zitten. De feeststemming zakte in en Edith werd beziggehouden aan de receptiebalie met het uitschrijven van rekeningen en het incasseren van geld, allemaal ter voorbereiding op de uittocht van de volgende dag.

Terwijl de hotelgasten naar boven naar hun kamers verdwenen en de dienstmeisjes de laatste rommel opruimden, liep Edith door de hal en de zitkamers om zich ervan te vergewissen dat alles was zoals het hoorde te zijn. De serveersters en de piccolo's, de kruiers en de kelners woonden allemaal buiten het hotel en omdat Demetri zo'n voortreffelijke werkgever was, hadden ze de beschikking over een janplezier om thuis te komen. Kokkie had haar eigen kleine auto – waar Edith heel jaloers op was, want zij had alleen maar een fiets – en was vertrokken zodra het diner was afgelopen. De kokkin woonde in Kuranda, samen met haar man en zes kinderen en bleef geen minuut langer in het hotel dan strikt noodzakelijk was, omdat ze de voorkeur gaf aan de warmte en het comfort van thuis.

Terwijl overal de lichten werden uitgedaan en het langzaam stil werd in het hotel, ging Edith terug naar de keuken. Demetri zou wel honger hebben, dus zou ze een bord eten voor hem klaarmaken en dat naar zijn appartement brengen voor ze wegging. Terwijl ze plakken koud vlees en een paar sneden brood op het bord legde, vroeg ze zich af waarom hij niet naar het feest was gekomen. Dat was raar, want hij leek echt gesteld op die rotmeid, ook al snapte ze niet waarom. Ze schudde die gedachten van zich af, zette bord en bestek op een dienblad en droeg het naar de overkant van de hal. Ze balanceerde het dienblad op haar heup, klopte zachtjes op de deur en draaide de deurkruk om.

De kamers in het appartement waren donker en stil en de gordijnen waren nog steeds open. Misschien lag hij te slapen. Ze zette het dienblad neer en liep op haar tenen naar de slaapkamer. Meestal snurkte Demetri zo hard dat de ramen ervan trilden, maar vanavond was er alleen maar stilte. Met een bezorgde blik deed ze voorzichtig de deur open en keek naar binnen. Het bed was niet beslapen. Ze maakte een ongerust geluid, pakte het dienblad weer op en liep terug naar de hal. Hij was vast in zijn werkplaats in slaap gevallen en het was te nat en te donker voor haar om daarheen te gaan. Ze zette het bord in de provisiekast en pakte haar regenjas en de kasboeken uit haar kantoor. Ze zette een zuidwester op haar hoofd, trok overschoenen aan, wikkelde de kasboeken in een oude regenjas die ze in het kastje van kokkie had gevonden en stapte de neergutsende regen in. Met de kasboeken in het mandje en haar hoofd gebogen tegen de elementen, begon ze aan de lange fietstocht naar huis.

De volgende dag werd het nauwelijks licht, want de donkere wolken hingen laag en blokkeerden de zon.

Edith kwam rillend van de kou aan bij het hotel en zette haar fiets tegen de muur. Ze was uitgeput, want de tocht van de avond ervoor had haar een verkoudheid opgeleverd en bovendien had ze de hele nacht de boeken zitten doorspitten. Maar, ze mocht zich dan gemangeld en verre van lekker voelen, ze had wel het bewijs dat Kane Demetri bestal. Hij had het slim aangepakt, maar niet slim genoeg om haar een rad voor ogen te draaien, dacht ze terwijl ze haar regenjas en overschoenen uitdeed en de kostbare kasboeken dicht tegen haar smalle borst aandrukte.

Ze liep de keuken binnen en verstijfde. Het was er donker en verlaten, ondanks de hitte die van het fornuis kwam en de geur van gebakken spek die in de lucht hing. Toen ze een schakelaar omzette, drong het tot haar door dat er geen elektriciteit was. Ze haastte zich naar de receptie waar Kane achter de balie stond, omringd door luid protesterende gasten die zijn aandacht eisten. Kaarslicht en het licht van olielampen wierpen dansende schaduwen op de muren terwijl de regen opnieuw tegen de ramen sloeg. Er waren maar twee kruiers, zag ze, en ze zagen er allebei afgemat en verre van blij uit omdat ze telkens doorweekt raakten wanneer ze koffers en tassen naar de wachtende auto's moesten zeulen.

'Waar zat je toch?' siste Kane toen ze zich achter de balie bij hem voegde.

Ze negeerde hem en begon orde te scheppen in de chaos. Pas toen de laatste gast was vertrokken, had ze even tijd om te gaan zitten en op adem te komen. Ze had pijn in haar borst en ze gloeide van de koorts. Het enige wat ze werkelijk wilde was naar huis gaan en in bed kruipen. Maar ze moest Demetri spreken.

Kane was verdwenen en de kruiers hadden te horen gekregen dat ze maar naar huis moesten gaan. Demetri's appartement lag er nog net zo bij als ze het de avond ervoor had aangetroffen. Edith trok de doorweekte regenjas weer aan en pakte de kostbare kasboeken. Haar overschoenen sopten in het modderige grasveld en de aanwakkerende wind sloeg haar natte jaspanden tegen haar benen. Ze boog voorover en baande zich een weg door de wind en de regen naar de beschutting van het overhangende dak van de werkplaats. De deur was open en zwaaide heen en weer in de wind en sloeg tegen de deurpost.

'Demetri?' Haar stem ging bijna verloren in het geluid van de regen die de bladeren van de bomen geselde en het gekraak van takken boven haar hoofd.

De schuur was leeg, de gereedschappen verdwenen. Er was geen enkel spoor van Demetri te bespeuren, want zelfs zijn boeken en papieren waren opgeborgen. Ze stond in de deuropening met de kasboeken tegen zich aangeklemd. Ze gloeide van de koorts en haar ogen deden pijn. Maar ondanks de koorts werkte haar brein met een trage vastberadenheid. Hier klopte iets niet. Ze deed de deur dicht, draaide hem op slot en legde de sleutel op zijn gebruikelijke plek onder een grote steen.

Het was stil in het hotel en er lagen diepe schaduwen in de hoeken waar het licht van de kaarsen die waren blijven branden niet kon komen. Ze legde de boeken op de tafel in de hal en blies een paar van de kaarsen uit. Ze konden wel brand in het hotel veroorzaken. Huiverend ontdeed ze zich van haar jas en hoed en luisterde naar de stilte. Haar ademhaling klonk luid en de misselijkmakend weeë geur van lelies en rozen deed haar aan begrafenissen denken. De dikke stenen muren leken op haar af te komen en ze voelde de kilheid van het marmer onder haar voeten.

'Je kunt net zo goed naar huis gaan, Edith.'

Ze keek verschrikt uit haar sombere gedachten op. Kane stond op de trap en keek op haar neer. Hij bewoog zich als een kat, besefte ze, die in en uit het donker glipte, en niets ontging zijn blik. 'Waar is Demetri?' Haar stem klonk scherp door een onverklaarbare angst.

'Weg,' zei hij alleen maar, terwijl hij de laatste treden afliep en voor haar bleef staan.

'Weg? Waarheen? En waarom?'

'Terug naar de Territory,' zei hij kalm.

Edith schudde in verwarring haar hoofd. 'Dan zou hij toch iets hebben gezegd. Hij zou het mij hebben gezegd,' zei ze zachtjes, terwijl haar hersenen zich door de koorts die door haar lichaam joeg in een mist leken te hullen. Ze keek hem in opperste verwarring aan. 'Waarom nu, nu het zo goed gaat met het hotel? Hij...'

Ze kreeg niet de kans om haar zin af te maken, want Kane viel haar in de rede. 'Hij heeft me gevraagd je dit te geven,' zei hij op een voor zijn doen ongewoon zachte en vriendelijke toon. 'Hij kon het zelf niet schrijven, maar hij heeft mij gedicteerd wat hij je wilde laten weten.' Hij keek haar even glimlachend aan en draaide zich toen om. 'Ik neem aan dat je even een moment voor jezelf wilt om het te lezen,' zei hij.

Edith hoorde zijn echoënde voetstappen toen hij wegliep en liet zich in een stoel bij de grote, lege marmeren schouw zakken. Met trillende vingers maakte ze de envelop open.

Mijn beste Edith

Je bent een goede vriendin geweest en ik dank je voor je loyaliteit en vriendelijkheid. Mijn droom zou niet mogelijk zijn geweest zonder jouw hulp en ik wil dat je weet dat ik heel goed weet hoeveel je van jezelf hebt gegeven.

Edith glimlachte terwijl de tranen over haar wangen stroomden en ze de woorden las die ze al zo lang zo graag van zijn lippen had willen horen.

Ik weet dat je graag meer had gewild, maar dat was niet mogelijk, en het spijt me wanneer deze woorden je verdriet doen. Maar Lara was mijn vrouw en in mijn hart is alleen maar plaats voor haar. Vergeef me dat ik je op deze manier verlaat, maar het is het beste. De roep van de vrijheid is te sterk om te weerstaan en ik ga mijn geluk elders zoeken. Zorg voor mijn droom, Edith, want er is niemand die ik meer vertrouw. Ik zal op een dag terugkeren, maar ik kan niet beloven wanneer en tot die dag vertrouw ik jou mijn droom toe.

Vaarwel lieve vriendin,
Demetri

De krabbel onder aan de pagina was gezet door een ongeschoolde hand, door een man die niet kon lezen of schrijven en ze kon zien hoe zorgvuldig hij de letters van zijn naam had gevormd. Lieve, aardige, vriendelijke Demetri. Hij had haar dus toch niet vergeten. Ze vouwde de brief weer op en stopte hem zorgvuldig terug in de envelop. Ze zou hem voor altijd bewaren.

Opnieuw klonken Kanes voetstappen en hij verscheen weer in de hal. 'Het spijt me dat je van streek bent,' zei hij vriendelijk. 'Het leek Demetri het beste wanneer hij zou vertrekken terwijl iedereen druk was. Hij had een hekel aan gedoe, maar dat weet je natuurlijk, hè?'

Ze knikte; ze voelde zich ellendig en kon geen woord uitbrengen.

'Ga naar huis, Edith. Het hotel is leeg en ik heb alle reserveringen voor de komende paar dagen geannuleerd, want de weerberichten voorspellen plotselinge overstromingen en landverschuivingen als het weer zo blijft. Er valt hier niets voor je te doen en je ziet er moe en ziek uit.'

Zijn onverwachte vriendelijkheid zorgde ervoor dat ze zich alleen maar beroerder voelde en ze leek niet te kunnen stoppen met huilen.

'Ik heb de tuinman gevraagd je in zijn pick-up naar huis te brengen. Je kunt met geen mogelijkheid op de fiets naar de andere kant van de stad.'

Ze keek zwijgend en ongelukkig naar hem terwijl hij haar hielp met haar jas en overschoenen en haar bij de arm hield toen ze in de auto stapte. 'Ik laat je wel weten wanneer het hier weer wat beter gaat,' zei hij door het geopende raam. 'Zorg goed voor jezelf, Edith.'

Ze liet zich achterover in de oncomfortabele stoel vallen en staarde door het raam waar de regen neerstroomde. Pas toen ze haar natte kleren had uitgetrokken en voor haar eenzame, kleine haardvuur zat, drong het tot haar door dat ze de kasboeken had laten liggen.

De daaropvolgende weken bleef de regen dag en nacht genadeloos in grote, grijze vlagen neerkomen. Nooit eerder was er op de Atherton Tablelands zoveel water gevallen. Het spoelde de bergen af, vulde rivieren en beken en zorgde ervoor dat de watervallen zich met donderend geraas in de valleien stortten. Wegen werden weggespoeld, de aarde liet los en gleed samen met bomen naar beneden en blokkeerde wegen of stortte door de daken van afgelegen woningen. Telefoonpalen werden omgehaald en sloten zo de gemeenschap van de buitenwereld af tot het moment dat reparatieploegen op pad konden worden gestuurd. Zelfs de kleine spoorlijn was gesloten – het was te gevaarlijk en hier en daar waren al stukken rails weggespoeld. En aan de rand van Atherton was het hotel in het regenwoud een eiland geworden.

Velda lag te woelen in bed en kon niet slapen. Het voortdurende geroffel van de regen op het dak bezorgde haar hoofdpijn en ze wou dat ze haar gebruikelijke slaapmutsje niet door de gootsteen had gespoeld. Kane had het haar gebracht, zoals hij altijd deed, en de laatste paar dagen had ze het steeds weggegooid. Ze had besloten dat ze het niet meer nodig had en ze merkte tot haar verbazing dat nu ze het niet meer innam, haar geest helderder leek, dat ze gerichter leek te kunnen denken en zich beter in staat voelde om haar leven weer op een rijtje te krijgen.

Haar huwelijk met Kane was een verstandshuwelijk. Hij had haar ervan weten te overtuigen dat het niet netjes zou zijn om samen onder één dak te wonen en dat Demetri zich er zorgen over maakte dat het het hotel zou kunnen schaden wanneer mensen dachten dat ze in zonde leefden. Aanvankelijk was ze vervuld van afschuw over zijn voorstel, maar naarmate de weken vorderden en duidelijk werd dat Edith en de rest van het personeel dachten dat zij zijn maîtresse was, raakte ze ervan overtuigd dat hij gelijk had. Ze hield niet van hem – ze zou nooit zoveel van iemand kunnen houden als ze van Declan had gehouden – maar hij was vriendelijk en attent, en hij was zo geduldig geweest gedurende die vreselijke maanden van rouw dat het onbeleefd zou zijn om te weigeren. Bovendien, zo redeneerde ze, was ze al halverwege de dertig, had ze geen geld, geen vaste verblijfplaats en geen werk. Ze had niet veel keus meer. Een huwelijk met Kane zou haar in ieder geval het aanzien van fatsoen geven.

En dan was Catriona er nog. Ze had een vader nodig – had een stevige hand nodig om haar te leiden – want sinds ze hier waren gekomen, was het helemaal de verkeerde kant opgegaan met haar. Ze was onbeleefd, ongehoorzaam en kreeg gemakkelijk woedeaanvallen en de ongelukkige gewoonte van haar om de vloeken te gebruiken die ze in de tijd dat ze rondtrokken had opgepikt, begon iedereen te irriteren. Haar mooie, lieve dochter was een kribbige, onaangename persoonlijkheid geworden en ze had gehoopt dat Kanes invloed dat zou veranderen.

Velda klom uit bed en liep zonder de moeite te nemen het licht aan te doen naar het raam. Het was ondanks de duisternis en de regen heet en de luchtvochtigheid was zelfs 's nachts hoog. De ramen stonden wagenwijd open en het muskietengaas vormde de enige verdediging tegen de muggen en de vliegende, stekende en bijtende insecten die in zwermen uit het doorweekte regenwoud kwamen. Er stond geen zuchtje wind, niets dat de deken van vochtigheid kon oplichten en terwijl de tropische regen bleef vallen voelde ze zich gevangen en rusteloos. Haar huwelijk was een schijnvertoning die ze zo lang als nodig was graag in stand wilde houden als dat betekende dat Catriona die akelige periode kon ontgroeien en beseffen dat ze nu een hecht gezin achter zich had staan. Demetri's plotselinge vertrek had natuurlijk niet echt geholpen, maar Catriona was nu oud en wijs genoeg om zich over haar kinderlijke teleurstellingen heen te zetten en eens flink aan de slag te gaan met haar zanglessen.

Velda staarde uit het raam en vroeg zich af waar Kane was. Hij was nog steeds een mysterie voor haar en ondanks hun huwelijk gaf hij maar weinig van zichzelf prijs. Ze had opgezien tegen de intieme kant van hun huwelijksnacht, want Declan was een zachte, maar opwindende minnaar geweest. Tot haar verrassing en opluchting kwam Kane zelden naar haar bed en wanneer hij dat deed, bedreef hij de liefde snel en mechanisch, alsof hij een plicht vervulde. Ze begon al snel te vermoeden dat Poppy gelijk had gehad toen ze zei dat Kane homoseksueel was.

Velda's lippen krulden zich in een glimlach. Dat was niet precies de manier waarop Poppy zich had uitgedrukt, herinnerde ze zich. Ze had hem een mietje genoemd, een flikker. Ze pakte de borstel en begon hem door haar lange haar te halen. Er zat tegenwoordig meer grijs in en de stijl was niet meer in de mode, maar voor haar leek het het enige dat haar nog aan Declan bond, want hij had het heerlijk gevonden om er met zijn vingers doorheen te gaan.

Ze bleef bewegingloos staan toen ze voetstappen voor haar deur hoorde. Vanavond niet, dacht ze ademloos. Raak alsjeblieft niet die deurkruk aan. Ze wachtte, haar blik gericht op het glimmende koper, wachtend tot de kruk naar beneden zou gaan en Kane binnen zou komen. De voetstappen gingen verder, bijna onhoorbaar op de kale planken, afgezien van zo af en toe wat geschuifel en gekraak van de vloer.

Velda stapte weer in bed, opgelucht over het uitstel, maar vol zorgelijke gedachten. Catriona was een paar dagen geleden bij haar gekomen en het kind had er niet goed uitgezien – ze was mager en bleek geworden en ze had zwarte kringen onder haar ogen die Velda eerder niet waren opgevallen. Ze was weer in een slecht humeur geweest en het was op een geweldige ruzie uitgedraaid.

Velda wreef over haar voorhoofd en probeerde zich te herinneren waar die ruzie over was gegaan. Maar haar hersenen waren te nevelig geweest van het drankje dat ze had genomen, en ze had het moeilijk gevonden zich te concentreren op wat haar dochter haar probeerde te vertellen. Ze bleef roerloos liggen toen de vage herinnering aan die confrontatie bovenkwam. Haar dochter had beslist geprobeerd haar iets belangrijks te vertellen – maar wat? Ze schudde haar hoofd. Ze wist alleen maar dat Catriona onder het uitroepen van scheldwoorden de deur achter zich had dichtgeslagen.

Terwijl ze daar in de duisternis lag, besefte ze dat ze het kind niet eerlijk had behandeld. Ze had zo gezwolgen in haar eigen ellende, dat ze haar dochters pijn had genegeerd, haar van zich weg had geduwd en zich had afgezonderd in haar eigen gevoelens van hulpeloosheid. Natuurlijk had Catriona haar nodig. Natuurlijk had ze verdriet omdat ze haar vader had verloren. Hoe kon zij, haar moeder, zo blind zijn geweest. Nu was haar dochter veranderd in een feeks en dat was allemaal haar schuld.

Velda beet op haar lip. Ze had Catriona in de steek gelaten, ze had gefaald in haar rol van moeder. Waarom had ze zich laten meeslepen in het schemerduister dat haar drankje haar iedere avond bood? Ze kon er niet van denken, haar waarneming liet te wensen over en ze had niet goed in de gaten wat er om haar heen gebeurde. Ze gooide het laken van zich af en klom uit bed. Ze zou naar Catriona gaan en proberen alles recht te zetten en weer goed te maken dat ze haar verwaarloosd had.

Het was donker in de lange gang. Meteen aan het begin van de regen was de elektriciteit uitgevallen en omdat de brandstof voor de generator op was, moesten ze het doen met kaarsen, het oude, houtgestookte fornuis en kerosinelampen. Velda aarzelde en besloot toen geen kaars aan te steken; ze kon genoeg zien en Catriona's deur was maar een klein eindje verderop aan het einde van de gang.

Haar blote voeten maakten nauwelijks geluid op de vloer die onder haar geringe gewicht zelfs niet kraakte. Ze kwam bij Catriona's deur en zag tot haar genoegen dat er licht onderdoor scheen. Ze was nog wakker.

Velda stond op het punt de deurkruk beet te pakken toen ze aan de andere kant van de deur een geluid hoorde. Ze bleef doodstil staan en de haren in haar nek gingen overeind staan toen ze het geluid nog een keer hoorde; ze probeerde het te negeren, maar eindelijk drong tot haar door dat ze zich niet had vergist. Terwijl haar hart tegen haar ribben bonsde, opende ze met trillende vingers voorzichtig de deur.

Het tafereel voor haar werd in al zijn afschuwelijkheid genadeloos belicht door de lantaarn die op de ladekast stond. Velda verstijfde.

Catriona was naakt, ze had haar ogen stijf dicht en haar tranen persten zich tussen de oogleden door naar buiten. Haar snikken werden gesmoord door de grote hand op haar mond. Kane lag boven op haar en zijn schaduw op de muur naast hem ging omhoog en omlaag terwijl de beddenveren hun naargeestige ritme piepten.

Velda voelde hoe het bloed wegtrok uit haar gezicht terwijl ze naar adem snakte van afschuw om wat zich voor haar ogen afspeelde.

Catriona deed haar ogen open en richtte haar van pijn vervulde blik op haar moeder in een stille, wanhopige smeekbede.

Terwijl Kane verderging haar dochter te verkrachten, kwam Velda zonder erbij na te denken in beweging. Ze greep de zware kandelaar op het nachtkastje.

Eindelijk hoorde Kane haar en deed zijn hoofd omhoog.

Hij was niet snel genoeg en Velda zwaaide de kandelaar met alle kracht die haar haat in haar opriep en gaf hem een klap die op zijn slaap afschampte. Toen hij op haar dochters naakte lichaam ineenzakte en het bloed op het laken spetterde, begon Catriona te gillen.

Velda was verblind door een rood waas van woede en wraakgevoelens. Ze wilde hem dood hebben. Hij was erger dan welk beest ook. Smerig, smerig, vies, weerzinwekkend. Hij moest dood – hij moest tot moes worden geslagen en boeten voor wie hij was en wat hij had aangericht.

Catriona gilde terwijl ze onder hem vastgepind lag. Ze gilde tot het geluid door het hele huis weerklonk en het geraas van de regen naar de achtergrond verdrong. De schrille, doodsbange ontlading van al haar angsten weerklonk telkens weer terwijl haar moeders armen omhooggingen en weer neerkwamen in een niet-aflatende razernij. Zijn bloed doorweekte de lakens en plakte aan haar lichaam. Zijn gezicht was tot een bloedige pulp geslagen die al snel niets menselijks meer had.

Velda's haat dreef haar voort. Haar dochters kreten weergalmden in haar hoofd terwijl ze het leven uit het beest sloeg dat haar baby had misbruikt. Ze liet de kandelaar neerkomen op zijn ribben, zijn benen, zijn rug – ze wilde haar haat achterlaten in elk stempel dat ze op zijn vlees drukte.

Catriona kroop onder hem vandaan en kromp ineen bij het koperen hoofdeinde terwijl het bloed stroomde en de doffe klappen van de kandelaar bleven klinken. Ze gilde en probeerde het stollende bloed van zich af te vegen. Ze gilde om een einde te maken aan de slachting. Hij was dood. Hij kon haar geen kwaad meer doen.

Maar Velda wist van geen ophouden. Catriona zag de beenderen onder de huid van haar gezicht, de donkere oogkassen en de woeste blik vol waanzin in haar ogen. Ze had niet geweten dat Velda nog zo veel kracht bezat, of dat ze tot zo veel haat in staat was.

Velda ontwaakte eindelijk uit het rode waas en liet de kandelaar vallen. Met één snel gebaar nam ze haar dochter in haar armen en rende de kamer uit. Toen de deur achter hen dichtviel liet ze zich op de vloer zakken. Ze hield Catriona vast met alle kracht die haar nog restte en huilde en smeekte haar om haar te vergeven dat ze niet had geluisterd, niet had gezien wat er gedurende de afgelopen weken was gebeurd. Haar stem brak terwijl ze haar kind in haar armen wiegde en haar troostte tot het schreeuwen overging in snikken. Ze hield haar vast tot het trillen ophield en toen het kind kalmeerde, droeg ze het naar de badkamer. Het water was koud, maar met zachte, liefhebbende handen waste ze het bloed van haar af alvorens haar in een dikke handdoek te wikkelen en haar mee te nemen naar haar eigen bed.

Ze lagen dicht tegen elkaar aan gekropen onder de dekens en klampten zich stevig aan elkaar vast terwijl ze lagen te bibberen en huiveren van de shock van de gebeurtenissen van die avond. Geen van beiden slaagde erin de beelden van het verminkte, bloederige lichaam van Kane in de andere kamer uit haar gedachten te bannen.

Velda staarde in de duisternis en was overdonderd door de gewelddadigheid en kracht waartoe ze in staat was gebleken. Maar de wetenschap van wat ze had gedaan – en de wreedheid waarmee ze hem had gestraft – had haar aan de rand van de waanzin gebracht. Ze was bijna aan het einde van haar geestkracht en ze worstelde met de vloedgolf aan emoties die haar overspoelde. Ze moest koel en afstandelijk blijven, ze moest sterk en vastberaden zijn omwille van Catriona. Het lichaam moest worden verplaatst, ergens worden verborgen.

Catriona werd ten slotte rustig en haar ademhaling werd dieper en gelijkmatiger toen ze in slaap viel. Velda trok voorzichtig haar arm onder haar uit en glipte uit bed. Ze stond in de duisternis en huiverde, ondanks de alomtegenwoordige vochtigheid. Het werk zat er nog niet op voor die nacht.

Ze trok een dikke trui aan over haar bebloede nachthemd en stak haar voeten in een paar oude schoenen. Ze wierp een blik op het bed en hoopte dat Catriona zou blijven slapen tot alles achter de rug was. Vervolgens liep ze op haar tenen naar de deur en ging vlug de kamer uit.

De lamp brandde nog en de dansende schaduwen maakten het tafereel nog luguberder. Ze sloot haar ogen, haalde diep adem en vervolgens, voor ze tijd had om stil te staan bij wat ze aan het doen was, bedekte ze hem met een deken en wikkelde hem in de bloederige lakens. Het was makkelijker nu ze hem niet meer kon zien, maar toen ze hem bij zijn voeten pakte en trok, kwam hij met een misselijkmakende bons op de vloer terecht. De geur van bloed deed haar kokhalzen en ze moest even stoppen om de moed te verzamelen om verder te gaan. Ze moest dit doen – ze moest afmaken waar ze aan begonnen was.

Ze hijgde nu en haar nachthemd raakte doorweekt van het koude zweet terwijl ze haar last door de kamer sleepte. Het zou haar de rest van de nacht kosten om hem beneden en de tuin in te krijgen. Had ze daar de kracht voor? Zou ze haar greep op de werkelijkheid lang genoeg weten te behouden om hem te begraven? Ze wist het niet. Het enige wat ze kon doen was doorgaan.

'Laat me je helpen, mam.' Catriona stond naast haar, gekleed in een dikke rok en trui die ze uit Velda's kast had gepakt. Ze was lijkbleek en op haar gezicht lag een uitdrukking van koele vastberadenheid.

Velda stootte een korte kreet van wanhoop uit. 'Ga terug naar bed,' beval ze. 'Je hoort hier niet.'

Catriona schudde haar hoofd en pakte zonder iets te zeggen twee hoeken van het laken en legde ze in een knoop. 'Pak zijn voeten,' commandeerde ze zachtjes. 'Met zijn tweeën gaat het gemakkelijker.'

Velda keek naar haar dochter en zag hoeveel kracht ze uitstraalde en hoe rijp ze was geworden door de beproeving die ze had moeten doorstaan. Ze knikte en worstelend met het dode gewicht gingen ze langzaam de trap af. De stilte van het hotel leek op hen af te komen toen ze de grote hal bereikten en op weg gingen naar de voordeur. Ze rustten een ogenblik en hun snelle ademhaling doorboorde de stilte.

'We moeten hem begraven,' zei Catriona terwijl ze naar de bundel aan haar voeten keek. 'De werkplaats van Demetri is de beste plek. Daar gaat nooit iemand naartoe.'

Velda knikte huiverend. Catriona leek de leiding te hebben genomen met een volwassenheid die niet bij haar jonge leeftijd hoorde en hoewel dat niet goed aanvoelde, was ze blij dat iemand anders de beslissingen nam. Ze raakte nu heel snel de greep op de werkelijkheid kwijt en terwijl de nachtmerrie voortduurde, vroeg ze zich af hoe lang het nog zou duren voor ze helemaal stapelgek zou worden.

Buiten worstelden ze met het pakket dat steeds zwaarder werd terwijl de regen neerkletterde en het grind onder hun voeten weggleed. Het grasveld was doorweekt, de modder bleef aan hun schoenen plakken terwijl ze vallend en struikelend naar de uiterste hoek van de tuin manoeuvreerden waar de schuur donker afstak tegen de bomen. De hemel werd lichter, maar de dageraad bleef nog verborgen door de zwarte wolken die zwaar in de grijze lucht hingen.

Catriona vond de sleutel onder het rotsblok, opende de deur en ze sleepten het lichaam naar binnen. Ze stak een lamp aan. 'Ik zal naar de schuur van de tuinman moeten om een schep te halen,' zei ze.

'Laat me niet alleen,' huilde Velda en haar stem was hoog van angst.

'Ik moet wel, mam.' Catriona was zo kalm – te kalm – en haar stem klonk vast en zonder een spoor van emotie. 'Schuif het bureau aan de kant en maak een plek vrij daar in de hoek. Ik ben terug voor je het weet.'

Velda keek haar na terwijl ze de regen in rende. Ze slikte haar tranen weg en begon, terwijl ze het gruwelijke pakket op de vloer negeerde, een stuk van de aarden vloer vrij te maken.

Catriona kwam terug met twee scheppen en ze begonnen te graven. De aarde was dicht opeengepakt door machines en door alle voeten die er jaren achtereen overheen hadden gelopen. Het zweet stroomde koud over hun huid en hun adem kwam in korte, pijnlijke stoten van inspanning terwijl ze in stilte groeven en de aarde zich langzaam gewonnen gaf. Toen ze eindelijk hun gereedschap aan de kant gooiden en aan de rand van een diep gat stonden, was de hemel opgelicht tot een waterig grijs en was de neergutsende regen veranderd in een mals buitje.

Catriona keek haar moeder aan en samen rolden ze het lichaam het gat in. Ze liep naar de schappen waar Demetri zijn flessen had staan en pikte er een uit waarop stond NITROHYDROCHLORIDEZUUR. Ze draaide de stop eraf en schonk de inhoud over de in lakens gewikkelde overblijfselen. Er klonk gesis en de geur van verbrand vlees steeg op toen het zuur zijn werk deed. Haar gezicht vertoonde geen enkele emotie en haar hand was vast toen ze de stop terugdeed en de fles weer op zijn plek zette.

Ze bedekten het lichaam met aarde waar ze met de achterkant van hun schop op sloegen tot het net zo vlak was als de rest. Toen het bureau weer op zijn plaats stond zag de werkplaats eruit alsof er niets was gebeurd. Ze deden de deur dicht en Catriona draaide hem op slot en legde de sleutel op zijn plek. Ze legde de scheppen terug in het schuurtje van de tuinman en arm in arm ploeterden ze terug naar het huis.

Terwijl de regen bleef neerstromen en het huis nog steeds afgesloten was van de rest van de wereld, drong het tot Catriona door dat Kane het wat Velda betrof bij het rechte eind had gehad. Ze was inderdaad een gekwelde ziel en de gebeurtenissen van die bewuste avond hadden haar aan de rand van krankzinnigheid gebracht. Toen ze op Kane inbeukte had er een waanzin in haar ogen geblonken die Catriona angst had aangejaagd en nu, terwijl ze in dat galmende huis afwachtten tot de regen zou ophouden, bleek diezelfde waanzin uit haar maniakale energie. Het was alsof ze door in koortsachtige stilte te werken datgene wat hier was gebeurd kon wegpoetsen. Ze weigerde met Catriona over hem te praten – stelde geen vragen en wekte niet de geringste indruk dat ze wilde weten hoe lang het misbruik gaande was geweest. Ze was een stille, gedreven vreemdeling geworden en Catriona kon alleen maar toekijken terwijl Velda schoonmaakte en poetste en waste, de vloer in de badkamer boende tot haar nagels gescheurd waren en haar handen rood zagen van de soda.

Catriona was net zo goed hevig geëmotioneerd. Ze had geholpen een man te vermoorden – had geholpen hem te begraven. Ze had behoefte aan haar moeders liefde, aan haar troost, haar verzekering dat alles in orde zou komen en dat ze opnieuw een liefdevolle relatie zouden hebben. Maar na die paar uur dat ze zo intiem waren geweest, weigerde Velda eenvoudig toe te geven aan wat zij zag als een zwakheid. Ze wilde met alle geweld elk spoor van Kane uitwissen – bijna bezeten om alles weg te poetsen wat herinnerde aan wat er was gebeurd zodat ze kon doen alsof het ook nooit gebeurd was. Maar Catriona had haar elke dag naar de werkplaats zien rennen, had gezien hoe ze de deur van het slot deed en op de drempel naar de plek staarde waar ze hem hadden begraven. Het was alsof ze zichzelf ervan wilde vergewissen dat het geen boze droom was geweest – dat de moord echt was – en dan keerde ze terug naar het huis en boende en waste minutenlang haar handen.

Kanes kamer werd helemaal leeggehaald. Zijn geld werd weggestopt in Velda's koffer, samen met zijn manchetknopen, gouden horloge en horlogeketting, het goudklompje dat ooit de bovenkant van zijn wandelstok had gesierd en de ring met de robijn die tijdens de aanval van zijn vinger was gegleden. De rest van zijn bezittingen werd verbrand in de grote open haard in de ontvangsthal en Catriona keek zonder veel emotie toe hoe de vlammen alles verteerden. Maar ze werd achtervolgd door nachtmerries – en haar herinneringen zouden blijven, zolang Velda weigerde te erkennen wat hier was gebeurd.

9

Edith had de brief van Demetri nu al zo vaak gelezen dat de vouwen waren doorgesleten en het papier het gevaar liep uiteen te vallen. Hoewel de brief in Kanes vloeiende handschrift was geschreven, hadden Demetri's woorden haar in de lange dagen en nachten gezelschap gehouden, want in de stilte van het huisje kon ze zijn stem bijna horen. De hoest wilde niet echt overgaan, maar verder was ze tijdens de zondvloed niets tekort gekomen, want haar provisiekast was goed gevuld en de tuinman van het hotel had ervoor gezorgd dat ze een flinke voorraad brandhout had. Toch kon ze niet wachten om terug te gaan naar het hotel, want Demetri had haar belast met de zorg ervoor en ze kon de gedachte niet verdragen dat Kane en zijn vrouw daar woonden en misschien wel veranderingen aanbrachten.

De regen nam af en werkploegen begonnen aan de gigantische taak om omgewaaide bomen en aardverschuivingen op te ruimen en telefoonpalen te vervangen. Eindelijk was de weg weer vrij. Edith haalde haar fiets uit de schuur en vertrok naar het hotel. De weg was nog steeds modderig en bezaaid met stenen die van de heuvels waren gespoeld en omdat ze bang was dat ze een lekke band zou krijgen, legde ze het grootste deel van de weg lopend af. Ten slotte bereikte ze buiten adem en uitgeput van de lange tocht en een hardnekkige hoest de indrukwekkende smeedijzeren poort.

Terwijl ze haar fiets de oprijlaan op duwde, zag ze het onkruid dat was opgeschoten op de plekken waar het grind was weggespoeld. Verschillende van de wat grotere struiken aan weerskanten waren verpletterd onder een omgevallen palmboom en het doorweekte grasveld lag bezaaid met takken en bladeren. Op de stenen leeuwen die zo trots de imposante voordeur bewaakten zat al mos en de bloembedden waren platgeslagen door de kracht van de regen. Ze maakte een afkeurend geluid. In de tropen duurde het nooit lang om het werk van mensenhanden teniet te doen. De natuur probeerde alweer beslag te leggen op Demetri's droom.

Ze liet haar fiets bij de keukendeur staan zoals ze gewend was te doen en ging naar binnen. De keuken rook muf en het fornuis was koud. Er lagen vuile borden en kopjes en bestek in de gootsteen en het hele vertrek wekte de indruk lang niet te zijn gebruikt. Ze liep verder de hal in. Ze werd begroet door een verwijtende stilte. Ze bleef een ogenblik staan luisteren. Er bewoog niets en het enige geluid was het zuchten en kreunen van het grote huis. Ze keek naar de haard en zag de as, maar ook die was koud. Een laag stof lag dof op de receptiebalie en tafel en de bloemen stonden dood in hun vaas.

'Hallo,' riep ze. Haar stem weerkaatste tegen de muren en verdween in de balken van het plafond. Er kwam geen antwoord en ze keek bedenkelijk. Ze riep nog eens, harder deze keer, maar haar kreet eindigde abrupt in een hoestbui. Er kwam nog steeds geen antwoord. Terwijl ze snel door de kamers beneden liep, zag ze nog meer tekenen van verwaarlozing. De prachtige tapijten waren al weken niet meer schoongemaakt en de gordijnen en wandkleden vertoonden al de eerste tekenen van schimmel. Alles was bedekt met een dikke laag stof en terwijl ze van kamer naar kamer liep werd ze steeds bozer. Kane en zijn vrouw hadden de moesson doorgebracht met nietsdoen. Het zou een legertje bedienden weken kosten om het hotel weer op orde te krijgen.

Ze liep al roepende de trap op. Het geluid van haar stem kwam weer terug, als om haar te bespotten, terwijl ze alle gastenkamers inspecteerde en ten slotte de verdieping met de bediendevertrekken bereikte. Deze kamers waren ook leeg en naar de muffe lucht te oordelen waren ze dat ook al een tijdje. Ze keek in laden en kasten, maar nergens was een teken te bespeuren van Kane, de vrouw of die rotmeid. Ze stond op de overloop en beet op haar duimnagel. In plaats van opgetogen te zijn omdat ze het hotel voor zichzelf had, zat iets aan hun verdwijning haar dwars. Toen ze weer beneden was, kwam ze er al snel achter wat het was.

Het appartement van Demetri leek niet verstoord, maar toen ze door de vertrekken dwaalde vielen haar de open plekken op. Er miste een stel zilveren kandelaars, net als drie van zijn kleine, gouden snuifdoosjes en de haarborstels met de zilveren achterkant die op het dressoir hadden gelegen. Toen ze nog eens door de publieke vertrekken liep en nauwkeuriger oplette, zag ze dat een klein schilderij van de muur was gehaald en dat verschillende zilveren dienbladen waren verdwenen uit de kast in de eetzaal.

Ze voelde haar woede toenemen en haar voetstappen klonken luid op de marmeren vloer toen ze zich naar haar kleine kantoor achter de keuken haastte. De kasboeken waren nergens te bekennen, maar dat was nauwelijks een verrassing – Kane zou ze wel vernietigd hebben zodra zij het huis uit was. Maar toen ze de muurkluis opende stond haar een verrassing te wachten. Want daar lagen, gewikkeld in doeken, het schilderij, de borstels en twee van de zilveren dienbladen. Dat sloeg nergens op en Edith zat lange tijd in haar kantoor voor ze een beslissing nam. Ze trok haar jas aan, ging naar haar fiets en liep in de richting van de oprijlaan. Harold Bradley moest onmiddellijk op de hoogte worden gebracht.

Harold Bradley ruimde zijn bureau op en ging toen met zijn rug naar het laaiende vuur staan en warmde zijn aanzienlijke achterwerk. Hij was een tevreden mens. Hij had een uitstekende baan bij de politie die niet al te veel recherchewerk met zich meebracht, want een misdaad was een zeldzaamheid in deze gemeenschap van hardwerkende boerenmensen en wanneer op een zaterdagavond eens een schermutseling uitbrak in de kroeg, was een paar uur opsluiting meestal genoeg om de overtreder te ontnuchteren en dan kon hij er weer worden uitgeschopt. Er was een klein huis dat bij de baan hoorde en zijn echtgenote was een opgewekte vrouw die hem een zoon en drie dochters had geschonken. Hij vond zichzelf al met al een gelukkig man. Hij wiegde heen en weer en het gekraak van zijn door de politie verstrekte laarzen vormde een prettige begeleiding voor het geknetter van het vuur. Hij pakte zijn pijp uit zijn jaszak en begon die te stoppen.

Hij schrok op van de klop op de deur. 'Binnen.'

Edith Powell zag er geagiteerd uit, haar ogen schitterden en op haar wangen lag een ongewone blos. Ze was zoals altijd in het zwart gekleed en haar magere gestalte ging bijna verloren in haar overjas. Niemand wist hoe oud ze precies was, maar hij schatte dat ze aan de verkeerde kant van de vijftig zat. 'Wat kan ik voor u doen?' vroeg hij op vriendelijke toon. Hij mocht Edith niet zo, maar hij had medelijden met haar. Sommige vrouwen waren geboren oude vrijsters en Edith was daar een typisch voorbeeld van.

'Ik wil aangifte doen van diefstal,' zei ze terwijl ze op de harde stoel voor zijn bureau ging zitten. 'En ik weet wie het gedaan heeft ook,' voegde ze er op scherpe toon aan toe.

Hij trok een wenkbrauw op. 'Dat klinkt ernstig,' bromde hij, terwijl hij naar het magere gezicht tegenover zich keek. Hij draaide aan zijn imposante snor en ging zitten. 'Vertel me alles maar.'

Harold leunde achterover in zijn stoel, stak zijn duimen in de zakken van zijn vest en luisterde naar het verwarde verhaal. Er was blijkbaar een diefstal geweest in het hotel, maar hij besefte dat Ediths zorgen dieper gingen. Ze had haar zinnen op Demetri gezet vanaf het moment dat hij zich in de streek had laten zien. Ze was een versmade vrouw en nu Demetri ervandoor was gegaan, was ze vastbesloten iemand de schuld te geven. Maar een versmade vrouw was wat hem betrof verdomd vervelend en hoe eerder hij van Edith af was, hoe beter.

Hij draaide zijn snor tussen duim en wijsvinger terwijl zij maar doorratelde en hij hoorde de verbittering in haar stem toen ze een beschrijving gaf van Kane, de vrouw en het meisje. Ze had duidelijk een vreselijke hekel aan hen allemaal, maar haar jaloezie op Velda was gewoon pijnlijk om te zien. 'Dus, wat wilt u dat ik doe, juffrouw Powell?' vroeg hij ten slotte.

'Ik wil dat u Demetri zoekt,' eiste ze. 'En ik wil dat u op jacht gaat naar die Kane en hem arresteert wegens diefstal en fraude.' Ze onderdrukte een hoestbui.

Harold keek haar nadenkend aan. 'Maar u zegt dat u de kasboeken niet meer in uw bezit heeft, juffrouw Powell,' zei hij. 'En zonder die boeken heeft u geen enkel bewijs. Wat Demetri betreft, die zit waarschijnlijk ergens in de Territory. Het zal onmogelijk zijn hem te vinden.'

'Hoe zit het met het verdwenen zilver?' wilde ze weten.

'Er is geen bewijs dat Kane of de vrouw het heeft meegenomen,' zei hij. 'U heeft er ten slotte al wat van teruggevonden. De rest is misschien vanwege de moesson ergens in veiligheid gebracht.'

'Ik eis dat u Kane opspoort en hem arresteert,' sputterde ze. Ze hield haar handen stijf gevouwen in haar schoot.

Er was altijd al sprake van een gebrekkige communicatie en dat was nu ten gevolge van de overstromingen nog erger. 'Er is niet veel dat ik kan doen,' zei hij. 'Ik kan een bericht doen uitgaan via de zender, maar ik heb er niet veel hoop op dat we ze vinden. Die kunnen al kilometers ver weg zijn.'

'Zoek dan naar Demetri,' zei ze, bijna in tranen. 'Hij moet weten wat er is gebeurd.'

Harold gaf haar een grote, schone zakdoek. 'Oké, juffrouw Powell. Ik zal m'n best doen, maar verwacht er niet te veel van. Hij zit waarschijnlijk onder in een mijn ergens in het noorden van Queensland of zwerft rond in de outback waar geen verbinding is met de rest van de wereld. U weet hoe hij is, juffrouw Powell. Hij is een zwerver.'

Ze snoot haar neus, stopte de zakdoek in haar zak en knikte. 'Wat moet ik doen?' vroeg ze ten slotte.

'Ga terug naar het hotel en zorg dat het opgeruimd wordt,' zei hij vriendelijk terwijl hij ging staan en om het bureau heen liep. Hij hielp haar overeind. 'Demetri heeft u de zorg toevertrouwd en ik weet zeker dat u heel goed in staat bent het hotel te runnen tot hij terugkomt.'

Edith werd overvallen door een hoestbui en ze haalde de zakdoek tevoorschijn en bedekte haar mond. 'Ik ben ziek geweest,' zei ze ten slotte. 'Ik denk niet dat ik het in mijn eentje red.' Ze richtte haar koortsige blik op Harold. 'U moet Demetri vinden,' smeekte ze.

Harold hield zijn ongeduld in toom. 'Sluit het hotel dan en hou een oogje in het zeil,' zei hij. 'Ik zal proces-verbaal opmaken van wat u me heeft verteld en ik zal de raderen in werking stellen om Kane en Demetri op te sporen.'

Hij keek hoe zij op die rammelkast van een fiets van haar stapte en deed de deur dicht. Ze was duidelijk niet in orde en dat gefiets maakte het er voor haar niet beter op. Hij haalde zijn schouders op en ging achter zijn bureau zitten. Na een tijdje nagedacht te hebben pakte hij een pen, controleerde het puntje en begon nauwgezet verslag te doen van het gesprek. Dat zou niet veel uithalen, besefte hij, maar het korps verwachtte nu eenmaal dat alles zwart op wit kwam te staan en wanneer Demetri terugkeerde, zou het ten minste bewijzen dat hij iets had ondernomen.

Catriona en Velda waren een paar dagen na de moord uit het hotel vertrokken. Ze hadden allebei een tas bij zich – meer konden ze niet dragen. Ze moesten een verklaring vinden voor Kanes afwezigheid en ze besloten iedereen die ernaar vroeg te vertellen dat hij was doorgereisd omdat hem een andere, betere baan in het zuiden was aangeboden en dat zij op weg waren om zich bij hem te voegen.

De regen was voldoende afgenomen zodat ze het hele eind over de Tablelands naar Kuranda konden lopen. Daar begonnen ze te voet aan de kronkelende afdaling naar Cairns. De kleine stoomtrein reed nog steeds niet, maar het was beter dat ze niet gezien en ondervraagd werden en ze probeerden de werkploegen te ontlopen die aan het werk waren om de rails te herstellen en de wegen vrij te maken. Tegen de tijd dat ze de stad bereikten waren ze uitgeput.

Velda dwong zichzelf de ene voet voor de andere te zetten en was vastbesloten het beetje grip op de werkelijkheid dat ze nog had te behouden. Ze moesten ontsnappen, moesten een nieuwe start maken. Als ze Brisbane wisten te bereiken konden ze alle verschrikkingen misschien achter zich laten en een nieuw leven beginnen. Catriona had Kanes geheime spaarpotje niet mee willen nemen. Ze zei dat het haar het gevoel gaf dat ze betaald werd voor haar diensten; dat ze zich er smerig door voelde. Maar Velda moest praktisch zijn. Ze zouden het geld nodig hebben voor eten en onderdak en om de reiskosten te betalen. Bloedgeld of niet, het zou in hun onderhoud voorzien tot ze werk vond.

In Cairns namen ze de bus naar Townsville. Dat was goedkoper dan de trein en duurde drie keer zo lang. De bus was een grote witte janplezier, althans, hij was jaren geleden als een witte bus begonnen. Nu zat hij onder de roest en de ramen waren zo aangetast door de hitte dat er nauwelijks doorheen te kijken was. Het stomme ding hijgde en kreunde en kraakte en verbaasde iedereen met zijn vermogen om te blijven rijden. Er waren tien passagiers en ze moesten van tijd tot tijd allemaal uitstappen om de motor de kans te geven af te koelen en de chauffeur de radiator te laten bijvullen. Het werd bijna een spel en Velda zag hoe Catriona zich beter ging voelen, met de anderen kletste en thee en sandwiches met hen deelde. Maar haar eigen stemming was somber en haar gedachten keerden steeds weer terug naar die duistere, natte nacht. Het maakte niet uit hoe ver ze vluchtte, ze zou nooit kunnen ontsnappen.

In Mackay namen ze een andere bus en het laatste stuk van de reis gingen ze met de trein. Velda vond een klein huis in een zuidelijke voorstad van Brisbane dat ze konden huren en wist de eigenaar van een wolhandel zover te krijgen dat hij haar een baan gaf. Het leek erop dat haar plannen voor de toekomst werkelijkheid werden – maar ze maakte zich zorgen om Catriona. Het kind was ziekelijk, haar levendigheid was afgenomen en haar stemming was somber. Ze liep doelloos door het huisje of lag het grootste deel van de dag in bed. Velda probeerde geduldig te blijven, maar ze was moe van de lange uren die ze werkte en vond het maar niets om thuis te komen en daar een lusteloze en huilende Catriona aan te treffen.

'Ik moet naar de dokter,' zei ze die ochtend. Ze waren nu al twee maanden in Brisbane en de misselijkheid en de pijn in haar rug werden niet minder.

'Dokters kosten geld,' zei Velda kortaf. 'Ik haal wel iets bij de drogist.'

Catriona schudde haar hoofd. 'De pijn gaat niet weg, mam, en ik bloed als ik moet plassen.'

Velda realiseerde zich dat er iets moest gebeuren. 'Als de dokter je moet onderzoeken, komt hij erachter wat er is gebeurd,' protesteerde ze.

'Dat kan me niet schelen,' vloog Catriona op. 'Ik heb pijn, mam.'

Ze gingen naar een dokter aan de andere kant van de stad en Velda gaf een valse naam en adres op. De dokter was een man van middelbare leeftijd die aandachtig luisterde naar de opsomming die Catriona gaf, alvorens haar te onderzoeken. Catriona kneep haar ogen stijf dicht terwijl hij porde en duwde. Dat deed haar aan Kane denken en ze moest zich uit alle macht verzetten tegen de neiging om te schreeuwen dat hij moest stoppen. Toen hij klaar was zei hij nors tegen haar dat ze zich moest aankleden.

'Mevrouw Simmons,' begon hij met een uitdrukking van afkeer op zijn gezicht, 'niet alleen heeft uw dochter een akelige ontsteking aan de urinewegen, maar ze is ook minstens vier maanden zwanger.'

De verbijsterde stilte werd uiteindelijk verbroken door het geluid van Catriona's snikken. Velda was zo geschokt dat ze niet kon luisteren naar wat hij verder nog zei. Kane leefde voort. Mijn god in de hemel, zouden ze dan nooit van hem afraken? En Catriona, hoe moest dat met haar? Ze was nog maar dertien. Wat deed dit allemaal met haar?

De dokter schreef een recept. 'Gezien haar leeftijd stel ik voor dat ze onmiddellijk wordt opgenomen in een tehuis voor gevallen meisjes,' zei hij kil.

'Dat zal niet nodig zijn,' snauwde Velda, en ze griste het recept uit zijn handen en stond op. 'Mijn dochter heeft al genoeg moeten ondergaan zonder ook nog eens het stempel "gevallen" opgedrukt te krijgen.' Ze pakte Catriona bij de hand en stapte snel naar buiten.

Tijdens de lange tocht naar het huisje in de buitenwijken probeerde Catriona het vreselijke nieuws te verwerken. Goddank hoefden ze niet terug naar die dokter. Ze had hem toch al niet gemogen en ze werd misselijk en beschaamd van het feit dat hij onmiddellijk had aangenomen dat ze niet deugde. In de bus keek ze naar Velda. Sinds ze bij de dokter waren weggegaan hadden ze nauwelijks een woord gewisseld en hoewel ze hunkerde naar een woord van troost, wist ze dat Velda die ijzige stilte zou bewaren. Hun relatie was die vreselijke nacht nooit te boven gekomen, ondanks alles wat ze toen gedeeld hadden. Misschien zou het nooit meer zo worden als het ooit was geweest, want ze waren lichtgeraakt tegenover elkaar, liepen altijd op eieren uit angst iets te zeggen of te doen dat de ander als een belediging of beschuldiging kon opvatten.

Catriona keek naar het profiel van haar moeder die recht voor zich uit zat te staren. Haar uitdrukking gaf niets prijs van wat ze dacht, maar Catriona wist dat haar moeder met haar eigen spookbeelden worstelde. Want sinds die nacht was Velda afstandelijk, hard en gedreven geworden en haar ambitie om Catriona te zien slagen op het toneel waar zijzelf had gefaald was veranderd in een obsessie. Ze hadden in dat kleine huis om elkaar heen lopen draaien, zonder er ooit in te slagen te zeggen wat ze nu precies dachten. Emoties werden stevig in bedwang gehouden en de naam Kane viel nooit. En nu dit. De wreedste klap van allemaal.

De brede straat was omzoomd met palmbomen die ritselden in de bries die van zee kwam. Alle huisjes waren wit geschilderd, en elk had twee ramen en een deur aan de voorkant en een aan de achterkant en leken eerder op dozen dan op huizen. Een smalle veranda met een gebogen overkapping van golfplaat bood bescherming tegen de zon en de kleine voortuin lag er keurig bij achter het witte, houten hekje. Er waren een slaapkamer, een keuken die ook fungeerde als zitkamer, en een minuscule badkamer. De acacia was te dicht bij de achterkant van het huis geplant en de gouden pracht van zijn bloesem schuurde en zuchtte tegen het raam van de slaapkamer die Catriona met haar moeder deelde.

Het was laat in de middag, vier maanden later, en Catriona lag uitgestrekt op bed in haar petticoat en probeerde wat verkoeling te vinden. De plafondventilator zoemde boven haar en het raam stond wijd open, zodat elk briesje een weg door het vliegengaas naar binnen kon vinden. Ze lag naar de ventilator te staren en haar enorme buik benam haar het zicht op haar voeten. Haar enkels waren gezwollen en ze voelde zich ongemakkelijk. De baby was de hele dag aan het schoppen geweest, alsof hij niet kon wachten om geboren te worden en Catriona vertrok haar gezicht van pijn toen een buitengewoon scherpe elleboog of knie haar in de ribben porde.

Ze legde haar handen op de berg die haar buik was, alsof ze door de aanraking de almaar groeiende baby binnenin kon kalmeren. Deze baby was nu een deel van haar en ze verlangde ernaar dat hij geboren zou worden, zodat ze hem kon vasthouden en van hem kon houden. Ze begon een slaapliedje te zingen en haar zachte stem zweefde in de broeierige, verstikkende hitte terwijl haar gedachten naar de spullen gingen die ze vandaag had gekocht en onder in haar koffer had verstopt.

'Wat ben jij nou in vredesnaam aan het doen?' Velda kwam de kamer binnen en begon haar nette pak en de witte blouse die ze altijd naar haar werk droeg uit te trekken.

'Ik zing voor mijn baby,' antwoordde Catriona dromerig.

Velda schopte de schoenen met open neuzen van haar voeten en trok haar kousen uit voor ze een katoenen kamerjas omsloeg en op bed ging zitten. 'Het is jouw baby niet, Kitty,' zei ze met een vermoeide en nogal ongeduldige zucht. 'Het heeft geen zin sentimenteel te gaan lopen doen, want op het moment dat het wordt geboren wordt het geadopteerd.'

'Het is wél mijn baby,' wierp ze tegen en ze worstelde om overeind te komen. 'En ik wil niet dat hij door iemand wordt geadopteerd.' Ze gleed van het bed en ging voor haar moeder staan. 'Eerlijk gezegd,' zei ze vastberaden, 'laat ik je hem niet weggeven.'

'Doe niet zo belachelijk,' snauwde Velda. 'Je draagt de bastaard van Kane in je. Hoe eerder we daar vanaf zijn, hoe beter.'

Catriona had deze discussie al eerder met haar moeder gevoerd, maar naarmate de maanden waren gevorderd en de baby was gegroeid, was ze zich gaan realiseren dat ze van hem was gaan houden. Het deed er niet meer toe hoe het allemaal zo gekomen was – hij was er – en ze was vastbesloten hem te houden. 'Het is een kleine baby, mam,' zei ze verhit. 'En hij is van mij. Ik hou van hem. Ik houd hem.'

Velda keek haar woedend aan en stond op. 'Je bent zelf nog een kind,' zei ze streng. 'En je hebt er niets over te zeggen. Het kind gaat weg zodra het is geboren, punt uit.' Ze trok de kamerjas strakker om haar magere lijf, stapte de kamer uit en sloeg de deur met een klap achter zich dicht.

Catriona legde haar handen op de welving van haar buik en de tranen stroomden over haar wangen. 'Maak je geen zorgen, kleine baby,' fluisterde ze. 'Ik ben je mammie, niet zij, en ik zal ervoor zorgen dat ze je niet wegpakt.'

De weeën begonnen twee weken later. Het duurde lang en was vreselijk pijnlijk en de dokters in het ziekenhuis waren bezorgd. Ze was te jong, te rank gebouwd en er konden zich complicaties voordoen. Catriona, alleen in de kamer die vreemd rook en die oogverblindend wit was door de felle lichten, was doodsbang, niet alleen voor wat er met haar gebeurde, maar ook voor haar ongeboren kind. Mam was nog steeds vastbesloten hem te laten adopteren, maar zij was net zo vastbesloten en vertelde aan iedereen die maar in de buurt kwam dat ze de baby wilde houden.

Het kleine meisje kwam ten slotte ter wereld en Catriona stak haar handen uit om haar in haar armen te nemen. De verpleegster wikkelde haar in een dekentje en keek boos naar Catriona in het bed. 'Misschien dat dit een lesje voor je is, jongedame,' zei ze snuivend van afkeuring.

'Ik wil mijn baby,' gilde Catriona. 'Geef haar aan me.' Ze smeekte en snikte en probeerde uit bed te komen, maar de banden waarmee haar voeten vastzaten weerhielden haar. Haar smeekbede werd niet verhoord. De verpleegster nam het bundeltje snel mee de kamer uit en het enige dat Catriona van haar baby zag, was een plukje zwart haar dat boven het dekentje uitstak.

Velda mocht later op de dag even op bezoek komen. Haar gezicht was lijkbleek en om haar mond lag een vastberaden trek terwijl ze bij het bed ging zitten en Catriona's hand pakte. 'Je moet begrijpen dat ik dit voor jouw bestwil doe,' zei ze streng. ''Het heeft geen zin om te huilen, daar word je alleen maar ziek van. Wat gebeurd is, is gebeurd.'

'Maar ik hou van haar,' snikte Catriona. 'Laat me haar dan tenminste even vasthouden.'

Velda leunde achterover op haar stoel. 'Een onwettig kind is een schande. De gemeenschap zal haar, of jou, niet accepteren als je haar houdt. Ze zal je leven en je carrière verwoesten en hoewel je niet hebt meegewerkt aan haar totstandkoming, zullen de mensen je wel zo behandelen.'

'Waar is ze?' Catriona's stem was niet meer dan een gefluister.

'Veilig,' antwoordde ze.

'Ik zal er wel voor zorgen dat de dokters en de verpleegsters me vertellen waar ze is,' mompelde ze. 'Ze kunnen niet zomaar mijn baby afpakken en die ergens verstoppen.'

'Dat hebben ze al gedaan,' zei Velda. 'Het is voorbij, Catriona.'

'Hoe kun je zo wreed zijn?' Catriona keek haar met ogen vol tranen aan.

Velda friemelde aan haar handtas en haar handschoenen en na een lange stilte leek ze een beslissing te nemen. 'Er zijn veel dingen waar ik me voor schaam,' zei ze ten slotte. 'Ik had moeten weten waar Kane mee bezig was, ik had een betere moeder moeten zijn zodat je me in vertrouwen had kunnen nemen. Dat kan ik mezelf nu niet vergeven, waarschijnlijk nooit.' Ze haalde diep adem. 'Maar deze baby houden? Nooit. Dat zou een constante herinnering betekenen en dat zou ik niet kunnen verdragen.' Ze nam Catriona's hand in de hare en haar gezicht werd zachter door het verdriet dat ze duidelijk voelde. 'Je bent dertien, je hele leven ligt nog voor je. Vergeet haar, Kitty.'

Twee weken later hadden ze hun spullen gepakt en gingen ze weer op pad. Velda had besloten dat ze zich in Sydney zouden vestigen.

Catriona zat naast haar moeder in de trein en staarde uit het raampje. Ze zou dat plukje zwart haar dat uit de deken piepte nooit vergeten en ze wist dat ze altijd in haar gedachten zou zijn en dat ze zich altijd zou afvragen of ze veilig en gezond en gelukkig was. Voorlopig moest ze een manier zien te vinden om te leven met wat er was gebeurd. Dat zou niet gemakkelijk zijn. Velda leek vastbesloten haar zin door te drijven en het enige wat ze kon doen was haar moeder gehoorzamen en wachten tot ze oud genoeg was om de zoektocht naar haar baby te beginnen.

Doris Fairfax hield de touwtjes strak in handen. Ze was de weduwe van een kapitein van de koopvaardij en de eigenaresse van een pension in een achterafstraat in Sydney. Haar echtgenoot was kort voor het uitbreken van de Depressie overleden en hoewel het moeilijke tijden waren, was Doris vastbesloten haar standaard van reinheid en degelijkheid hoog te houden. Ze had haar huurders zorgvuldig geselecteerd en nu aan de horizon de welvaart weer leek op te doemen, verheugde ze zich erop over een paar jaar van een welverdiend pensioen te gaan genieten.

Ze was een kleine, ronde vrouw die haar beste jaren ver achter zich had liggen en ze had een voorkeur voor bloemetjesjurken, grote oorringen en heel veel rinkelende armbanden. Eén keer per maand stonk het hele huis naar de waterstofperoxide waarmee ze haar haar bewerkte tot een koperachtig blond, en er werd gefluisterd dat ze meer dan genoeg cosmetica had om een winkel mee te vullen. Haar vaste gezelschap was een mollig, slechtgehumeurd pekineesje dat luisterde naar de naam Meneer Woo, voortdurend gromde en hijgde en altijd bereid was zijn tanden te zetten in een nietsvermoedende hand of enkel.

Doris woonde op de begane grond waar ze de voordeur en die van haar buren in de gaten kon houden. Ze had strikte regels wat vrouwelijk bezoek betrof en vanuit het comfort van haar veel te vol gestouwde en van veel kant en franje voorziene zitkamer kon ze een oogje houden op het komen en gaan van haar mannelijke huurders. Ze was dolblij met de komst van Catriona en haar moeder en was maar al te graag bereid het kind op de piano te begeleiden wanneer ze haar ingewikkelde zangstukken instudeerde of de eindeloze toonladders zong die haar moeder haar liet oefenen. Maar ze maakte zich wel zorgen over de zwijgzaamheid van het meisje en het gebrek aan gevoel tussen moeder en dochter. Doris liep al lang genoeg mee om te beseffen dat de twee een geheim met zich meedroegen, maar ze besloot er niet naar te vragen, hoe nieuwsgierig ze ook was. Ze waren schoon en netjes en maakten duidelijk lange uren in dat hotel – waarom de knuppel in het hoenderhok gooien terwijl ze het afgelopen jaar hadden aangetoond zulke goede huurders te zijn?

Net als de eigenaresse had het pension betere, jeugdigere tijden gekend. Het telde drie verdiepingen en stond tegen zijn buren aangeleund in een lange, vervallen rij tegen een steile heuvel en bood vanuit de ramen van de zolderkamers een prima uitzicht op de stad. De kamers waren spaarzaam gemeubileerd, maar schoon, en de vijf huurders deelden een badkamer en gebruikten hun ontbijt en avondmaaltijd beneden in de comfortabele keuken.

Catriona leunde op de vensterbank en keek over de daken naar de stad. Het was een heldere, koude wintermiddag en ze kon in de verte nog net het blauw van de haven zien. Ze meende op dit stille moment in de wazige verte de outback te ontwaren en een vleugje op te vangen van de eucalyptus en naaldbomen en de geur van droge, stoffige wegen. Wat miste ze de vrijheid van de onverharde wegen, het geluid van wagens die over het karrenspoor ratelden terwijl het langzame gestamp van de trekpaarden ze verder en verder de wildernis in voerde.

'Opschieten, Kitty,' zei Velda terwijl ze door de kamer liep en hun jassen en hoeden pakte. 'We komen nog te laat, het is een heel eind lopen.'

Catriona wendde zich af van het raam en keek naar haar moeder in de kamer die ze deelden. Velda leefde tegenwoordig vrijwel in stilte, alsof ze bang was dat als ze eenmaal begon te praten, ze niet meer zou kunnen ophouden. Maar ze was voortdurend in beweging – rende hierheen en daarheen, stond geen ogenblik stil, alsof ze aan iets probeerde te ontsnappen – alsof ze probeerde de tijd te slim af te zijn. Ze was te mager, haar gezicht ontbeerde elke levendigheid en haar ogen stonden dof, en hoewel ze zich snel en gracieus bewoog, kon Catriona de onderhuidse spanning zien.

'We hebben tijd genoeg, mam,' zei ze zachtjes. 'Onze dienst begint pas om zes uur.'

'Ik wil er vanavond een beetje vroeg zijn,' antwoordde ze terwijl ze haar hoed opzette en een beetje lippenstift op haar bleke lippen deed.

Catriona stak haar voeten in haar lage, platte schoenen, trok de dunne jas aan en pakte haar hoed. Die zag er oud en verfomfaaid uit, ondanks de bloemen die ze op de band genaaid had, maar hij moest er maar mee door kunnen. Er kwam niet genoeg geld binnen om het ook nog eens aan luxe dingen te besteden. 'We krijgen toch niet extra betaald, dus waarom zou je die moeite doen?' vroeg ze terwijl ze naar haar handschoenen en sjaal zocht.

'Ik heb iets met de eigenaar te bespreken,' zei Velda geheimzinnig. 'En het beste moment om dat te doen is vlak voor de avonddrukte.'

Catriona keek hoe haar moeder de beddenspreien op de smalle eenpersoonsbedden straktrok en de kussens gladstreek voor ze de paar dingetjes die op het dressoir lagen begon op te ruimen. Altijd bezig met opruimen, altijd aan het friemelen, gladstrijken, goed leggen. Velda was geobsedeerd. 'Wat is er zo belangrijk dat het niet kan wachten?' vroeg Catriona.

'Dat vertel ik je later wel,' zei Velda terwijl ze haar goedkope handtas pakte en in de richting van de deur liep.

Catriona besefte dat ze niets uit haar zou krijgen en verlangde terug naar de gemakkelijke manier waarop ze ooit met elkaar waren omgegaan. De kameraadschap en liefde die ze ooit hadden gedeeld waren voorbij, ingeruild voor een bijna formele manier van samenleven. De jaren die waren verstreken sinds haar vaders dood hadden hen beiden veranderd en Catriona wist dat de huidige stand van zaken zo zou blijven. Want Velda's manier om met een tragedie om te gaan was zich terugtrekken en Catriona was gedwongen geweest haar eigen angsten en nachtmerries te verdringen en te proberen de toekomst hoopvol onder ogen te zien; want zonder hoop was er helemaal niets meer.

Ze keek de kamer in die ze nu al bijna een jaar deelden en verzekerde zich ervan dat de gaskachel uit was en het raam op slot. Het was een kleine kamer die door een scheidingswand van de andere helft van de zolder was afgescheiden en ruimte was er schaars. Twee bedden, een flinke kleerkast, een ladekast en een kaptafel namen elke vierkante centimeter in beslag. Deze claustrofobische ruimte zou nooit een thuis worden, maar zij bood onderdak en daar ging het om. Ze sloeg de deur dicht en rende de trap af om Velda in te halen.

Doris zat zoals gewoonlijk in haar diepe fauteuil bij het raam en Catriona zwaaide naar haar toen ze zich de heuvel af haastten in de richting van de stad. Ze mocht Doris graag en had heel wat genoeglijke uurtjes bij haar doorgebracht met luisteren naar verhalen over haar jeugd en de avonturen van haar zeevarende echtgenoot. Dat was een welkome afwisseling na Velda's stiltes.

Sydney was een bruisende stad vol lawaai van trams die in het midden van de brede straten reden. Mannen en vrouwen haastten zich over de trottoirs, ingepakt in jassen en dassen tegen de frisse wintermiddag. De crisis had Sydney net zo getroffen als zij de rest van de wereld op zijn grondvesten had doen schudden, en de gevolgen waren nog zichtbaar in de vele dichtgetimmerde etalages en verwaarloosde gebouwen waar ooit bloeiende zaken gevestigd waren.

En toch waren er tekenen die erop wezen dat het einde van de zware tijden in zicht was. Sommige zaken die hadden weten te overleven, namen weer personeel aan, fabrieken begonnen weer te produceren en hotels raakten eindelijk weer vol. Niet iedereen was zijn vermogen kwijtgeraakt; voor een lepe enkeling was het een gouden tijd en er was een bloeiende zwarte handel in goedkoop vastgoed, goedkope arbeidskrachten en goedkope drank.

Het Hyde Hotel stond pal aan Macquarie Street. Het was ooit het herenhuis van een rijke heer geweest en had een fraaie veranda en een strak gemaaide Italiaanse tuin, maar de eigenaar was bankroet gegaan en het was in verval geraakt. Na zijn zelfmoord werd het huis voor een schijntje verkocht tijdens een openbare veiling. Robert Thomas, de nieuwe eigenaar, had oog voor de grote kansen die er lagen. Hij wist van zijn uitgebreide familie geld los te krijgen en ging in zaken met de ambitie om van het huis het beste hotel van de stad te maken. Hij was al aardig onderweg om zijn droom waar te maken, want het hotel zat altijd vol, het was altijd druk in het restaurant en de nieuw aangeklede cocktailbar was een gewilde ontmoetingsplek geworden voor de elite van Sydney.

Catriona liep achter haar moeder langs het hotel naar de personeelsingang. Ze hing haar jas en hoed op, trok haar handschoenen uit, deed haar das af en wilde haar zwarte jurk en witte schort en muts pakken die ze in het restaurant moest dragen.

Een handgebaar van haar moeder hield haar tegen. ‘Kleed je nog niet om,’ zei ze. ‘Kom mee.’

Catriona keek bedenkelijk. Haar moeder deed erg vreemd en ze leek opgewonden – ze had een levendigheid die maar al te lang afwezig was geweest. ‘Wat is er allemaal aan de hand, mam?’ wilde ze weten terwijl ze de personeelstoiletten werd binnengesleurd en in de richting van de felverlichte spiegel boven de wastafels werd gedirigeerd.

Velda haalde een van haar jurken tevoorschijn uit de grote tas die ze bij zich had. ‘Trek deze eens aan,’ beval ze. ‘Dan zal ik je haar en je make-up doen.’

Catriona werd zich ervan bewust dat haar mond openhing. Ze sloot hem met een klap en keek naar de jurk die haar moeder haar in handen had gedrukt. Het was Velda’s lievelingsjurk, en haar mooiste, een souvenir uit de tijd dat ze zich dergelijke dingen nog kon veroorloven. ‘Ik doe helemaal niks tot jij me vertelt wat hier allemaal gaande is,’ zei ze koppig.

'Je doet wat ik je zeg en schiet een beetje op,' zei Velda kortaf terwijl ze Catriona's trui over haar hoofd sjorde en de knopen van haar rok begon los te maken. 'Meneer Thomas zit te wachten en je moet een goede indruk maken.'

'Ik heb al een baantje als serveerster,' zei Catriona terwijl ze uit haar rok stapte, haar armen in de lucht stak en voelde hoe het zachte chiffon over haar lichaam gleed. Het was koel en het ruiste; de stof sloot nauw om haar heupen en eindigde net boven de knie in een punt.

'Je bent niet voorbestemd om serveerster te zijn,' zei Velda kortaf terwijl ze aan de slag ging met de haarborstel. 'Je hebt een stem, een stem die bedoeld is om gehoord te worden en meneer Thomas is een man met veel invloed. Hij heeft contacten en zal ervoor zorgen dat je onder de aandacht wordt gebracht. Tenminste, als deze auditie goed gaat.'

Catriona stond stijf van angst tegenover haar moeder terwijl Velda het lange donkere haar borstelde en in een elegante wrong draaide. Ze zag Velda's vastberadenheid in haar blik, in de manier waarop haar mond stond en in de snelle, zekere bewegingen waarmee ze poeder, lippenstift en mascara aanbracht. Het had geen enkele zin om te protesteren als mam in zo'n stemming was.

'Kijk aan,' zei Velda met een tevreden knik. 'Kijk eens in de spiegel en vertel me eens wat je ziet.'

Catriona draaide zich om en zag een vreemde naar haar terugkijken. 'Ik zie een vrouw,' zei ze ademloos.

'Precies,' mompelde Velda terwijl ze een kralenketting om Catriona's hals vastmaakte en bijpassende oorbellen indeed. 'Een mooie, jonge vrouw.' Ze pakte Catriona's armen met koude handen beet en draaide haar naar zich toe. 'Meneer Thomas heeft vanavond een invloedrijke man bij zich, Catriona,' zei ze indringend. 'Laat hem zien hoe getalenteerd je bent, dan ligt de wereld voor je open.'

Catriona keek haar moeder vol afschuw aan. Het leek wel of Velda haar te koop zette.

'Kijk me niet zo aan,' snauwde ze. 'Ik heb je niet m'n hele leven lesgegeven om het allemaal op niks te laten uitdraaien.' Ze trok het bandje over Catriona's schouder en knikte goedkeurend. 'Kom mee. We moeten ze niet laten wachten.'

Catriona's mond was droog van angst toen Velda haar hand beetpakte en haar de lange gang door trok naar de lounge in het souterrain. Het was jaren geleden dat ze voor het laatst had opgetreden en hoewel ze elke dag had gerepeteerd, was ze zo zenuwachtig dat ze er ziek van was en ervan overtuigd raakte dat ze geen noot zou kunnen uitbrengen.

Het souterrain was zo lang en zo breed als het hotel. Het was weelderig ingericht in zwart en wit met hier en daar het scharlakenrood van bankjes en stoelkussens. Het licht kwam van een enorme kroonluchter en weerkaatste in een groot aantal spiegels. Het was een mise-en-scène zoals Catriona nog nooit van haar leven had gezien.

De vloer was glimmend geboend, de kleine tafels en de vergulde stoelen bij de dansvloer zagen er uitnodigend uit en de dieprode bankjes langs de muur boden privacy voor degenen die dat wensten. Er stond een piano aan een kant van het kleine podium dat aan de achterkant was afgescheiden met zwartfluwelen gordijnen die waren bezet met kristal dat het licht weerkaatste zodat de indruk werd gewekt van een nachtelijke sterrenhemel.

Catriona bleef verstijfd in de deuropening staan toen ze de man achter de piano zag en de twee mannen die waren opgestaan om hen te begroeten. Dit kon ze niet aan. Ze was te jong, te onervaren, gewoon te bang. Ze wilde wegrennen, wilde zich omdraaien en zich ergens in de doolhof van gangen verstoppen. Maar het was te laat. Meneer Thomas schudde haar moeder al de hand, stelde zijn vriend voor en zijn stem leek uit de diepste diepten van de zee te komen in een gedempte, onverstaanbare opeenvolging van klanken.

Het drong tot haar door dat ze nauwlettend werd gadegeslagen door de tweede man, en toen ze hem in het gezicht keek nam haar angst langzaam af. Hij had vriendelijke bruine ogen en zandkleurig haar en hij had een bemoedigende glimlach.

'Peter Keary,' zei hij en hij pakte haar hand. 'Aangenaam kennis te maken.'

Catriona keek aarzelend glimlachend naar hem op. Hij was knap, maar oud, minstens dertig. Wat verwachtte hij van haar?

'En hoe oud ben je, Catriona?' vroeg hij.

'Achttien,' kwam Velda tussenbeide. 'Kom, Catriona. We hebben de heren al lang genoeg laten wachten.'

Voor Catriona tegen de leugen kon protesteren, manoeuvreerde Velda haar over de dansvloer naar de piano. Daar haalde ze bladmuziek tevoorschijn en gaf die aan de pianist, terwijl ze in de tussentijd gedetailleerde aanwijzingen gaf. Mam was duidelijk al een hele tijd bezig geweest dit voor te bereiden – de aria uit *La Bohème* was al wekenlang haar oefenstuk. Ze keek even over haar schouder. Meneer Keary en meneer Thomas zaten op een muurbank en sigarenrook kringelde boven hun hoofd terwijl ze rustig met elkaar zaten te praten. 'Ik kan hier geen opera zingen,' fluisterde ze koortsachtig.

'Dat kun je wel en dat ga je doen ook,' siste haar moeder.

'Maar ik ben pas vijftien,' protesteerde Catriona. 'Ik mag niet eens in een gelegenheid als deze komen.'

'Wie heeft er iets gezegd over zingen in een cocktailbar?' snauwde Velda en haar vingers klemden zich steviger om Catriona's arm. 'Je doet auditie voor meneer Keary. Hij heeft het beste artiestenagentschap in de stad,' fluisterde ze terwijl de opwinding een kleurtje op haar gezicht toverde. 'Nou, stap het podium op en laat hem maar eens zien uit welk hout je gesneden bent.'

Catriona werd met een felle por in haar lendenen het podium opgeduwd. Daar stond ze in het felle licht en verstijfde bijna van angst. Toen hoorde ze de eerste akkoorden van die prachtige aria en haar angst vloeide weg. Ze sloot haar ogen, concentreerde zich op de muziek en op wat die voor haar betekende en toen ze begon te zingen, werd ze meegevoerd naar de wereld van de tragische Mimi en haar geliefde, de dichter Rodolfo.

Toen de laatste tonen verstomden, deed Catriona een stapje achteruit en liet haar kin zakken. Het trieste, prachtige verhaal van de tragische geliefden en de passie die nodig was om de aria te zingen echoden diep vanbinnen na. Hoe uitputtend het ook was – was haar voorstelling goed genoeg geweest?

De stilte werd dieper en eindelijk keek ze op. Zo slecht was het toch zeker niet geweest? Toen ze op het punt stond van het toneel weg te vluchten, zag ze Peter Keary langzaam overeind komen. Vol verbazing en ongeloof zag ze tranen op zijn wangen glinsteren toen hij over de dansvloer naar haar toe kwam en haar handen pakte.

'Prachtig,' zei hij ademloos. 'Onvoorstelbaar om zoveel inlevingsvermogen en diepgang aan te treffen bij iemand die nog zo jong is.' Hij hield haar op armlengte van zich af en keek haar aan. 'Je bent de perfecte Mimi,' zei hij zachtjes. 'Klein, tenger – het is alsof Puccini zijn opera speciaal voor jou heeft geschreven.'

'Dus u wilt haar agent worden?' Velda stond al naast haar, klaar om tot zaken te komen.

'Wanneer ze achttien wordt,' zei hij zachtjes terwijl zijn ogen vol humor glommen en hij zijn vochtige wangen met een sneeuwwitte zakdoek afveegde.

Velda protesteerde en hij wuifde haar leugens weg. 'Ze is te jong,' zei hij terwijl hij Catriona in de ogen keek en glimlachte. 'Haar stem is misschien volwassen, maar er is nog een lange weg te gaan voor de mogelijkheden van deze jongedame volledig kunnen worden gerealiseerd.'

Catriona werd warm van zijn zangerige Ierse stem. Die deed haar aan haar vader denken. Ze glimlachte terug, want hier stond iemand die begreep wat opera voor haar betekende, iemand die voorbij het kind had gezien en de kracht van haar passie voor muziek had ontdekt. 'Dus, wat nu?' vroeg ze verlegen en ze trilde van opwinding.

'Terug naar de schoolbanken, Catriona,' zei hij zachtjes. 'Een speciale school waar je alles zult leren wat er over zingen te leren valt.'

'We kunnen ons geen speciale scholen veroorloven,' zei Velda boos. 'Catriona moet werken.'

'Ik betaal alles,' zei hij met een vastberadenheid die geen tegenspraak duldde.

'En wat wilt u daar precies voor terughebben?' Velda stond voor hem, met haar armen over elkaar geslagen en een kille uitdrukking op haar gezicht.

'Ik verwacht helemaal niets tot ze is afgestudeerd. Dan zal ik haar vertegenwoordigen.' Toen glimlachte hij, nam Catriona's hand in de zijne en maakte een diepe buiging. 'Ik zal je beroemd maken, Catriona Summers. En op een dag zal de wereld aan onze voeten liggen.'

10

Toen Catriona op het conservatorium aankwam, was ze vreselijk gespannen en tegelijk opgewonden. Eindelijk ging ze naar een echte school. Eindelijk zou ze omgaan met mensen van haar eigen leeftijd. Toch was ze bang. Stel dat Peter Keary het bij het verkeerde eind had en ze haar stem niet goed genoeg vonden? Stel dat ze een buitenbeentje was? Ze was zich erg bewust van haar goedkope jas en jurk en van de versleten schoenen die ze eerder met witsel had ingesmeerd. Haar handschoenen waren versteld en haar hoed was het resultaat van huisvlijt; ze wist zeker dat de anderen maar een blik op haar hoefden te werpen om te weten dat ze niet bij hen hoorde.

Peter leek haar gedachten te kunnen lezen, want hij pakte haar zachtjes bij een elleboog en dirigeerde haar naar de achterkant van het gebouw. 'Je ziet er geweldig uit,' verzekerde hij haar. 'En wanneer we deze auditie achter de rug hebben, neem ik je mee uit winkelen.'

'U hoeft geen kleren voor me te kopen,' zei ze nors.

'Zie het maar als een lening,' zei hij luchtig en nonchalant. 'Want als ze je eenmaal hebben horen zingen, kan het niet anders of ze maken een ster van je.'

Catriona had daar niet zo veel vertrouwen in als hij. 'Wie zijn er bij de auditie?' vroeg ze toen ze bij de deur kwamen.

'John en Aida zijn er uiteraard. Zij zijn de belangrijkste docenten en worden zeer gerespecteerd in de wereld van de opera; verder het hoofd van het conservatorium en de leden van de raad van bestuur, maar laat je daar niet door afschrikken. Zie ze maar als gewoon publiek en gezien je achtergrond zal dat niet al te moeilijk zijn.'

Catriona zag even Lightning Ridge en Goondiwindi weer voor zich. Ze huiverde toen ze de lange, donkere gang inliepen en de deur achter hen in het slot viel.

'Luister,' zei Peter.

Ze stonden in het schemerduister en Catriona hief haar hoofd. Ze hoorde muziek, prachtige muziek: de klanken van een pianoconcert vermengden zich met het geluid van sopranen, alten en baritons die bezig waren hun stembanden op te warmen. Haar hart begon sneller te kloppen. Haar mond werd droog van de nerveuze spanning.

Peter keek haar glimlachend aan en bracht haar een grote kamer binnen die afgezien van een vleugel en een geborduurde pianokruk leeg was. 'Je hebt een uur om op te warmen. Ik kom je wel halen als het tijd is.'

Catriona zette haar hoed af, deed haar handschoenen uit en schudde haar jas van zich af. Het was warm in de kamer. De warmte werd verspreid door zware radiatoren die tegen de witte muren waren bevestigd. Hoge, fraaie raampartijen boden uitzicht op de ommuurde tuin en in de verte kon ze de daken zien van de huizen die tegen de heuvel waren gebouwd. Ze vouwde zorgvuldig haar jas op en legde die samen met haar hoed en handschoenen in de vensterbank. Ze liep naar de vleugel en ging met haar vinger over het gladde, gepolitoerde hout voor ze de toetsen aanraakte. De klank was prachtig, helder en vol – zo heel anders dan de oude piano waarop ze had leren spelen – zelfs nog beter dan de piano in Demetri's hotel.

Ze verdrong de gedachte aan Demetri. Dat was haar oude leven en als ze in haar nieuwe wilde slagen, dan moest ze zich nu concentreren. Ze liet haar vingers over de toetsen gaan. Ze dacht aan de urenlange lessen van haar moeder en begon te spelen. Aanvankelijk waren haar vingers stijf en onhandig, maar naarmate ze hoorde hoe anderen aan het oefenen waren, groeide haar zelfvertrouwen. Ze begon toonladders te oefenen en haar stem won aan kracht tot hij uiteindelijk de hele ruimte vulde.

Er leken nog maar een paar minuten verstreken toen Peter de deur opendeed. 'Het is tijd,' zei hij.

Ze liep achter hem aan een trap op naar een andere grote kamer. Ook deze had dezelfde hoge raampartijen, maar was allesbehalve leeg. Aan een kant stond een lange tafel waarachter tien mensen zaten. Aan de andere kant van de kamer zat een stevige vrouw achter een piano. Ze maakte een kniebuiging in de richting van de juryleden. Ze kon nauwelijks ademhalen en haar handen die ze achter haar rug had gevouwen, waren vochtig. Peter was in een stoel aan de zijkant van de kamer gaan zitten en knikte haar bemoedigend toe.

'Hoe oud ben je, liefje?' vroeg de bebaarde heer die in het midden van de tienkoppige jury zat. Hij tuurde over zijn halvemaanvormige bril.

'Vijftieneneenhalf, meneer,' antwoordde ze met een van de zenuwen overslaande stem.

Hij boog zich naar opzij en zei zachtjes iets tegen de vrouw die naast hem zat voor hij zijn blik weer op haar richtte. 'En wat ga je voor ons zingen?'

'*Mi chiamano Mimi,*' antwoordde ze. 'Uit *La Bohème* van Puccini.' Ze bloosde toen de juryleden elkaar glimlachend aankeken. Natuurlijk wisten ze uit welke opera dat kwam, stommeling die ze was. Ze draaide zich om en liep met knikkende knieën naar de piano terwijl haar gedachten alle kanten op gingen. Ze kon zich de tekst niet meer herinneren, was de frasering en zelfs de eerste maten vergeten. Was mam maar met haar meegekomen.

Toen zag ze hoe de pianiste glimlachte en haar bemoedigend toeknikte. De vingers van de vrouw zweefden boven de toetsen en Catriona haalde diep adem. De woorden kwamen weer boven en al spoedig was ze verloren in Mimi's wereld vol geborduurde bloemen die het tuberculeuze meisje meevoerden uit haar benauwde kamer naar de velden en weiden buiten het Quartier Latin in Parijs.

Toen de laatste noot was weggestorven, sprak de oudere heer weer. 'Dank je wel, liefje. Wil je alsjeblieft even buiten wachten?'

Catriona keek even in de richting van Peter. Had ze het niet goed gedaan? Zouden ze haar afwijzen? Ze keek weer naar de tien personen achter de tafel. Die waren druk in een gefluisterd gesprek verwikkeld en het leek alsof ze haar al waren vergeten.

Peter liep met haar de kamer uit en liet haar op een stoel in de brede gang plaatsnemen. 'Het duurt niet lang,' zei hij zachtjes. 'Maar ze hebben veel te bespreken. Dit is een uitgebreide onderneming en er zijn maar een paar beurzen beschikbaar voor studenten die het collegegeld niet kunnen betalen. Ze moeten er zeker van zijn dat ze de juiste beslissing nemen, want jij was niet de enige die vandaag auditie moest doen.'

Catriona werd zich eindelijk bewust van de andere jonge mensen die in die gang zaten te wachten. Er waren verschillende jongens en drie andere meisjes – sommigen van hen hielden instrumenten in hun hand, anderen bladmuziek. Ze zagen er allemaal bleek en gespannen uit, en net zo bang als zij was. Ze ving de blik op van het meisje tegenover haar – een mooi meisje met blond haar en blauwe ogen, gekleed in een jurk die een vermogen moest hebben gekost – en glimlachte. Het meisje bekeek haar koeltjes en na een snelle, taxerende blik op Catriona's kleren keek ze de andere kant op. Maar de jongen met de viool naast haar grijnsde en daardoor voelde ze zich een beetje beter.

'Zijn ze allemaal uit op een beurs?' fluisterde ze tegen Peter. Sommigen zagen er niet uit alsof ze arm waren, zeker dat blonde meisje niet.

Hij schudde zijn hoofd. 'Het is het begin van een nieuw schooljaar,' zei hij zachtjes. 'Ze kiezen de nieuwe lichting uit de leerlingen van andere academies en muziekscholen.'

Het wachten leek eindeloos te duren terwijl de studenten een voor een werden teruggeroepen. Ze kon aan hun gezicht zien of ze waren geslaagd of niet wanneer ze de kamer uitkwamen. Het blonde meisje schreed naar buiten met een triomfantelijke blik in haar ogen, pakte haar dure jas en liet die om haar schouders glijden. Met een neerbuigende blik in de richting van Catriona liep ze heupwiegend de gang door en rende ten slotte de trap af.

Catriona hoorde haar naam en stond op. 'Wens me succes,' zei ze ademloos.

'Dat heb je niet nodig,' zei hij. 'Maar ik wens het je toch.'

Ze liep de kamer binnen en bleef voor de tafel staan. De bebrilde heer rommelde met de papieren voor hem. 'Je bent erg jong,' begon hij en ze voelde de moed in haar schoenen zakken. 'Maar hier zijn fantastische mogelijkheden. Je stem is ongeschoold en je toon onvast. Maar je hebt een geweldige indruk gemaakt op de jury. De uitdrukkingswijze getuigde van scheppingskracht en wist te raken, terwijl de ruwe schoonheid van je stem straalde als een baken in zee.' Hij keek haar over zijn brillenglazen aan. 'Je bent een ware sopraan, Catriona. Met een zeer artistiek gevoel voor wat de muziek wil overbrengen.'

Catriona durfde zich niet te verroeren, had zich ook geen millimeter kunnen bewegen, zo gespannen was ze.

'En daarom, Catriona, bieden we je een volledige beurs aan voor de duur van drie jaar. De lessen beginnen over twee weken.'

Catriona kon eindelijk weer ademhalen. Ze liet de lucht in een lange, diepe zucht ontsnappen. 'Dank u,' mompelde ze.

'We hebben hoge verwachtingen van je, Catriona. Ik hoop dat je ons niet teleur zult stellen.'

'Nooit,' zei ze ademloos. 'Dank u, dank u.' Ze wilde ze wel stuk voor stuk kussen, maar begreep dat dergelijk gedrag niet op zijn plaats was, dus haastte ze zich de kamer uit en sloeg in plaats daarvan haar armen om Peter Keary. 'Het is gelukt,' zei ze door haar tranen en gelach heen.

'Dat zei ik toch,' antwoordde hij terwijl hij haar tegen zich aandrukte. 'Kom mee, we moeten nodig winkelen en daarna trakteer ik op een super-de-luxe maaltijd.'

Het lange, blonde meisje met de koele blik heette Emily Harris. Ze was de dochter van een rijke vleeshandelaar en had een prachtige alt. Catriona vond haar heel erg perfect en was jaloers op haar mooie kleren, maar Emily was een kreng en de eerste paar maanden op de academie bezorgde ze Catriona veel verdriet.

Catriona kwam elke dagen lopend van het pension in de heuvels naar het conservatorium. Emily werd door haar moeder gebracht in een glanzende auto. In het begin probeerde Catriona vriendschap met haar te sluiten; ze was nu eenmaal een sociaal wezen en niet gewend aan vijandigheid, zeker niet wanneer daar geen enkele aanleiding voor leek te zijn. Maar haar toenaderingspogingen werden in de kiem gesmoord en Catriona had zich er maar bij neer te leggen dat Emily zich met haar achttien jaar ver boven haar verheven voelde.

Toen ze op een ochtend het muzieklokaal uitkwam, zag ze Emily en twee andere meisjes met hun hand voor hun mond staan giechelen. Ze hadden het duidelijk over haar gehad, want ze deden er plotseling het zwijgen toe en keken haar verwachtingsvol aan. 'Hoi,' zei ze opgewekt. 'Hoe gaat 't?'

'Moet je dat nou toch horen,' zei Emily die de genoegens van een opleiding aan een privéschool in Engeland had mogen smaken. 'Ze hebben de toelatingseisen hier blijkbaar flink omlaag geschroefd. Stel je voor, een zigeunerin toelaten.' Ze draaide zich om naar de anderen en zei op luide fluistertoon: 'Haar moeder werkt als serveerster. Dat is toch niet te geloven?'

Catriona werd rood toen de meisjes begonnen te giechelen. Ze had een dergelijke behandeling al eens eerder van Emily ondervonden en ze wist dat haar kwaadaardige roddels op een dag haar leraren zouden bereiken. Goed, dacht ze, ze zou het niet langer pikken. 'Ik heb gehoord dat je nog steeds die overgang tussen de lage en hoge registers niet onder de knie hebt,' zei ze koeltjes. 'Je kunt maar beter uitkijken,' waarschuwde ze. 'Volgende week zijn de tentamens en voor je het weet sta je op straat.'

'Smerige, kleine straatmeid,' siste Emily. 'Wat weet die er nou van?'

Catriona keek hoe de meisjes arm in arm wegliepen. Haar opmerking was raak geweest, want Emily was zich bewust van de onvastheid in haar stem tussen de lage G en de hoge G en de flikkering in die blauwe ogen maakte duidelijk dat ze nog steeds worstelde om dat euvel te verhelpen.

Catriona liep langzaam achter hen aan de gang door. Emily en haar kliek konden haar gestolen worden. Er waren jongens en meisjes op de academie die wel aardig waren en hoewel zij een schat aan levenservaring met zich meedroeg waar zij geen voorstelling van hadden, begon ze toch vrienden te maken en zich thuis te voelen.

De ene dag volgde op de andere en elke minuut was gevuld met muzieklessen, stemtraining en colleges. Ze bestudeerden boeken die waren geïllustreerd met portretten van de groten uit de wereld van de opera – Ludwig en Malwina Schnorr von Carolsfeld, Rosa Ponselle, en, uiteraard, Dame Nellie Melba – en ze bediscussieerden decors en kostuums en de verschillende interpretaties van de grote opera's. Catriona had een gedegen basis op het gebied van toneel, dansen en zingen en ze stortte zich met haar hele ziel en zaligheid op de lessen. Zelfs haar pianospel ging er met sprongen op vooruit.

Toen het einde van het eerste jaar naderde, had ze de meeste van de oudere Italiaanse aria's bestudeerd, evenals de liederen van Purcell en de koorstukken van Händel. Haar docenten concentreerden zich nu op het samenstellen van een repertoire voor haar, want over niet al te lange tijd zou ze deelnemen aan een van de soirees die de academie eens per trimester hield.

Catriona genoot van de kameraadschap onder de studenten en voegde zich graag bij hen wanneer ze na de lessen bij elkaar kwamen in de salon. Dat was hun moment om zich te ontspannen en de beperkingen die hun opleiding met zich meebracht even te vergeten; het moment om populaire liedjes te spelen op hun instrumenten en om samen te zingen, waarbij hun stemmen zo prachtig harmonieerden dat Catriona elke avond met een gevoel van voldoening naar de kleine, volgepropte kamer terugkeerde.

Velda werkte nog steeds in het hotel, maar haar houding was ondanks Catriona's succes niet veranderd. Ze bleef zwijgzaam en streng, haar tanige lichaam was nog steeds voortdurend in beweging en haar handen bleven rusteloos. Maar ze wilde wel dat Catriona haar elke dag alles vertelde, over wat ze had geleerd en wat ze had bereikt. Het was alsof ze haar eigen leven had opgegeven en nu door haar dochter leefde.

De academie gaf veel voorstellingen voor publiek. Dat waren gelegenheden waarbij kon worden gepronkt met de beste leerlingen en er was sprake van veel rivaliteit om daarvoor te worden uitgekozen. Catriona was de jongste en moest zich dus tevredenstellen met de onbelangrijkere rollen en zo af en toe een duet. Maar toen het tweede jaar ten einde liep en haar stem sterker en rijper was geworden, kreeg ze eindelijk de kans voor het eerst een solo te zingen voor publiek.

Haar aria kwam uit het eerste bedrijf van Purcells *Dido en Aeneas*. Het lied, een indrukwekkende uiting van verdriet, moest worden uitgevoerd op de waardige en ingehouden manier die bij de koningin van Carthago paste. Maar het moest ook recht doen aan de tragedie die haar schaduw vooruitwierp en op geen enkel moment mocht het de botsing verloochenen die lag besloten in de laatste woorden: 'Vrede en ik zijn tot vreemden geworden.'

Catriona stond in de coulissen te wachten tot haar vriend Bobby klaar was met zijn vioolsolo. De tonen van de muziek stegen op naar de balken van dat grote podium, wervelden door de gordijnen en overhang en drongen tot diep in haar ziel.

Hij kwam blozend van genoegen het toneel af. 'Succes,' fluisterde hij. 'Je ziet er tussen twee haakjes fantastisch uit.'

Ze grijnsde naar hem terug. De jurk was goudkleurig en omhulde haar als een tweede huid. In de ragfijne sluier sprankelden duizenden lovertjes en de namaakdiamanten van haar sieraden schitterden in de schijnwerpers. Haar haar was tot aan haar middel gegroeid en vandaag was het hoog opgestoken en vastgezet met glimmende spelden. Ze voelde zich koninklijk en toen ze werd aangekondigd haalde ze diep adem en stapte vol vertrouwen het toneel op. Dit was haar moment om te schitteren.

De muziek begon en haar stem vulde de concertzaal met zijn zuiverheid en triestheid. Het publiek was in haar ban terwijl ze de tragische koningin van Carthago uitbeeldde en toen de laatste noot wegstierf viel er een verblufte stilte.

Toen ze diep boog klonk plotseling een oorverdovend applaus. De mensen gingen staan en applaudisseerden en juichten en riepen om meer. Ze boog nog een keer, overweldigd door de reacties en onzeker over wat haar nu te doen stond. Ze waren er herhaaldelijk op gewezen dat tijd van het grootste belang was en dat geen van de artiesten een toegift mocht geven. Maar Catriona kwam uit een theaterfamilie en het viel niet mee om de aanvechting om weer te gaan zingen te bedwingen.

De rector van de academie voegde zich bij haar op het podium en overhandigde haar een boeket bloemen. 'Uitstekend gedaan,' zei hij onder het gejuich van het publiek. 'Hoe voelt het nu om een ster te zijn?'

'Fantastisch,' zei ze ademloos terwijl ze de zaal in keek en haar moeder op de eerste rij naast Peter zag zitten. Velda hield haar handen stijf tegen haar smalle borst gedrukt en in haar ogen blonken tranen. De trots die uit haar ogen straalde zei meer dan het applaus en Catriona voelde de tranen ook in haar ogen prikken, want zonder Velda's vastberadenheid en rotsvaste vertrouwen in haar was ze nooit zo ver gekomen.

Gedurende de maanden die voorafgingen aan Catriona's achttiende verjaardag deden geruchten de ronde over een mogelijke oorlog. Een paar weken erna werd in Europa de oorlog verklaard. De academie gonsde van het nieuws, de radio stond voortdurend aan en de gesprekken gingen uitsluitend over de opmars van de Duitsers en over de rol die Australië in het geheel geacht werd te spelen.

Ze zag hoe de jongens gretig naar het nieuws uit Europa luisterden, hoorde hoe ze het hadden over weggaan om te vechten, om dienst te nemen en de wereld te laten zien dat Australië een trots land was, vol dappere mannen die bereid waren te vechten voor de goede zaak. Catriona luisterde en durfde niet te laten merken hoe weerzinwekkend ze dergelijke praat vond. Haar vader had haar verteld over de Eerste Wereldoorlog en de slachting op de slagvelden in Frankrijk – hoe kon iemand mee willen doen aan zoiets vreselijks?

'Ze zijn nog zo jong,' zei ze die avond tegen Peter. Velda en zij gebruikten samen met hem een late maaltijd in een chique restaurant vlak bij het stadhuis van Sydney. 'Bobby lijkt vastbesloten zijn muziek eraan te geven en in dienst te gaan. Niks wat ik zeg kan hem daar vanaf brengen.'

'Hij is een jongeman,' antwoordde Peter en hij legde zijn mes en vork neer. 'Als ik geen zwakke gezondheid had, zou ik ook in dienst gaan.' Hij zag hun verrassing. 'Ik heb als kind pleuritis gehad. Het minste of geringste koutje zorgt ervoor dat mijn longen opzwellen en dan moet ik dagen het bed houden.'

'Godzijdank,' zei Catriona. 'Ik zou het niet kunnen verdragen om jou én Bobby kwijt te raken.'

Hij keek haar nadenkend aan. 'Het lijkt erop dat die jongeman je gedachten nogal in beslag neemt. Ik hoop niet dat er iets serieus gaande is tussen jullie beiden. Je staat op het punt een geweldige carrière te beginnen; je hebt geen tijd voor dergelijke onzin.'

Catriona bloosde. Bobby had haar op de avond van haar triomfantelijke eerste optreden gezoend. Het was een zachte avond geweest, herinnerde ze zich, en ze hadden buiten bij de academie gestaan en naar de sterren gekeken. Zijn zoen was niet als een verrassing gekomen – hij viste er al een eeuwigheid naar – maar ze was aangenaam verrast door hoe zacht, hoe aarzelend hij was geweest. Maar ze had zich zachtjes van hem losgemaakt toen zijn omhelzing haar dreigde te verpletteren – ze was er nog niet klaar voor om opnieuw een dergelijke intimiteit te ondergaan.

'Catriona zou nooit iets doen wat haar carrière kan schaden,' zei Velda terwijl ze het eten liet voor wat het was en haar bord van zich af schoof. 'Ze heeft er te hard en te lang voor gewerkt. Dat hebben we allebei.'

Dat klonk Catriona in de oren als een verholen dreigement dat ze zich maar beter de opofferingen kon herinneren die ze zich beiden hadden getroost om zo ver te komen als ze nu waren. De warmte in het restaurant greep haar naar de keel en alle plezier die ze in deze aangename avond had gehad, verdween. De herinnering aan haar kind hield haar scherp – want als ze eenmaal naam had gemaakt, kon ze aan haar zoektocht beginnen – ook al was ze zich ervan bewust dat die jaren in beslag kon nemen.

Catriona studeerde cum laude af aan de academie en Peter ging aan de slag om een druk concertprogramma voor haar samen te stellen. Nu in Europa een oorlog woedde, was het onmogelijk om haar internationale carrière van de grond te krijgen, maar hij was vastbesloten om in Australië te doen wat hij kon. Er waren geen theaters die groot genoeg waren om een volledige opera op te voeren en afgezien van het stadhuis in Sydney en het conservatorium, waren alleen concertzalen en oratoriums groot genoeg voor solo-optredens.

Catriona was erg verdrietig toen Bobby in het leger ging en ze had de repetities van die ochtend gelaten voor wat ze waren om hem op het station uit te zwaaien. Peter trof haar in tranen aan en sloeg zijn arm om haar heen toen ze terugliepen naar zijn auto. 'Hij komt wel terug,' zei hij.

'Maar hij is mijn vriend,' snikte ze terwijl ze haar gezicht depte met zijn zakdoek. 'Ik zal hem zo vreselijk missen.'

'O jee,' verzuchtte hij. 'Dus zo staan de zaken ervoor.'

'Wat bedoel je?'

Hij nam de zakdoek van haar over en veegde voorzichtig de tranen weg die nog steeds over haar wangen stroomden. 'De eerste liefde is altijd de moeilijkste,' mompelde hij.

Ze keek hem stomverbaasd aan. 'Ik hou niet van hem. Hij is een vriend, een heel goede vriend. En ik kan maar niet geloven dat hij zo stom is geweest om al die propaganda en oorlogshitsers te geloven.' Ze griste de zakdoek uit zijn handen en snoot haar neus.

Hij startte de auto niet, maar leunde achterover en keek haar alleen maar aan.

'Wat?' Ze begon zich ongemakkelijk te voelen.

'Ik zat me net af te vragen wat je voor mij voelt,' zei hij zachtjes.

Catriona bloosde onder zijn onderzoekende blik. Ze aanbad hem. Hij was haar mentor, haar Svengali. Zijn donkere ogen en zangerige Ierse accent deden haar aan haar pa denken en ondanks het feit dat hij bijna twintig jaar ouder was dan zij, kon ze zich een leven zonder hem niet voorstellen. 'Ik denk dat je dat wel weet,' fluisterde ze.

Zijn vinger volgde zachtjes de lijn van haar jukbeen en stopte bij het kuiltje in haar kin. 'Ik hou al van je vanaf het moment dat ik je voor het eerst zag in die belachelijke cocktailbar. Je was toen al knap, maar nu ben je werkelijk de mooiste van allemaal.'

Ze kreeg het gevoel dat ze in zijn ogen verdronk.

'Wil je met me trouwen, Catriona?'

'Dat zul je aan mam moeten vragen,' zei ze zachtjes.

Hij lachte; hij gooide zijn hoofd in zijn nek en vulde de auto met zijn gelach. 'Natuurlijk,' zei hij ten slotte. 'Ik dacht er even niet meer aan hoe jong je bent.' Toen werd hij weer serieus. 'Je hebt een air van volwassenheid over je dat bij een veel ouder iemand hoort en toch ben je af en toe een kind. Weet je zeker dat je met een oude man als ik kunt trouwen, Kitty? Ik word binnenkort veertig en ik ben niet bepaald de gezondste man die je je maar denken kunt. Je hebt de mannen in Australië voor het uitkiezen...'

Ze bracht hem tot zwijgen door haar vinger op zijn lippen te leggen. 'Dan kies ik jou,' mompelde ze.

Hij trok haar dicht tegen zich aan en kuste haar, en zij beantwoordde zijn kus; ze was klaar en bereid om deze man haar leven, haar carrière en haar hart toe te vertrouwen.

Velda gaf haar toestemming en ze trouwden in de katholieke kerk in Macquarie Street. Catriona's jurk was een ragfijn geval van zijde en kant en ze had een boeket heel lichtgele rozen. Er was geen tijd voor een huwelijksreis – haar volle agenda stond dat niet toe, en Peter moest naar Melbourne voor een ontmoeting met een van zijn andere klanten. Toch was Catriona gelukkiger en meer tevreden dan ze in jaren was geweest. Ze hadden de rest van hun leven om samen te zijn en binnenkort, heel binnenkort, zou ze haar zoektocht naar haar baby beginnen.

De gedachte aan het kind dat ze had weggegeven was de enige donkere wolk aan de horizon. Ze had het Peter meteen moeten vertellen, ze had het in ieder geval moeten zeggen toen hij haar een aanzoek deed. Maar het had gewoon nooit het juiste moment geleken voor zo'n bekentenis en ze vermoedde dat ze niks had gezegd omdat ze bang was voor zijn reactie. Nu, zes maanden gelukkig getrouwd, besloot ze het hem te vertellen. Daar was moed voor nodig, maar ze had voldoende vertrouwen in Peters liefde om te geloven dat hij het zou begrijpen.

Hun huurappartement lag op de begane grond van een sierlijk victoriaans herenhuis dat met zijn achterkant tegen Hyde Park aan lag en waarvandaan het maar een klein stukje lopen was naar het belangrijkste winkelgebied van Sydney. De kamers waren ruim en hoog en de zon scheen door de grote erkers naar binnen. Catriona had ervan genoten om op jacht te gaan naar meubels en gordijnen en ze was ingelukkig. Haar carrière verliep voorspoedig, haar huwelijk was een succes en haar echtgenoot was een zachte, geduldige minnaar. Het leek alsof hij haar angsten begreep, hoewel ze die zelf nooit had geuit, en hij was altijd heel zachtaardig met haar.

Catriona was in jaren niet zo tevreden geweest en ze haastte zich terug van haar repetities om zich te verkleden en een speciale maaltijd klaar te maken. Peters agentschap was steeds groter geworden en zijn reputatie was enorm toegenomen nu hij verschillende van de beste theatermensen van Australië vertegenwoordigde. Haar carrière begon ook van de grond te komen en ze had eindelijk voldoende zelfvertrouwen om haar mond open te doen. Het moment om Peter over haar baby te vertellen was aangebroken.

'Het komt wel goed,' mompelde ze in zichzelf terwijl ze de tafel dekte en de kaarsen aanstak. 'Peter houdt van me. Hij begrijpt het wel, hij zal me beslist helpen haar te vinden.'

Ze zaten dicht bij elkaar in de door de kaarsen verlichte kamer en vertelden elkaar op zachte toon over hun dag, terwijl ze de biefstuk en gebakken aardappelen aten die Catriona zo zorgvuldig had klaargemaakt. De wijn was wit, droog en koel en de kristallen glazen fonkelden en schitterden in het kaarslicht. Haar verlovingsring fonkelde toen ze de koffie inschonk en de diepe glans van haar trouwring stak warm af tegen haar huid. Het moment was aangebroken.

'Peter?' begon ze.

'Mmm?' Hij was bezig een stuk kaas af te snijden.

'Peter, er is iets wat ik je moet vertellen.'

Hij legde het mes neer en veegde zijn mond af aan het linnen servet. 'Dat klinkt vreselijk ernstig, mijn kleine Kitty Keary,' zei hij met een twinkeling in zijn ogen. 'Voor de draad ermee, wat heb je uitgespookt? Weer te veel uitgegeven aan het huishouden, een nieuwe jurk gekocht?'

'Het is een beetje serieuzer dan dat, mijn liefste, en ik wil dat je heel goed naar me luistert.' Ze nam een slokje van haar wijn om haar zenuwen onder controle te krijgen en begon hem toen met neergeslagen ogen over Kane en haar verdwenen baby te vertellen.

Peter zei gedurende haar hele verhaal geen woord en bewoog alleen maar om zijn glas te pakken en een slok van zijn wijn te nemen.

Catriona kreeg moed en vertelde snel de rest van het verhaal. 'En nu zijn we getrouwd,' zei ze ademloos. 'Nu kan ik mijn baby gaan zoeken en haar thuisbrengen. We kunnen haar samen opvoeden. We kunnen een echt gezinnetje vormen.' Ze sloeg eindelijk haar ogen op en verstijfde.

Peter Keary's ogen leken nog het meest op kille kiezels. Zijn mond vormde een dunne lijn onder zijn keurige snor en zijn gezicht was asgrauw. Hij keek haar een ogenblik aan, hield haar met zijn blik zo gevangen als een spin een vlieg in zijn web. 'Waarom heb je me dit niet eerder verteld?' Zijn stem klonk zacht en elke emotie die hij mocht voelen werd in bedwang gehouden.

'Het leek er nooit het juiste moment voor,' antwoordde ze. 'Ik weet wel dat ik dat had moeten doen, maar door al die lessen en repetities en alle voorbereidingen voor de bruiloft leken we nooit eens tijd voor onszelf te hebben.' Ze ratelde nu maar wat, zijn boze blik maakte haar steeds nerveuzer. Ze kreeg een akelig voorgevoel en ze stak haar hand uit om hem aan te raken, in de hoop dat ze haar angst kon laten merken en hem kon laten voelen hoezeer ze hem nodig had.

Hij haalde zijn arm weg, alsof haar hand hem kon besmetten en schoof bij tafel vandaan. 'Je hebt tegen me gelogen, Catriona.'

'Niet gelogen,' antwoordde ze snel. 'Ik heb het je alleen nog nooit verteld.'

'Dat komt op hetzelfde neer,' antwoordde hij met een kille gereserveerdheid. 'Je hebt me misleid, Catriona. Je hebt me doen geloven dat je ongerept was toen we trouwden. En nu heb je het lef om daar te zitten en me dat walgelijke verhaal te vertellen en dan verwacht je ook nog dat ik je vergeef.'

Catriona bloosde tot aan de wortels van haar donkere haar van schaamte. 'Ik vraag niet om je vergiffenis,' zei ze heftig. 'Alleen maar om je begrip.'

Hij ging staan en leunde in haar richting. 'Nee, Catriona. Wat jij van me vraagt is dat ik net doe of je duistere verleden niet bestaat en dat ik die bastaard van je in huis neem.'

Ze voelde dat ze kwaad werd bij het horen van die onrechtvaardigheid. 'Ik was nog maar een kind,' zei ze boos. 'Ik wilde niet dat Kane deed wat hij bij me deed, maar ik had geen keus. En wat de baby betreft, zij is onschuldig en ik wil niet dat je haar een bastaard noemt.'

'Waarom niet? Dat is ze toch?' Hij pakte een sigaar uit de humidor en sneed er zorgvuldig het puntje af.

Catriona wist dat ze zich in bedwang moest zien te houden. Dingen die in de hitte van het moment werden gezegd, konden later niet meer worden teruggenomen. Maar zijn kilheid maakte haar bang. Deze Peter die zo rustig voor haar stond en zijn sigaar aanstak, was een vreemde. Hij deed haar zo sterk aan Kane denken dat ze er misselijk van werd.

Ze duwde haar stoel achteruit en ging staan om hem aan te kunnen kijken. 'Alsjeblieft,' smeekte ze. 'Als je van me houdt probeer dan alsjeblieft, alsjeblieft te begrijpen hoe moeilijk het voor me was om je in vertrouwen te nemen.' Ze greep hem bij de arm. 'Maar ik moest het doen, begrijp je? Ze is ergens in die grote wereld en ik moet haar terug zien te krijgen.'

Hij schudde haar hand af. 'Je dreigt je verstand te verliezen, Catriona,' zei hij op een effen toon. 'Geen enkele vrouw bij haar volle verstand zou het resultaat van een dergelijke perversiteit willen houden, laat staan dat ze verwacht dat haar echtgenoot zoiets goed zou vinden.' Hij schonk een grote bel cognac in een kristallen glas en goot die achterover. 'Hier wordt niet meer over gepraat,' zei hij ten slotte. 'Ik verbied je er ooit nog over te beginnen.'

'Dat meen je niet,' zei ze. De tranen welden in haar ogen en ze kreeg een brok in haar keel.

'Dat meen ik wel,' zei hij vlak. 'Ik heb een reputatie hoog te houden en ik laat mijn goede naam niet door het slijk halen.' Toen hij naar haar keek lag er een grimmige uitdrukking op zijn gezicht. 'En het zal jouw carrière ook geen goed doen,' zei hij. 'En ik zou wel gek zijn als ik je alles laat verpesten, na al het geld en de moeite die het me heeft gekost om je zo ver te krijgen als je nu bent.'

Kitty stond daar en keek naar hem. Er was geen spoortje medeleven te bekennen op zijn gezicht. Hij stond daar alleen maar, zijn houding ontoegankelijk, en zijn hele wezen vormde een muur tussen haar en haar dromen en hoop. 'Je houdt helemaal niet van me, hè?' zei ze naar adem snakkend toen de vreselijke waarheid zich aan haar opdrong. 'Je zag me als je beschermelinge en om je investering te beschermen ben je met me getrouwd, zodat je me voor jezelf kon houden.'

'Heel scherpzinnig, mijn liefste. Maar ik geloof niet dat je hysterisch hoeft te doen om iets dat, tot nu toe, een heel aangename zakelijke overeenkomst was.'

Catriona smeet haar servet op tafel en keek hem woedend aan en haar stem werd bij elk woord hoger. 'Hoe durf je ons huwelijk een zakelijke overeenkomst te noemen. Ik ben met je getrouwd omdat ik van je hield, niet omdat ik dacht dat jij me beroemd kon maken.'

Hij deed er het zwijgen toe, en de enige beweging die hij maakte was wanneer hij zijn sigaar naar zijn mond bracht en rook de warme duisternis van de avond in blies.

Catriona stond te trillen op haar benen. Passie en pijn vochten om voorrang terwijl ze naar het masker van wellevendheid keek van de man met wie ze was getrouwd en besefte dat hij zich alleen maar zorgen maakte om zijn zaak en zijn reputatie. Zíj deed er helemaal niet toe. 'Waarom, Peter?' vroeg ze. 'Waarom deze vertoning, dit vreselijke toneelstuk? Je had er niet voor hoeven zorgen dat ik verliefd op je werd – we hadden gewoon kunnen samenwerken, we hadden gewoon vrienden kunnen blijven.'

Zijn blik was nog steeds afstandelijk toen hij weer naar haar keek. 'Ik zag dat jonge, heel mooie meisje met een fantastische stem en ik realiseerde me dat dit de kans was om echt naam te maken. Ik moest er uiteraard voor zorgen dat je niet door een andere agent zou worden ingepikt en de enige manier om dat te bewerkstelligen was door met je te trouwen.'

'Vuile klootzak,' siste ze. 'Je bent net zo'n bedrieger en manipulator als Kane.'

Hij zette het glas met een klap op het dressoir en bleef een ogenblik met zijn rug naar haar toegekeerd staan terwijl hij zijn vuisten balde en weer ontspande. 'Vergelijk me nooit meer met hem,' zei hij koud. Hij draaide zich met een ruk om en alle kleur was uit zijn gezicht weggetrokken.

Catriona greep zich vast aan de rugleuning van een stoel. Ze beefde zo erg dat ze nauwelijks kon blijven staan. Wilde hij haar slaan? Was ze te ver gegaan?

'Je zult de naam van die man nooit meer noemen in mijn huis en je zult me zeker niet ooit nog eens met hem vergelijken. Ik heb een flink bedrag aan je gespendeerd, ik heb drie jaar gewacht voor je moeder me toestemming gaf om met je te trouwen. Je zult me respecteren en gehoorzamen, Catriona, dat eis ik.'

Ze schudde haar hoofd. 'Geen sprake van,' antwoordde ze. 'Hoe kan ik dat nou doen als jij geen enkel respect hebt voor mijn gevoelens? Ik heb je over mijn baby verteld omdat ik dacht dat je groot genoeg was om te begrijpen hoe belangrijk ze voor me is.' Ze lachte, een rauw, blaffend geluid waarin minachting het won van bittere humor. 'Ik kan niet geloven dat ik zo stom ben geweest. En wat jou gehoorzamen betreft – vergeet het maar, Peter.'

'Dan laat je me geen andere mogelijkheid,' zei hij zonder een spoortje emotie. 'Je kunt in dit huis blijven wonen, maar je slaapt in een andere kamer en daar eet je ook. Wanneer ik thuis ben wil ik je niet zien en ik zal geen woord meer tegen je zeggen tot je weer tot rede bent gekomen en je excuses hebt aangeboden.'

Catriona stond bijna letterlijk te trillen van woede. Ze balde haar vuisten en deed haar uiterste best om kalm te blijven. 'Het zal nog eerder sneeuwen in de hel, dan dat ik het bed nog eens met je deel,' snauwde ze. 'En wat verontschuldigingen betreft, vergeet het maar. Ik wil scheiden.'

'Nooit,' antwoordde hij. 'Een scheiding is absoluut niet aan de orde. Dat zou een schandaal veroorzaken.'

'Dat kan me niet schelen,' riep ze woedend. 'Ik weiger om op die voorwaarden te leven. Als jij me geen scheiding gunt, dan zorg ik er zelf wel voor.' Ze tilde de zoom van haar avondjurk op en vluchtte de kamer uit.

II

Catriona hoorde hoe hij de deur achter zich dichtsloeg en rende naar het raam. Ze zag hem wegrijden en de auto te snel de bocht om gaan. Ze draaide zich om en haalde haastig de koffers uit de kast. De kleine gebreide babykleertjes lagen nog steeds onderop, keurig ingepakt in vloeipapier en mottenballen. Ze had ze niet achter kunnen laten – was niet in staat geweest ze weg te geven – want dat zou zijn geweest alsof ze haar kind een tweede keer in de steek zou hebben gelaten.

Ze slikte haar tranen weg. Die zouden haar niets helpen en ze had geen idee hoeveel tijd ze had voor Peter terug zou komen. Ze propte haar kleren in de koffers, raapte de rest van haar spullen bij elkaar en gooide die er ook in. De juwelen die hij voor haar had gekocht zou ze achterlaten, net als de zijden negligés en kanten gevalletjes waar hij haar zo graag in zag. De gedachte aan zijn aanrakingen bezorgde haar rillingen. Hoe kon het dat ze niets had gemerkt? Hoe kon het dat ze niet had beseft dat haar huwelijk een schijnvertoning was? Hij was zo slim geweest, zo slinks; dat zou ze hem nooit vergeven.

Toen ze haar koffers had ingepakt en het huishoudgeld in haar tas had gestopt, bond ze de bladmuziek samen met haar boeken en foto's bij elkaar. Ze trok de voordeur achter zich dicht, deed de sleutel in de brievenbus en hield een taxi aan. Dat ze in de stad woonde betekende in ieder geval dat vervoer geen probleem was.

De chauffeur hielp haar de bagage in te laden, maar zijn opgewekte gebabbel werkte haar al snel op de zenuwen en uiteindelijk hield hij zijn mond terwijl ze door de achterafstraten van Sydney reden. Het was alsof haar stemming duidelijker was geweest dan duizend woorden. Ze kwamen op haar plaats van bestemming aan en ze wachtte tot hij haar spullen had uitgepakt, betaalde hem en draaide zich naar het huis.

Doris deed onmiddellijk de deur open. 'Hallo, liefje. Wat heeft dit allemaal te betekenen?' Het vriendelijke gezicht was een en al rimpel, daar kon geen make-up tegenop.

'Waar is mam?' Ze zeulde de koffers naar binnen, stapelde de rest van haar spullen er bovenop en worstelde zich uit haar jas.

Doris wierp een blik op de koffers, de dure avondjurk en Catriona's woedende uitdrukking. 'Ze is in de keuken thee voor ons aan het zetten.' Ze aarzelde en raakte toen Catriona's arm aan. 'Ze is helemaal niet in orde, schat,' fluisterde ze op samenzweerderige toon. 'Ik geloof dat ze het weer op de borst heeft.'

Catriona knikte. Mam was sinds ze uit Atherton waren weggegaan niet in orde geweest en het was niet alleen haar borst waarvan ze last had. Haar hele gemoedstoestand baarde haar zorgen. Ze liep achter Doris aan door de hal naar de kleine keuken aan de achterkant van het huis.

Velda draaide zich met de theepot in de hand om en liet hem bijna vallen toen ze haar dochter in avondjurk zag staan. 'Wat doe jij hier?' wilde ze weten.

'Ik heb onderdak nodig,' antwoordde Catriona. 'Ik hoopte dat ik een tijdje bij jou zou kunnen blijven, tot ik een plek voor mezelf heb gevonden.'

Velda's mond trok samen tot een dunne lijn van afkeuring. 'Nu al problemen? Ik heb je gewaarschuwd, Catriona. Hij is een veel oudere, verfijnde heer. Hij neemt die woedeaanvallen niet.'

Catriona was zich er maar al te zeer van bewust dat Doris brandend van nieuwsgierigheid achter haar in de deuropening stond. 'Kunnen we ergens praten, mam?' vroeg ze zachtjes.

'Je kunt zeggen wat je te zeggen hebt waar Doris bij is,' antwoordde ze terwijl ze met een doek over het aanrecht en de kookplaat van het grote witte fornuis ging.

Catriona betwijfelde of Velda werkelijk wilde dat ze de vuile was buiten hing, ook al ging het alleen maar om Doris. 'Ik ga naar je kamer, mam,' zei ze met opeengeklemde kaken. 'We kunnen daar praten.'

Velda slaakte een diepe zucht en gaf de theepot aan Doris die erg teleurgesteld keek omdat ze overal buiten werd gehouden. Ze liep langzaam achter Catriona aan naar haar eenzame slaapkamer, deed de deur achter zich dicht en liet zich buiten adem op bed vallen. Het was stil in huis; aangezien het zaterdag was, waren alle kostgangers weg. 'Wat is er gebeurd?' vroeg ze terwijl ze achteroverleunde in de kussens.

Catriona stond bij het raam waar ze al zo vaak had gestaan. Ze staarde naar de lichtjes van de stad. 'Ik heb hem over de baby verteld,' zei ze ten slotte.

Velda's mond viel open en ze kwam overeind. 'Stomme, stomme meid,' zei ze boos. 'Heb je dan al je verstand verloren?'

'Blijkbaar,' antwoordde ze toonloos. Ze ging verder en vertelde haar hele, trieste verhaal en toen ze klaar was, was ze bijna weer in tranen.

'Je gaat terug en smeekt die man op je knieën om vergiffenis,' schreeuwde Velda. 'Je hebt alles aan hem te danken, alles.'

Catriona draaide zich met een ruk om en keek haar aan. Ze geloofde haar oren niet. 'Hoe kun je nu zijn kant kiezen na alles wat hij heeft gedaan? Hij heeft erop aangestuurd om met mij te trouwen om me voor zichzelf te houden; hij had zelfs het lef om te zeggen dat hij nooit van me heeft gehouden. Maar vanavond heeft hij zijn ware aard getoond en ik ga nooit naar hem terug. Nooit.'

Velda kwam van het bed en ging voor haar staan. Haar hand schoot uit en raakte Catriona in haar gezicht, waar de afdruk van haar vingers op de bleke huid achterbleef. 'Dat is omdat je zo stom hebt gedaan,' snauwde ze. Ze sloeg haar nog een keer. 'En dat is omdat je Kanes bastaard je leven en alles waar we al die jaren voor gewerkt hebben laat verpesten.'

Catriona ging met haar vingers over de sporen van haar moeders woede op haar gezicht. Ze was zo geschokt door haar moeders reactie dat ze nauwelijks kon denken, laat staan iets zinnigs kon uitbrengen.

'Je bent een heel ondankbaar meisje, Catriona,' zei Velda, en haar ademhaling ging hortend terwijl ze vocht tegen de benauwdheid die haar borst in zijn greep hield. 'Egoïstisch. Alsof ik al niet ziek genoeg ben.' Ze liet zich weer op het bed vallen.

Catriona keek haar lange tijd aan en ging toen de kamer uit. Haar hooggehakte schoenen klonken luid op het linoleum op de trap en in haar haast om weg te komen liep ze Doris bijna van de sokken.

'Ho even, kind. In deze staat ga jij nergens naartoe.' Ze sloeg een dikke arm om Catriona's middel en manoeuvreerde haar de zitkamer in. 'Kom, schat. Drink een kop thee en kalmeer een beetje.'

'Kan ik hier blijven, Doris?'

De helblonde haren bleven keurig op hun plaats toen Doris haar hoofd schudde. 'Het spijt me schat, ik zit helemaal vol.' Ze bood Catriona een sigaret aan en stak er zelf ook een op. 'Maar ik heb een vriendin in de buurt van de haven. Die heeft een leuk plekje te huur. Daar zou je heen kunnen.'

Catriona kon nauwelijks ademen door de dikke rookwolken die van Doris' sigaret walmden. Ze vreesde de gevolgen voor haar longen en stembanden en noteerde snel het adres. 'Kun je je vriendin bellen en zeggen dat ik vanavond nog kom?' vroeg ze. 'En wil je dan een taxi voor me bellen?' Ze zag Doris aarzelen. 'Ik betaal voor de telefoontjes,' zei ze snel en ze haalde een biljet van tien dollar tevoorschijn.

Binnen het uur stond Catriona midden in een klein appartement op de eerste verdieping dat uitzicht bood op de haven. De huur was redelijk en het was schoon. Het meubilair en de aankleding lieten veel te wensen over, maar ze had wel erger meegemaakt. Ze voelde zich op een vreemde manier bevrijd, want dit was voor het eerst dat ze helemaal alleen zou wonen. Maar de gebeurtenissen van die avond hadden nog steeds iets onwerkelijks en ze vond het moeilijk om zelfs maar aan de gevolgen te denken.

Ze liep langzaam door de slaapkamer, de kleine keuken en badkamer, terug naar de woonkamer. De woonkamer had een klein balkon en ze stapte naar buiten om het uitzicht te bewonderen. Er voeren schepen heen en weer en de veerboot kwam net de haven binnen. Er straalde licht uit de gebouwen, ondanks het feit dat er een oorlog gaande was. Maar ze waren natuurlijk zo ver van Europa dat het waarschijnlijk helemaal niks uitmaakte. Ze zouden hier aan de andere kant van de wereld tamelijk veilig zitten.

De volgende ochtend verliet ze al vroeg haar appartement en ging naar een advocaat. Hij gaf op vlakke toon zijn advies. Een vrouw kon niet het initiatief nemen tot een scheiding, tenzij er onweerlegbaar bewijs was dat haar echtgenoot ontrouw was geweest en haar reputatie volledig te gronde zou worden gericht als hij van háár zou scheiden op grond van háár bedrog.

Catriona pakte haar handtas en liep zijn kantoor uit. Wat kon haar reputatie haar schelen en wat kon Peter haar schelen. Ze zou haar scheiding krijgen en verder kon iedereen de boom in. Ze liep met grote stappen door de straten en ze was zo boos dat ze bij het theater aankwam zonder zich te herinneren hoe ze daar was gekomen. Ze beende naar haar kleedkamer, deed het kistje in de onderste lade van haar kaptafel van het slot en haalde haar contract tevoorschijn. Ze hield het een ogenblik in haar handen en herinnerde zich de opwinding die zich van haar meester had gemaakt toen ze het tekende. Toen scheurde ze het in stukjes. Ze dwarrelden als confetti op de grond – een herinnering aan haar prachtige bruiloft – en ze barstte in tranen uit.

Haar kleder klopte op de deur en kwam binnen. Brian Grisham was een vrouwelijke man van onbestemde leeftijd, met een hang naar felgekleurde jasjes en geverfd haar, die al sinds hij een jongen was in het theater werkte. Hij had zijn naam afgekort tot Brin, omdat hij dat minder macho vond klinken. 'O hemeltje,' riep hij uit terwijl hij voor haar knielde. 'Wat is hier aan de hand?' Hij legde een hand op haar arm. 'Kom op, schat,' zei hij troostend. 'Vertel alles maar aan tante Brin.'

'Mijn huwelijk is op de klippen,' snikte ze. 'Peter Keary is een ongelooflijke klootzak.'

'Typisch een man,' zei hij met een gebaar van zijn hoofd. 'Stuk voor stuk lomperiken.'

Ze lachte door haar tranen heen. Brin was zo goed en vriendelijk als welke vriendin ook en twee keer zo begripvol. 'Ik heb m'n contract verscheurd,' bekende ze.

Hij keek naar de snippers die over de vloer verspreid lagen en trok een flink geëpileerde wenkbrauw op. 'O hemel,' zuchtte hij. 'Dat was niet zo slim, schat. Hij zal je voor de rechter slepen en flink uitkleden.'

'Dat kan me niet schelen,' zei ze en ze veegde haar tranen weg.

'Je kunt niet zonder een agent,' zei hij op licht bestraffende toon. 'Wat moet je nu beginnen?'

'Ik zoek wel een andere,' was haar weerwoord terwijl ze de borstel pakte en de aanval inzette op haar lange haar.

Brin nam de borstel van haar over en bracht haar met zachte, lange halen een beetje tot rust. 'Dat zal niet meevallen,' zei hij ten slotte. 'Agenten vormen een kliek; als je de een tegen de haren instrijkt, heb je het bij allemaal verbruid.' Hij ging door haar haar te borstelen. 'Ik heb een vriendin die misschien kan helpen,' zei hij zachtjes na enig nadenken. 'Ze is net als jij, onafhankelijk, trekt zich niets aan van geroddel en weet hoe bruut mannen kunnen zijn.' Hij legde de borstel neer en keek naar haar in de spiegel. 'Clemmie is soms een beetje een manwijf, maar ze heeft een hart van goud en ik weet zeker dat ze je wil helpen.'

Catriona wist niet of ze wel iets te maken wilde hebben met een lesbische agent. Haar reputatie zou al genoeg worden geschaad en hoewel ze wel eens met zulke vrouwen had gewerkt, had ze zich nooit op haar gemak gevoeld in hun gezelschap en de gedachte dat ze door een van hen zou worden vertegenwoordigd, stond haar helemaal niet aan. Ze aarzelde.

Brin leek haar gedachten te kunnen lezen, en hij grijnsde. 'Clemmie heeft drie kinderen en een *heel* knappe echtgenoot. Ze is een taaie omdat ze in een mannenwereld actief is – net als wij allemaal,' voegde hij daar met een zucht aan toe.

'Geef me haar nummer maar, dan zal ik haar bellen.' Catriona keek glimlachend naar hem op. 'Dank je, Brin. Je bent een schat.'

Clementine Frost was lang en slank, met kort, bruin haar, bruine ogen en een houding van vastberaden efficiency. Ze was voor in de dertig en droeg strak gesneden jasjes en maatbroeken, blouses met franjes en grote sieraden. Haar make-up was perfect, haar nagels lang en gelakt in hetzelfde donkerrood als haar lippenstift. Catriona was aangenaam verrast toen ze ontdekte dat ze elkaar onmiddellijk mochten.

Het kantoor was heel anders dan andere kantoren. Het bestond uit een grote, zonovergoten ruimte in het souterrain van het woonhuis, comfortabel gemeubileerd met grote fauteuils en sofa's, dure tapijten en vazen vol verse bloemen. De deuren aan het einde van de kamer gaven toegang tot een prachtige tuin en ze zag een schommel en een glijbaan staan en het gras lag bezaaid met kinderspeelgoed.

De twee vrouwen keken elkaar over de salontafel aan. 'Je zult de rest van Peters boekingen moeten afwerken,' zei Clemmie met heldere, afgemeten stem. 'Maar ik zou niet weten waarom ik jou niet zou vertegenwoordigen wanneer ik hem eenmaal een officiële verklaring heb gestuurd.' Haar donkere ogen namen haar op. Ze had een paar vragen gesteld om erachter te komen waarom Catriona niet langer wilde dat haar echtgenoot haar vertegenwoordigde en leek zich weinig zorgen te maken over haar toekomst. 'Ik heb uiteraard over je gehoord.' Ze glimlachte. 'De recensies zijn geweldig. Ik wil met alle plezier je agent zijn.'

'Peter zal me aanklagen wegens contractbreuk,' zei Catriona. 'En dan krijgen we natuurlijk nog de scheiding. Weet je het zeker?'

Clementine ging staan en glimlachte. 'Ik denk dat wanneer dat aan de orde komt, we allebei mans genoeg zijn om dat onder ogen te zien,' zei ze. 'En mocht je een goede advocaat nodig hebben, dan weet ik zeker dat mijn man je wel kan helpen.' Ze stak haar arm uit en ze schudden elkaar de hand. 'Vergeet niet dat je een geweldig talent hebt dat uiteindelijk je redding zal blijken. Let op mijn woorden.'

Catriona nam een grote doos chocola en een enorm boeket mee voor Brin om hem te bedanken.

Een week later kreeg ze een telefoontje van Doris. 'Je kunt maar beter komen,' zei ze in tranen. 'Het gaat helemaal niet goed met je moeder.'

Catriona verontschuldigde zich bij de dirigent en nam een taxi. Ze voelde zich vreselijk schuldig. Ze had haar moeder niet meer opgezocht sinds die avond dat ze bij Peter was weggegaan – ze was toen al niet in orde geweest – wat als ze te laat kwam? Doris zou niet hebben gebeld als het geen noodgeval was.

Ze rende de trappen van het pension op naar de kamer die ze eens met Velda had gedeeld. Het was er donker, de gordijnen waren stijf dichtgetrokken om het felle zonlicht buiten te houden. Velda zag er heel klein uit in het smalle bed en het enige geluid dat klonk was het benauwde gerochel en het gepiep in haar borst.

Velda deed haar ogen open en Catriona was geschokt door de vermoeidheid die uit haar bijna nietszeggende blik sprak. 'Kitty?' Haar stem was niet meer dan een fluistering.

'Ja, mam. Ik ben er.' Ze draaide zich om naar Doris die puffend achter haar aan de trap op was gekomen met Meneer Woo als een bontje op haar arm gedrapeerd. 'Is de dokter al geweest?'

Doris knikte. 'Ongeveer een uur geleden. Hij zorgt dat ze wordt opgenomen in het ziekenhuis.'

'Wat heeft ze?' wilde Catriona weten.

'Longontsteking,' zei Doris met een snik. Haar mascara was doorgelopen en haar lippenstift vertoonde vegen. 'Ze is nooit meer van die verkoudheid afgekomen die ze afgelopen winter heeft opgelopen en ze hoestte echt vreselijk, maar ze wilde eerder niet dat ik een dokter waarschuwde.' Ze drukte de hond tegen zich aan. 'Ik heb gedaan wat ik kon, Catriona. Ze is mijn beste vriendin.'

Catriona keek haar aan met een flauwe, begripvolle glimlach en wendde zich toen weer naar het uitgeteerde lichaam op het bed. Velda bleef toch haar moeder en ondanks alles wat er in haar korte leven was gebeurd, hield ze van haar. Toen ze daar zat en de stilte en de duisternis vulde met herinneringen aan de reizen van het toneelgezelschap, zag ze haar moeders prachtige violette ogen helderder en haar blik scherper worden.

'Een mooie tijd,' mompelde ze. 'Wat waren we toen gelukkig.'

Catriona drukte een kus op de koortsige wangen en streek het haar naar achteren dat ooit zo weelderig was geweest. 'Ik hou van je, mam,' fluisterde ze.

'Ik hou ook van jou,' zei ze naar adem snakkend. Haar ogen werden groot terwijl ze over Catriona's schouder keek en ze hees zich overeind en steunde op haar elleboog. 'Declan? Declan?' Ze viel met een glimlach op haar gezicht terug in de kussens. 'Ahhh,' zuchtte ze.

Catriona greep de levenloze hand toen de ogen zich weer sloten en het vreselijke gerochel en gepiep plaatsmaakten voor een diepe stilte.

Doris barstte in tranen uit en stommelde naar beneden. Catriona bleef bij Velda tot de ambulance kwam. Haar moeders leed en zielenpijn waren ten einde en als er werkelijk een hemel bestond, dan was ze nu bij pa.

Velda werd begraven op een hete zomermiddag. De lucht weerklonk van vogelzang en was vol van de geur van pas gemaaid gras en gele acacia. Toen de plechtigheid voorbij was, bleef Catriona staan en deed haar ogen dicht. De geluiden en geuren waren die van haar jeugd. Velda had eindelijk rust gevonden.

De dag na de begrafenis diende Peter Keary een aanklacht tegen haar in wegens contractbreuk. De procedure nam weken in beslag en het kostte heel wat gemanoeuvreer van de kant van Clemmies man John om de som die hij wilde hebben tot redelijke proporties terug te brengen. Toch zou ze de komende drie jaar hard moeten werken om hem te kunnen betalen.

De scheiding kostte meer tijd, maar uiteindelijke realiseerde hij zich dat haar reputatie, of die van hem, haar niks kon schelen. Hij gaf ten slotte toe toen hij een andere vrouw leerde kennen en het fotografische bewijs van zijn overspel versnelde de zaak aanzienlijk.

Clemmie had zich een goede vriendin getoond en toen het nieuws van de scheiding alle kranten haalde, hield zij de verslaggevers bij haar weg en zorgde ze ervoor dat Catriona bezigheden buiten de stad had. Maar ondanks Peters dreigementen werd het nieuws over de scheiding bijna onmiddellijk verdrongen door nieuws over de oorlog. De jappen hadden Pearl Harbor gebombardeerd – de yankees gingen eindelijk meedoen om het arme, belegerde Engeland te helpen – en Singapore was al gevallen. De oorlog in Europa had zich uitgebreid naar de andere kant van de wereld en er bestond een reële angst dat de Japanners het grote, lege hart van Australië zouden overspoelen.

Catriona had nog nooit zo hard gewerkt. Ze reisde samen met Brin en een klein gezelschap zangers en musici heel Australië door om op te treden voor de Amerikaanse troepen die met verlof in Australië waren, voor de mensen van de Australische luchtmacht uit Broome en Darwin, en voor de gewone mensen uit de outback die in afwezigheid van de mannen een grote droogte moesten zien te overleven.

Van Darwin naar Adelaide, van Brisbane naar Perth en weer terug naar Sydney. Ze doorkruiste het land waar ze het grootste deel van haar leven al in had rondgereisd in de lengte en in de breedte. Ze trad op in dorpszaaltjes en in bars van hotels, naast hangars en barakken op vliegvelden. Ze reisde per trein en met de auto en zelfs te paard om de afgelegen dorpen in het binnenland te kunnen bereiken – het was een sterke herinnering aan de jaren met de rondtrekkende troep en, hoewel ze uitgeput was, gaf die herinnering haar de kracht om door te gaan, want dit was haar erfgoed.

Ze had een breed repertoire dat uiteenliep van opera tot revue en de liedjes die in die dagen populair waren, en haar populariteit verspreidde zich en leverde haar de eretitel 'Nachtegaal van de Outback' op.

Toen Darwin en Broome werden gebombardeerd en Japanse onderzeeërs in de haven van Sydney werden gesignaleerd, weigerde ze toe te geven aan haar angst. De geest van Australië was sterk en hoewel ze alleen maar haar zang had om bij te dragen aan de oorlogsinspanning, wist ze dat ze troost en een paar plezierige ogenblikken bracht in de levens van de mannen en vrouwen die zo moedig het land verdedigden. Het betekende maar een kleine opoffering, ook al miste ze haar appartement in Sydney en was ze doodmoe van die lange maanden van reizen.

Terwijl Groot-Brittannië en Amerika zegevierden in Europa, werd de strijd in het gebied rond de Stille Oceaan heviger. Het leek alsof er nooit een einde aan zou komen. Maar de dood van haar moeder, de scheiding van Peter en de maanden van rondtrekken hadden haar een gevoel van vrijheid gegeven dat ze nooit had gekend. Als er niet al die bureaucratie was geweest en de wetenschap dat haar dochter buiten haar bereik bleef, had ze kunnen genieten van de oorlogsjaren.

Ze besteedde al haar vrije tijd aan het doorzoeken van stapels papier in stoffige kantoortjes, ze had in elke stad waar ze kwam steekpenningen betaald en gesmeekt en vragen gesteld. Ze had zelfs Clemmies echtgenoot opdracht gegeven alles te doen wat als advocaat in zijn vermogen lag, maar haar drukbezette concertagenda betekende dat ze zelden langer dan een dag op één plek was en omdat de archieven een puinhoop waren en communicatie een chaos, schoot ze niet erg op.

De vrede werd getekend en de mannen begonnen naar huis terug te keren. Catriona was de ster van het welkomstconcert en toen ze een aria uit Purcells *Dido* had gezongen, wachtte ze tot het applaus was weggestorven en kondigde Bobby aan.

De jongen met wie ze op de academie had gestudeerd, was een man geworden – een man die 's nachts huilde vanwege de dingen waarvan hij in Birma getuige was geweest. Maar zijn geest was ongebroken en zijn muziek had zijn redding betekend. De eerste, rustige noten van zijn viool deden het geroezemoes verstommen en toen het publiek de melodie herkende, barstte het uit in een indrukwekkende versie van *We'll Meet Again.*

Het was een lied dat beroemd was gemaakt door Vera Lynn en werd het vaakst aangevraagd door de jongens voor wie ze in die vreselijke jaren had opgetreden. Terwijl Catriona zong en het publiek met verve meedeed, werd ze gegrepen door de emotie die door de zaal in het stadhuis van Sydney golfde. Zo velen van de jongens waren gewond, en niet alleen lichamelijk, maar toch kregen ze vanavond de gelegenheid om dat allemaal even achter zich te laten en hun thuiskomst te vieren.

Een enthousiast gezongen *Waltzing Mathilda* volgde en haar medeuitvoerenden voegden zich bij haar op het podium. Bobby grijnsde haar toe terwijl hij vioolspeelde en het zweet van zijn gezicht droop en Catriona grijnsde terug. Het was net als vroeger toen ze met zijn allen improviseerden in de eetzaal.

Het publiek leek er weinig voor te voelen om op te stappen en het concert kwam pas ten einde toen de hemel al lichter werd. Catriona en Bobby kwamen de artiesteningang uit en waren nog een uur kwijt aan het signeren van boekjes en het poseren voor foto's. Ze zagen eindelijk kans te ontsnappen toen de zon al boven de horizon uitkwam en gingen elk huns weegs. Bobby naar zijn vrouw en kind, Catriona naar haar eenzame appartement.

Catriona was uitgeput en ze vroeg Clemmie haar een paar maanden vrij te geven, zodat ze weer op krachten kon komen.

'Dat zal niet gaan,' zei Clemmie en ze zwaaide met een contract. 'Je gaat naar Londen.'

'Ik dacht dat Londen in puin lag?'

Clemmie schudde haar hoofd. 'Neergeslagen, maar nooit gebroken. Ondanks Hitler waart de geest van de buldog nog steeds rond.' Ze grijnsde. 'Een beetje zoals jij en ik, eigenlijk,' zei ze.

Catriona grijnsde terug. Ze voelde zich plotseling helemaal niet moe meer. 'Nou, hoe zit het precies met Londen?'

'Je gaat eerst een paar maanden opera studeren aan het Royal College of Music en vervolgens ga je bij de Covent Garden Company en dan maak je je internationale debuut in het Royal Opera House.' Ze keek naar Catriona's opgetogen gezicht. 'Je bent nu goed op weg, Kitty,' zei ze trots.

De jaren die volgden gingen in een waas voorbij. Het Royal College of Music was niet te vergelijken met de academie in Sydney en ze werkte harder dan ooit tevoren om haar vaardigheden tot in de perfectie bij te slijpen. Toen het jaar 1949 begon, vierde Catriona haar achtentwintigste verjaardag voor ze op het podium in Londen haar debuut maakte.

Ze had de omvang en de bekoring van het enorme Royal Opera House overweldigend gevonden, want er was thuis niets dat ermee vergeleken kon worden. Ondanks de rantsoenering en de ontberingen, de platgebombardeerde plekken en de pure vernietigingskracht van de blitz, leek niets de Britten ervan te kunnen weerhouden de schone kunsten in de watten te leggen. De decors waren schitterend, het orkest enorm en de belichting en kostuums gaven het geheel een betoverende glans die ze nooit van haar leven zou vergeten. Maar de ware kracht van het Opera House werd pas vanaf het podium zichtbaar. Rij na rij rode pluchen stoelen en de pracht van de rijke goudkleurige decoratie aan het plafond en langs de muren werd nog versterkt door de lichten, de sfeer en de muziek. Het was adembenemend.

Ze zou de hoofdrol zingen van Bizets *Carmen*. De repetities waren al weken gaande en ze voelde zich vertrouwd met haar rol, maar toen ze in de coulissen stond te wachten, trilden haar benen zo erg dat ze van een van de leden van het koor een slokje whisky aannam om haar zenuwen tot bedaren te brengen.

De orkestleden hadden hun instrumenten gestemd en de dirigent was met een applaus welkom geheten. Er viel een stilte in de zaal toen de zware fluwelen gordijnen langzaam opgingen en de prelude begon. Catriona nam een flinke slok water en probeerde haar nerveuze energie op een positieve manier te gebruiken. Ze had al eerder aria's uit deze opera gezongen – ze had eerder op toneel gestaan – maar ze wist hoe belangrijk dit debuut was, want als het vanavond goed ging, zou ze eindelijk haar naam hebben gevestigd. Ze streek haar haar achterover dat loshing en tot haar heupen viel en controleerde nog een keer of de grote gouden oorringen goed vastzaten. Ze schudde haar rood en oranje flamencorokken, deed de rode boerenblouse goed die van haar blote schouders naar beneden hing en wriemelde toen even met haar tenen. Het was haar idee geweest om Carmen blootsvoets te spelen, maar die verrekte vloer was ijskoud.

De bel van de sigarettenfabriek klonk en de meisjes van het koor stroomden het toneel op. Catriona haalde diep adem en vermande zich. Toen de kreet 'Carmen!' klonk pakte ze haar rokken beet en rende over de brug de trap af naar het plein waar de menigte uiteen week om haar door te laten. Ze wierp de mannen die zich om haar verdrongen een uitdagende blik toe. 'Van je houden?' Haar toon was minachtend. 'Misschien morgen. In ieder geval niet vandaag.'

Ze keek de mannen van het koor lachend aan en begon langzaam te wiegen op de maat van een habanera terwijl ze *L'Amour Est Un Oiseau Rebelle* zong. Ze was in de huid van Carmen gekropen. Ze bewoog zich lenig als een panter over het toneel, mooi, wilskrachtig en gevaarlijk, en haar violette ogen en golvende haar maakten allemaal onderdeel uit van haar poging om Jose te verleiden.

De voorstelling bereikte zijn hoogtepunt en de lichten werden gedimd en het doek ging onder stormachtig applaus neer. Catriona werd overeind geholpen door de tenor die Jose speelde. Hij was een knappe man, maar ijdel, en Catriona had zijn avances de hele week ontlopen, maar nu liet ze zich door hem kussen. De adrenaline stroomde door haar lichaam. Ze was nog steeds Carmen.

Ze werd keer op keer teruggeroepen en het toneel ging bijna schuil onder de rode rozen die het publiek haar toewierp en ze wist dat ze haar droom eindelijk had waargemaakt. Wat zouden haar ouders trots zijn geweest als ze hadden kunnen zien hoe hun dochter haar plek op het wereldtoneel had ingenomen en de bewondering van zo'n publiek had weten te bewerkstelligen. Waren ze nog maar bij haar, dacht ze toen ze eindelijk het toneel verliet. Maar hun geest zou altijd bij haar zijn – over haar waken – haar kracht geven.

De daaropvolgende elf jaar bevestigden Catriona stevig in de rol van diva. Ze zong de rol van Floria Tosca in het Scala van Milaan, die van prinses Turandot in het Metropolitan in New York, Mimi in de Grand Opera van Parijs en Manon Lescaut in Covent Garden. Ze reisde naar Spanje en Zuid-Amerika en naar de Verenigde Staten en zo nu en dan keerde ze terug om in de kleinere zalen in Sydney, Melbourne en Adelaide op te treden.

Het was 1960 en Catriona was in Sydney aangekomen na een triomfantelijk debuut in La Fenice in Venetië waar ze de ingewikkelde en vreselijk vermoeiende titelrol had gezongen van Händels *Alcina*. Ze was negenendertig.

Clemmie, John en Brin stonden haar op de kade op te wachten en brachten haar naar haar appartement aan de rivier. Ze was nu eigenaar van het hele gebouw en na een grondige verbouwing was het een luxueus plekje geworden waar ze zich kon verbergen voor alle drukte die haar leven kenmerkte.

Ze was hier dolgraag, maar haar agenda liet dat zelden toe, dus was Brin in de benedenverdieping getrokken om voor haar een oogje in het zeil te houden.

Brin, flamboyant als altijd, had bloemen voor haar. Hij was al een eindje in de zestig, maar werkte nog steeds in het theater. Hij aanbad haar en dat gevoel was wederzijds. 'Welkom thuis, schat,' riep hij uit terwijl hij haar een handkus gaf. 'Nu moet ik ervandoor – de middagvoorstelling – je weet hoe het is.'

'Hij verandert ook geen spat,' zei Catriona zachtjes. 'Die lieve Brin. Wat zou hij hebben genoten van Europa.'

'Je ziet er geweldig uit,' zei Clemmie terwijl John iets te drinken voor hen inschonk. 'Ik wou dat ik kans zag om zo'n figuur te houden.' Clemmie was net vierenvijftig geworden en was wat aangekomen, en hoewel het haar best goed stond, had ze het gevoel dat ze er dik uitzag.

'Je had niet met pensioen moeten gaan,' antwoordde Catriona terwijl ze haar hoge hakken uitschopte en haar tenen bewoog. 'Je weet dat je je verveelt als je alleen mij maar hebt om de baas over te spelen.' Clemmie had haar agentschap gesloten, maar was nog steeds Catriona's manager. Catriona grijnsde naar haar vriendin om het venijn uit haar woorden te halen en haar te laten merken dat ze alleen maar plaagde. 'Wat dat figuur betreft, ik eet als een wolf en werk en zweet als een paard wanneer ik aan het repeteren ben of een optreden heb. Als ik me terugtrek word ik waarschijnlijk zo breed als een huis – of minstens een kleine schuur.'

Ze moesten allemaal lachen en Catriona trok haar benen onder zich op de bank en begon zich voor het eerst in tijden te ontspannen. 'Seks heeft er uiteraard ook iets mee te maken,' zei ze zachtjes in de stilte die op het lachen was gevolgd. Ze giechelde toen John begon te blozen. 'Je hebt geen idee wat een kick het geeft om voor zo veel mensen op het podium te staan. De muziek, het licht, de pure passie van opera zijn een geweldige stimulans – je zou ervan staan te kijken als je wist hoeveel stelletjes ik heb moeten ontwijken die het in de coulissen deden.'

'En jij?' Clemmie gluurde in de richting van John die zich snel terugtrok in de andere kamer. 'Heb jij al een speciaal iemand gevonden?'

Catriona trok een gezicht. 'Er was een schat van een kunstenaar in Parijs. Hij heeft dat schilderij daar gemaakt.' Ze keek even naar het schilderij en zag de sensuele spanning er bijna vanaf stralen. 'We hebben in zijn atelier gevreeën – dat was buitengewoon bevredigend – maar ja, de Fransen weten ook alles van de liefde. Het enige probleem was dat het er verrekte tochtig was en ik bijna een longontsteking opliep.'

Ze giechelden als twee schoolmeisjes.

'Ik heb ook nog een korte affaire gehad met een Engelsman, maar die had geen enkele fantasie wat de slaapkamer betrof en hoewel hij een titel had en scheppen geld, wist ik dat ik niet de rest van mijn leven de schijn had kunnen ophouden. Veel te vermoeiend.'

Clemmie keek haar met grote ogen aan. 'Mijn god, Kitty, het lijken de Verenigde Naties wel. Ik weet wel dat dit de jaren zestig zijn, met vrije liefde en flowerpower en zo, maar ik had nooit gedacht dat jij...'

'En dan hadden we nog Hank de Yank.' Ze giechelde weer. 'Het is waar wat ze zeggen, ze zijn in één ruk klaar.' Ze rolden slap van het lachen om en toen John zijn hoofd om de deur stak en boos naar hen keek, werd het alleen maar erger.

'Dus,' zei Clemmie toen ze wat gekalmeerd waren, 'je hebt de ware Jacob nog niet gevonden? Je wacht wel een beetje lang, Kitty.'

Catriona haalde haar schouders op. 'Ik ben een keer getrouwd en dat pakte niet goed uit. Ik ben moeder geweest, en dat werkte ook niet.' Ze glimlachte naar haar vriendin die ze zo veel jaren geleden in vertrouwen had genomen en die nooit had geoordeeld. 'Maak je om mij maar geen zorgen, Clemmie. Ik heb plezier en als ik er te oud voor word, trek ik me terug in de outback en slijt ik de rest van mijn dagen met gelukkige herinneringen aan de mannen van wie ik heb gehouden.'

'Dat doet me ergens aan denken,' zei Clemmie terwijl ze van de bank sprong. 'John heeft heel goed nieuws voor je.' Ze zocht in de aktetas die hij bij zich had gehad en haalde na verloop van tijd een bundel papieren tevoorschijn. 'Belvedère stond te koop.' Ze stak met een zwierig gebaar de papieren in de lucht.

Catriona staarde haar aan. 'Belvedère?' zei ze ademloos. Opwinding maakte zich van haar meester en ze sprong overeind. 'Hoe, wanneer? Heeft John een bod gedaan?'

Clemmie grijnsde. 'Aangezien John en ik jouw gevolmachtigden zijn wanneer je het land uit bent, hebben we drie dagen geleden het koopcontract getekend. Het is van jou, Catriona.'

Ze nam de papieren aan en liet zich met een plof op de bank vallen. Belvedère was een droom, een bijna onmogelijke droom die ze al van jongs af aan koesterde. Nu hield ze de eigendomspapieren in haar hand. Haar droom was uitgekomen.

12

Sydney – of willekeurig welke plaats in Australië – had nog steeds geen theater dat groot genoeg was voor een volledige opera of ballet. Maar in de jaren vijftig van de twintigste eeuw begon Goossens, de directeur van het conservatorium, de autoriteiten lastig te vallen met het verzoek een schouwburg te bouwen die daar wel groot genoeg voor was.

Het Sydney Opera House was een enorm project dat de regering veel hoofdbrekens bezorgde, schandalen veroorzaakte en voeding gaf aan geruchten over duistere zaakjes die er gaande waren. Het zou nog dertien jaar duren voor Goossens' droom werkelijkheid zou worden. Daarom zong Catriona de rol van Violetta in *La Traviata* in het conservatorium.

Ze haastte zich het repetitielokaal uit en dook ineen onder een paraplu. De regen kwam zo hard neer dat water opspatte van de straatstenen en haar kousen doorweekte. Er was nergens een taxi te bekennen en ze begon te wensen dat ze die ochtend met haar auto was gekomen. Terwijl ze stond te schuilen voor de regen werd ze opgeschrikt door een stem van iemand naast haar.

'Catriona?'

Ze draaide zich om en keek in de bleekblauwe ogen van een vreemdeling. De vrouw was een jaar of zestig, schatte ze. Ze had geen paraplu, ging slecht gekleed en haar dunne jas was volkomen doorweekt, maar toch sprak er een zekere trots uit haar houding, een vastberadenheid in haar trekken die op een vreemde manier bekend was. 'Ja?' antwoordde ze, onzeker over de reden waarom deze vrouw haar had benaderd. Ze zag er niet uit als een operaliefhebber en Catriona vermoedde dat ze op geld uit was.

'Je herkent me niet meer, hè?' vroeg ze. Haar mondhoeken gingen omlaag en haar ogen kregen iets triests.

Catriona keek eens goed naar het gerimpelde en vermoeide gezicht, naar de slecht geblondeerde haren en de uitgelopen make-up. 'Het spijt me,' mompelde ze terwijl ze een stap naar voren deed naar de trottoirband en snel de straat in keek om te zien of er ergens een taxi was. 'Ik denk dat u zich vergist.'

'Nee,' zei de vrouw heftig terwijl ze een hand uitstak en Catriona bij de arm pakte. 'Jij bent degene die zich vergist.'

'Laat me los,' zei Catriona die nu pas echt ongerust werd door de intense uitdrukking op het gezicht van deze vrouw. Ze had wel eens gehoord over doorgedraaide fans, maar zulke dingen overkwamen Elvis Presley, niet operadiva's. 'Ik ken u niet, maar als u op geld uit bent, heb ik hier een paar dollar voor u.' Ze rommelde in haar handtas en haalde wat munten tevoorschijn.

Het geld werd genegeerd, maar de intense blik bleef op Catriona's gezicht gericht. 'Krijg nou wat,' zei de vrouw. 'Ik had nooit gedacht dat ik nog eens zou meemaken dat Kitty zich te goed voelde om met een oude vriendin te praten.'

Catriona verstijfde. Ze herkende de stem, maar dat kon toch niet waar zijn? Ze negeerde de taxi die langs het trottoir tot stilstand was gekomen – negeerde het luide getoeter en de kreet waarmee dat gepaard ging – want haar aandacht werd volledig in beslag genomen door die bleekblauwe ogen. Langzaam daagde de herkenning toen ze eindelijk verder keek dan het geblondeerde haar en de slordig aangebrachte make-up. 'Poppy?' zei ze ademloos. 'Poppy, ben jij dat echt?'

'Ja,' antwoordde ze en ze stak haar handen diep in haar zakken. 'Niet bepaald een lust voor het oog, dat weet ik, maar ik ben het.'

Catriona sloeg haar armen om haar heen zonder acht te slaan op de drijfnatte jas die haar kasjmieren jas doorweekte en de make-up die waarschijnlijk vlekken maakte op haar lichte nertskraag. Dit was Poppy, haar vriendin, haar surrogaatmoeder, haar maatje in kattenkwaad en schuine moppen. Wat verschrikkelijk dat ze haar niet had herkend, maar wat geweldig om haar weer te zien.

Ze lieten elkaar eindelijk los en de tranen stroomden over hun wangen en vermengden zich met de regen. 'We zien er waarschijnlijk niet uit,' snufte Poppy terwijl ze haar gezicht depte met een niet al te schone zakdoek. 'En ik heb je prachtige jas ook nog geruïneerd.'

Catriona kon haar goedkope parfum in de nerts ruiken en zag hoe het vocht zich verspreidde in het dure kasjmier, maar dat gaf allemaal niets. 'Dat krijgt een goede stomerij wel weer in orde,' zei ze vlug terwijl ze de paraplu boven hun hoofden hield. De taxi was weggescheurd om een andere, bereidwilliger, passagier te zoeken. 'Kom mee, laten we een droog plekje zoeken en ergens een kop thee gaan drinken.'

De melksalon was warm, de ramen waren beslagen en de geur van koffie en warme pasteitjes maakte het des te aantrekkelijker. Het was er druk, de meeste tafels waren bezet door kantoormensen of met boodschappen en kinderen beladen vrouwen. Popmuziek schalde uit de jukebox en een paar tieners zaten in een hoekje te zoenen.

Ze vonden een vrije tafel achter in de zaak waar het een beetje rustiger was en gingen zitten. Catriona ontdeed zich van haar verpeste driekwart jas en drijfnatte paraplu, streek de stof van haar pak van tussorzijde glad dat ze in Singapore had laten maken, keek vervolgens in een spiegeltje dat ze uit haar handtas haalde hoe haar make-up eruitzag en deed een beetje lippenstift op.

'Mijn hemel,' verzuchtte Poppy terwijl ze worstelde met haar druipende jas, waaronder een goedkope katoenen jurk tevoorschijn kwam die was verbleekt door de vele wasbeurten. 'Je lijkt als twee druppels water op je moeder. Dat donkere haar, die violette ogen zijn precies hetzelfde, zelfs het kuiltje in je kin is hetzelfde.'

Catriona stopte haar spullen weer in de handtas van krokodillenleer en deed de sluiting dicht. 'Dank je, dat beschouw ik maar als een compliment.' Ze voelde zich plotseling een beetje opgelaten en wist niet goed hoe ze deze Poppy moest benaderen. Haar vreugde om het weerzien werd getemperd door de wetenschap dat hun levens heel verschillende kanten op waren gegaan. Wat hadden ze in vredesnaam nog gemeen?

'Hoe is het met Velda? Ik heb taal noch teken van haar vernomen sinds ik bij de troep ben weggegaan. Ik had gehoopt dat ze vandaag bij je zou zijn.'

Catriona leunde achterover op de gladde plastic bank. 'Mam is aan het begin van de oorlog overleden,' zei ze zachtjes. 'Ze was al een tijdje niet in orde en toen ze longontsteking kreeg, was ze niet sterk genoeg om er weer bovenop te komen.' Bij de herinnering aan haar moeders laatste uren moest ze tegen de tranen vechten. 'Ze heeft niet lang genoeg geleefd om al haar dromen en ambities voor mij waarheid te zien worden. Zij was de drijvende kracht achter mijn carrière, weet je. Zonder haar zou ik dit allemaal niet hebben gedaan.'

Poppy keek omlaag naar haar gezwollen rode handen die stijf gevouwen op de tafel tussen hen lagen. De nagels waren afgebeten en de nagellak bladderde. 'Het spijt me dat te horen,' mompelde ze. 'Ik had haar graag nog een keer gezien.' Ze keek weer naar Catriona en haar bleke ogen schitterden van onvergoten tranen. 'En je vader?'

Catriona vertelde in het kort welke tragedie haar vader had overvallen en ging maar zijdelings in op de periode dat haar moeder en zij samen met Kane in Atherton hadden gewoond. Ze was niet van plan Poppy alles te vertellen. De tijd dat ze haar vertrouwelinge was, lag ver achter hen en het zou nergens toe dienen. 'Mam en ik hebben Kane verlaten en zijn naar Sydney getrokken. We hebben in een pension aan de andere kant van de stad gewoond en we werkten in het restaurant van een van de chique hotels. Ze heeft ervoor gezorgd dat ik auditie kon doen voor een agent en de rest is, zoals ze dat zo mooi zeggen, geschiedenis.'

'Ik heb die Kane nooit vertrouwd,' zei Poppy terwijl ze achteroverleunde en haar magere armen over elkaar sloeg. 'Hij had iets vreemds. Ik weet nog dat ik tegen Velda heb gezegd dat ik dacht dat hij homo was.'

Catriona gaf geen antwoord en er viel een pijnlijke stilte toen de ober hun bestelling op tafel zette. Toen ze van hun thee dronken en de geroosterde cakejes aten, maakte Catriona van de gelegenheid gebruik om Poppy nader te bekijken.

Ze was oud geworden, daar was geen twijfel aan, en het was nauwelijks verwonderlijk dat ze haar niet had herkend. Poppy zag er vermoeid uit, had lijnen in haar gezicht van onuitgesproken zorgen en het was haar duidelijk niet voor de wind gegaan sinds ze de troep had verlaten. Maar ze had nog steeds die ondeugende twinkeling in haar ogen die Catriona vertelde dat Poppy, wat haar ook was overkomen, het leven nog niet had opgegeven.

'Je bent veranderd,' zei Poppy, alsof ze Catriona's gedachten had gelezen. 'Maar ja, dat zijn we allebei.' Ze zuchtte. 'En je praat zo deftig.'

'Jaren van lessen in voordracht,' zei Catriona met een grijns. 'Maar de woordenschat die ik van jou heb geleerd is me vaak van pas gekomen.'

Poppy grinnikte. 'Blij te horen dat er iets is dat ik goed heb gedaan. Er gaat niks boven een lekkere scheldpartij als je de pest in hebt.' Ze werd weer ernstig. 'Ik heb in de kranten je carrière gevolgd. Het spijt me van je scheiding, maar je hebt het goed gedaan, Kitty. Ik ben trots op je.'

Catriona schoof haar bordje van zich af. 'En hoe zit het met jou, Poppy? Hoe is het jou vergaan?'

Poppy lachte, maar er klonk weinig vreugde in door. 'Moet je dat nog vragen?' zei ze. 'Kijk eens naar me, Kitty. Ik ben nou niet bepaald het toonbeeld van succes.' Er lag een verdrietige uitdrukking op haar gezicht terwijl ze met haar lepel zat te spelen. 'Ik ben eenenzestig, Kitty. Een oude vrouw die behoorlijk versleten is. Ik werk in de keuken van het Sydney Hydro Hotel en ik woon in een kamer helemaal bovenin waar je je kont niet kunt keren.' Ze grinnikte en haar goede humeur keerde even terug. 'Niet dat ik zoveel kont heb om te keren.' Ze tikte met het lepeltje tegen de schotel. 'Het enige goeie is dat ik me nooit zorgen hoef te maken om eten. Kost en inwoning horen bij mijn salaris.'

Catriona kreeg medelijden met haar toen ze dacht aan de mooie vrouw die zo opgewonden was geweest over het onbekende dat haar te wachten stond. Poppy was toen halverwege de dertig, besefte ze plotseling. 'Wat is er gebeurd, Poppy?' Haar stem klonk zacht terwijl ze haar hand uitstrekte om de nerveuze handen tot bedaren te brengen.

'Het ouwe liedje,' mompelde ze schouderophalend. 'Ik ontmoette een vent en we hadden wat lol. We werkten allebei in een fabriek in Brisbane en ik zag er in die tijd best aardig uit. Ik viel als een blok voor hem. Hij was een knappe vent, met een charme die ik niet kon weerstaan. Ik raakte zwanger, hij ging ervandoor en ik was weer alleen.'

Ze keek weer naar Catriona. 'Ik wil niet dat je medelijden met me hebt of zo,' zei ze streng. 'Ik viel altijd al op een paar mooie bruine ogen en ik wist wat ik deed. Ik had er alleen niet op gerekend dat hij er meteen vandoor zou gaan en in 1932 was het een groot schandaal wanneer je in dat soort moeilijkheden raakte en je geen vent had.'

Catriona kon zich maar al te goed voorstellen hoe moeilijk Poppy het had gehad. 'Wat heb je toen gedaan? Het moet niet gemakkelijk zijn geweest, niet met ook nog eens een baby om voor te zorgen.'

'Ik ben gewoon doorgegaan met ademhalen. Wat moet je anders?' antwoordde ze filosofisch. 'Ik ben weggegaan uit Brisbane en hier naartoe gekomen. Ik vond een nieuwe baan, weer in een fabriek, en heb tot aan de geboorte gewerkt. Ellen werd op een zaterdag geboren en op maandag was ik weer aan het werk.' Ze grijnsde. 'Ik had mazzel dat het in het weekeinde gebeurde, want zo kostte het me geen loon. M'n hospita was heel lief en bood aan op de baby te passen als ik in ruil haar was en strijk zou doen.' Ze haalde haar schouders op. 'Het lukte wel.'

'En daarna?' Catriona vond het moeilijk zich voor te stellen hoe het leven voor Poppy moest zijn geweest zonder familie om haar te helpen.

'Ik heb de hele oorlog in die fabriek gewerkt en ook daarna nog, tot Ellen oud genoeg was om zelf aan het werk te gaan. Ellen is een lieve meid, ze werkt hard en is goed met haar handen. Ze kreeg een leuke baan bij een modeontwerper en het begon net goed met haar te gaan toen de geschiedenis zich herhaalde,' zei ze met een stuurse blik.

Catriona zuchtte diep. Het verhaal was maar al te bekend en ze had medelijden met haar oude vriendin.

'Ellen ontmoette Michael en raakte zwanger, maar zij kreeg hem tenminste zo ver dat hij met haar trouwde.' Ze trok een gezicht. 'Niet dat ze daar veel aan had,' zei ze. 'Hij is een echte klootzak.'

'Ik vind het zo akelig, Poppy,' zuchtte Catriona. 'Het klinkt alsof je het echt zwaar hebt gehad.'

'Ja,' zei ze op vlakke toon. 'Het is een zware tijd geweest, maar je kent me, nooit opgeven, dat is mijn motto.'

Catriona hoorde de dappere woorden, zag de breekbaarheid achter haar vastberaden glimlach en de tranen in haar ogen die haar pijn die diep vanbinnen zat verrieden. Poppy deed duidelijk haar uiterste best om haar waardigheid te behouden en elk aanbod om te helpen zou als liefdadigheid worden bestempeld. Maar toch wilde Catriona helpen, móést helpen. Poppy was ooit een heel goede vriendin geweest. 'Is Ellen in Sydney?'

Poppy knikte. 'Ze woont in een appartement in Kings Cross, samen met hem en de baby. Het is een ruige buurt, Kitty – geen plek om een kind groot te brengen – maar het is het enige dat ze zich kunnen veroorloven met wat hij als barman in een kroeg verdient.' Haar glimlach verflauwde en haar ogen lachten niet meer mee. 'Volgens mij drinkt hij het meeste van wat er in die vaten zit en als hij er een paar op heeft, wil je hem liever niet in de buurt hebben.'

'Bedoel je dat hij gewelddadig is?' Catriona boog zich voorover en greep Poppy's vingers. 'Zeg me wat ik kan doen om je te helpen.'

'O god,' verzuchtte ze, 'ben ik zo doorzichtig?' Toen Catriona geen antwoord gaf, trok ze zachtjes haar handen weg en stak ze opnieuw uit naar haar lege kopje. 'Ik moet haar daar weg zien te krijgen,' zei ze binnensmonds. 'Een dezer dagen doet hij haar nog wat aan, dat weet ik zeker.'

Catriona eerste opwelling was een cheque uit te schrijven en die aan haar te geven, maar ze wist dat Poppy's trots, hoe gekwetst ook, haar niet toe zou staan die aan te nemen. Ze wist ook dat het haar geen voldoening zou geven om zoiets kils te doen. Poppy had behoefte aan meer dan geld. Ze had rust nodig en een eigen plek, en ze had bovenal de behoefte te weten dat haar gezinnetje veilig was.

Ze zaten zwijgend tegenover elkaar terwijl de ober verse thee bracht. Catriona's hersenen werkten op volle toeren. Er begon zich het begin van een idee te vormen. Toen de ober weg was en Poppy een beetje opkikkerde van het hete, geurige brouwsel, begon ze haar idee onder woorden te brengen. 'Weet je nog toen we door Drum Creek trokken, Poppy? Ik moet toen een jaar of negen, tien zijn geweest en ik werd helemaal verliefd op een boerderij daar in de vallei.'

'Ja. Je moeder was daar niet zo blij mee, weet ik nog, want je bleef er maar over doorgaan dat je wilde stoppen met reizen en daar wilde gaan wonen. Wat is ermee?'

'Ik heb hem zes maanden geleden gekocht,' antwoordde ze. Ze glimlachte toen Poppy's ogen groot werden en er een schittering in verscheen. 'Ik ben nog niet in de gelegenheid geweest erheen te gaan om het te bekijken, maar ik herinner het me nog als de dag van gisteren.'

'Dat is wel een beetje gewaagd, zo'n groot stuk onroerend goed te kopen zonder er nog eens goed naar te kijken,' zei Poppy. 'Als je van plan bent daar te gaan wonen, hoe wil je de zaak dan runnen?'

'Ik heb een bedrijfsleider in dienst genomen,' legde ze uit. 'Hij is ervaren en had prima referenties. Hij zal ervoor zorgen tot hij met pensioen gaat en tegen die tijd ben ik waarschijnlijk zelf ook met pensioen en kan ik me terugtrekken.' Ze roerde in haar thee en nam een slokje, ondertussen overpeinzend hoe ze haar idee onder woorden kon brengen zonder dat Poppy het ogenblikkelijk van de hand zou wijzen. 'Er is een groot stuk land,' ging ze verder. 'Aan de boerderij moet nog een heleboel gedaan worden, als de gegevens van de makelaar kloppen, maar de bijgebouwen zijn in goede staat en er is een slaapzaal en een kookhuis en de gebruikelijke schuren en schuurtjes. Aan de rand van het land, het dichtst bij de stad, staat een klein huis met een tuin waar de zoon van de laatste eigenaar heeft gewoond. Dat staat nu leeg.'

Ze liet de woorden tussen hen in zweven en keek naar de opeenvolgende uitdrukkingen in Poppy's ogen. 'Het huis is heel simpel en niet in erg goede staat,' ging ze ten slotte verder. 'Maar het is vlak bij de hoofdweg naar Drum Creek en erachter ligt een groot stuk grond waar de zoon van de eigenaar een moestuin had. Uiteindelijk bracht de verkoop van zijn groenten in de stad hem redelijk wat op.'

'Klinkt goed,' zei Poppy met gemaakte onverschilligheid.

Catriona reikte over de tafel en pakte haar bij de hand. 'Waarom gaan we er niet eens samen een kijkje nemen, Poppy? Ik wil er al zo lang weer naartoe en het zou zo leuk zijn als je met me meeging.'

'Ik heb werk te doen,' mompelde ze. 'Ik kan niet zomaar een beetje gaan rondzwerven, en bovendien, hoe zit het met jouw repetities? Je kunt niet zomaar wat gaan spijbelen.'

'De uitvoering is pas over een maand,' antwoordde Catriona die het in dit geval niet zo nauw nam met de waarheid – de voorstelling was om eerlijk te zijn al over drie weken. 'Ik kan makkelijk een paar dagen vrij nemen,' zei ze er vermetel achteraan. De dirigent zou woest zijn, om nog maar te zwijgen van de bariton die erom bekendstond dat hij nogal een pietje-precies was wat betreft de punctualiteit van de sopranen met wie hij werkte, maar het zou het allemaal waard zijn als Poppy erin toestemde mee te gaan.

Ze keek naar haar gezicht en zag de schaduwen in haar ogen. Poppy aarzelde, kwam in de verleiding door het vooruitzicht een tijdje uit de stad weg te zijn, maar zou haar trots haar toestaan het aanbod te aanvaarden dat Catriona van plan was te doen? Ze had geen idee. Ze kon alleen maar hopen dat ze niet al te ver was gegaan. Het enige wat ze nu nog kon doen was wachten.

'Stel dat ik meega,' zei Poppy ten slotte. 'Dan betaal ik voor mezelf.' Ze keek Catriona recht in de ogen. 'Wat kost het trouwens om daar te komen?'

'Helemaal niks,' antwoordde Catriona. Ze hield haar hand omhoog om bij voorbaat de protesten weg te wuiven. 'Ik heb mijn eigen vliegtuigje,' legde ze uit. 'Ik hoef alleen maar een telefoontje te plegen met de piloot die altijd voor me vliegt en dan kunnen we weg wanneer we willen.'

'Potdorie,' zei Poppy met grote ogen van verbazing. 'Kijk toch eens hoe de rijken leven.'

Catriona glimlachte. 'Het is niet altijd zijden ondergoed en nertsstola's geweest,' zei ze. 'Ik heb ook slechte tijden gehad, hoor. Nou, wat zeg je ervan, Poppy. Durf je de gok aan?'

'Reken maar,' zei Poppy terwijl ze haar jas en goedkope plastic tas pakte. 'Ik zou het voor geen goud willen missen.'

Catriona nam Poppy mee naar haar appartement en nadat ze Poppy's baas had gebeld om te zeggen dat ze niet in orde was en bij haar bleef tot ze beter was, pleegde ze de noodzakelijke telefoontjes met haar agent, de dirigent en de piloot. Ze zou de bariton aan de dirigent overlaten; die twee begrepen elkaar en hadden dezelfde voorliefde voor fleurige kleding en gin met angostura.

Poppy hing haar jas op in de hal en schopte haar schoenen uit. Ze droogde haar haar met een zachte handdoek en liep ondertussen blootsvoets door het appartement en bewonderde het meubilair, de verse bloemen, de dikke tapijten en het enorme bed. Ze ging met haar vinger langs de fijne versieringen en de kristallen vazen en toen ze de deur van de kleerkast opendeed, leek ze wel een kind voor de etalage van een snoepwinkel. De kast besloeg een hele wand van de slaapkamer en toen ze naar binnen gluurde zag ze een hele rij bontmantels en zijden kleding. Catriona's avondjurken hingen in linnen hoezen en haar schoenen stonden er in een keurige rij onder. 'Jeminee,' zei ze ademloos, 'je hebt nog meer kleren dan een warenhuis.'

Catriona lachte terwijl ze haar pak uittrok en in een gemakkelijke broek en zijden blouse schoot. 'Het meeste van dat spul is voor wanneer ik op tournee ben en naar diners moet en naar avondjes met de sponsors en de pers,' legde ze uit. 'Wanneer ik niet aan het werk ben, draag ik het liefste dit.' Ze glipte in een paar schoenen met platte zolen en sloeg een vest om haar schouders. 'Kom op, Poppy, laten we champagne nemen om het weerzien te vieren. Daarna zullen we eens zien of we iets voor je kunnen vinden dat wat comfortabeler zit tijdens de vlucht.'

Poppy's protesten werden weggewuifd en toen de champagne zijn werk deed, begon ook zij de lol van de onderneming in te zien. Nadat ze een langdurig bad had genomen, vol schuim en exotische olie, trok ze een eenvoudige broek, een zijden truitje en een mooi jasje aan. Ze hadden verschillende schoenmaten, dus Catriona kon op het gebied van schoenen weinig doen, maar Poppy bleef maar voor de spiegel heen en weer draaien om zichzelf te bewonderen. 'Jeetje,' zei ze met een zucht, 'zoiets heb ik nog nooit gezien.'

Catriona liet Poppy alleen die heerlijk met make-up aan het experimenteren was en pakte snel een weekendtas voor hen beiden in. Het was twee uur vliegen naar Belvedère en ze zouden pas de volgende dag terugkomen.

Poppy's aanvankelijke opwinding veranderde in angst toen de kleine Cessna over de landingsbaan denderde en de nachtelijke hemel in vloog. 'Hoe kan hij nou zien waar-ie naartoe gaat?' vroeg ze terwijl ze zich vastklampte aan haar armleuning. 'Het is buiten zo donker als je broekzak.'

Catriona gaf haar uitleg over kaarten en radar en vluchtplannen en liet het klinken alsof ze veel meer wist dan in werkelijkheid het geval was, maar het had het gewenste resultaat en Poppy begon zich te ontspannen. Twee uur later cirkelden ze boven Belvedère. De brede baan die ontdaan was van struiken, werd verlicht door fakkels en toen ze daalden om te landen zag Catriona een pick-up waar twee mensen naast stonden. Ze voelde zich opgewonden. Eindelijk was ze dan op Belvedère.

Ze stapte als eerste uit het vliegtuig en werd begroet door een man van gemiddelde lengte en met een pezige gestalte, wiens gezicht verweerd was door jaren van werken in de zon. Hij droeg een leren broek, een geruit overhemd en afgetrapte laarzen en op zijn hoofd droeg hij een verfomfaaide, vuile, breedgerande hoed. 'Fijn u eindelijk te ontmoeten,' zei hij op lijzige toon. 'Fred Williams is de naam.' Hij draaide zich een beetje om en stelde de lange, slanke Aboriginal voor die naast hem stond en op dezelfde manier gekleed ging. 'Dit hier is Billy Birdsong, mijn rechterhand.'

Ze schudde de bedrijfsleider de hand en keek hem glimlachend aan. 'Hallo Fred,' zei ze en ze draaide zich vervolgens naar de Aboriginal om hem te begroeten. Ze stelde Poppy voor die haar handtas tegen zich aangeklemd hield alsof haar leven ervan afhing. 'We zijn gekomen om eens een kijkje te nemen,' zei ze.

Fred schoof zijn bezwete Akubra naar achteren en krabde op zijn hoofd. 'Ik denk dat u vanavond niet veel zult zien, juffrouw,' zei hij langzaam. 'Wat denk jij, Billy?'

'Ik denk dat juffrouw meer ziet als zon schijnt,' antwoordde hij. 'Niet goed in donker.'

Terwijl Catriona nog stond te aarzelen, nam Fred de beslissing voor haar. 'Kom maar me naar het huis en eet wat. We hebben meer dan genoeg ruimte, dus uw piloot kan wel bij de jongens slapen. Ik weet alleen niet of de boerderij zo geschikt is voor dames uit de stad,' zei hij verlegen.

Catriona en Poppy keken elkaar glimlachend aan en ze verzekerde hem dat ze het wel gewend waren om zich te behelpen.

'De vrouw van Billy heeft een beetje schoongemaakt en schone lakens op de bedden gelegd. Ik ben vannacht in de slaapzaal, mocht u iets nodig hebben,' zei hij terwijl hij in de pick-up stapte en hen van de landingsbaan via een hobbelig pad naar de boerderij reed.

De boerderij stond in een beschermende boog van bomen. Het houtwerk was toe aan een verfbeurt, maar de horren en ramen zagen er goed uit, net als de veranda. Het interieur was een openbaring. Het zag er in het licht van de olielampen verwelkomend uit, maar dat kon niet verhullen dat het er sjofel was en duidelijk het domein van een man alleen. Er waren maar een paar versieringen, geen gordijnen of comfortabele stoelen, alleen maar het hoogst noodzakelijke en er hing de vage geur van paarden en runderen.

Fred schonk een kop thee voor ze in uit de pot die op het grote fornuis stond en ging er toen vandoor om wat te eten te halen in het kookhuis. Billy was ongemerkt in de duisternis verdwenen en ze waren alleen.

'Verdikkeme,' proestte Poppy toen ze de thee proefde en er haastig nog wat suiker in deed. 'Die thee staat volgens mij al uren te trekken.'

Catriona nam ook een slok en trok een gezicht. Ze zette de mok weer op tafel en keek eens goed om zich heen naar haar eigendom. Ondanks de rommel en de tekenen van verwaarlozing voelde ze zich hier thuis en ze probeerde zich voor te stellen hoe het eruit zou zien als ze er eenmaal was ingetrokken.

De boerderij was vrij klein en had maar twee slaapkamers en deze kamer, die fungeerde als zitkamer, kantoor en keuken. Er was geen badkamer, alleen maar een schuurtje buiten aan de achterkant – het gevreesde schijthuis – een donker en stinkend geval dat degenen die niet gewend waren aan zo'n primitieve bedoening, angst aanjoeg. Er was duidelijk geen sprake van een waterleiding of van elektriciteit en het bad bestond uit een zinken teil die buiten bij de achterdeur aan de muur hing. 'Ik weet dat ik zei dat we gewend waren ons te behelpen, maar dit gaat wel erg ver,' mompelde ze.

Poppy trok een gezicht. 'Je moet het doen met wat er voor je voeten komt,' zei ze zachtjes. 'Je bent verwend, Kitty. Je bent het niet meer gewend.'

Catriona wist dat ze gelijk had en schaamde zich een beetje omdat ze zo kieskeurig was geworden. 'Als ik de noord- en zuidkant uitbouw en een echte badkamer en een toilet laat maken, dan is dit een juweeltje,' zei ze terwijl een stroom ideeën door haar hoofd schoot. 'Een goede generator kan voor elektriciteit en heet water zorgen en met een beetje fatsoenlijke meubelen wordt het hier hartstikke gezellig.'

'Dat heeft weinig zin als je hier toch niet woont,' wierp Poppy tegen.

'Maar dat gebeurt uiteindelijk wel,' antwoordde ze. 'Maar ik weet zeker dat Fred een echte badkamer en fatsoenlijke verlichting ook wel zou waarderen. Ik heb het er wel met hem over wanneer hij terugkomt.'

Fred kwam terug met een stevige maaltijd, bestaande uit koud schapenvlees, augurken en aardappelen. Haar ideeën leken hem wel aan te staan en hij beloofde uit te zoeken wat het zou kosten en dan zou hij het haar laten weten. Hij ging naar de slaapzaal en de twee vrouwen kropen in de smalle eenpersoonsbedden in de logeerkamer.

Toen ze de volgende ochtend werden gewekt waren ze nog steeds een beetje duf, omdat ze tot diep in de nacht herinneringen hadden opgehaald. Fred was met een enorm ontbijt komen aanzetten: biefstuk, gebakken aardappelen en eieren. Catriona en Poppy keken elkaar aan en vielen aan. Het ontbijt had hen nog nooit zo goed gesmaakt.

Fred leende hun zijn pick-up en gewapend met een ruwe kaart van Belvedère gingen ze op pad. Het gebied van de boerderij was enorm en het zou absoluut onmogelijk zijn om de eerste keer alles te bekijken. Catriona slaakte een diepe zucht van voldoening terwijl ze de hobbelende en schokkende pick-up bestuurde. Dit was nu haar thuis, en hoewel het nog wel meer kon gebruiken dan alleen een lik verf, had ze het gevoel dat wanneer ze eenmaal met pensioen ging en hier zou komen wonen, ze de rust zou vinden waar ze al sinds die vreselijke nacht in 1934 naar op zoek was.

Het kleine huis aan de rand van de landerijen was in feite niet meer dan een schuur, zag ze teleurgesteld toen ze voor de door onkruid overwoekerde tuin stopten. Maar het zag er stevig uit en het dak was ook in orde. Ze ging voor door het hek en liep de treden naar de voordeur op. Er was geen sleutel, want wat had het voor zin om een huis op zo'n afgelegen plek af te sluiten?

'Het meurt een beetje,' zei Poppy op haar nuchtere manier. 'Laten we die luiken eens opengooien en een beetje frisse lucht binnenlaten.' Ze deed de luiken met een klap open en het licht stroomde naar binnen. 'Hallo,' zei ze geschrokken. 'Ik vond het leuker toen het nog donker was.'

Catriona knikte en de moed zakte haar in de schoenen. De vloer was verrot, de stenen open haard brokkelde af en opossums hadden een nest in de balken gemaakt. De woonkamer lag bezaaid met allerlei troep en de vorige eigenaar had zijn kapotte meubels achtergelaten. De keuken was aan de zijkant van deze kamer en bestond uit een oud fornuis dat in geen jaren was gepotlood, en een stenen gootsteen die zo onder de roest en het vuil zat dat het enige wat je ermee kon doen weggooien was.

De tweede kamer was al niet veel beter. Er stond een oud ijzeren ledikant tegen een muur en op de grond lag een oude matras die, zo vermoedde ze, een heerlijk onderkomen had geboden aan generaties muizen. De onvermijdelijke plee was achter, maar iemand had hem op een gegeven moment in brand gestoken en het enige dat er nog van over was, was een verkoolde wand en een geblakerde pot.

'Het lijkt erop dat zwervers hier gebruik van hebben gemaakt,' zei Poppy terwijl ze haar weg zocht door de rommel op het achtererf en een paar bierflesjes wegschopte. 'Maar met een beetje ellebogenstoom is het wel weer op orde te krijgen.'

'Denk je dat het bewoonbaar gemaakt kan worden?' Catriona draaide zich om en keek haar aan.

'Ja, waarom niet? Het ziet er beter uit dan sommige andere plekken die ik heb gezien.'

'Als ik iemand laat komen om de reparaties uit te voeren en er nog twee kamers en een echte badkamer aan laat bouwen, denk je dan dat Ellen en jij hier zouden willen wonen?'

Poppy's ogen schitterden van tranen en hoop. 'O, Kitty,' zei ze zachtjes. 'Ik wou nooit... Natuurlijk zouden we dat willen.' Ze keek achterom naar het vervallen krot alsof ze een paleis aangeboden had gekregen. 'Dit kan echt een leuk plekje worden,' zei ze voor zich uit. 'Maar waar zouden we van moeten leven, Kitty? We zitten overal veel te ver vandaan.' Ze schudde haar hoofd en Catriona's hart kneep samen door de treurigheid in haar blik. 'Het is heel lief van je, maar het kan gewoon niet,' maakte ze haar zin af.

'Jawel, het kan wel,' zei Catriona. 'De stad is niet ver en ik zal ervoor zorgen dat er een pick-up voor je is zodat je er naartoe kunt wanneer je maar wilt. En er is een moestuin; daar valt ook wel iets van te maken.' Ze aarzelde. 'Het zou wel betekenen dat Ellen bij haar man weg moet,' zei ze zachtjes. 'Denk je dat ze dat zal doen?'

Poppy knikte. 'Ze is doodsbang voor hem. Wij allebei.'

Catriona nam Poppy's handen in de hare en keek haar diep in de ogen. 'Laat me dit alsjeblieft voor je doen, Poppy. Zeg alsjeblieft dat je Ellen en de baby hier naartoe brengt, weg van alle gevaar.'

'Ze zullen hier een stuk veiliger zijn zonder die eikel in de buurt, dat is een ding dat zeker is,' zei ze. 'Maar waarom zou je dit voor ons doen, Kitty? We leven niet van de liefdadigheid, weet je, en ik ben nooit naar je toegekomen om zoiets als dit te vragen en...'

Catriona legde haar met een omhelzing het zwijgen op. 'Dit heeft niets met liefdadigheid te maken,' zei ze vastberaden. 'Dit is zorgen voor je naasten.' Ze maakte zich voorzichtig los uit de omhelzing en keek Poppy in de ogen. 'Je bent altijd als een moeder en een zus voor me geweest. Jij hield me in de gaten en zorgde voor me en je hield onvoorwaardelijk van me. Nu is het mijn beurt om voor jou en je familie te zorgen. Laat me dit alsjeblieft voor je doen, Poppy. Ik wil het zo heel erg graag.'

'Alleen als je ons huur laat betalen,' zei Poppy koppig. Haar ogen schitterden en haar gezicht stond levendig door de hoop en de opwinding.

'Afgesproken,' stemde Catriona in. 'Maar niet eerder dan wanneer je een baan hebt gevonden en de moestuin wat opbrengt. Tegen die tijd sluiten we wel een overeenkomst.'

Poppy knikte en kon haar opwinding nauwelijks beteugelen toen ze haar arm door die van Catriona stak en ze samen over het erf wandelden. Ze stopten uiteindelijk bij de verwaarloosde moestuin en keken naar het prachtige uitzicht van heuvels en bomen en eindeloos grasland. Er graasde vee en paarden stonden onder Australische wilgen terwijl witte kaketoes krijsten en felgekleurde rosella's heen en weer schoten van en naar de watertrog.

'Dit is een geweldige plek om een kind groot te brengen,' verzuchtte Poppy. 'Mijn kleinzoon, Connor, zal het hier geweldig naar zijn zin hebben.'

13

Catriona keerde met Poppy terug naar Sydney en zes maanden later verhuisde het kleine gezin naar hun nieuwe huis. Catriona vloog met ze mee en was stomverbaasd over de verandering die de plek had ondergaan. De schuur was schoon en wind- en waterdicht en twee keer zo groot en er was nu een generator voor warm water en elektriciteit. De tuin was omgeploegd, het gras gemaaid en de uitdrukking op Poppy's gezicht, zoals ze daar met open mond bij het tuinhek stond te kijken, was goud waard.

Catriona keek naar Ellen en ze glimlachten toegeeflijk naar elkaar. Ellen leek zo veel op haar moeder toen die zo oud was, dat het Catriona moeite kostte geen Poppy tegen haar te zeggen. Het meisje leek er geen problemen mee te hebben om hier in de rimboe te leven – hoewel het Poppy heel wat moeite had gekost om haar over te halen haar echtgenoot in de steek te laten – en Connor was met zijn twee jaar een heerlijk ventje.

Ze tilde het jongetje op en plantte hem op haar heup. Zijn haar was donker en in een kuifje gekamd en zijn bruine ogen staarden haar zo strak aan dat ze zich afvroeg of hij probeerde uit te vissen wie zij was. Ze voelde haar hart zwellen van emotie toen hij haar brutaal toegrijnsde en ze aan haar eigen baby dacht en aan de pluk donker haar die onder de deken had uitgepiept. Ze gaf Connor terug aan zijn moeder. Het was een beetje te laat om sentimenteel te worden – ze zou geen baby's meer krijgen.

Harold Bradley was zes jaar geleden met pensioen gegaan en woonde met zijn vrouw in een huisje in het regenwoud dat Kuranda omringde. Hij bracht zijn dagen door met werken in de moestuin achter het huis en zijn avonden met zijn pijp op de veranda. De oorlogsjaren waren vervuld geweest van zorgen om zijn zoon, maar de jongen was ongeschonden thuisgekomen en was nu de plaatselijke politieman in Athertonshire. Harold was er trots op dat zijn zoon in zijn voetsporen was getreden en verheugde zich op de avonden, wanneer Charles bij hem op de veranda kwam zitten en de lopende zaken met hem besprak.

Hij genoot van zijn pensioen en zou volkomen tevreden zijn geweest als het niet aan hem had geknaagd dat bepaalde zaken onopgelost waren gebleven. Er was nooit een verklaring gevonden voor de geheimzinnige verdwijning van Kane en de vrouw en het kind. En waar Demetri uithing was ook nooit duidelijk geworden, maar hij was nooit teruggekeerd naar het hotel.

Harold had het proces-verbaal van de vermissing gekopieerd en het op de dag dat hij met pensioen ging mee naar huis genomen. Het lag in een la in de slaapkamer en zo nu en dan haalde hij het tevoorschijn en las het weer door. Maar hij wist dat het een slapend dossier was, want Edith was kort nadat ze bij hem was geweest overleden en de rest van het personeel leek van niets te weten. Het hotel was nooit meer heropend en het leger had het tijdens de oorlogsjaren gebruikt als hospitaal. Nu stond het leeg en vervallen en het regenwoud nam het langzaam weer in bezit.

Hij zat op de veranda en de rook uit zijn pijp vermengde zich langzaam met de vochtige lucht terwijl hij over de zaak nadacht. Hij had het met Charles besproken, maar zijn zoon was veel te druk om zo'n oude zaak te heropenen. De oorlog had de levens van hen allemaal op zijn kop gezet, stukken waren vernietigd of kwijtgeraakt, mannen waren op de slagvelden van Europa en Azië verdwenen en vrouwen waren getrouwd en hadden nu een andere naam. Het zou zoeken naar een speld in een hooiberg zijn.

'Opa?'

Harold werd opgeschrikt uit zijn gedachten; hij keek omlaag en glimlachte naar de kleine jongen die aan zijn broekspijp stond te trekken. 'Tom,' zei hij terwijl hij hem optilde en op zijn knie zette. 'Zal ik jou het verhaal vertellen van de Rus en de Engelsman en de wonderlijke zaak van het verdwenen zilver?'

Tom Bradley knikte. Hij was er dol op wanneer opa vertelde over de dingen die hij had gedaan toen hij net als pappa nog politieman was. Op een dag, zo had hij besloten, zou ook hij datzelfde uniform dragen en achter boeven aangaan.

Nu het gezinnetje zich had gesetteld en Fred en Billy Birdsong een oogje in het zeil hielden, wijdde Catriona zich weer aan haar drukke bezigheden. Ze vertrok uit Australië en werd al spoedig helemaal in beslag genomen door een serie Verdi-opera's in Rome. Deze keer had ze haar belofte gehouden en Brin meegenomen, ondanks zijn gevorderde leeftijd en zijn broosheid.

Ze vierden Catriona's veertigste verjaardag in Rome. Brin en zij waren daar nu al bijna een jaar en het Verdi-seizoen liep ten einde. Ze zouden de volgende dag vertrekken om een jaar in Parijs door te brengen en daarna zouden ze naar Londen gaan waar Catriona een eenmalig optreden had als Manon in een speciale galavoorstelling voor koningin Elizabeth. Vanuit Londen zou ze naar New York vliegen om in *Tosca* te zingen en vervolgens zou ze terugkeren naar Sydney en opnamen maken voor een langspeelplaat van Puccini's populairste aria's. Haar reputatie als een van de beste sopranen van de eeuw was nu stevig gevestigd en ze wist dat haar stem nooit eerder zo rijk en puur had geklonken.

Maar haar succes werd overschaduwd door Brins steeds erger wordende zwakte. Hij had genoten van hun tijd in Rome en ze had ervoor gezorgd dat hij alle toeristische plekjes had bezocht. Maar ze was er al spoedig van doordrongen geraakt dat hij niet meer in staat was om haar in de kleedkamer te helpen en ze had een tweede kleder in dienst genomen, zodat hij kon uitrusten. Brin had een bijna nonchalante minachting voor zijn eigen gezondheid en hij weigerde medische hulp. Maar Catriona zag dat hij veel gewicht kwijt was en de vreemde plekken in zijn gezicht en op zijn handen waar geen enkel zalfje tegen hielp, stonden haar helemaal niet aan.

Catriona kon het niet langer aanzien. Ze ging tegen zijn zin in en betaalde voor het beste medische consult dat in Rome te krijgen was. Maar geen van de dokters had het flauwste vermoeden wat hem mankeerde en ze kwamen met uiteenlopende diagnoses. Er werd wel gesuggereerd dat zijn twijfelachtige levensstijl waarschijnlijk had bijgedragen aan zijn ziekte en dat hij gewoon te uitbundig had geleefd en dat zijn lichaam versleten was. Niemand leek iets te kunnen doen.

De laatste voorstelling was achter de rug en nadat ze zich even op het feestje had laten zien, ging ze weg en nam een taxi naar het appartement aan de rand van de stad dat ze had gehuurd. Ze kon het niet over haar hart verkrijgen om feest te vieren nu Brin duidelijk zo erg ziek was.

Toen ze zichzelf in het appartement binnenliet, lag hij te slapen op de bank. Ze bleef staan en keek lange tijd naar hem. Ze bedacht wat een goede vriend hij altijd was geweest en hoe hij haar aan het lachen maakte met zijn waanzinnige verhalen, hoe hij beter dan zij had geweten welke kleren het beste bij haar pasten en hoe hij met het grootste plezier uren had rondgesnuffeld in winkels tot hij de juiste jurk had gevonden. Hij was er altijd voor haar geweest en nu moest zij op haar beurt voor hem zorgen.

Misschien dat ze in Parijs een dokter kon vinden die erachter kon komen wat hem mankeerde.

Ze trok zachtjes de deken over zijn schouder, deed de schemerlamp uit en ging naar haar slaapkamer. Ze kleedde zich uit, nam een douche en trok een zijden kamerjas aan en ging vervolgens zitten om de post van thuis te lezen.

Met Clemmie was alles in orde; ze was voor de eerste keer oma geworden, dus haar brief ging voornamelijk over de nieuwe baby. John had haar een aparte brief geschreven waarin hij vertelde over de veranderde adoptiewetten en Catriona's handen begonnen te beven terwijl ze haar ogen snel over de tekst liet gaan. De veranderingen, zo legde hij uit, hielden in dat zij toegang kon krijgen tot bepaalde archieven. Maar ze zou geen toestemming krijgen om voldoende informatie te verzamelen om in contact te komen met haar dochter. Hij had de autoriteiten al een brief gestuurd en hoopte binnenkort iets te horen.

Catriona legde de brief met een zucht van frustratie weg. Het duurde zo lang voor de brieven hier waren en het telefoonsysteem in Rome was hopeloos, zelfs nog erger dan op Belvedère. Het kon wel weken duren voor ze weer iets hoorde.

Ze las snel de brief van Fred Williams door. Het ging steeds beter op Belvedère en het werk aan de boerderij was bijna klaar. Ze slaakte een zucht van verlangen. Kon ze het maar met eigen ogen zien, dacht ze, maar het zou nog zeker een jaar duren voor ze tijd had om de reis ernaartoe te maken.

De laatste brief op de stapel was afkomstig van Poppy. Ellen en zij werkten nu al bijna een jaar in de enige kroeg van Drum Creek en Connor was een stevig ventje van drie en groeide als kool. Ze waren druk in de weer met hun groentetuin en hadden de eerste opbrengst al verkocht aan de plaatselijke winkel. Ellen was ook een naaiatelier begonnen dat al aardig begon te lopen en al met al was het leven goed en voelden ze zich gelukkig.

Catriona had zich zorgen gemaakt over hoe Brin zich zou houden op de korte vlucht naar Parijs, maar hij leek weer een beetje opgekrabbeld en verheugde zich erop om de Eiffeltoren en Montmartre te zien. Parijs was opwindend als altijd en zodra ze hun intrek hadden genomen in een hotel, nam Catriona Brin mee uit winkelen in de hoop dat zijn enthousiasme van weleer zou terugkeren.

Het zou niet blijven duren. De dokters stonden voor een raadsel en Brin ging langzaam achteruit tot het punt dat zelfs een korte taxirit over de Champs Elysées hem uitputte. Naarmate de tijd verstreek, begon Catriona het ergste te vrezen en toen hij vroeg om te worden opgenomen in een ziekenhuis, wist ze dat het einde naderde.

'Ik ga dood, schat,' zei hij toen hij in bed lag, overeind gehouden door een stapel kussens. 'Maar Parijs is er waarschijnlijk de beste plek voor.' Hij glimlachte flauwtjes. 'Dank je dat ik met je mee mocht, liefje. Ik ben echt stapel op je.'

Catriona pakte zijn hand. 'En ik ben stapel op jou.'

Brin vroeg haar zijn haar te borstelen en hem te helpen het rijk geborduurde jasje aan te trekken dat ze bij Chanel hadden gekocht. Eenmaal gekleed voor de gelegenheid lachte Brin triest naar zijn spiegelbeeld in de handspiegel die Catriona hem voorhield, sloot toen zijn ogen en verliet haar. Catriona was verdoofd van verdriet. Het leek wel of het leven erop gebrand was iedereen van wie ze hield van haar af te nemen, en terwijl ze daar in die stille Franse ziekenhuiskamer zat, voelde ze zich vreselijk alleen en heel ver van huis.

Brin kreeg de begrafenis die hij zich had gewenst. Zwarte paarden, een rijtuig van glas en ebbenhout, pluimen, bloemen en kaarsen. Hij zou voor altijd in Parijs blijven – de stad van de romantiek.

Acht maanden later kreeg ze een bezorgde brief van Fred Williams. Hij was zijn lange, zorgvuldig geschreven boodschap begonnen met nieuws van Belvedère. De fokkerij deed het prima en de nieuwe kudde begon aardig vorm te krijgen. Billy Birdsong was goud waard – hij had getoond een man te zijn die enorm veel wist van het land en de elementen waarmee ze altijd strijd voerden. Hij stelde voor dat Billy loonsverhoging zou krijgen, aangezien hij nu de trotse vader van drie kinderen was.

Catriona glimlachte. Ze was gesteld op de Aboriginal en tijdens haar korte bezoekjes aan Belvedère had hij haar meegenomen naar de bush en haar geduldig de geheimen bijgebracht van de planten en dieren die daar leefden. Ze sloeg het velletje om.

Poppy en Ellen werkten nog steeds in het café en hun groentetuin deed het uitstekend. Helaas was Ellen de afgelopen maand rusteloos geworden. Ze hadden haar horen klagen dat ze zich zo verveelde en hoe erg ze de drukte van Sydney miste. Zonder dat Poppy het wist had ze Michael, haar echtgenoot, geschreven. Het leek erop dat ze dacht dat hij veranderd was en – afstand doet de liefde groeien – had hem verteld waar ze zat en hem gesmeekt haar te komen halen.

Catriona kneep haar lippen samen terwijl ze snel de rest van de brief las. Poppy was naar Fred gegaan en had hem verteld dat Michael was komen opdagen. Michael had gezien hoe goed ze het voor elkaar hadden en had onmiddellijk besloten te blijven. Om Poppy een plezier te doen had Fred hem aangenomen als omheiningbouwer. Maar hij bleek niet betrouwbaar en te veel van de drank te houden.

Michael Cleary had toen werk gevonden in de kroeg, maar werd al snel betrapt toen hij geld achteroverdrukte en was op staande voet ontslagen. Daarna had hij nog een tijdje bij de handelaar in veevoer gewerkt, maar dat had hij al snel voor gezien gehouden en nu teerde hij op het beetje dat Poppy en Ellen binnenbrachten. Volgens Fred was hij een nutteloze, snel aangebrande dronkaard die iedereen geld schuldig was.

De arme Poppy schaamde zich te erg om hem alles te vertellen, maar hij had tussen de regels door gelezen en de zaken liepen helemaal niet zoals ze zouden moeten. Poppy en Ellen hadden wel geprobeerd ze te verbergen, maar Fred had de blauwe plekken en blauwe ogen gezien – en hij wilde weten wat hij met het geval Michael Cleary aan moest.

Catriona was woedend. Woedend op Poppy omdat ze haar niet in vertrouwen had genomen. Woedend op Ellen omdat ze zo stom was geweest om die vreselijke man weer in hun leven toe te laten en woedend omdat ze er niet ogenblikkelijk naartoe kon gaan om die klootzak eens even te vertellen wat ze van hem dacht. Ze stuurde een brief aan Fred waarin ze hem schreef dat hij Michael apart moest nemen en hem moest waarschuwen – hem met geweld dreigen als dat nodig was – maar ervoor te zorgen dat hij de vrouwen met rust liet. Toen stuurde ze een woedende brief aan Michael zelf en waarschuwde hem dat als hij ooit nog een keer een vinger uitstak naar de vrouwen, zij er persoonlijk voor zou zorgen dat de politie werd gewaarschuwd. De laatste brief was moeilijker. Poppy was trots en wanneer ze erachter kwam dat Catriona op de hoogte was van haar situatie, zou ze proberen alles te ontkennen. Maar de kleine jongen moest worden beschermd voor zijn vader hem ook zou gaan slaan, en Catriona moest heel duidelijk maken dat ze van plan was de voogdij over Connor te krijgen, mocht het geweld voortduren.

Connor kon zich de eerste keer dat zijn vader hem sloeg niet herinneren en omdat het regelmatig gebeurde, had hij zich erbij neergelegd dat het leven nu eenmaal zo was. Zijn vader had geen enkel excuus nodig en dronken of nuchter, in een goede of in een slechte bui, hij gebruikte Connor als zijn zondebok.

Tegen de tijd dat hij vier jaar was, had Connor geleerd hem uit de weg te gaan en om niet te schreeuwen van angst en pijn wanneer hij van het ene eind van het houten huis naar het andere werd geslagen. Hij had geleerd om 's avonds zijn gezicht in zijn kussen te verbergen en stille tranen te vergieten terwijl hij zijn blauwe plekken voelde kloppen en zijn hoofd suisde van de verwensingen van zijn vader. Zijn kindertijd was voorbij voor hij een kans had gehad om te weten hoe die kon zijn.

Hij bracht elke dag door in angst en verwarring. Elke keer dat hij zijn vaders voetstappen op de veranda hoorde ging er een siddering van angst door hem heen. Klonk zijn voetstap licht, was hij nuchter en in een goed humeur? Of waren ze zwaar en stond het huis op zijn grondvesten te trillen wanneer hij de hordeur met een klap dichtsmeet en hij om zijn eten brulde? Voor hem leek het alsof dat laatste meestal het geval was.

Als hij dan de keuken binnenkwam, met een enorme drankkegel en een kwaadaardige glans in zijn ogen, viel er een doodse stilte. Oma kromp dan ineen en sloeg haar ogen neer terwijl mam vlug zijn eten op tafel zette en zich snel uit de voeten maakte naar het donkerste hoekje dat ze kon vinden. Connor deed dan zijn best om onzichtbaar te worden, verborg zich in de schaduwen, hield zich stil en bleef op zijn hoede, klaar om ervandoor te gaan. Het leek dan wel of het huis zijn adem inhield; wachtend op de eerste schop, de eerste klap.

Zijn moeder probeerde hem te beschermen. Ze had de klappen en schoppen opgevangen en hem beschermd met haar gekneusde en bont en blauw geslagen lichaam dat dik was van zijn kleine broertje of zusje. Oma schreeuwde en gilde dan en werd geslagen tot ze de kracht niet meer had om van de vloer overeind te komen en zich nog te verzetten.

Terwijl hij daar die avond stond, ogen wijd open van angst, en toekeek hoe zijn oma werd geschopt, voelde hij de woede in zich opwellen. Hij zou terugvechten.

Zijn vuisten leken zo klein terwijl hij tegen zijn vaders stevige dijen stond te stompen en zijn blote voeten leken helemaal geen indruk te maken op de dikke enkels terwijl hij schopte en schopte en schreeuwde dat hij moest ophouden zijn oma pijn te doen.

Hij werd met een gemene trap tot zwijgen gebracht. De laars raakte hem op zijn kin en hij vloog tegen de stenen schoorsteen. Hij lag daar verdoofd en kon nauwelijks nog iets zien. Zijn oma gilde en probeerde zijn vader weg te trekken. Hij kon in de verste hoek de in elkaar gezakte gestalte van zijn moeder zien en werd zich langzaam bewust van iets warms en kleverigs dat langs zijn kin in zijn hals droop. Toen nam de duisternis het over en stopten het schreeuwen en gillen.

Toen hij zijn ogen weer opendeed, lag hij in de armen van zijn oma. Ze zong voor hem met een grappig stemmetje terwijl ze zijn gezicht waste met een koele lap. Hij nestelde zich tegen dat knokige lichaam en in die liefhebbende armen en verlangde er alleen maar naar dat de pijn zou stoppen.

Het jaar in Parijs liep ten einde. Catriona was net van het toneel gekomen toen de kleder haar de telefoon toestak. 'Het is Australië,' fluisterde hij.

'Klinkt dringend.'

Catriona nam de hoorn over. 'Wat is er aan de hand?'

Het was Fred. 'Een van mijn mensen hoorde geschreeuw uit het huisje komen. Hij zag Cleary naar buiten komen stormen en er in zijn auto vandoor gaan. Toen is hij binnen een kijkje gaan nemen.'

Er viel een lange stilte en de lijn tussen Belvedère en Parijs knetterde van de atmosferische storingen. Catriona klemde de hoorn in haar hand.

'Poppy is bont en blauw en Ellen is er niet veel beter aan toe,' zei Fred op grimmige toon. 'Maar die arme Connor was dit keer de klos.'

Catriona voelde hoe haar huid begon te prikken van afschuw. 'Is hij er erg aan toe?'

'Hij is erg geschrokken en doodsbang en hij zal de rest van zijn leven een litteken op zijn kin hebben waar die klootzak hem heeft geraakt.'

Er liepen tranen over Catriona's wangen en ze veegde ze snel weg. Die zouden Connor niet helpen. 'Moet hij naar het ziekenhuis?' zei ze. 'Het kan me niet schelen wat het kost, ik betaal. Hij moet goede medische zorg hebben.'

'De dokter is al geweest en heeft hem opgelapt,' zei hij en zijn stem klonk schor van emotie. 'Maar de vrouwen weigeren het huis uit te gaan. Ze zijn doodsbang voor wat Cleary zal doen als hij terugkomt en ziet dat ze ervandoor zijn.'

Catriona knarste met haar tanden. Waarom volhardden sommige vrouwen in hun slachtofferrol? Waarom gingen ze er niet als een haas vandoor om zich in de boerderij te verstoppen? Als het aan haar had gelegen, zou ze die eikel met een jachtgeweer hebben opgewacht en ze zou niet hebben geaarzeld om de trekker over te halen.

Fred schraapte zijn keel. 'Die smerige hond verdient een koekje van eigen deeg,' gromde hij. 'Ik wil je toestemming om hem de stad uit te jagen.'

'Die heb je,' antwoordde zij.

Hij legde in het kort zijn plan uit en Catriona bewonderde de kille efficiency. 'Bel me wanneer het achter de rug is,' zei ze op vlakke toon.

De mannen van Drum Creek kwamen bijeen in een kamer achter de voederwinkel. Er waren scheerders en drijvers en hulpjes van Belvedère, eigenaren van de winkeltjes in Drum Creek en vaste klanten uit de kroeg. Ze hadden allemaal een hekel aan Cleary gekregen en de meesten hadden nog geld van hem tegoed; maar het was niet vanwege het geld dat ze die avond bij elkaar waren, het was de walging die ze allemaal voelden voor die hond die een oude vrouw, een zwanger meisje en een kind in elkaar had geslagen.

De kroegbaas liet weten dat Cleary in het café zat te drinken en als ze niet gauw kwamen, dan zou hij al zijn omgevallen. De mannen stonden als één man op, gingen de achterkamer uit en liepen over de brede onverharde weg. Cleary zat aan de bar en schreeuwde naar de barman om nog een borrel.

'Jij hebt je laatste borrel hier gedronken, maat,' zei Fred vanuit de deuropening.

Cleary draaide zich om en leunde met zijn ellebogen op de bar. Zijn ogen waren bloeddoorlopen en zijn gezicht zat onder de rode vlekken van woede. 'O ja?' bracht hij uit. 'En hoe komt dat precies?'

'We moeten je hier niet, Cleary,' schreeuwde een van de mannen die achter Fred stonden. 'Het was hier een leuke plek totdat jij kwam.'

Cleary stond te zwaaien op zijn benen terwijl hij klaar ging staan om de confrontatie aan te gaan met de mannen die door de dubbele deur naar binnen stroomden. 'Ik sla jullie stuk voor stuk in elkaar,' schreeuwde hij en het speeksel vloog in het rond. Hij hief zijn vuisten en ze konden de schaafwonden erop zien.

'Het zou tijd worden dat je 's iemand van je eigen postuur te pakken neemt, vuile klootzak,' schreeuwde een van de veedrijvers, die zijn woedende woorden liet volgen door een verwoestende rechtse hoek.

Cleary wankelde en zou zijn gevallen als de café-eigenaar hem niet tegen de bar had gedrukt. De anderen kwamen naar voren, grepen hem beet en sleurden hem naar buiten. Er daalde een hagel van klappen op hem neer en hij viel op zijn knieën terwijl hij hun smeekte op te houden. Een laars raakte hem in de zij en een andere duwde zijn gezicht in het stof.

De kring van mannen werd wijder toen hij schreeuwde dat ze moesten stoppen. Ze keken zwijgend toe hoe hij rondkroop en hun smeekte hem geen pijn te doen. Zijn gezicht zat onder de blauwe plekken en één oog zat dicht. Snot en tranen bedekten zijn gezicht en zijn mond hing slap van angst.

Fred rukte hem overeind. 'Donder op uit de stad,' zei hij tegen de verwarde Cleary. 'En als we dat gezicht van jou hier nog één keer zien, krijg je een pak slaag dat je nooit van je leven zal vergeten.' Hij duwde Cleary in de richting van zijn pick-up. 'Als je dat kind nog 's met één vinger aanraakt kom ik persoonlijk met je afrekenen.'

De weeën van Ellen waren begonnen en Connor werd in de andere kamer in bed gestopt en kreeg te horen dat hij daar moest blijven.

Zijn oma zag er bezorgd uit en ze was voor het eerst van zijn leven kortaf tegen hem geweest. Hij lag daar te luisteren naar het vreselijke geluid van zijn moeder die het uitgilde. Iets deed haar pijn, maar hoe kon dat nou, vroeg hij zich af, pap was niet teruggekomen.

Hij hoorde een vreemde kreet – het klonk boos – maar het was niet zijn moeder. Na wat een eeuwigheid leek, kwam zijn oma binnen en ze had een glimlach op haar gezicht. 'Kom mee, scheet,' zei ze zachtjes. 'Kom eens hallo zeggen tegen je nieuwe zusje.'

Connor liep naar zijn moeders kamer en keek naar het bundeltje in haar armen. 'Dit is Rosa,' zei ze dodelijk vermoeid.

Rosa was een klein dingetje met een plukje zwart haar dat geweldig kon gillen. Haar gezicht was helemaal verwrongen en ze zwaaide met haar vuistjes en schopte met haar voeten alsof ze woedend was omdat ze ter wereld was gekomen. Connor keek vol ontzag naar haar en was op slag verliefd. Hij had geen flauw idee waar ze vandaan was gekomen, of waarom ze hier was, maar vanaf dat moment wist hij dat er nog iemand anders was die tegen pap beschermd moest worden.

Hij keek toe hoe oma Rosa voorzichtig in het houten ledikant legde waar hij altijd in sliep en klom toen op zijn moeders bed. Voorzichtig, om haar geen pijn te doen, gaf hij haar een kus op haar beurs geslagen gezicht. Ze zag er heel erg moe uit, maar ze glimlachte, aaide hem over zijn hoofd en hield hem even tegen zich aan voor ze in slaap viel.

De rust en vrede werden wreed verstoord toen de deur van de slaapkamer openvloog en tegen de muur sloeg. Connor werd met een ruk wakker en dook uit de macht der gewoonte onder het bed. Zijn moeder begon te gillen en Rosa deed mee. Michael Cleary zag er angstwekkend uit; hij zat onder het bloed en één oog zat dicht en begon blauw te worden. Hij was dronken en in een gevaarlijk stemming.

Connor kromp ineen toen hij zijn vaders laarzen het bed zag naderen. Mam was gestopt met gillen en deed wanhopige pogingen zijn vader te kalmeren. Oma was met hem aan het worstelen en probeerde hem de kamer uit te krijgen. En al die tijd was Rosa aan het gillen, een hoge, ogenschijnlijk eindeloze gil die pijn deed in Connors hoofd en hem deed wensen dat ze zou ophouden, want zijn vader zou haar zeker pijn doen als ze niet stopte.

Michael Cleary stond naast het bed heen en weer te zwaaien en zijn stem klonk boven de herrie uit. 'Laat dat kind ophouden of ik vermoord het,' gilde hij.

Oma haastte zich naar de andere kant van de kamer en pakte Rosa. Connor kroop nog dieper weg in de schaduwen onder het bed en mam begon te snikken.

Connor hield zijn adem in. De spanning in de kamer was zo groot dat hij het bijna kon proeven. Hij hoorde het gekraak van zijn vaders laarzen terwijl hij naast het bed heen en weer stond te zwaaien. Stopte mam maar met huilen, dacht hij wanhopig. Pap haatte het wanneer ze huilde.

Het verschrikkelijke geluid van vlees dat op vlees sloeg kwam zonder enige waarschuwing. Ellen kreeg één enkele klap, maar die werd uitgedeeld met alle kracht en woede die Michael Cleary in zich had. Zonder nog een woord te zeggen pakte hij zijn schamele bezittingen bij elkaar en liep het huis uit.

Het vertrek van zijn vader bracht een ongemakkelijke stilte over het huis; een stilte die vervuld was van de angst dat hij zou terugkeren. Ondanks alle geruststellende woorden van Fred en Billy Birdsong bleven ze op hun hoede. Ze verwachtten ieder ogenblik het gebonk van zijn laarzen op de veranda en de klap van de hordeur te horen.

Naarmate de weken verstreken en zij niets van hem hoorden, durfden Connor en zijn oma en zijn moeder te hopen dat ze echt van hem bevrijd waren. Maar het zou nog jaren duren voor Connor ophield bij ieder hard geluid ineen te krimpen, jaren voor hij kon slapen zonder een licht in zijn kamer.

14

Na Michaels verbanning begon Ellen zich steeds ontevredener te voelen met het leven in de outback. Het was net of de slaag van Michael haar opwinding had bezorgd, het beetje drama in haar leven had gebracht dat ze nu miste. Ze begon de kinderen te verwaarlozen en liet het aan Poppy over om voor ze te zorgen terwijl zij in de kroeg zat en haar zorgen verdronk.

Daar ontmoette ze een snelle handelsreiziger, Jack Ivory genaamd. Hij was een man die zich in en uit elke situatie wist te kletsen. Hij was charmant, had een innemende glimlach en leek nooit zonder geld te zitten. Ellen, een vrouw die het moeilijk vond te leven zonder man aan haar zijde, zag haar kans schoon om te ontsnappen aan de sleur van het moeder- en kostwinnerschap. Vastbesloten deze kans op een nieuw leven niet te missen ging ze naar huis en pakte haar koffers. Na een geweldige ruzie met Poppy en veel tranen en smeekbedes van haar kinderen liep Ellen weg en keek niet meer achterom. Jack en zij reden weg uit Drum Creek en er werd nooit meer iets van hen vernomen.

Catriona was verdrietig, maar niet verrast door Poppy's nieuws. Ellen was altijd wispelturig geweest en haar keuze van mannen twijfelachtig. Maar haar medelijden ging vooral uit naar de kinderen – hoe kon een moeder een baby en een kleine jongen die toch al in de war en gekwetst was, in de steek laten?

Ze voldeed aan haar verplichtingen in Londen en New York en zodra ze was teruggekeerd in Australië zorgde ze ervoor dat haar leven zo georganiseerd werd dat ze Belvedère regelmatig kon bezoeken. Poppy was te oud om zulke kleine kinderen op te voeden en hoewel de vrouw van Billy Birdsong elke dag kwam helpen, wist Catriona dat Poppy aan het eind van haar krachten was. Haar aanbod om financieel bij te springen was nors afgewezen en het leek erop dat Poppy vastbesloten was niet alleen de kinderen groot te brengen, maar om daarnaast nog te blijven werken ook.

In de daaropvolgende acht jaar merkte Catriona dat ze meer en meer begon uit te zien naar de bezoekjes. Ze nam voor de kinderen altijd cadeautjes mee en voor Poppy make-up en parfum. Het was heerlijk om de formele kleding en hoge hakken te verruilen voor spijkerbroek en platte schoenen en het feit dat ze op Belvedère schone, frisse lucht inademde, had tot gevolg dat ze altijd vol nieuwe energie terugkeerde naar Sydney, brandend van verlangen om weer aan de slag te gaan. Maar ze maakte zich ernstig zorgen om Poppy's zwijgzaamheid, ook al bewonderde ze haar enorme trots – haar kracht – maar ze besefte dat haar oude vriendin zou doorwerken tot ze er letterlijk bij neerviel.

Het kleine huis rook naar versgebakken brood en boenwas. De ramen glommen en de houten vloer was geveegd. Door de achterdeur kon Catriona de keurige rijen groenten zien die in de volle, zwarte aarde groeiden en de frisse witte was die wapperde in de warme bries. Poppy was thuisgekomen uit het café, waar ze eerlijke, eenvoudige maaltijden klaarmaakte voor de klanten. De lunchdrukte was voorbij, maar ze zou later terugkeren om de avondmaaltijd te bereiden. Het was stil in huis; Connor en Rosa zaten op school.

Catriona nam een slok van haar thee en keek naar haar vriendin. 'Ik kan maar een paar uur blijven,' zei ze met spijt in haar stem. 'Ik moet morgenochtend in de opnamestudio zijn.'

Poppy knikte. Haar haar was grijs – ze was al lang geleden opgehouden het te verven – en zat in een stijve knot. Maar ondanks haar zeventig jaar, droeg ze nog steeds felle kleuren en make-up en opzichtige oorringen die schitterden in het zonlicht dat door het raam naar binnen stroomde. Ze noemde ze haar rekwisieten en voelde zich naakt zonder. Haar gezicht en handen waren bruin van de uren die ze in de tuin doorbracht en hoewel Catriona zag hoe vermoeid ze was, leek ze nog steeds te beschikken over de energie van een veel jongere vrouw. 'Je put jezelf nog eens uit met dat gevlieg van hot naar haar,' zei Poppy. 'Word je er nooit eens doodziek van?'

Catriona vond dat Poppy beter naar zichzelf kon kijken, gezien wat zij allemaal deed op een dag. 'Ik vind het vreselijk om hier weg te gaan,' gaf ze toe. 'Maar ik zie mezelf niet lang op één plek blijven.' Ze glimlachte naar Poppy. 'Ik ben voor dit leven geboren. Het zit in mijn bloed.'

Poppy beet op haar lip. 'Het is een heel ander leven dan vroeger,' zei ze. 'De opera is zo allemachtig chique. Hoe kan een meisje als jij daar nou bij horen?'

Catriona glimlachte. Ze zou over een paar weken achtenveertig worden – je kon haar niet met goed fatsoen nog een meisje noemen. 'Ik vond het in het begin wel lastig,' zei ze. 'Sommige meisjes op de academie lachten me uit om hoe ik praatte en maakten grapjes over mijn kleren en over het feit dat mam als serveerster werkte. Ik moest mezelf steeds voorhouden waarom ik daar was en waar het toe kon leiden. Ik concentreerde me op wie ik was en de opofferingen die waren gedaan om me zo ver te krijgen. Ik werkte hard aan mijn spraaklessen en zoog alle opvoeding in me op die ze maar konden geven.' Ze grijnsde. 'Ik leerde al heel vroeg dat een sopraan niet kon zingen met de vlakke klinkers van een meid uit de rimboe.'

'Maar je bent er niet door veranderd,' mompelde Poppy. 'Je bent nog even lief; als ik niet beter wist zou ik je bijna onschuldig noemen.' Haar bleekblauwe ogen twinkelden. 'Ik durf te wedden dat die andere meiden groen en geel zien omdat het jou zo voor de wind is gegaan.'

Catriona bestudeerde haar gemanicuurde nagels en de ringen die aan haar vingers schitterden. 'In de loop der jaren heb ik met de meesten van hen wel in de een of andere productie gestaan. Ze zijn niet allemaal verdergegaan met een carrière in de muziek. Sommigen zijn getrouwd, kregen kinderen en konden het reizen niet volhouden. Maar al met al was het een geschikt stelletje toen ze eenmaal onder de invloed van Emily Harris uit waren.'

'Ik kan me nog herinneren dat je over haar hebt verteld,' zei Poppy terwijl ze de tafel begon af te ruimen. 'Een echte trut, volgens mij. Wat is er van haar geworden?'

Catriona glimlachte. 'Ze heeft haar probleem met de overgang tussen de hoge en lage registers nooit op kunnen lossen. Arme Emily. Het laatste wat ik heb gehoord is dat ze het kopstuk is geworden van een amateuroperettegezelschap dat haar vader heeft gefinancierd.

'Hoe gaat het nu, Poppy?' vroeg ze na een korte stilte. 'Vragen de kinderen nog steeds naar Ellen?'

Poppy trok een gezicht. 'Met mij gaat het goed en met de kinderen gaat het goed. Ze vragen niet meer naar haar en waarom zouden ze ook? Ze heeft in geen jaren een brief geschreven of een telefoontje gepleegd en Rosa was te jong om zich haar nog te herinneren.' Ze sloeg haar armen over elkaar en staarde woedend voor zich uit. 'Ik denk dat ze beter af zijn zonder haar.'

Hun gesprek werd onderbroken door het geluid van galopperende paardenhoeven. Catriona duwde haar stoel achteruit en rende naar de deur. Connor en Rosa waren uit school gekomen op hun pony's. Rosa sprong van het ruwharige dier en gooide Catriona bijna om toen ze zich in haar armen wierp. Connor hield zich, zoals altijd, verlegen een beetje afzijdig. Zijn bruine ogen stonden waakzaam.

Catriona lachte toen de achtjarige Rosa haar meesleepte het huis in en op zoek ging naar de cadeautjes waarvan ze wist dat Catriona die had meegebracht. Het kind had donker haar en donkere ogen en een ondeugende glimlach die onweerstaanbaar was. Catriona keek over haar schouder en lachte naar Connor. 'Ik heb ook iets voor jou,' zei ze.

Rosa scheurde het papier eraf onder het slaken van opgewonden kreetjes, terwijl de slungelachtige jongen alles vanonder de brede rand van zijn hoed stond aan te zien. Catriona bekeek hem nadenkend. Hij was de afgelopen maanden flink de hoogte in geschoten en zag er mager uit – toch leek hij gezond genoeg en ze kon de kracht in zijn armen en handen al zien. Op zijn twaalfde was de knappe man die hij zou worden al goed te zien. Was hij maar niet zo verlegen, dacht ze verdrietig terwijl ze hem het grote pakket overhandigde. Die klootzak van een vader van hem had heel wat op zijn geweten – net als Ellen, trouwens.

Connors gezicht begon te stralen toen hij het zadel zag. Het was handgemaakt in Spanje en de zadelknop was beslagen met zilver. Het was een duur cadeau, maar Catriona had geen idee wat ze hem anders had moeten geven – het was altijd zo moeilijk om cadeaus te kopen voor jongens.

'Heel erg bedankt,' zei hij zachtjes met glimmende ogen. 'Mag ik hem nu uitproberen?'

Catriona knikte. 'Natuurlijk,' zei ze.

Rosa haalde de jurken en de pop tevoorschijn en slaakte een gil van verrukking. 'Kijk eens, oma,' riep ze. 'Ze heeft echt haar en wimpers en ze heeft zelfs een onderbroek!'

Catriona lachte mee en ging toen naar de veranda om naar Connor te kijken. Hij begon een beetje te groot te worden voor die pony, realiseerde ze zich toen hij in het nieuwe zadel ging zitten. Zoveel te groot dat hij de stijgbeugels niet eens meer gebruikte, maar zijn lange benen langs de dikke buik van de kleine pony liet bungelen. Ze zou eens met Fred praten om te zien of hij een andere voor hem kon vinden.

Connor draaide zich om en lachte naar haar, een langzame, lieve glimlach vol genegenheid die doordrong tot in haar hart. Wat hield ze veel van deze kinderen; wat had ze graag gewild dat ze de hare waren geweest. Ze trok het vest om zich heen en sloeg haar armen over elkaar. Ze werd nog sentimenteel op haar oude dag en ze zou zich er eens bij neer moeten leggen dat het Poppy's kleinkinderen waren en dat zij ze niet zo moest verwennen.

Poppy zette een verse pot thee en terwijl de kinderen in de weer waren met hun cadeaus, vertelde ze hoe goed Rosa het deed op school. 'Ze heeft een goed stel hersens, dat is een ding dat zeker is,' zei ze gedecideerd. 'Al mag Joost weten waar dat vandaan komt.' Er lag trots in haar ogen en in haar stem toen ze verderging. 'Ze is met vlag en wimpel geslaagd voor alle toetsen. Volgens haar lerares is zij een van de slimste leerlingen die ze in lange tijd heeft gehad.'

'En Connor?'

Poppy haalde haar schouders op. 'Dat is geen hoogvlieger, maar dat betekent niet dat hij dom is,' zei ze verdedigend. 'Hij is goed met zijn handen en piekert net zo lang over dingen tot hij het goed heeft.' Ze nam een slok van haar thee en haar reumatische vingers kraakten toen ze zich om de mok heen vouwden. 'Hij heeft het er al over om van school te gaan. Ik denk dat hij paardentemmer wil worden.'

'Maar dat is gevaarlijk werk en hij is veel te jong,' protesteerde Catriona. 'Je moet hem overhalen nog op school te blijven. Het is belangrijk dat hij een behoorlijke opleiding krijgt.'

'Probeer jij hem dat maar duidelijk te maken,' zei Poppy. 'Die jongen heeft maar één ding in zijn kop en dat zijn paarden.' Er viel een lange stilte. Toen klonk haar stem als een diepe zucht. 'Je kunt het hem niet kwalijk nemen, Kitty. Connor weet dat een paard hem nooit in de steek zal laten. Ze zijn niet zoals mensen.'

Catriona had heel wat om over na te denken op haar vlucht terug naar Sydney.

Harold Bradley stierf kort na zijn vijfenzeventigste verjaardag in zijn slaap. Hij werd naast zijn vrouw begraven op het kleine kerkhof van

Atherton Tablelands. Charles Bradley, zijn zoon, moest het huis ontruimen en de paar dingen van waarde verdelen tussen zichzelf en zijn zussen. Het huis zou moeten worden verkocht, want Charles had promotie gekregen en werd overgeplaatst naar Sydney waar hij als hoofdinspecteur de leiding kreeg over een rechercheteam.

Hij liep door de bijna lege kamers en dacht aan de vele uren die hij hier met zijn vader had doorgebracht. Ze hadden een hechte band gehad en hij hoopte dat zijn eigen zoon, Tom, hetzelfde zou vinden van die van hen. De jongen groeide als kool en zou over een paar weken dertien worden en naar de middelbare school gaan.

Met een glimlach op zijn gezicht ging hij in de oude schommelstoel zitten die zijn vader op de veranda had gezet. Dit was paps favoriete plekje en terwijl de schommelstoel kreunend protesteerde, zag Charles waarom. Hij keek uit over de boomtoppen de vallei in en hoewel hij zich verheugde op de verhuizing naar Sydney, wist hij dat hij de schoonheid en de rust van dit tropische noorden zou missen. Dit was het mooiste land ter wereld; de plek die hij zijn hele leven had gekend, het thuis waarnaar hij na de oorlog was teruggekeerd. Hier had hij de draad van zijn leven weer opgepakt, was getrouwd en had een zoon gekregen. Het lawaai en de drukte van Sydney zouden buitenaards lijken.

Charles bleef daar zitten tot de zon achter de horizon verdween en de hemel in vuur en vlam zette. Toen pakte hij de doos met papieren en stak voor de laatste keer de sleutel in het slot. Hij liep het tuinpad af, het hek door en stapte in zijn auto. Hij zette de doos op de passagiersstoel en vroeg zich af waarom hij nou precies deze papieren had bewaard. Het waren voornamelijk oude dagboeken en kasboeken en bejaarde processen-verbaal die te maken hadden met oude zaken die zijn vader interessant had gevonden. Het was waarschijnlijk allemaal rijp voor de brandstapel.

Toch aarzelde hij om de laatste resten te vernietigen van de manier van leven waar zijn vader voor had gestaan. Hij kon zich de verhalen over het oude hotel en de vermiste Engelsman nog goed herinneren en hij was zelfs een keer naar de plek toegegaan om rond te kijken. Het was nu niet meer dan een leeg omhulsel, maar Charles had zich al lang geleden gerealiseerd dat het onopgeloste mysterie van de mensen die daar ooit hadden geleefd aan zijn vader had geknaagd tot de dag dat hij stierf.

Hij zat in de auto en staarde in de invallende duisternis. Het hotel raakte dan misschien in verval, maar de herinnering eraan bezorgde hem nog steeds rillingen. Er was een stroom geruchten op gang gekomen en zoals altijd het geval was, hadden de geruchten een kern van waarheid. Er werd gefluisterd dat er een vloek op het huis rustte en toen hij er de laatste keer was, leek hem dat helemaal niet onwaarschijnlijk.

Het huis was ergens in de negentiende eeuw gebouwd in opdracht van een rijke boer. Hij was een Schot die het voor de wind was gegaan en die de landheer wilde uithangen. Het werk was bijna klaar en hij was het gebouw aan het inspecteren toen een enorme kroonluchter die hij uit Europa had laten komen, losraakte van het plafond en naar beneden stortte. Hij was op slag dood.

Later kwam men erachter dat de balk niet sterk genoeg was geweest om de kroonluchter te dragen en Charles verdacht de aannemer ervan dat hij goedkoop materiaal had gebruikt om zijn winst te vergroten. Maar er leek wel degelijk een vloek op het huis te rusten. De zoon van de Schot en diens vrouw betrokken het huis kort daarna. Zij had er al niet veel zin in en toen haar echtgenoot dood onder aan de trap werd gevonden, raakte ze ervan overtuigd dat de vloek echt was.

Volgens Charles was het gewoon een tragisch ongeluk – sommige families trokken het ongeluk aan als een magneet. Maar het huis werd verschillende, elkaar snel opeenvolgende keren verkocht en blijkbaar wilde niemand er langer dan een paar maanden in wonen. Toen kocht Demetri het, stak een heleboel geld en tijd in het huis en maakte er een hotel van. Maar de Rus, zijn vriend Kane en de vrouw en het kind waren simpelweg verdwenen. Was die plek werkelijk vervloekt of was er meer aan de hand?

Charles draaide de sleutel in het contactslot om en reed langzaam de nauwe straat uit. Hij was realist, niet iemand die zich liet leiden door geruchten en speculatie. Maar hij had net als zijn vader een hekel aan onafgemaakte zaken. Nu de techniek en communicatiemiddelen de laatste tientallen jaren zo waren verbeterd, bestond er misschien een kans dat de waarheid eindelijk boven water kon komen. Het zou een prachtige laatste bijdrage aan de herinnering aan zijn vader zijn wanneer hij de zaak eens en voor altijd kon oplossen.

De adoptiewetgeving was in 1969 ingrijpend veranderd en na een zoektocht van jaren zou Catriona er eindelijk achter komen hoe het haar dochter was vergaan. Clemmie zat bij haar toen ze de stapel papieren doornam die John zo zorgvuldig had verzameld. 'Neem er de tijd voor,' zei ze. 'Er is heel wat en ik waarschuw je, het is niet allemaal even leuk.'

Catriona knikte. 'Ik ben zo in de war dat ik niet meer weet wat ik waar dan ook van vind,' zei ze terwijl ze naar de papieren voor zich keek. 'Ik ben opgewonden, zenuwachtig, bezorgd en bang voor wat ik misschien zal tegenkomen.'

Clemmie klopte haar op de hand. 'Dat klinkt als plankenkoorts,' zei ze zachtjes. 'Denk eraan wat je spraakleraar altijd zegt voor een voorstelling. Gebruik die energie op een positieve manier, je kunt er kracht uit putten.'

Ze glimlachte terug naar haar vriendin, haalde diep adem en begon te lezen.

Uit de archieven van het ziekenhuis bleek dat haar kleine baby in het ziekenhuis was gebleven tot ze was aangekomen en begon te groeien. Zes weken later verhuisde ze naar het weeshuis ernaast. Catriona's hart deed pijn van verdriet toen ze besefte dat ze zo dichtbij was geweest, maar hoe had ze dat kunnen weten? Velda had tegen haar gelogen toen ze zei dat de baby al bij haar adoptiefouders was.

Het kind had de naam Susan Smith gekregen, een doodgewone, nuchtere naam die helemaal niets zei over haar karakter of persoonlijkheid of een aanwijzing bevatte over haar achtergrond. Ze bleef anderhalf jaar in het weeshuis. De verslagen van de hoofdzuster maakten melding van het feit dat de baby ziekelijk was en altijd huilde. Ouders in spe wilden dikke, lachende baby's en de hoofdzuster had er een hard hoofd in dat ze een tehuis voor haar zouden vinden.

Catriona herinnerde zich hoe in de eerste maanden haar armen leeg hadden geleken, de leegheid in haar leven hol klonk en hoe haar dromen vol waren van de aanwezigheid van een kind met lachende ogen en dikke handjes. Als ze de kans maar had gekregen om haar vast te houden, voor haar te zorgen en haar lief te hebben, dan zou haar kleine meid vast en zeker voorspoedig zijn opgegroeid.

Susan werd uiteindelijk geadopteerd door een stel van middelbare leeftijd dat een uitgestrekte veefokkerij dreef ten zuiden van Darwin in de Northern Territories. Ze woonde tien jaar bij hen en toen sloeg het noodlot toe. 'O, mijn god,' zei Catriona ademloos toen ze het krantenknipsel oppakte. Er was een enorme bosbrand geweest en Susan was gered door een veedrijver die een beloning kreeg vanwege zijn moed. Haar adoptiefouders waren allebei omgekomen en Susan was weer alleen. Omdat er geen familie was die haar kon opnemen, moest ze weer terug naar het weeshuis.

'Arme kleine meid,' mompelde Clemmie. 'Wat zal ze zich alleen en in de war hebben gevoeld.'

'Het doet me pijn als ik eraan denk,' fluisterde Catriona. 'We waren allebei alleen, maar werden uit elkaar gehouden door allerlei regeltjes en bureaucratie. Was het maar anders geweest.'

'John is flink aan het wroeten gegaan.' Clemmie glimlachte. 'Hij begint een beetje af te takelen, maar het is een beetje een punt voor hem geworden. Hij is geschokt door het feit dat die instituten hun dossiers zo geheimhielden. Maar het houdt zijn geest tenminste bezig, ook al valt de rest van hem langzaam uit elkaar.'

Catriona glimlachte naar haar vriendin voor ze weer in de paperassen dook. Susan Smith werd niet opnieuw geadopteerd. Niemand wilde een tienjarige opnemen, zeker niet midden in de oorlog. Dus werd ze in een reeks pleeggezinnen geplaatst, die erachter kwamen dat ze een eigen willetje had en koppig was, al was ze wel buitengewoon intelligent. En toen het tijd voor haar werd om met een beurs naar een privéschool te gaan en het systeem van pleegouders te verlaten, deed ze dat zonder nog één keer achterom te kijken.

'Dat is het laatste,' zuchtte Catriona. 'Ik zal er waarschijnlijk nooit achter komen wat er van haar geworden is.' Ze maakte een snelle berekening in haar hoofd. 'Ze moet nu vijfendertig zijn. Een volwassen vrouw, waarschijnlijk heeft ze zelf kinderen.'

Clemmie schoof een dun stapeltje keurig getypte velletjes naar haar toe. 'Ik zei het al, Kitty. John is niet het soort man dat zich door de autoriteiten of gebrek aan informatie op z'n kop laat zitten.'

Catriona las de pagina's door en toen ze klaar was keek ze weer naar Clemmie, een brede glimlach op haar gezicht terwijl de tranen over haar wangen stroomden. 'Hij heeft haar gevonden,' zei ze ademloos. 'Ik kan met haar gaan praten.'

'Nee,' zei Clemmie op scherpe toon. 'Dat zou niet verstandig zijn. Ze leidt nu haar eigen leven. Het verleden moet blijven rusten. Ze denkt waarschijnlijk dat je haar hebt afgestaan omdat je haar niet wilde hebben. Joost mag weten wat ze haar in het weeshuis hebben verteld of toen ze in pleeggezinnen zat.' Clemmie legde troostend een hand op haar arm. 'Ze zal je niet willen ontmoeten, Kitty, geloof me. En ik wil niet dat je nog meer verdriet wordt gedaan.'

'Maar ik moet het proberen,' drong Catriona aan terwijl ze door de kamer begon te ijsberen. 'Snap je het niet? Ik kan haar niet laten denken dat ik haar uit eigen wil in de steek heb gelaten.' Ze propte haar handen in haar broekzakken. 'Ik moet met haar praten, ik moet zorgen dat ze begrijpt dat ik er helemaal niets over te zeggen had, dat ik zelf nog maar een kind was.'

Clemmie keek haar met een blik vol afschuw aan. 'En hoe denk je haar uit te leggen dat ze het resultaat is van een verkrachting? Denk je echt dat ze een beter zelfbeeld krijgt wanneer je haar dat vertelt? Dat is niet echt iets om trots op te zijn.'

Catriona zat gevangen in een maalstroom van besluiteloosheid. 'Maar ik ben nu zo ver gekomen, ik ben na al die tijd zo dicht bij haar – ik kan er nu niet mee ophouden.' Ze schonk een stevige whisky in en nam een slok. 'Ik hoef haar niet alles te vertellen,' zei ze ten slotte toen Clemmies afkeurende zwijgen haar te veel begon te worden. 'Ik zeg gewoon dat ik een vroegrijp meisje was en zwanger ben geworden na een feestje.'

'Dan denkt ze dat je een slet was,' zei Clemmie stijfjes. 'Je was dertien, weet je nog?'

'Nou, dan lieg ik toch? Dan verzin ik gewoon iets.'

'Dat is niet de beste manier om een relatie te beginnen,' zei Clemmie nors.

'Waarom speel jij advocaat van de duivel?' schreeuwde Catriona gefrustreerd.

Clemmie ging staan en sloeg een arm om haar heen en drukte haar stevig tegen zich aan terwijl Catriona in tranen uitbarstte. 'Omdat ik van je hou,' zei ze zachtjes. 'Omdat je de beste vriendin bent die ik heb en ik niet wil dat je jezelf pijn doet, of je dochter.' Ze maakte zich los uit de omhelzing en veegde de lange lokken donker haar uit Catriona's gezicht. 'Je kunt dan misschien niet met haar praten, Kitty, maar er zijn nog andere wegen.'

Catriona snoot haar neus en veegde haar tranen weg. Ze dronk het glas whisky leeg en zette het op een lage tafel bij de gekleurde vellen papier die John bij de papieren in de map had gestopt. Ze pakte een reeks foto's en verslond met haar ogen de beelden van deze jonge vrouw die ze alleen maar bij haar geboorte had gekend. 'Je hebt gelijk, zoals altijd,' zei ze fluisterend. 'Wat zou ik zonder jou moeten beginnen?'

De twee vrouwen omhelsden elkaar en Clemmie verliet na een tijdje het appartement zodat Catriona zich klaar kon maken voor de avond. Maar Catriona was niet van plan die avond op te treden. Ze belde het conservatorium, zette voor het eerst in haar carrière een hese stem op en zei dat ze een zware verkoudheid had opgelopen. De producer was daar niet blij mee, maar hij kon de pot op; de afgelopen dertig jaar of zo had ze geen optreden gemist en het was de hoogste tijd dat ze eens een avond vrij nam. Bovendien, zo redeneerde ze, had ze belangrijker dingen om over na te denken en haar optreden zou daaronder lijden.

Terwijl de avond viel en overal in Sydney de lichten aangingen, staarde ze naar het prachtige gebouw dat langzaam uit de puinhopen bij Circular Quay verrees. Het operagebouw was bijna klaar en het beloofde een triomf van architectuur en verbeeldingskracht te worden – en zo heel anders dan het oude stadhuis of het conservatorium. Wat benijdde ze de sopranen en alten die hier hun debuut zouden beleven.

Ze wendde zich af van het venster en ging aan haar antieke bureau zitten. Dat puilde uit van de programma's en pamfletten, brieven van fans, dirigenten en collega's. Haar leven was gezegend, besefte ze. Ze mocht dan nooit het geluk hebben geproefd van het grootbrengen van eigen kinderen, ze had wel bijna alles bereikt wat ze had gewenst. Ze had Belvedère en Poppy's kleinkinderen, een bloeiende, bevredigende carrière en geld genoeg om zeker te zijn van een comfortabele oude dag. Toch leek het allemaal zo leeg zolang ze het niet kon delen met haar enige kind.

Nadat ze lange tijd had nagedacht begon ze de brief te schrijven die naar ze hoopte haar laatste wens in vervulling zou doen gaan.

15

Na jaren zeuren mocht Connor eindelijk meedoen aan de jacht op de wilde paarden. De ervaring overtrof zijn stoutste verwachtingen en hij bracht elk vrij moment door bij de kraal waar Billy Birdsong was begonnen met het temmen van de wilde en prachtige paarden die ze bijeen hadden gedreven. Zijn grootmoeder klaagde dat hij nooit thuis was en dat zijn schoolwerk eronder leed. Maar dat kon hem niet schelen. Dit was hoe hij wilde leven; te midden van mannen en het geluid van paarden die getemd werden. Vrij zijn in de enorme uitgestrektheid van dit prachtige land en een wezenlijk onderdeel zijn van het leven op Belvedère.

Toen Billy het paard de kraal binnenbracht keek Connor er verlangend naar. Het was geen bijzonder groot dier, maar het galoppeerde door de bak alsof die van hem was. Zijn manen en staart golfden en de witte bles stak helder af tegen de kastanjebruine vacht. Maar Connor zag dat het een ruin was en merkte het brandmerk op de bil op. Dit was geen echt wild paard – hij was op een bepaald moment ontsnapt uit de weiden van Belvedère en had zich bij de wilde kudde gevoegd.

Het dier was woedend dat hij was gevangen en probeerde uit de kraal te ontsnappen. Hij deed grote stofwolken opstijgen, steigerde en sloeg met zijn voorbenen in de lucht en gilde het uit van verontwaardiging. Connor zat op de omheining en keek hoe Billy bezig was. Paarden temmen was net als dansen. Een langzame, bijna sensuele interactie tussen een vastberaden man en een tegenstribbelend paard, die werd uitgevoerd in het stof van de bak. Het paard was een en al vuur en verzet, de man een waakzame, zoetgevooisde sirene die het dier verleidde tot de onvermijdelijke overgave. Connor was als betoverd en vastbeslotener dan ooit tevoren om net als Billy temmer te worden.

Het kostte Billy niet lang om de ruin weer te laten wennen aan het gevoel van een zadel op zijn rug. Ten slotte klom hij in het zadel en hield de teugels kort terwijl het paard tegenstribbelde. Het hek ging open en man en paard gingen er als een pijl uit de boog vandoor. Connor zag ze in een wilde galop over de vlakte gaan en wachtte af. En inderdaad, bijna een uur later kwamen ze terug; het paard stapte keurig over het ruwe terrein, met een breed grijnzende Aboriginal op zijn rug.

Connor deed het hek open en Billy liet zich van de rug van het paard glijden. 'Jij samen met hem,' zei hij in zijn steenkolenengels. Hij grijnsde. 'Denk jij en hij prima samen.'

'Wil je zeggen dat hij van mij is?' zei Connor ongelovig. Hij stak voorzichtig zijn hand uit en de zachte neus van het dier snuffelde aan zijn handpalm. 'Fantastisch, maat,' zei hij bijna onhoorbaar. 'Absoluut fantastisch.'

'Juffrouw zegt jij te groot voor pony,' zei Billy en hij gaf hem de teugels.

Connor lachte en het paard duwde met zijn neus tegen zijn schouder en probeerde in zijn haar te bijten. Hij aaide de bles op het trotse hoofd. 'Ik noem hem Lightning,' zei hij ademloos.

Fred kwam aangelopen toen Connor het paard uit de bak leidde en hem op het erf liet uitlopen. Hij schoof zijn met zweet doordrenkte hoed achterover en veegde zijn voorhoofd af. 'Waarom ben jij niet op school?' vroeg hij op lijzige toon.

'School is saai,' antwoordde Connor. 'Ik ben bijna dertien en ik wil met jou en Billy werken.'

Fred glimlachte en de rimpels in zijn gezicht trokken samen tot diepe kloven. 'Ik denk dat je dat wel zou kunnen,' zei hij. 'Maar dat is aan de juffrouw. Ze wil dat je een behoorlijke opleiding krijgt.'

Connor wist wanneer hij verslagen was. Catriona en oma waren onvermurwbaar geweest. Hij mocht gaan werken wanneer hij dertien was en geen seconde eerder. 'Het is niet eerlijk,' mopperde hij en hij schopte in het zand.

'Zo is het leven, jongen,' zei Fred opgewekt. 'Maar het is nog maar een paar weken tot je verjaardag, dus hou op met dat gejammer. Ga nu je zus maar uit school halen.'

Connor klom in het zadel en pakte de teugels. Lightning spitste de oren en stampte op de grond, alsof hij niet kon wachten om te gaan. Connor zat nu hoog boven de mannen en gloeide van trots. Dit was zijn eerste echte paard en wat was het een schoonheid. Rosa zou stinkend jaloers zijn. Hij draaide het paard een keer in een cirkel rond en met een kreet van opwinding liet hij Lightning gaan. Samen raceten ze over de open vlakte naar het stadje Drum Creek.

De school was een uitgestrekt houten gebouw dat omringd werd door bomen. Een brede veranda liep langs de voorkant onder een afgerond, zinken dak en aan de achterkant was een omheinde weide die was omgevormd tot een speelplaats en sportveld. De kinderen droegen er geen uniform, maar gewoon de kleren die ze elke dag droegen en meestal bestonden uit een overall, een leren broek of een spijkerbroek. De doelpalen van het Australisch voetbal staken hoog in de lucht en het veld was uitgezet met krijtlijnen. Schommels, klimrekken en een basketbalbord stonden in een hoek opgesteld. De school omvatte vier lokalen, elk voorzien van eenvoudige tafels en stoelen, een schoolbord en een grote wereldkaart. Plafondventilatoren brachten 's zomers de lucht in beweging en 's winters brandde er een groot houtvuur in de open haard.

De kinderen die ver weg op afgelegen fokkerijen woonden kregen nog steeds les via de kortegolfzender, maar Drum Creek School voorzag in het onderwijs voor alle kinderen die dichterbij woonden. De leerlingen waren voornamelijk de zoons en dochters van de eigenaren van de uitgestrekte schapen- en veefokkerijen in de omgeving. Ze kregen hier les tot het tijd voor ze was om naar de middelbare school te gaan. Dan gingen ze intern op de scholen in de stad, of maakten hun opleiding af via het radio-onderwijs. De school was in de capabele handen van meneer en mevrouw Pike, hun ongetrouwde dochter en een jonge, zeer aantrekkelijke vrouw die zich hier onlangs vanuit Adelaide had gevestigd en lesgaf aan de jongste kinderen. De vrijgezelle mannen waren verrukt en meneer en mevrouw Pike vroegen zich af hoe lang het zou duren voor ze haar weer kwijtraakten.

Connor liet het paard stapvoets lopen toen hij in de buurt van de school kwam. Hij was zich bewust van de bewonderende blikken van degenen die hij tegenkwam en hij kon niet wachten om op te scheppen tegenover zijn zus. Hij kwam bij het houten hek dat het voorplein omringde en wachtte ongeduldig tot de bel zou gaan. Er stond een hele rits pony's gekluisterd onder de bomen – de meeste kinderen maakten 's morgens en 's middags te paard de lange tocht naar en van school – maar geen daarvan kon met Lightning wedijveren.

Toen de eerste galm de stilte van de zomermiddag verstoorde, vlogen de deuren open en stroomden de kinderen naar buiten. De jongsten renden kwetterend als kaketoes naar buiten waar ze onmiddellijk verdergingen met de spelletjes waar ze al voor de lessen mee bezig waren geweest. De oudere kinderen waren wel rustiger, maar er niet minder op gebrand om aan de school te ontkomen. De jongens trapten een balletje en stoeiden nog wat met elkaar in het stof alvorens hun paard te zadelen en op weg te gaan naar huis. De meisjes sloegen hun armen om elkaar heen en roddelden en giechelden terwijl ze bewonderende en jaloerse blikken in de richting van Connor en zijn nieuwe paard wierpen.

Het werd eindelijk stil. Connor zat ongeduldig te wachten. Zoals gebruikelijk was Rosa in geen velden of wegen te bekennen. Hij stond net op het punt af te stijgen en naar haar op zoek te gaan toen ze uit het schoolgebouw kwam, arm in arm met haar vriendin Belinda Sullivan. Hij slaakte een zucht van ergernis. 'Schiet op,' riep hij, waardoor Lightning de oren spitste en met zijn hoeven stampte. 'Je bent te laat en oma zit te wachten.'

Rosa en Belinda giechelden. De meisjes waren op hun eerste schooldag vriendinnen geworden en hoewel ze allebei een overall droegen, hield daar de gelijkenis op. Rosa was klein en slank en had kortgeknipt bruin haar dat in de zon glansde als een kastanje. Belinda was langer, breder, misschien zelfs een beetje aan de dikke kant en haar weerbarstige, donkere krullen waren in lange vlechten gedraaid. Maar ze deelden een passie voor paarden, honden en alles wat hen vies maakte of tot kattenkwaad kon leiden. Ze zagen allebei het paard en kwamen aangerend. 'Jeetje, Con. Hoe kom je daaraan?' vroeg Rosa buiten adem. 'Wat een mooi dier.'

Belinda stond in stille bewondering naar Connor te staren en Connor bloosde ervan. Hij veronderstelde dat het wel vleiend was om het onderwerp van zo'n hartstocht te zijn, maar het bracht hem eerlijk gezegd in verlegenheid en hij was blij dat geen van de andere jongens in de buurt was om er getuige van te zijn. 'Billy heeft hem aan me gegeven,' zei hij lijzig met gemaakte nonchalance.

'Dat is niet eerlijk,' zei Rosa boos. 'Waarom krijg jij zo'n paard terwijl ik het met die ouwe Dolly moet doen?'

'Omdat jij nog steeds een klein kind bent,' zei hij terwijl hij Belinda's bewonderende blik angstvallig bleef ontwijken.

'Dat ben ik niet,' snauwde ze en ze stampte met haar voet. Haar donkere ogen schoten vuur en haar gezichtje zag rood van woede. 'Ik ben al bijna negen.'

'Dat duurt nog een halfjaar,' zei hij pesterig. 'Kom op, Rosa. Schiet eens een beetje op. Ik heb honger.'

'Mag Belinda mee?'

Hij gluurde naar Belinda. Dat kind bleef altijd maar logeren en hij begon het een beetje beu te worden dat het wicht de hele tijd overal maar achter hem aan liep. Hij schudde zijn hoofd. 'Misschien morgen,' mompelde hij.

'Waarom mag ze vandaag niet mee?' Rosa was erg vervelend bezig. 'Oma vindt het vast niet erg.'

Belinda loste Connors probleem voor hem op door weg te lopen om haar kleine dikke pony te gaan halen. Toen ze terugkwam glimlachte ze lief naar Connor en zwaaide gedag.

'Schiet op,' zei Connor tegen zijn zus.

'Oké, oké,' snauwde Rosa voor ze wegbeende, Dolly zadelde en de harige kleine pony aanzette tot een sukkeldrafje in een poging hem in te halen.

Het was maar een uur rijden naar huis en al binnen enkele minuten zat Rosa hem aan zijn hoofd te zeuren of ze op Lightning mocht rijden. Hij bood een tijdje weerstand, maar gaf toen toe. Hij kon zijn kleine zus nooit iets weigeren, en ook al werd hij soms gek van haar, hij was stapeldol op haar. Met de pony aan een touw achter hen aan en Rosa voor hem in het zadel reden ze onder het gekwebbel van Rosa op huis aan.

Hij liet Lightning stilhouden toen ze bij het huis kwamen. De deur was dicht en hij rook dat er iets brandde. Hij steeg snel af, bond Lightning aan het hek en haastte zich over het pad. Rosa liet zich op de grond glijden en kwam achter hem aan.

Connor rende naar binnen en kwam glijdend tot stilstand. Het huis stond vol rook. 'Blijf hier,' beval hij Rosa. Hij trok zijn halsdoek voor zijn mond en neus en ging op de tast naar de keuken. 'Oma? Oma, waar zit je?' riep hij tussen de hoestbuien door. De rook was dik en had een metalige smaak. Het viel niet mee om adem te halen en zijn ogen prikten. Hij zocht blindelings zijn weg door de kamer en gooide de achterdeur en de ramen open.

'Oma,' riep Rosa bij voordeur. 'Waar is oma?'

Connor kon niet veel zien, maar toen de rook optrok ging er een golf van opluchting door hem heen toen hij zich realiseerde dat zijn grootmoeder niet in de keuken was. Maar waar was ze heen? Oma was er altijd om ze te eten te geven wanneer ze uit school kwamen. Hij keek wild om zich heen in de keuken terwijl de rook door het open raam naar buiten dreef. De vuurhaard was een juspan die op het fornuis was blijven staan en was drooggekookt. Hij pakte een vaatdoek, haalde de pan van het vuur en smeet hem in de gootsteen en goot er water over. De pan was kapot; er zat een groot gat in de bodem en de restanten van de verbrande hachee zaten aan de wand gekoekt.

'Waar is oma?' Rosa's ogen waren groot in haar bleke gezicht toen ze in de deuropening van de keuken verscheen.

'Ik weet het niet,' zei hij zachtjes. 'Kom op, we moeten hier weg.' Hij nam haar bij de hand en trok haar mee de achterveranda op. Rosa hoestte de longen bijna uit haar lijf en hij kon nauwelijks ademhalen, laat staan dat hij die akelige smaak kwijt kon raken.

Toen ze de tuin instapten trok iets tussen de slierten rook zijn aandacht. Hij keek nog eens goed en het gevoel dat er iets niet klopte werd sterker. 'Blijf jij maar even hier,' zei hij tegen Rosa en hij haastte zich het trapje af en rende naar de waslijnen achter in de tuin.

De pasgewassen lakens wapperden en klapperden als grote vleugels boven de kleine, stille figuur die daar te midden van de houten knijpers en de omgevallen mand op de grond lag.

'Oma?' Hij rende naar haar toe, maar nog voor hij haar aanraakte wist hij dat ze dood was.

Rosa gilde en hij draaide zich vlug om en nam haar in zijn armen om haar af te schermen van de vreselijke aanblik van de open mond en starende ogen van zijn grootmoeder. 'Wat is er met haar aan de hand, Con?' snikte Rosa. 'Waarom ligt ze in de tuin?'

Connor probeerde haar te kalmeren, maar haar gillen en haar snikken riepen de verschrikkingen uit zijn jeugd weer op en hij moest vechten tegen zijn tranen. 'Ze is in de hemel, Rosa,' mompelde hij ten slotte. 'Ze is naar de engelen toe.' Hij keek naar de klapperende lakens. Ze deden hem eerder denken aan de vleugels van een enorme, onbekende roofvogel, maar die gedachte hield hij voor zichzelf. Rosa was al bang genoeg.

Rosa klampte zich stevig aan hem vast. 'Jij gaat toch niet naar de engelen, hè?' smeekte ze. 'Beloof je dat je niet ineens zult verdwijnen?'

'Natuurlijk beloof ik dat,' zei hij en zijn stem was onvast terwijl hij tegen zijn tranen vocht en probeerde sterk te zijn voor haar. Maar zijn hart brak en toen hij zijn kleine zus oppakte en haar wegdroeg, realiseerde hij zich dat hij alles was wat zij had. Hij moest sterk zijn – zich een man tonen – en voor haar zorgen en zijn belofte houden dat hij haar nooit in de steek zou laten.

Catriona was in Brisbane, waar ze zich voorbereidde op *Tosca*. Het zou de volledige voorstelling worden die op de South Bank in de openlucht zou worden uitgevoerd ter ere van Australia Day. De repetities waren al drie maanden aan de gang en er waren nog twee weken te gaan tot de generale repetitie.

Catriona pakte haar handtas en streek de kreukels uit haar hemdjurk. Linnen was nooit een goed idee. Brin had haar vaak genoeg gewaarschuwd, maar ze had de jurk in een etalage zien hangen en had er geen weerstand aan kunnen bieden. Ze schoof haar voeten in de hooggehakte schoenen – ze zaten strak, en ze kon niet wachten tot ze weer in haar appartement was en heerlijk in een warm bad kon gaan liggen weken.

Ze verliet het repetitielokaal en stapte in haar auto. De rit naar het gehuurde appartement was niet lang, maar ze was moe en voelde voor het eerst in haar leven de jaren tellen. Ze zou in ieder geval een paar dagen vrij hebben, dacht ze, terwijl ze haar weg zocht door het verkeer en naar de buitenwijken in het noorden reed. En als de generale repetitie achter de rug was, zou ze nog eens twee dagen vrij hebben tot de eerste voorstelling.

Ze draaide de auto door het hek dat automatisch opening en parkeerde voor haar appartement. Het was een laag appartementengeboouw met een patio die uitzicht bood op het zwembad en de fraai aangelegde tuinen. Ze ging de koele hal binnen en deed de deur achter zich dicht. Ze schopte haar schoenen uit, raapte haar post bij elkaar en liep de zitkamer in en liet zich op de bank ploffen.

Het geluid van kinderen die in het zwembad aan het spelen waren dreef de kamer binnen en ze deed haar ogen dicht. *Tosca* was de meest uitdagende van alle opera's, erg dramatisch, duister en vol hartstocht; en hoewel ze geweldige kritieken had gekregen voor de manier waarop ze die rol zong en ze beschouwd werd als de grootste Floria van haar tijd, begon het hectische leven zijn tol te eisen en na zo veel jaar in het vak begon ze haar gedrevenheid kwijt te raken.

Ze deed haar ogen open toen dit alarmerende besef tot haar doordrong. Voelde ze zich daarom de hele tijd zo moe? Begon haar stem daarom iets van zijn tessituur te verliezen – zijn textuur en helderheid? Ze stond op en liep naar het raam. Ze deed de zware gordijnen open zodat het zonlicht binnenstroomde en ze een blik op het zwembad kon werpen. De veranderingen in haar stem waren gering, zo subtiel dat tot dusverre alleen zij dat had gemerkt, maar ze wist dat ze er waren. Ze merkte het iedere keer dat ze worstelde om de perfectie te bereiken die ooit zo vanzelfsprekend was geweest. 'Hoe lang heb ik nog?' vroeg ze zich af.

Ze liep bij het raam vandaan en ging naar de keuken waar ze een kop thee zette, maar haar hersenen weigerden zich te laten uitschakelen. Een leven bij het toneel was op zijn best onzeker – zij had geluk gehad – maar hoe lang kon zij haar positie nog handhaven? Er waren andere diva's die de aandacht opeisten: de opwindende Callas in Amerika, de vorstelijke Joan Sutherland uit Australië, en de verbijsterende Nieuw-Zeelandse Kiri te Kanawa, die zojuist haar eerste plaat had opgenomen na optredens in het London Opera Centre.

Ze nam een slokje van haar thee en staarde voor zich uit. Ze was nog steeds een diva; ze werd nog steeds gerespecteerd, was nog steeds geliefd en gevraagd. Maar hoe lang zou dat blijven duren? Ze was bijna vijftig en omdat ze al op zo'n jonge leeftijd was begonnen, zou haar stem haar ongetwijfeld over niet al te lange tijd in de steek laten. En dan? Het idee dat ze met pensioen moest joeg haar doodsangst aan. Wat moest ze dan doen? Hoe moest ze de tijd doorkomen? Belvedère was haar thuis, de plek waar ze naar verlangde wanneer ze er niet was. Maar ze was realist genoeg om te beseffen dat Belvedère ook figuurlijk mijlenver verwijderd was van de drukte van de stad, een heel andere wereld was dan het dramatische leven bij de opera en de opwinding van de hele wereld rondreizen. Hoe lang zou het duren voor ze de eindeloze ruimte, de kleine bevolking en de dagelijkse sleur van een veefokkerij beu was?

Misschien kon ze forensen? Met haar geld was er een nieuwe academie gesticht in Melbourne en een fonds in het leven geroepen dat beurzen verstrekte aan de armere studenten en ze kon lesgeven en hun talenten helpen ontwikkelen. Maar dan nog zou ze de opwinding van het optreden missen, de adrenaline die werd opgewekt wanneer ze op een enorm toneel stond voor een enthousiast publiek. Ze kon natuurlijk platen opnemen en gastoptredens verzorgen, maar daar zou ze geen bevrediging in vinden. Catriona was altijd aanhanger van het alles-of-nietsprincipe geweest. Als ze met pensioen zou gaan, dan zou dat ook het einde betekenen – dat moest wel – want ze weigerde om een verlopen diva te worden die tot op hoge leeftijd elke rol bleef aannemen die haar uit medelijden werd aangeboden, alleen omdat ze de gedachte niet kon verdragen dat ze niet langer op toneel zou staan.

Catriona knipperde met haar ogen en maakte zich los uit haar sombere gedachten. Ze was nog niet afgeschreven. Ze stond op het punt om te schitteren in *Tosca*, haar beroemdste rol, en ze zouden haar die niet hebben aangeboden uit medelijden. Ze was gewoon moe en ze had rust nodig. Morgen was er weer een dag, en aangezien de repetities even werden onderbroken, vroeg ze zich af of ze het vliegtuig zou nemen en op bezoek zou gaan bij Poppy. Het zou fijn zijn om haar weer te zien; de laatste keer was zo kort geweest.

De brieven lagen op tafel waar ze ze had neergegooid en ze keek even wat ertussen zat, tot ze iets tegenkwam dat er interessant uitzag. Het adres op de grote envelop die was doorgestuurd vanuit haar appartement in Sydney, was in een onbekend handschrift. Ze scheurde hem open.

Haar eigen brief viel eruit. Hij zat nog steeds in de envelop, maar hij was tenminste geopend. Catriona's hand begon te beven. Er was geen begeleidend briefje. Catriona keek naar het handschrift en vroeg zich af of haar brief helemaal tot het einde was gelezen, of dat er even een blik op was geworpen en vervolgens terzijde was geschoven. Maar het enkele feit dat hij was teruggestuurd was een krachtige boodschap. Haar dochter wilde niets met haar te maken hebben.

'Ik heb zo lang moeten wachten en ik heb te hard gezocht om me nu nog te laten afwijzen,' mompelde ze voor zich uit. 'Ik zal nog een brief schrijven en dan nog een en nog een, tot ze het beu is ze terug te sturen. En dan zal ze misschien zo nieuwsgierig worden dat ze er een leest.'

De telefoon onderbrak haar gedachten en ze pakte de hoorn van de haak. Ze luisterde vol afschuw toen Fred haar over Poppy vertelde. 'Zorg voor de kinderen. Ik kom er aan.'

De begrafenis zou de volgende ochtend vroeg zijn en Catriona kwam laat in de avond aan, maar er stroomde licht uit de ramen van de boerderij. 'Waar zijn de kinderen?' was haar eerste vraag.

Fred zag ondanks zijn zonverbrande huid bleek en zijn ogen stonden droevig. 'We hebben Rosa in bed gelegd in de logeerkamer. De vrouw van Billy, Maggie, heeft haar een warm drankje met een van haar middeltjes gegeven om haar te kalmeren en te helpen in slaap te vallen. Zij is nu bij haar, gewoon, om een oogje in het zeil te houden.'

'En Connor? Hoe houdt hij zich?'

Fred ging met zijn hand over de grijze stoppels op zijn kin. 'Hij is buiten met Billy,' zei hij. 'De knaap heeft een flinke opdoffer gehad. Maar het komt wel goed, hij is taaier dan je zou denken en hij heeft het al over hier werken om de kost te verdienen voor zichzelf en zijn zus.'

Catriona zei niets, maar diep vanbinnen was ze woedend over de oneerlijkheid dat Connor zich stoer en mannelijk moest voordoen, terwijl hij nog maar een jongen was. Het leek erop dat Poppy's vastberadenheid en kracht op haar kleinzoon waren overgegaan en hoewel ze graag anders zou willen, wist ze dat Connor zou doen wat hem goed leek en zich niets zou aantrekken van wat voor raad ze ook zou geven.

Ze liep de boerderij binnen en deed haar bontjas uit. Het was te stil en de geur van de dood hing al in het huis. Ze wou dat de kinderen hier waren, zodat ze haar armen om hen heen kon slaan en ze ervan kon verzekeren dat ze niet alleen stonden. Ze had er behoefte aan ze in haar armen te houden, zowel voor hen als voor zichzelf, want Poppy was haar laatste band met het verleden geweest, de laatste draad van het geweven tapijt van haar jeugd.

Catriona keek even bij Rosa binnen en wist de neiging te bedwingen om haar in haar armen te nemen. De kleine meid droeg haar favoriete Snoopy-pyjama en lag opgerold te slapen met één hand op een rozige wang. Maggie zat in een stoel naast het bed te knikkebollen van vermoeidheid. Ze had een hand beschermend op de arm van het kind. Ze wilde ze geen van beiden storen, dus deed ze zachtjes de deur weer dicht en liep naar de andere kant van de kleine hal. Ze haalde diep adem, keek even naar Fred en deed toen de deur open.

Poppy lag opgebaard in de zitkamer die werd verlicht door tientallen kaarsen. Het leek alsof ze lag te slapen; haar gezicht stond kalm en de zorgelijke rimpels leken op de een of andere manier verdwenen. Haar haar was geborsteld, haar handen lagen gevouwen op haar borst en ze had een rozenkrans tussen haar levenloze vingers geklemd. De jurk die ze aanhad was er een die Catriona haar jaren geleden had gegeven – het was haar lievelingsjurk – felgeel met overal grote rode bloemen.

Catriona ging naast haar staan en keek naar haar en de tranen bleven aan haar wimpers hangen. De timmerman had een kist gemaakt van hout uit de omgeving en had hem gelakt en gepoetst tot het hout glansde. Er waren koperen handgrepen, zag ze, en de voering was van zachtlila zijde. 'Hoe hebben jullie dit in zo'n korte tijd voor elkaar gekregen?' vroeg ze met een door tranen verstikte stem.

Fred schraapte zijn keel. 'De timmerman heeft altijd een paar kisten in voorraad,' zei hij kortaf. 'Het zou te lang duren om er een te laten maken en die te laten overvliegen en we hebben altijd hooguit vierentwintig uur voor er begraven moet worden.' Hij schuifelde met zijn voeten. 'Maggie en de andere Aboriginalvrouwen hebben Poppy afgelegd. Ik hoop dat alles in orde is?'

Catriona gaf geen antwoord. Ze keek alleen maar naar Poppy en deed haar best om niet toe te geven aan de vreselijke drang om in gejammer uit te barsten. De jurk paste niet bij de oorhangers en de armbanden en alles vloekte bij de lila voering – maar dat was Poppy ten voeten uit. Felgekleurd en net zo'n kletskous als de rosella's en net zo ondeugend als de opossums die ze op het dak hoorde scharrelden. 'Ik hoop dat ze niet heeft geleden,' zei ze zachtjes.

'De dokter zei dat ze een hartaanval heeft gehad. Ze heeft waarschijnlijk niets gevoeld.'

Catriona knikte. 'Ik zal vannacht bij haar waken,' fluisterde ze.

Fred ging de kamer uit en ze trok een stoel bij en bedekte Poppy's handen met de hare. Ze voelden koud aan, gevoelloos, zo heel anders dan de Poppy die ze had gekend. En terwijl ze daar te midden van de dansende schaduwen zat, herinnerde ze zich het gehots en gekraak van de wagen terwijl ze door de outback reden. Ze herinnerde zich het revuemeisje met de namaakjuwelen en de lange benen die zo vol levenslust zat en die van die prachtige en ondeugende verhalen kon vertellen. Ze weigerde aan de sombere tijden te denken – de tijd van armoe en vooroordelen – de tijd dat het leven een strijd was geweest en ze allemaal hadden gedacht dat ze het niet zouden volhouden.

Want Poppy had dat allemaal overwonnen, de kracht van haar karakter en levenslust hadden haar de wil gegeven om lang genoeg te overleven om haar kleinkinderen veilig te zien opgroeien. Dat was een krachtige erfenis, die in de jonge Connor al zichtbaar werd.

Connor was blij dat het donker was, want de nacht verborg zijn tranen terwijl hij Billy Birdsong de wildernis in volgde. Het verdriet om zijn grootmoeder was een gewicht dat pijnlijk op zijn borst drukte en hij vroeg zich af hoe Rosa en hij het zonder haar moesten redden. Ze was er altijd geweest, altijd beschermend en liefhebbend, zelfs in de donkerste ogenblikken.

'Achter me aan,' zei Billy op zangerige toon. 'Volg voetstappen van voorouders naar Land van Niets.'

Connor werd aangetrokken door de zachte stem, want hij kende de oude Aboriginal al sinds hij klein was en was er altijd dol op geweest om naar zijn verhalen te luisteren en met hem door de wildernis te zwerven als zijn grootmoeder het goedvond. Billy was zijn held en zijn mentor en hij hoopte op een dag net zo veel te weten van het land en de dieren en planten die in dit grote open gebied gedijden.

Ze waren een heel eind van de boerderij. Ze hadden de paarden achtergelaten en de twee gestalten bewogen als schaduwen door het lange gras en een groepje bomen in. Het waaide zachtjes, net een stem die in de duisternis fluisterde terwijl de bries de bladeren beroerde en het gras deed golven. Connor volgde de vaste tred van de Aboriginal tussen de bomen door en de vlakte op. Het enige dat hij hoorde was de sirenenzang van de man die hij volgde en het enige wat hij zag was de iets donkerdere schaduw tegen de nachtelijke hemel toen ze bij een open plek aankwamen.

Billy hield eindelijk op met lopen en bleef staan wachten. Hij was een lang, onbeweeglijk silhouet tegen de sterrenhemel en zijn haar vormde bijna een halo om zijn hoofd. Hij stak een arm uit. 'Kom bij me, Connor,' zong hij. 'Zit onder de sterren en ik vertel je over Droomtijd en waarom dood niet voor tranen is.' Hij kruiste zijn benen en liet zich in één sierlijke, vloeiende beweging op de grond zakken.

Connor ging naast hem zitten en vroeg zich af welke woorden Billy kon gebruiken om zijn pijn te verzachten.

Billy begon te praten; zijn stem had een hypnotische klank en dwong tot luisteren terwijl hij Connor vertelde over de laatste reis naar de hemelen. 'Poppy heeft sterke geest,' zei hij. 'Ze maakt goede reis naar het land van de hemel.' Hij wierp een handjevol gras in de lucht en ze keken hoe het door de wind werden gegrepen en meegevoerd. 'Als de grasssprieten zijn we hier naartoe geblazen door de Zonnegodin om Moeder Aarde te beschermen. Terwijl we zaaien voor nieuwe generaties, worden wij oud en de Zonnegodin roept ons naar huis. Zij zingt en we kunnen onze oren niet sluiten, dan tijd om te rusten.'

Connor snikte en veegde zijn neus af aan zijn mouw.

De Aboriginal glimlachte en zijn tanden schitterden in het maanlicht. 'Jouw tranen voeden de zaden die zij heeft geplant,' zei hij. 'Ze brengen leven voor de geesten die in de aarde wachten om geboren te worden.' Zijn stem ging over in zacht gefluister. 'Haar tijd is voorbij, maar haar geest is altijd bij je.'

Connor keek hem aan, zijn ogen verblind door tranen en met een gebroken hart.

'Wees niet verdrietig,' zei de Oude. 'Ze wordt opgetild in Geestkano, en als je goed kijkt, zie je de zeilen op de Grote Witte Weg.' Hij hief een magere arm en wees.

Connor wreef de tranen uit zijn ogen en keek omhoog. De hemel was enorm, strekte zich zo groots boven en om hem heen uit dat het net was of hij de kromming van de aarde kon zien. En daar, te midden van miljarden sterren, lag de Melkweg, een brede strook speldenpuntjes licht die te talrijk waren om te tellen. Hij strekte zich uit van horizon tot horizon in een gigantische, glinsterende boog en terwijl hij zat te kijken meende hij een eenzame ster zich over die hemelse snelweg te zien voortbewegen.

'Geestkano neemt haar mee naar het land van Maangod,' zei Billy zachtjes. 'Daar raakt ze aardse vorm kwijt, gooit het af als een gomboom zijn bast en vliegt hoger en hoger in de hemel tot ze een ster is. Een ster die altijd op jou schijnt en op anderen van wie ze hield.'

Connors tranen liepen warm over zijn wangen terwijl hij het kleine lichtpuntje langs de Melkweg zag gaan. Toen, zonder enige waarschuwing, was er een flits en schoot iets langs de hemel.

'Het is gebeurd,' verzuchtte Billy.

Connor knipperde met zijn ogen en keek nog eens. Er stond een nieuwe ster aan de hemel, dat wist hij zeker, en hoewel hij zeker wist dat Billy het verhaal had verzonnen, wilde hij niets liever dan het geloven. 'Zal de ster daar altijd staan?' vroeg hij.

'Altijd,' zei Billy. 'Haar geest woont nu in de hemel. Ze is gelukkig.'

Connor bleef lange tijd naast de Aboriginal zitten. Ze spraken niet veel, keken alleen maar naar de hemel en de sterren tot ze verbleekten tot een parelgrijs dat een nieuwe dag aankondigde. Toen stonden ze in zwijgende eensgezindheid op en liepen terug naar de boerderij.

De meeste buren waren de avond tevoren al aangekomen en toen de zon opkwam en Belvedère in een gouden gloed zette begon het provisorische kampement in de omheinde weide tot leven te komen. Er werd water gehaald en eten klaargemaakt boven de kampvuren. Pick-uptrucks stonden bij de slaapzaal geparkeerd, paarden draafden los door de kraal en kleine vliegtuigen landden en taxieden vervolgens naar de open plek aan het einde van de landingsbaan. Onder de bomen stond zelfs een verzameling wagens en rijtuigen, sommige waarschijnlijk zo antiek dat ze niet misstaan zouden hebben in een museum.

Catriona had zich er zorgen over gemaakt hoe al die mensen gevoed moesten worden. Vijf broden en twee vissen was het wel zo'n beetje en ze voelde zich niet in staat tot wonderen. Maar tot haar opluchting en dankbare verbazing bleek het voor deze ruimhartige bewoners van de outback de gewoonte om bij dergelijke gelegenheden eten mee te nemen. Het werd meegebracht op schalen en in manden en dozen en het kookhuis binnengedragen waar het afgedekt met doeken werd klaargezet voor na de begrafenis. Het was het resultaat van uren bakken en braden in verstikkende keukens waar het in veel gevallen meer dan veertig graden werd. Er was genoeg voor een heel leger.

Clemmie arriveerde samen met de regisseur van *Tosca* in zijn vliegtuig en de inwoners van Drum Creek kwamen te paard of in een lange rij pick-ups. De Sullivans kwamen aangereden met Belinda en hun drie potige zoons.

Catriona stond op de veranda. Rosa klampte zich vast aan haar rokken en Connor stond stil en waakzaam naast haar. Ze had niet geslapen. Ze had bij Poppy gewaakt, tegen haar gepraat, gehuild, zich boos gemaakt over de oneerlijkheid van alles, tot de pastoor was gekomen en haar had gekalmeerd. Het was nog veel te vroeg om een begrafenis te houden, dacht ze wanhopig, ze had zich nog niet neergelegd bij Poppy's dood, laat staan dat ze zichzelf of de kinderen had voorbereid op deze dag. Maar de hitte vereiste dat de begrafenis zo snel mogelijk zou volgen. Dat hoorde bij het leven hier in de outback, dat was een onderdeel dat ze zou moeten accepteren als ze hier uiteindelijk wilde gaan wonen.

Ze heette Pat en Jeff Sullivan welkom. Ze had hen al veel vaker ontmoet en ze was blij hen weer te zien, ook al was de reden van hun komst nog zo akelig. Belinda ging meteen naar Rosa en de twee meisjes liepen hand in hand naar de veranda. Connor tikte tegen zijn hoed en stak samen met de jongens van Sullivan het erf over. Sinds hij die ochtend was teruggekomen had hij nog nauwelijks een woord gezegd, maar iedereen had zijn eigen manier om met verdriet om te gaan en Catriona realiseerde zich dat wat Billy de afgelopen nacht ook had gezegd of gedaan, het de jongen in ieder geval troost had gebracht en hem had voorbereid op deze dag.

'Ik kan bijna niet geloven dat zo veel mensen de moeite hebben genomen om helemaal hierheen te komen,' zei ze tegen Pat terwijl ze samen op de veranda stonden. 'En ze zijn zo vriendelijk. We hebben genoeg eten om twee keer zo veel monden te voeden.'

'Poppy was uniek,' zei Pat terwijl ze haar vest uitdeed en haar bezwete gezicht met een zakdoek afdroogde. De temperatuur was omhooggeschoten naar boven in de dertig graden en de vliegen waren al een plaag. 'Ze was zulk goed gezelschap; ze maakte ons altijd aan het lachen met die verhalen van haar. Ik denk dat Drum Creek niet meer hetzelfde zal zijn zonder haar.' Pat snoot haar neus. 'Ze was altijd de eerste die aanbood om te helpen, weet je. Ze bakte taarten voor de feesten, zorgde voor de kostuums voor de toneelstukken van school en ze paste op voor de jongere ouders, zodat die ook eens een avondje naar het café konden. We zullen haar allemaal missen.'

Catriona keek met grote ogen toen er nog meer mensen arriveerden. Poppy had absoluut haar stempel gedrukt op deze kleine uithoek van Australië en was blijkbaar zeer gewaardeerd. Ze bekeek het komen en gaan van de mensen, zag hoe de mannen grote hoeden, overhemden met lange mouwen en leren broeken of jeans droegen en hoe de vrouwen bijna uniform gekleed gingen in verbleekte, bedrukte jurken en witte sandalen. Ze keek omlaag naar haar gemanicuurde nagels, naar de gouden armband en ringen met diamanten. Ze droeg een zwarte jurk van Chanel, zwarte schoenen met hoge hakken en zijden kousen – in de stad het toppunt van mode – maar ze voelde zich opgedirkt naast deze mollige plattelandsvrouw in haar verbleekte jurk en gemakkelijke schoenen.

De pastoor was de avond ervoor met het vliegtuig aangekomen en had het heilig oliesel al toegediend. Nu kwam hij uit het schemerdonker van het huis tevoorschijn en zijn zwarte soutane zag er somber uit in het zonlicht dat de veranda overstroomde.

Clemmie haalde Connor en Pat vond Rosa en Belinda. Toen iedereen verzameld was, viel er een diepe stilte terwijl de menigte een processie vormde. De kist met Poppy werd gedragen door Connor, Billy, Fred, de uitbater van het café, de eigenaar van het warenhuis en de oudste van de Sullivanjongens. Hij was bedekt met haar favoriete zwarte sjaal, degene waarop rode rozen geschilderd waren. De bloemstukken en kransen werden gedragen door degenen die ze hadden meegebracht en de zoete lucht van lelies en anjers en rozen vulde de lucht.

De stoet liep langzaam om het erf en begaf zich naar de oostelijke omheinde wei. Daar was, omringd door een houten hek, Belvedères kleine kerkhof, dat er al lag sinds de bouw van de boerderij. Het fungeerde als een ontroerende geschiedenisles, want de grafstenen en houten kruisen vertelden het verhaal van de mensen die hier hadden geleefd en hier waren gestorven: doodgeboren of door ongelukken, door brand en overstroming of door ziekte en ouderdom overleden.

Terwijl Catriona naast het graf stond kon ze het niet helpen dat ze moest denken aan al die mensen die haar ontvallen waren. Mam en pap, Max en zijn kleine hond – en nu Poppy. Summers' Revue was eindelijk aan het einde van zijn lange tocht. Ze slikte haar tranen weg en heel even meende ze het geluid van wagenwielen en het zachte, geruststellende geklop van de hoeven van Jupiter en Mars te kunnen horen. Misschien waren ze teruggekomen voor Poppy – het was mooi om te denken dat ze allemaal weer bij elkaar waren en hun sporen trokken in de hemel.

Ze sloeg haar arm om Rosa heen en hield haar stevig tegen zich aangedrukt terwijl de kist in het graf werd neergelaten. Ze keek naar Connor en zag hoe bleek hij was en hoe hard hij zijn best deed om zijn emoties in bedwang te houden. Ze wilde niets liever dan haar arm om hem heen slaan en hem ook tegen zich aandrukken. Maar hij deed zo zijn best om een man te zijn; een man in het lichaam van een kind, een jongen op de drempel van volwassenheid die haar zeker niet dankbaar zou zijn als ze hem zwak deed lijken.

De begrafenis was voorbij en de menigte verspreidde zich toen de mannen de kist begonnen te bedekken met de donkere, rode aarde van Belvedère. Catriona had Rosa met de Sullivans mee naar de boerderij gestuurd, maar Connor stond alleen en keek hoe de mannen hun taak volbrachten. Ze ging naast hem staan, zonder echt te weten wat ze moest doen of zeggen.

Toen zochten zijn handen haar vingers en hij pakte ze stevig vast. Hij draaide zich om en keek haar aan en zijn lichtbruine ogen stonden vol onvergoten tranen. 'Ze was niet zomaar een oma,' zei hij met onvaste stem. 'Ze was een moeder en een vriendin. Ik hield heel erg veel van haar.'

Catriona moest haar uiterste best doen om haar stem vast te laten klinken en haar emoties in bedwang te houden. Ze kneep in zijn hand. 'Dat deden we allemaal, schat,' zei ze zachtjes. 'Poppy was een geweldige en dappere vrouw en ik ben er trots op dat ik haar heb gekend.'

Hij bleef lange tijd zwijgen en staarde naar de grond. Catriona vroeg zich af wat hij dacht. Toen schraapte hij zijn keel en keek op en vertelde haar wat Billy hem die avond ervoor had verteld. 'Denk je echt dat dat kan?' vroeg hij ten slotte.

Catriona's hart ging naar hem uit. 'Waarom niet?' antwoordde ze zachtjes. 'Poppy heeft altijd een ster willen zijn.'

16

Het eten was vrijwel helemaal op en terwijl de zon naar de horizon zakte begonnen de mensen te vertrekken. Met hun wagens en rijtuigen, pick-ups en paarden zochten ze hun weg over de lange oprijlaan en vliegtuigen daverden brullend over de landingsbaan en kozen het luchtruim. Nog lang nadat iedereen vertrokken was hingen de stofwolken in de lucht en toen die waren weggetrokken, was de zon al bijna onder.

De mannen van Belvedère zaten buiten bij de slaapzaal te roken en te praten, hun stemmen een zacht gemurmel in de stilte. Pat Sullivan had Rosa voor een paar dagen met zich meegenomen naar Derwent Hills Station in de hoop dat de aanwezigheid van Belinda en de verandering van omgeving haar goed zouden doen. Connor was nergens te bekennen en Catriona vermoedde dat hij bij Billy was.

'Dat was me het dagje wel,' verzuchtte Clemmie terwijl ze Catriona een gin-tonic aanreikte. 'Red je het nog een beetje?'

Catriona nam een slok van haar drankje en probeerde haar nek- en schouderspieren los te maken. Het voelde aan alsof elke spier een opdoffer had gekregen. 'Het komt wel goed,' mompelde ze. 'Maar een nacht goed slapen zou zeer welkom zijn.' Ze legde een hand op Clemmies arm. 'Dank je dat je bent gebleven,' zei ze. 'Ik wou vannacht niet alleen zijn.'

Clemmie klopte op haar hand. 'Ik kan zo lang blijven als je wilt,' zei ze. 'John kan best een tijdje voor zichzelf zorgen en aangezien jij tegenwoordig m'n enige klant bent, heb ik niets belangrijkers te doen.' Ze glimlachte. 'Franz zei dat je maar een weekje vrij moest nemen.'

Catriona keek haar stomverbaasd aan. De regisseur gaf nooit iemand vrij van de repetities, daar waren die veel te belangrijk voor. 'Heeft hij aan de wiet gezeten of zo? Dat doet hij anders nooit.'

'Maak je geen zorgen, Kitty. Hij is heus niet een en al goedheid. Hij verwacht wel van je dat je bij de generale repetitie je tekst van voor tot achter kent en precies weet wat er op het toneel moet gebeuren.' Ze grijnsde. 'Je kent Franz. Hij maakt geen gevangenen, hij zal z'n sopraan gewoon overhoopschieten als hij de indruk heeft dat je er met de pet naar hebt gegooid.'

'Dat geeft me in ieder geval iets anders om over te denken,' antwoordde ze met een wrange glimlach. 'Ik dacht al dat het te mooi was om waar te zijn.'

Ze zaten in de rieten stoelen en keken de nacht in. Het was stil op het erf, de hemel donker en vol twinkelende sterren. Het Zuiderkruis stond hoog boven hun hoofden en was zo helder, dat het net leek of je het zo uit de hemel kon plukken.

'Er is niets zo mooi als een nacht in de outback,' zei Clemmie dromerig. 'Ik heb nooit geweten dat er zo veel sterren waren en kijk toch eens naar de Melkweg, fantastisch gewoon.'

Catriona glimlachte. 'Je zou eens wat vaker uit Sydney weg moeten,' zei ze licht bestraffend.

'Mmm.' Clemmie roerde het schijfje citroen in haar borrel. 'Ik denk niet dat ik het hier erg lang zou volhouden,' zei ze ten slotte. 'Het is zo...'

'Afgelegen?' Catriona glimlachte toen haar vriendin knikte. 'Maar dat is nu juist zo mooi aan deze plek, zie je dat niet? Geen gedoe, geen lichtvervuiling of harde popmuziek, geen regisseurs die lopen te gillen en zangeressen die tegen elkaar krijsen; alleen maar de wind in de bomen, het geluid van krekels en de geur van eucalyptus en stof.'

Clemmie veegde haar zwarte rok af en trok een gezicht. 'Stof is er in ieder geval genoeg hier,' mopperde ze. 'Deze rok is smerig en ik weet zeker dat mijn haar ook vol zit met stof. De hemel mag weten wat het met mijn teint doet.'

Catriona had een flauwe glimlach op haar gezicht toen ze naar haar vriendin keek. Clemmie was drieënzestig en zag er na het strenge dieet dat ze had gevolgd minstens vijftien jaar jonger uit. Er was niets aan te merken op haar teint, net zo min als op haar make-up. Haar haar was lichtbruin geverfd en was naar achteren in een wrong gedraaid, waardoor haar lange, sierlijk hals goed uitkwam. Haar jurk was een eenvoudig zwart geval dat een fortuin had gekost en haar schoenen van slangenleer waren handgemaakt. 'Ik geloof niet dat jij je zorgen hoeft te maken,' zei ze.

'Ik kan me niet voorstellen dat ik hier zou leven,' zei Clemmie, blijkbaar vastbesloten het gesprek voort te zetten. 'Je hoeft alleen maar naar de vrouwen te kijken om te zien wat deze plek met ze doet.' Ze zweeg even. 'Zelfs de jonge vrouwen zien er verweerd en gerimpeld uit door de zon en het lijkt niemand iets te kunnen schelen hoe ze eruitzien. Ik bedoel,' zei ze geërgerd, 'die vreselijke katoenen gevalletjes, en die afschuwelijke schoenen – iedere normale vrouw zou liever doodgaan dan zulke gedrochten te moeten dragen.'

Catriona lachte. 'Doe niet zo neerbuigend,' zei ze. 'De mensen hier werken in een hitte die jou wekenlang zou uitschakelen. Het maakt niet uit wat ze dragen of hoe ze eruitzien, zo lang ze maar een beetje koel blijven en de kleren praktisch zijn. Het zijn hardwerkende, eerlijke mensen die je hun laatste dollar zouden geven.' Ze liet de defensieve toon in haar stem een beetje varen toen ze besefte dat ze de spanning van de afgelopen vierentwintig uur de overhand begon te laten krijgen. 'Het leven hier is geen modeshow,' zei ze kalm. 'Het kan niemand een bal schelen.'

Clemmie keek haar met een ondoorgrondelijke uitdrukking op haar gezicht aan. 'Daarom droeg jij die jurk van Chanel en die hoge hakken, hè?'

'Dat was een vergissing,' gaf ze toe. 'Maar ik ben zo halsoverkop vertrokken dat ik geen tijd had om erover na te denken.'

'Mmm.'

Ondanks hun jarenlange vriendschap begon ze op Catriona's zenuwen te werken. 'Er zit je duidelijk iets dwars, Clemmie, dus kom er in hemelsnaam mee voor de draad.'

Clemmies smalle wenkbrauwen gingen even de hoogte in en toen slaakte ze een zucht en begon aan haar bedelarmband te friemelen. 'Ik probeerde me jou hier voor te stellen,' zei ze ten slotte. 'En eerlijk gezegd, Kitty, dat lukt me niet.'

'Hoezo?'

'Omdat jij een stadsmens bent geworden,' antwoordde haar vriendin. 'Omdat jij je hele volwassen leven de wereld hebt rondgereisd en in de beste hotels en appartementen hebt gewoond, en iedere keer dat je het toneel opstapte bent bewierookt en aanbeden. Je winkelt bij Chanel en Givenchy, je gaat naar feestjes van ambassades en in paleizen en je wordt geëscorteerd door sommigen van de meest begerenswaardige mannen van de wereld.' Ze draaide zich om, haar blik direct. 'Om kort te gaan, Kitty,' zei ze, 'je bent een ster, met een manier van leven die daarbij hoort. Zie je jezelf nou echt hier tussen die ruwe plattelandstypes wonen?'

Catriona zweeg. Ze kon niet boos worden op Clemmie, zij gaf per slot van rekening alleen maar uiting aan sommige van haar eigen twijfels die ze de dag ervoor nog had gehad. Ze besloot van onderwerp te veranderen. 'Ik heb mijn dochter geschreven,' zei ze in de stilte.

'O nee.' Clemmie staarde haar aan.

'Je had gelijk,' gaf ze toe, haar stem zacht. 'Ze wilde het niet weten. Ze heeft mijn brief zonder enige verklaring teruggestuurd.'

'Ik had je gewaarschuwd, schat,' zei Clemmie. 'Het is misschien maar het beste om alles te laten rusten. Ze weet nu in ieder geval wie en waar je bent, en als ze van mening verandert kan ze altijd schrijven.'

'Ik betwijfel of ze dat ooit zal doen,' zei ze zachtjes. Ze zweeg weer. Clemmie hoefde niet te weten dat ze door zou gaan met naar haar dochter schrijven tot alle hoop vervlogen was. Terwijl ze daar zaten en naar de sterren keken, dacht ze aan haar dochter en vroeg zich af wat er door haar heen was gegaan toen ze de brief gelezen had.

Clemmie onderbrak haar gedachtegang. 'Wat ga je nu doen, Kitty?'

Catriona fronste haar voorhoofd. 'Ik blijf een paar dagen hier, daarna vlieg ik terug naar Brisbane. Ik moet nog in een opera zingen, weet je nog?'

'Doe niet zo bijdehand,' mopperde Clemmie. 'Je weet donders goed dat ik het over de kinderen heb.'

'Rosa is bij de Sullivans. Daar zit ze goed. Connor lijkt vastbesloten te gaan werken en aangezien hij al over een paar weken jarig is, heb ik hem toestemming gegeven om als leerling bij Billy in dienst te gaan.' Ze pauzeerde even. 'Maar alleen op voorwaarde dat hij elke ochtend via de korte golf contact heeft met de radioschool en zijn opleiding afmaakt.' Ze glimlachte. 'Daar was hij niet echt over te spreken, maar het is een compromis.'

'Rosa kan niet tot in de eeuwigheid bij de Sullivans blijven. Dit is haar thuis; haar broer is hier en hij is alles wat ze heeft. Het zou wreed zijn om ze van elkaar te scheiden. Je moet iemand zien te vinden die voor ze zorgt.'

Catriona was diep in gedachten verzonken. Haar hoofd liep om van de ingewikkeldheid van de hele situatie. Toen, alsof er een knop werd omgedraaid, werd alles ineens duidelijk. Het lot had voor haar beslist. 'Je hebt gelijk,' zei ze terwijl ze ging staan en tegen de balustrade leunde. 'Dit is Rosa's thuis en Connor en ik zijn haar enige familie. Het is tijd dat ik met pensioen ga.'

Clemmie was in een oogwenk uit haar stoel. 'Ik heb niet gesuggereerd dat je je carrière moest opgeven,' zei ze snel. 'Alleen maar dat je moest nadenken over wat het beste voor de kinderen was.'

Catriona lachte voor het eerst in twee dagen. 'Dat is precies wat ik aan het doen ben,' zei ze vastberaden. Ze pakte Clemmies hand. 'Snap je het niet, Clemmie? Het is het lot.'

'Lot, kletskoek,' snoof Clemmie. 'Je bent moe en van je stuk en je rouwt nog om Poppy. Natuurlijk kun je niet alles zomaar eraan geven voor een paar kinderen die niet eens van jou zijn.'

'Wat verwacht je dan eigenlijk dat ik doe?' antwoordde Catriona. 'Rosa op een kostschool parkeren en Connor hier maar aan zijn lot overlaten? Hij is nog geen dertien en Rosa is acht. Het zijn nog kinderen en ik zou Poppy teleurstellen als ik ze nu in de steek liet.'

'Kostschool was anders helemaal niet zo slecht voor mijn kinderen,' zei Clemmie boos.

'Jouw kinderen zijn niet opgegroeid met de ruimte die ze hier kennen. Jouw kinderen hadden ouders om in de weekeinden en de vakanties naartoe te gaan.'

'Je kunt Rosa toch in Sydney een thuis bieden? Connor is hier beter af. Hij heeft Billy en Fred om voor hem te zorgen, hij heeft er geen behoefte aan dat jij hem in de watten legt.' Er was niets meer te bekennen van Clemmies gewoonlijk zo rustige natuur en haar ogen fonkelden gevaarlijk terwijl ze steeds harder ging praten. 'En wat betreft alles opgeven omdat jij denkt dat het lot dat vereist...' Ze haalde diep adem en liet die sissend weer ontsnappen. 'Dat is absolute onzin,' snauwde ze.

Catriona besefte dat de gemoederen opliepen. Vroeger of later zou een van hen iets zeggen dat niet meer kon worden teruggenomen. Dit was hun eerste echte ruzie in meer dan dertig jaar en het laatste wat ze wilde was dat ze haar beste en trouwste vriendin van zich vervreemdde. Ze pakte Clemmie bij haar arm. 'Ik wil geen ruzie met je maken,' zei ze zacht.

'En ik wil ook geen ruzie met jou maken,' antwoordde Clemmie, maar nog steeds niet vermurwd. 'Maar je hebt zo lang en zo hard gewerkt dat ik de gedachte dat je dat zomaar opgeeft niet kan verdragen.'

Catriona sloeg haar armen om zich heen en rilde. De wind was een stuk koeler geworden en blies over het erf en deed de bladeren in de bomen ritselen. De maan zeilde majesteitelijk langs de hemel, onaangedaan door de zwakheid van de mensen beneden, en zijn bleke gele gezicht wierp licht en schaduwen over Belvedère. 'Ik heb alles bereikt wat ik me ooit had voorgenomen,' begon ze, en haar stem klonk rustiger. 'Ik ben beroemd en rijk en leef op een manier waar anderen alleen maar van kunnen dromen. Ik heb geluk gehad.'

'Geluk heeft er weinig mee te maken,' protesteerde Clemmie. 'Je hebt verdomd hard gewerkt en je een paar vreselijke opofferingen getroost.'

Catriona knikte. 'Ja,' gaf ze toe. 'Het is niet altijd rozengeur en maneschijn geweest.' Ze zuchtte en keek haar vriendin aan. 'Maar waar heeft het allemaal toe geleid, Clemmie?'

'Een prettig banksaldo en een aandelenportefeuille waar de meesten van ons jaloers op zouden zijn. Dan is er nog de bevrediging van de wetenschap dat je als een van de grote diva's van jouw tijd de geschiedenisboeken ingaat.'

Catriona wuifde dat allemaal weg met een simpel handgebaar. 'Geld en roem zijn vergankelijke dingen; ze betekenen niet veel wanneer je alleen bent,' zei ze zacht. 'En ik ben alleen, Clemmie. Ik heb geen echtgenoot, geen kinderen – afgezien dan van een dochter die niets met me te maken wil hebben.'

'Dat was niet jouw schuld,' riep Clemmie uit.

Catriona haalde haar schouders op en ging verder. 'Ik heb nooit de kans gekregen mijn eigen kind groot te brengen. Ze is zonder mij opgegroeid en ik heb geen deel uitgemaakt van haar leven, van haar verdriet of van haar hoogtepunten. Het lot geeft me nu een tweede kans om moeder te zijn en ik ben van plan die gelegenheid met beide handen aan te grijpen en mijn uiterste best te doen met Rosa en Connor.'

'En je carrière dan?' Clemmies gezicht was wit onder de zorgvuldig aangebrachte make-up en haar houding verried hoe gespannen ze was.

'Ik heb mijn hoogtepunt gehad, Clem. Mijn stem is niet meer wat hij is geweest.' Ze hield haar hand op om de ontkenning van haar vriendin voor te zijn. 'Ik hoor het en binnenkort zullen anderen het ook horen. Mijn tijd voor het voetlicht is bijna voorbij.'

Clemmie zweeg lange tijd. Toen pakte ze haar agenda uit haar tas en klonk haar stem weer zakelijk. 'Je zult *Tosca* moeten doen,' zei ze. 'Het is nu te laat om je terug te trekken.' Ze sloeg de bladzijden om. 'En hoe zit het met New York? En dan heb je in augustus nog een optreden in Londen in het Royal Opera House.'

'Dat wordt mijn afscheidsoptreden,' zei ze vastbesloten.

Clemmie kromp ineen. 'In dat geval kan ik maar beter de telefoon pakken en de pers inlichten en alles regelen. Nog een geluk dat je in New York ook *Tosca* zingt, dat is een passend einde van je carrière.' Ze sprak snel, ondertussen haar tranen verdringend. 'Het Royal Opera House heeft zijn ballet- en operaprogramma al vastgesteld. Ik betwijfel of ze dat nu nog willen veranderen. Je zult je loopbaan moeten besluiten met Columbine/Nedda in *I Pagliacci*.'

Catriona lachte en klapte in haar handen. 'Dat is perfect,' zei ze. 'Mijn eerste optreden op toneel was met een rondreizend gezelschap toen ik nog maar een paar minuten oud was. Ik ben het schoolvoorbeeld van een kind van het theater.'

Clemmie staarde haar aan.

'Mijn vader liet me teksten van Shakespeare leren tot ik ze zonder haperen kon voordragen. Maar de Bard had het zo bij het rechte eind,' zei ze met een glimlach. '"De wereld is een schouwtoneel, elk speelt zijn rol en krijgt zijn deel. Ze gaan af en komen op; en een mens speelt in zijn leven vele rollen." Ik zal eindigen zoals ik ben begonnen,' zei ze zachtjes. 'Als één van de troep, en ik zal het toneel verlaten, zodat ik een nieuwe rol kan spelen in het volgende hoofdstuk van mijn leven.'

'O, Kitty,' snikte Clemmie. 'Ik kan de gedachte niet verdragen dat je hier in je eentje vastzit.'

'Je moet niet verdrietig zijn,' zei Catriona vriendelijk. 'Ik begin aan een nieuw avontuur. Je moet juist blij zijn voor me, Clem. Ik zal eindelijk de kans krijgen een echte moeder te zijn.'

'Het moederschap is niet zo simpel,' snifte ze. 'Het kunnen soms kleine etterbakjes zijn.'

Catriona glimlachte. 'Ik weet het. En ik verheug me enorm op de uitdaging.'

'Ik moet een paar telefoontjes plegen,' zei Clemmie en ze snoot haar neus. 'Waar is de telefoon?'

'Die is er niet.' Ze lachte luid toen ze Clemmies uitdrukking van afschuw zag. 'We gebruiken een kortegolfzender om verbinding te maken met een telefooncentrale.'

'Hoe kunnen mensen in hemelsnaam zonder telefoon?' vroeg Clemmie zich verbijsterd af.

'Ik weet het ook niet,' zei Catriona. 'Maar ik kan niet wachten om erachter te komen.'

Fred had zijn spullen naar de slaapzaal gebracht, maar Catriona en Clemmie sliepen toch in de logeerkamer. De springveren van de ijzeren ledikanten piepten elke keer dat een van hen bewoog, maar Clemmie hield uiteindelijk op met klagen en al snel hoorde Catriona haar diepe, regelmatige ademhaling en wist dat ze in slaap was.

Terwijl ze daar in de spaarzaam gemeubileerde kamer lag en naar de schaduwen keek die het maanlicht op het plafond toverde, voelde Catriona de stilte op zich af komen. Achter de houten muren lagen duizenden kilometers verlaten land. Haar naaste buren woonden in Drum Creek, maar de kleine boerderij werd aan alle kanten omringd door de eindeloze en pijnlijk eenzame outback die zich van de ene horizon tot de andere uitstrekte.

Ze raakte even in paniek. Wat als Clemmie gelijk had en ze niet tegen de eenzaamheid zou kunnen? Het zou heel anders zijn dan tijdens de korte bezoekjes die ze tot dusver had gebracht. En wat als de kinderen helemaal niet wilden dat ze over hen moederde? Wat als zou blijken dat ze een waardeloze moeder was en hopeloos mislukte? Ze draaide zich op haar buik en begroef haar gezicht in het kussen. Ze was dringend aan slaap toe, maar haar hersenen leken vastbesloten haar wakker te houden.

Haar beslissing om te stoppen bracht een hoop organisatie met zich mee. Om te beginnen was daar *Tosca* en de tournee naar New York en Londen die het grootste deel van de komende anderhalf jaar in beslag zou nemen. Clemmie zou ongetwijfeld interviews met de pers regelen, televisieoptredens en nieuwe plaatopnamen. Fred zou het huis uit moeten en een van de andere schuren zou bewoonbaar gemaakt moeten worden. Als ze hier wilde gaan wonen, dan moest er het een en ander veranderen: er moesten kamers voor de kinderen worden bijgebouwd, de keuken moest worden gemoderniseerd en het hele huis moest worden opgeknapt. Het was misschien wel prima voor Fred, maar zij was een beetje meer comfort gewend en zag niet in waarom dat zou moeten veranderen als ze hier ging wonen.

Ze draaide zich weer op haar rug en staarde naar het plafond. Het appartementencomplex in Sydney was waarschijnlijk de beste investering die ze ooit had gedaan. Nu het Opera House binnen een paar jaar zou openen en met de renovatie van het hele gebied rond de haven, zou het stom zijn om het nu te verkopen. Na Brins dood had ze het appartement op de begane grond verhuurd aan een stel van middelbare leeftijd dat de huur op tijd betaalde en de boel in de gaten hield wanneer zij er niet was. Die regeling beviel hen allemaal en ze besloot wat dat betreft alles bij het oude te laten. Er zou ongetwijfeld een moment komen dat ze behoefte had aan Belvedère te ontsnappen en waar kon ze dan beter heen dan naar Sydney? Ze zou Rosa mee kunnen nemen naar toneelstukken en het ballet en misschien zelfs naar de opera. Dan konden ze gaan winkelen en met de veerboten mee en natuurlijk ook naar galeries en het museum.

Catriona deed haar ogen dicht terwijl ze overmand werd door twijfel. Rosa was nog maar een klein meisje. Wat als ze helemaal niet van opera of ballet hield? En hoe zat het met Connor? Ze had nooit veel te maken gehad met jongens van zijn leeftijd en ze had geen idee hoe ze het moest aanpakken. Haar droom om Belvedère te bezitten was begonnen toen ze zelf nog maar een kind was. Nu vroeg ze zich af of het misschien een vergissing zou blijken als ze hier werkelijk ging wonen en de zorg voor Poppy's kleinkinderen op zich nam. Clemmie had gelijk. Haar leven in de stad leek in niets op het leven hier in de rimboe. Ze zou zich moeten aanpassen, bij iedere gelegenheid een compromis zien te vinden. Ze had zichzelf een enorme taak opgelegd – en ze was er allerminst zeker van dat ze daartegen opgewassen was.

Ze moest in slaap zijn gevallen, want toen ze haar ogen weer opendeed, brak de dag al aan en de rosella's en parkieten in de bomen maakten genoeg herrie om de doden te laten verrijzen. Ze keek naar Clemmie en glimlachte. Haar vriendin zat rechtop in bed met een kop thee in haar hand en een uitdrukking van afschuw op haar gezicht.

'Eindelijk,' mopperde ze. 'Ik heb nauwelijks een oog dichtgedaan door dat gesnurk van jou en het lawaai van die verrekte vogels.' Ze keek op het sierlijke horloge aan haar pols. 'Besef je wel dat het vijf uur is. In de óchtend!'

'Ik snurk niet,' protesteerde Catriona terwijl ze de pot thee pakte en een kop voor zichzelf inschonk. Ze nam een slokje, deed er wat suiker bij en liet zich weer in de kussens zakken. 'En jij was al vertrokken zodra je hoofd het kussen raakte; je hebt minimaal acht uur geslapen dus hou je klachten maar voor je.'

Clemmie stond op het punt verontwaardigd te reageren toen ze allebei werden opgeschrikt door een langsscheurende pick-up. 'Wat krijgen we nou?' zei ze boos. 'Wordt er hier niet geslapen?'

Catriona fronste haar voorhoofd en trok snel een zijden kamerjas over haar dito pyjama aan. De pick-uptruck was met piepende remmen tot stilstand gekomen en ze hoorde stemmen. Ze haastte zich de kamer uit, het halletje door naar de voordeur.

Rosa tuimelde uit de truck en wierp zich in Catriona's armen. 'Ga niet weg,' snikte ze. 'Laat me alsjeblieft niet alleen, tante Cat.'

Catriona probeerde het meisje tot bedaren te brengen terwijl ze haar in haar armen hield. 'Ik laat je niet in de steek,' zei ze vastbesloten. 'Stil nou maar, grote meid, niet huilen.' Ze keek over de warrige haren van het kind naar Pat Sullivan.

Pat zag bleek. Ze was het grootste deel van de nacht op geweest en had toen dat hele stuk nog naar Belvedère moeten rijden. 'Het ging prima met Rosa toen we naar Derwent Hills reden,' legde ze uit terwijl ze de trap opkwam. 'Maar ze werd gillend wakker en was er absoluut van overtuigd dat ze jou of Connor nooit meer zou zien.' Ze slaakte een zucht en aaide het kind over haar hoofd. 'Arme kleine,' zei ze. 'Ik heb geprobeerd haar duidelijk te maken dat ze alleen maar voor een vakantie bij ons was, maar ze geloofde me niet. Ik denk dat ze ervan overtuigd is dat iedereen er vroeg of laat vandoor gaat – je kunt het haar gezien de omstandigheden nauwelijks kwalijk nemen.'

Catriona tilde Rosa op, ging in de stoel op de veranda zitten en zette het meisje op haar knie. 'Ik ga niet bij je weg,' zei ze weer. 'Ik kom hier bij jou en Connor wonen en voor jullie zorgen.'

De donkerbruine ogen vulden zich met tranen en het kleine gezicht stond strak van angst en vermoeidheid. 'Beloofd?' hikte ze.

'Beloofd,' zei Catriona ferm. 'Nou, laten we die tranen maar eens drogen en zien of er iets voor het ontbijt te vinden is. Ik durf te wedden dat je uitgehongerd bent. Ik in ieder geval wel.'

'Waar is Connor?' wilde ze weten terwijl haar angst weer de kop opstak.

'Ik ben hier,' klonk het zacht vanaf de traptreden.

Rosa klom van Catriona's schoot en vloog in zijn armen. 'Ik dacht dat ik je nooit meer zou zien,' snikte ze en ze sloeg haar armen om zijn nek. 'Ik wilde niet weg, stuur me alsjeblieft niet weer weg.'

Zijn hoed viel op de grond toen hij haar optilde en ze zich als een klit aan hem vastklampte. Zijn lichtbruine ogen ontmoetten die van Catriona; ze straalden een wijsheid en zorg uit die eerder bij een veel oudere jongen hoorden. 'Blijf je echt bij ons?' vroeg hij op rustige toon.

Catriona knikte. 'Natuurlijk.'

'Hoe moet het dan met zingen?'

'Ik heb nog wat verplichtingen, maar Rosa en jij komen van nu af aan op de eerste plaats.'

De jongen keek haar lange tijd aan en knikte toen. 'Dank je,' zei hij kortaf. 'Rosa kan niet zonder ons, maar ik denk dat ze jou het hardste nodig heeft.' Hij aarzelde en er verschenen rode plekken op zijn wangen. 'Wij allebei, denk ik.'

Catriona voelde tranen opwellen in haar ogen en de brok in haar keel steeds groter worden. Ze kon geen woord uitbrengen, dus sloeg ze haar armen om de jongen en zijn zus en hield hen dicht tegen zich aan. Ze had de juiste beslissing genomen.

De daaropvolgende dagen week Rosa niet van haar zijde en 's avonds huilde ze zichzelf in slaap. Ze was bang en in de war en ze miste Poppy. Catriona realiseerde zich meteen dat er dingen moesten veranderen op de boerderij. Clemmie sliep in de logeerkamer, dus bracht ze het andere bed naar de kamer van Fred, zodat Rosa wanneer ze 's nachts wakker werd alleen maar de kamer hoefde over te steken om bij haar in bed te kunnen kruipen. Connor sliep op de bank. Het was niet de ideale oplossing, maar Catriona wilde niet dat hij naar hun huis terugging en de slaapzaal was geen plek voor een jongen van zijn nog prille leeftijd. De mannen die op Belvedère werkten waren dan misschien wel ruwe bolsters met blanke pitten, maar hun taal liet veel te wensen over. Net als hun hygiëne overigens.

Toen de week ten einde liep, liet Catriona Rosa over aan de zorgen van Clemmie en ging naar het huisje van Poppy. Er was sinds de begrafenis nog geen tijd geweest om de spullen uit te zoeken en eerlijk gezegd had ze er tot nu toe ook de moed niet voor gehad. Maar morgen zou ze met Rosa en Clemmie naar Brisbane vliegen en ze wilde het niet langer uitstellen.

Ze bracht de pick-up tot stilstand en slaakte een zucht. Er hing al een verlaten sfeer rond het huis en toen ze zichzelf binnenliet rook ze de bedompte lucht en de restanten van de geur van de verbrande pan. Catriona gooide ramen en deuren open. Ze zou Maggie en de andere Aboriginalvrouwen het huis laten schoonmaken, maar op dit moment wilde ze alleen zijn.

Terwijl ze door de kamers zwierf, herinnerde ze zich hoe verrukt Poppy was geweest toen ze hier kwam wonen. Haar opwinding omdat ze eindelijk haar eigen plekje had – en haar vastberadenheid en de energie die ze erin had gestoken om er een thuis van te maken, spraken nog sterk uit de geschrobde keukentafel, de zelfgemaakte gordijnen en de lappenkleedjes. Ze staarde uit het raam naar de achtertuin. Gelukkig had iemand de was binnengehaald en er was niets meer dat herinnerde aan de tragedie die zich daarbuiten had afgespeeld. Met een zucht begon ze de spullen van de kinderen bij elkaar te zoeken en die in dozen te doen. Er was niet veel, alleen maar een paar spijkerbroeken en hemden en ondergoed en een jurk die Rosa bij speciale gelegenheden droeg. Boeken en speelgoed en gezelschapsspelletjes gingen in de ene doos, Rosa's poppen en haar teddybeer in een andere.

Ze zette de dozen in de pick-up en ging terug naar het huisje. Poppy's bed was bedekt met een veelkleurige handgemaakte quilt. Haar garderobe omvatte een serie katoenen jurken die al lang uit de mode waren, afgesleten schoenen en een paar gebreide vesten. Achter in de kast vond ze een schoenendoos en toen ze hem opendeed zag ze dat hij Poppy's souvenirs bevatte.

Er waren wat oude pamfletten uit de tijd dat ze met de revue door het land trokken. Een met lovertjes bezette diadeem, een waaier van veren en een boa en een paar lange handschoenen waren alles wat ze nog uit die tijd had. Catriona bekeek de zwart-witfoto's. Er was er een van een heel jonge Poppy die tussen een man en een vrouw stond met de koepel van de St Paul op de achtergrond. Een andere vertoonde Poppy in haar mooiste toneelkleren terwijl ze met de danseressen in een overvolle en rommelige kleedkamer poseerde. Die moest genomen zijn toen ze in de Windmill werkte, dacht ze. Er waren nog een paar foto's van mensen die ze niet kende, maar die overduidelijk belangrijk waren geweest in Poppy's leven, en een paar van haar met Ellen als baby. Ze deed de doos dicht en zette hem apart. Die zou ze bewaren voor Rosa en Connor.

De gehavende leren doos boven op de ladekast bevatte Poppy's gekoesterde verzameling sieraden. Die bestond uit goedkope, veelkleurige kralenkettingen, broches met imitatiediamanten en oorbellen. Er waren armbanden in verschillende kleuren, haarspelden en een gouden medaillon dat heel erg verweerd was. Catriona prutste aan het slotje en deed het voorzichtig open. Binnenin zat een foto van een knappe, glimlachende man; ze vermoedde dat het Ellens vader was.

Ze zocht de kleren uit en legde ze apart, iemand zou er wel iets aan hebben en ze kon het niet over haar hart verkrijgen om ze te verbranden. De quilts zouden een aandenken aan thuis zijn voor Rosa en Connor, dus legde ze die bij de andere spullen in de truck. De lakens en dekens waren versleten en dat gold ook voor de handdoeken. Die kwamen op de stapel kleren die zouden worden weggegeven.

Catriona laadde de pick-up vol en bleef toen even staan in de stilte van het huis. Ze kon de echo van Poppy's lach en het bonken van haar voetstappen op de vloer horen. Ze deed de deur dicht en draaide de sleutel om. De geesten van het verleden zouden voor altijd hier blijven.

Connor was teruggekomen van de omheinde wei waar hij Billy had geholpen de kalveren van de koeien te scheiden. Na een heet bad in de teil op de veranda achter voegde hij zich bij zijn zus en de twee vrouwen aan tafel.

Catriona deelde de borden rond. De kok had stoofpot laten brengen en de geur was om van te watertanden. De jongen had een gezonde eetlust, zag ze, en zelfs Rosa smulde er goed van. Het was nog vroeg, maar het leek erop dat de kinderen taaier waren dan ze had gedacht. Misschien begonnen ze het gebeurde te verwerken en naar de toekomst te kijken. Met dat in gedachten, schraapte ze haar keel. 'We moeten morgenochtend heel vroeg vertrekken,' zei ze. 'Ik moet om negen uur in Brisbane zijn.'

'Gaan we echt met een vliegtuig?' Rosa's ogen waren groot van opwinding.

Catriona lachte. 'Niet praten met je mond vol, Rosa. En ja, we gaan met het vliegtuig. Dat zet ons af in Brisbane en brengt dan tante Clemmie naar Sydney.'

'Hoe lang blijven jullie weg?' Connor schraapte zijn bord leeg en duwde het van zich af. 'Het is alleen maar dat Billy heeft gezegd dat ik hem en de anderen mocht helpen het vee bijeen te drijven.'

'Ik kom over ongeveer een week voor een paar dagen terug,' zei ze. 'De twee maanden daarna kom ik even kijken wanneer ik maar kan.' Ze grijnsde naar Connor. 'Je mag mee het vee gaan halen, zolang je me belooft dat je niet achter raakt met je schoolwerk.' Ze zag hem een gezicht trekken. 'En ik controleer je werk wanneer ik terugkom, dus denk maar niet dat je me iets kunt flikken.'

'Ja hoor, tante Cat,' zei hij lijzig en hij schonk haar een verlegen glimlach.

Catriona glimlachte naar hem terug. Ze had hem gevraagd of hij met haar en zijn zus mee wilde naar Brisbane om de viering van Australia Day bij te wonen en hij had gezegd dat hij er de voorkeur aan gaf thuis te blijven. Hun band was de afgelopen paar dagen inniger geworden en ze was zich gaan realiseren dat Connor alleen maar op het land wilde werken en net zo was als zo veel van de andere mannen die hier leefden – stille, verlegen mannen, die verknocht waren aan het land en hun manier van leven – mannen die bedachtzaam spraken en die de voorkeur gaven aan het gezelschap van paarden en vee boven dat van mensen.

'Moet ik in Brisbane huiswerk maken?' tsjilpte Rosa. 'Ik wil niet achteropraken en we moeten het volgende trimester een test maken.'

Catriona lachte. Hoe konden twee kinderen toch zo verschillend zijn? 'Ik denk niet dat je de eerste dagen veel achterop zult raken, maar daarna zal ik iemand in dienst nemen die je les kan geven en voor je kan zorgen terwijl ik aan het werk ben. Hoe klinkt dat?'

Rosa vertrok haar gezicht terwijl ze er ingespannen over nadacht. 'Wil dat zeggen dat ik een onderwijzer helemaal voor mij alleen heb?' vroeg ze.

Catriona knikte.

'Wauw! Wacht maar tot ik dat Belinda vertel.' Haar opwinding duurde maar even en haar gezicht kreeg een uitdrukking van verslagenheid. 'Hoe moet dat nou met mijn vriendinnen?' jammerde ze. 'Ik zal Belinda helemaal niet meer zien en dan wordt Mary Carpenter haar beste vriendin in plaats van mij.'

Catriona aaide haar over haar wang. 'Je ziet ze wanneer we terugkomen naar Belvedère,' verzekerde ze haar. 'Je krijgt alleen maar een privéleraar voor de tijd dat ik aan het werk ben en als ik eenmaal klaar ben, dan zal ik ervoor zorgen dat ik alleen nog in de schoolvakanties wegga, zodat je altijd met me mee kunt.' Ze gaf haar een kus. 'Belinda mag altijd komen logeren en ik zal aan haar moeder vragen of ze een keer mee mag naar de stad.'

Dat scheen Rosa tevreden te stellen en toen de maaltijd ten einde was en alles was opgeruimd, realiseerde Catriona zich dat de toekomst vastlag tot het tijd werd voor Rosa om naar de middelbare school te gaan.

Rosa was zo opgewonden geweest over het feit dat ze de galavoorstelling in Brisbane zou bijwonen, dat ze het nauwelijks had kunnen verwerken. De vlucht naar Brisbane was al opwindend genoeg geweest en het vuurwerk na de show was fantastisch, maar het was het voor het eerst van haar leven bijwonen van een heuse opera dat haar pas echt had overdonderd. *Tosca* was een schok geweest voor Rosa, die zich niet had gerealiseerd hoe krachtig en dramatisch zoiets kon zijn, of hoe geweldig tante Cat was. Haar stem deed haar huid tintelen en soms, wanneer hij zacht en verdrietig en zo puur klonk dat het pijn deed, wilde ze wel huilen, zo prachtig klonk het.

New York was een openbaring. De straten waren stampvol, de gebouwen staken bijna tot in de wolken en het voortdurende rumoer en de drukte leken in niets op hun rustige tempo op Belvedère. Ze hadden in een luxe suite verbleven die uitkeek op Fifth Avenue en ze was het eens met juffrouw Frobisher, haar kindermeisje en lerares, dat ze er niet van hield om zo hoog te zitten.

Rosa werd verliefd op Londen. Het was zo oud en hoewel het druk was op straat leek er toch niet diezelfde gedreven energie als in New York te heersen. Ze vond het heerlijk om met de grote rode bussen mee te rijden en in Carnaby Street en bij Harrods te winkelen. Juffrouw Frobisher nam haar mee naar het parlementsgebouw, naar het wisselen van de wacht bij Buckingham Palace en naar de Beefeaters bij de Tower en ze was met tante Cat gaan theedrinken bij Browns, waar de sandwiches heel klein waren, de cakejes verrukkelijk en de thee heel anders smaakte dan thuis.

Maar Rosa's favoriete plek in Londen was het Royal Opera House waar opvoeringen waren van *I Pagliacci, Het Zwanenmeer* en een reeks concerten die elkaar volgens een vast patroon afwisselden. Achter de coulissen lag een uitgestrekte doolhof van kleine kleedkamers, trappen en nauwe gangetjes en onder het toneel leek het wel de werkplaats van een reus, vol gigantische machines die kreunden en fluisterden terwijl ze dingen ophesen en klapdeuren bedienden.

Juffrouw Frobisher leek het niet erg goed te keuren dat mannen en vrouwen er halfnaakt rondliepen en klikte als een moederkloek met haar tong wanneer ze de taal hoorde die soms werd gebezigd tijdens verhitte discussies, of bij het zien van het gemak waarmee de zangers en dansers elkaar omhelsden en kusten. Rosa vond alles prachtig, want de kleuren, de kostuums, de lichten en de mensen zelf deden haar aan oma Poppy denken. Ze kon zich haar verhalen over haar tijd bij het theater nog herinneren en nu ze zelf te midden van die dansers, musici en zangeressen rondliep, kwamen die verhalen tot leven.

Ze waren inmiddels al een maand of drie in Londen en het was de avond van Catriona's laatste optreden. Rosa zat met juffrouw Frobisher in het publiek. Ze had nog maar een week geleden haar tiende verjaardag gevierd en droeg de nieuwe jurk en de nieuwe schoenen die ze toen cadeau had gekregen. Ze kon het niet helpen dat ze vol heerlijke verwachting zat te grijnzen, want al was ze bij sommige repetities geweest en had ze al delen van het ballet gezien en kende ze het verhaal van *I Pagliacci*, ze had de opera nog nooit in zijn geheel gezien.

Catriona was gekleed in haar zwart-witte Columbine-jurk en zat achter in de bont beschilderde wagen die het toneel op zou worden getrokken door een statig stappend paard. De tenor die de rol van Beppe speelde, de Harlekijn, stond bij het hoofd van het paard te wachten tot hij op moest. De spanning steeg terwijl ze stonden te wachten tot Tonio klaar was met de proloog.

De zware gordijnen van rood velours gingen omhoog, de gouden kwasten zwaaiden heen en weer en het publiek werd eindelijk zichtbaar voor de spelers. Het was een adembenemend schouwspel en Catriona wist dat ze dit nooit zou vergeten. Want in het licht kwam het theater tot leven, de vergulde balkons en cherubijntjes glommen tegen het rijke, rode fluweel en dat alles vormde samen met de enorme omvang en pracht van dit magnifieke oude gebouw een op zichzelf staande kracht.

Catriona leunde achterover met haar kostuum om zich heen uitgespreid, terwijl Harlekijn het paard onder de donderende begeleiding van Canio's grote trom het toneel op leidde. Haar hartslag was rustig, maar ze werd teruggevoerd naar die lang vervlogen dagen toen dit geen scène in een opera was, maar de dagelijkse werkelijkheid. Dit was haar zwanenzang, haar laatste optreden. Hoe toepasselijk allemaal.

Rosa zat op het puntje van haar stoel om maar niets te missen van de tragische slotscène. Tante Cats gillen waren zo echt geweest, haar angst zo sterk dat ze het toneel had willen oprennen om haar in bescherming te nemen. Nu lag ze doodstil op het toneel, bleek en mooi, terwijl het doek voor haar neerging.

Het publiek ontplofte en 'bravo's' stegen naar het rijk bewerkte plafond terwijl om haar heen een donderend applaus losbarstte. Rosa kwam langzaam overeind en begon toen ook te klappen en te juichen en op en neer te springen terwijl de spelers een open doekje kregen.

Catriona werd door Canio en Silvio naar het midden van het toneel begeleid, waar ze een sierlijke kniebuiging maakte. Bloemen regenden op haar neer vanuit de loges en galerijen en er werden boeketten het toneel op gebracht en aan haar voeten gelegd.

Rosa's handen deden pijn, zo hard had ze geapplaudisseerd, maar ze kreeg een brok in haar keel van de overweldigende trots die ze voelde voor Catriona en door haar tranen kon ze nog nauwelijks iets zien. Deze Catriona was zo energiek en levenslustig – echter dan ze ooit was geweest – hoe kon ze dit zomaar allemaal opgeven?

Catriona maakte een diepe kniebuiging terwijl het publiek klapte en met de voeten op de grond stampte. Overal om haar heen lagen bloemen en de spot hield haar in zijn licht gevangen. De zweetdruppels voelden koud aan op haar huid en ze had haar emoties bijna niet meer onder controle. Dit was haar laatste optreden in het openbaar – haar laatste rol in dit stuk van haar leven. Kon ze deze hele sfeer maar in een flesje doen zodat ze die later nog eens tevoorschijn kon halen om alles opnieuw te beleven.

Ze wierp kushandjes naar het publiek, zwolg in hun waardering, en wachtte met angst en beven op het moment dat het doek voor de laatste keer zou vallen. Hoe kon ze hebben gedacht dat dit makkelijk zou zijn? Hoe lang zou het duren voor ze in de verleiding kwam om weer het toneel op te gaan? Dit was haar leven, dit was waarvoor ze was geboren. Deed ze er wel verstandig aan dit allemaal op te geven? Toen viel haar blik op Rosa. Haar gezichtje straalde terwijl ze stond te klappen en toen hun ogen elkaar ontmoetten, besefte Catriona dat er niets kostbaarder was of meer voldoening gaf dan de liefde van een kind.

Catriona haalde diep adem en boog voor de laatste keer en na een teken aan de toneelknecht, wachtte ze tot het doek voor de laatste keer zou vallen.

17

Voor een buitenstaander leek het leven op Belvedère maar saai, met weinig onderscheid tussen de verschillende seizoenen. Maar naarmate Catriona beter gewend raakte, kwam ze erachter dat er altijd iets gebeurde en het leven op het platteland begon haar veel beter te bevallen dan dat in de stad. Ze maakte haar uitstapjes naar de stad zo kort mogelijk, want ze kon niet meer tegen het lawaai en de drukte en wilde niets liever dan zo snel mogelijk terugkeren naar deze oase van rust. Maar de tochtjes waren noodzakelijk, want Catriona had een bijzondere reden om naar Sydney te gaan, een reden die alleen zij kende. En hoewel ze haar veel verdriet deden, wist ze dat het de enige manier was om haar dochter te zien.

Catriona zuchtte, deed haar ogen dicht en hief haar gezicht in de richting van de zon. Ze hadden elkaar nog nooit gesproken, hadden elkaar zelfs nog nooit ontmoet – en Catriona vermoedde dat dat ook nooit zou gebeuren – maar haar te zien, te weten dat alles goed ging en dat ze succesvol was, was voldoende. Rosa, hoewel nog maar een kind, was prima gezelschap op die ogenschijnlijk onschuldige tripjes naar Sydney. Dan gingen ze winkelen en aten in een van de kleine bistro's aan de waterkant en rondden hun bezoek af met een theater- of balletvoorstelling. Rosa had ontdekt dat ze dol was op operette en hoewel Catriona dat meer poppenkast voor volwassenen vond, nam ze haar met alle plezier mee wanneer er een voorstelling was.

Catriona leunde op het hek en wachtte tot het postvliegtuig zou arriveren. Dat kwam eens per maand, tenzij het weer anders besliste. Ze keek uit over de weidegronden en zag hoe de wind door het lange gras waaide en het veranderde in een bleekgroene oceaan die golfde in de grote vallei tussen de heuvels van ijzersteen. Ze was hier nu een jaar en ze voelde zich helemaal thuis.

De aanpassingen aan de boerderij waren afgemaakt toen zij in Londen was; het kleine onderkomen had nu de beschikking over vier slaapkamers, een echte badkamer en een heel moderne keuken met een uit Engeland geïmporteerde Aga om op te koken. Plafondventilatoren hielden het 's zomers koel en tijdens de lange, koude winternachten brandde er een vuur in de open haard in de zitkamer.

Fred was die eerste maanden geweldig geduldig geweest. Hij was elke ochtend aan komen zetten met de kasboeken, voorraadlijsten en het rooster voor die dag en had alles tot in het kleinste detail uitgelegd, net zo lang tot ze had begrepen hoe Belvedère werd gerund. Connor en Billy hadden haar een rondleiding gegeven langs de verschillende erven en omheinde weides en toen ze weer gewend was aan paardrijden, was ze met hen meegegaan op haar eerste jacht op wilde paarden – een opwindende race te midden van die prachtige dieren van de outback – en dat was opwindender geweest en had haar meer gestimuleerd dan welke opera-uitvoering ook.

En dan had je nog de feesten en dansavonden, de picknickraces en de schoolavonden die moesten worden bijgewoond en de vergaderingen van de plattelandsvrouwenvereniging, de concertclub, de schoolvereniging en de Outback Natuurbescherming. De mensen op het platteland van Australië mochten dan ver bij elkaar vandaan wonen, toch vormden zij een hechte gemeenschap en genoten ze van hun momenten van ontspanning. Dat waren ook de momenten om de laatste roddels uit te wisselen, om over het boerenbedrijf en de prijs van rund- en schapenvlees te discussiëren. Voor de jongelui waren dat de gelegenheden waar ze elkaar ontmoetten en hechte vriendschappen smeedden, die vaak uitmondden in een huwelijk en daarmee het samenvoegen van uitgestrekte bezittingen.

Ze draaide zich om, keek naar de boerderij en glimlachte. Het leek helemaal niet meer op het gebouwtje waar ze de eerste keer in had gelogeerd. Het dak was nu bedekt met dakspanen, het raamwerk van de horren was groen geschilderd en de veranda was herbouwd. Bougainville klom langs de posten van de veranda omhoog en de geveerde bladen van de peperboom aaiden het dak. Binnen had ze het gezellig gemaakt met diepe leunstoelen en comfortabele bedden, nieuwe gordijnen en schemerlampen.

Het verre gebrom van een vliegtuigmotor trok haar aandacht. Ze keek hoe het vliegtuig daalde en uiteindelijk landde en wachtte tot de piloot de landingsbaan af was getaxied en stopte. Billy en twee van de Aboriginalknechten pakten de zware postzakken en de dozen met voorraden aan en stapelden die op bij het hek. Binnen een paar minuten was het vliegtuig al weer omgedraaid en had het opnieuw het luchtruim gekozen. De piloot moest zich aan een krap schema houden en zijn ronde besloeg duizenden kilometers – hij had geen tijd om te blijven hangen en een kletspraatje te maken.

Catriona klom over het hek en haastte zich naar de mannen. 'Ik neem de post wel mee,' zei ze.

'Laat mij,' zei Billy bars. 'Te zwaar voor juffrouw.'

Ze moest hem gelijk geven. Dat verdraaide ding woog een ton. Maar ze was vreselijk ongeduldig en ze stond met haar voeten te schuifelen terwijl de mannen de verschillende dozen en pakketten uitzochten en de spullen verdeelden tussen het kookhuis, de slaapzaal en de smederij.

'Kok nu beter humeur,' zei Billy terwijl hij de postzak over zijn schouder slingerde. 'Perzik in blik en vla voor eten vanavond.'

Catriona glimlachte terwijl ze zijn grote passen probeerde bij te houden. De kok wist dat Rosa dol was op perziken in blik. Hij verwende haar. 'Zat het gereedschap waar Fred op wachtte erbij?'

De Aboriginal knikte. 'Plenty gereedschap. Fred kan nu pick-up maken. Stomme ding kapot.' Hij gooide de postzak op de keukentafel en keek haar lange tijd onderzoekend aan. 'Denk dat jij op iets speciaals wacht, juffrouw. Lijkt wel kat op heet zinken dak.' Hij lachte en schudde zijn hoofd toen ze het probeerde te ontkennen. 'Denk jij vriend. Wacht op brief.'

'Ik wou dat het waar was,' fluisterde ze toen hij het huis uitliep en naar de schuur ging. Alle mannen die ze had gekend waren naar de achtergrond verdwenen toen ze zich eenmaal had teruggetrokken – over roem gesproken dat het verkeerde soort aanbidder aantrekt. Maar, redeneerde ze, ze kon hun dat niet kwalijk nemen. Je moest een speciaal soort man zijn om hier te kunnen leven en die waren niet dik gezaaid.

Ze draaide zich vlug om en kiepte de brieven uit de zak op tafel. Het was een flinke stapel en ze begon ze snel en routinematig uit te zoeken. De post voor Fred bestond voornamelijk uit catalogussen en folders over veemarkten. Er waren brieven voor de mannen en verschillende pakketjes. De kok was duidelijk populair; er was een stapel brieven voor hem, allemaal in hetzelfde handschrift in rode inkt geschreven. Ze trok een wenkbrauw op toen ze een vleugje opving van het geparfumeerde papier. Zo te zien had hij een bewonderaarster.

Er waren stripboeken voor Rosa en catalogussen voor Connor en ze legde ze apart. Connor was de omheiningen aan het inspecteren en zou voorlopig nog niet thuiskomen. Rosa kon elk ogenblik uit school komen en bracht zoals gebruikelijk Belinda mee. Dat kind leek meer tijd hier door te brengen dan op Derwent Hills, en ze hoopte maar dat Pat Sullivan het niet erg vond. Ze grinnikte. Arme Connor. Belinda's aanbidding was niet minder geworden en hij raakte er soms zo door in verlegenheid dat hij er in zijn eentje vandoor ging en pas terugkwam op de boerderij wanneer zij weg was. Misschien had hij daarom zo staan te popelen om het enige karwei te doen dat elke man hier haatte.

Haar hand bleef hangen boven de twee brieven en de moed zakte haar in de schoenen. Dat waren haar laatste pogingen om contact te krijgen met haar dochter en ze waren, net als al die andere, niet geopend, alleen maar geretourneerd naar de afzender.

Ze was vastbesloten zich niet te laten kleinkrijgen door deze nieuwe afwijzing en raapte de overige post bij elkaar en legde die weg om later te lezen. Toen ze de andere stapels had uitgezocht, deed ze die in boodschappentassen die ze speciaal daarvoor bewaarde en droeg ze het erf over en bracht de post naar de keuken, de slaapzaal en Freds huisje. Toen ze terugkwam op de boerderij hadden Rosa en Belinda hun pony's al drooggewreven en ze losgelaten in de omheinde weide en de aanval ingezet op boterhammen met jam.

Catriona knuffelde Rosa en drukte een kus op haar vuile wang. 'Wat heb jij in vredesnaam uitgespookt?' vroeg ze terwijl ze een verse pot thee zette. 'Je zit onder het vuil.'

Rosa grijnsde en ging met haar handen door haar korte haar. 'Belinda en ik hadden een hut gemaakt in de bosjes en een paar jongens wilden die inpikken.' Zij en Belinda keken elkaar veelbetekenend aan. 'Maar we hebben ze een poepie laten ruiken, hè?'

Belinda knikte en haar donkere krullen dansten op haar stevige schouders. 'Denk niet dat ze het nog 's proberen,' zei ze met een mondvol brood met jam. 'Rosa heeft Timmy Brooks een blauw oog geslagen.'

'Goed gedaan,' zei Catriona opgewekt. 'Wij meisjes moeten voor onszelf opkomen. En wat dat vuil worden betreft, daar ga je niet dood aan.'

'Zie je wel,' zei Rosa triomfantelijk tegen Belinda. 'Ik zei toch dat ze niet moeilijk zou doen.'

Catriona glimlachte en dronk van haar thee. Vuil worden en ruziemaken met jongens, dat was waar het allemaal om draaide wanneer je kind was. Rosa was een taai, klein schoffie – dat moest ze wel zijn in deze moderne tijden – dus wat kon een vuil gezicht dan schelen? 'Verheugen jullie je op de middelbare school?' vroeg ze toen ze klaar waren met eten.

'Ja,' zeiden ze als uit één mond. 'We kunnen niet wachten,' ratelde Rosa. 'Nog maar drie weken en dan is het schooljaar afgelopen. Gaan we naar Sydney voor onze schooluniformen?' Ze wachtte niet op antwoord. 'Mag Belinda ook mee?'

'Ik zal het Pat vragen,' antwoordde Catriona terwijl ze probeerde niet te lachen om de ernstige uitdrukking op het gezichtje. Ze zag hoe opgewonden ze was en voelde een steek van verlangen. Het zou vreemd zijn om ze niet meer aan tafel te hebben tijdens die lange periodes dat ze op kostschool waren, maar elke moeder in de outback moest dat offer brengen, wilden hun kinderen hun talenten kunnen ontplooien.

Ze keek hoe ze de hal door renden. Hoorde de klap van de hordeur en het gebonk van hun voeten op de veranda. Ze werden groot. De tijd ging te snel en ze zouden jonge vrouwen zijn voor ze het in de gaten had.

Het was al laat en ze had de meisjes eindelijk zo ver gekregen dat ze het licht uitdeden en stopten met kletsen. Ze liep de woonkamer in, zag de stapel brieven en schonk een gin-tonic in. De stereo stond zachtjes aan en de zoete stem van Callas verdreef de beslommeringen van de dag. Ze legde de twee brieven die ongeopend terug waren gekomen apart en begon de rest te lezen.

Clemmie en John waren op een cruise – ze waren voortdurend weg nu Clemmie geen cliënten meer had. Er waren brieven van fans die waren doorgestuurd door haar platenmaatschappij en nieuwsbrieven van de academie die ze in Melbourne had opgezet. Ze wilden dat zij de prijzen uitreikte bij het eindejaarsconcert en ze maakte een aantekening in haar agenda. Er waren ansichtkaarten en brieven van haar vrienden die nog steeds bij het theater werkten, een nieuwe smeekbede van de liefdadigheidsinstelling die zij steunde en een herinnering dat zij aan het einde van de maand bij de tandarts werd verwacht.

Er bleven nog twee belangrijk uitziende brieven over. De ene bleek een uitnodiging te zijn voor de opening van het Sydney Opera House waar ze zou worden voorgesteld aan koningin Elizabeth. De andere was een formele verklaring van de regering. Catriona Summers zou worden geëerd met de titel Dame vanwege haar verdiensten op het gebied van opera. De plechtigheid zou plaatsvinden tijdens een besloten bijeenkomst, voorafgaande aan de officiële openingshandeling.

'Wel verdorie,' zei ze ademloos. Ze liet zich achterovervallen in de stoel en las de brief nog een keer. Dat moest een grap zijn. Dame! Wat absurd! Dames waren als vrouw verklede mannen die in een klucht speelden, niet kleine, magere vrouwen die dapper genoeg waren om op toneel te gaan staan en hun longen uit hun lijf te zingen. Wat zou Poppy gelachen hebben.

Ze nam een stevige slok uit haar glas en las de brief nog een paar keer door. Het zegel onderaan zag er echt genoeg uit en het briefhoofd leek ook te kloppen. Misschien was het dus toch geen grap? Dat was een ontnuchterende gedachte – en een enorme verrassing. Maar terwijl ze daar in het zachte licht van de schemerlamp zat en luisterde naar Callas die een van de prachtige aria's uit *Tosca* zong, meende ze zich vaag te herinneren dat Clemmie een paar maanden geleden ergens over had zitten wauwelen. Catriona had niet echt geluisterd omdat ze te zeer in beslag werd genomen door de laatste repetities voor haar Londense finale en dacht dat Clemmie het er alleen maar over had gehad om Buckingham Palace te gaan zíen – niet erdoor te worden onderscheiden.

'Verdikkeme,' fluisterde ze. 'Het is echt waar. Ik word Dame of the British Empire.' Ze giechelde en zette een deftig accent op. 'Wat ongelooflijk dolletjes. Nu moet je op je woorden gaan letten, m'n schat.' Ze giechelde nog harder en schonk nog een borrel in. 'Santé,' zei ze terwijl ze het glas hief naar haar portret boven de open haard. 'Blijven lachen, meid. Ik durf te wedden dat je nooit had gedacht dat dit je zou overkomen toen je met Rupert Smythe-Billings scharrelde.'

Catriona wilde het iemand vertellen. Maar, zoals altijd bij dit soort gelegenheden, was er niemand in de buurt. De telefoon was verbonden met de kortegolfzender en binnen een paar seconden zou de hele outback op de hoogte zijn, maar dit was een te bijzondere gelegenheid om zomaar voorbij te laten gaan. Ze wilde het iemand vertellen die speciaal voor haar was. Rosa lag te slapen en Connor bracht de nacht ergens buiten op Belvedères duizenden hectares door. Poppy was er al lang niet meer en Clemmie was op reis. Dan bleef alleen Pat Sullivan over, maar die zou al liggen te slapen en het zou niet eerlijk zijn om haar na de lange vermoeiende dag die ze ongetwijfeld achter de rug had wakker te maken.

Haar blik viel op de teruggestuurde brieven en haar opgewekte stemming verdween. Kon ze het haar dochter maar vertellen. Ze liet zich weer in haar stoel zakken en haar vreugde werd getemperd door de harde realiteit van de hele situatie. Wisten degenen die over een dergelijk eerbetoon gingen van haar verleden? Maakte het hun iets uit, zou het een verschil maken? Moest ze niet terugschrijven en voor de eer bedanken? Maar dat zou alleen maar aanleiding zijn voor geroddel en gespeculeer. Wat moest ze doen, wat moest ze doen? Was Clemmie er maar, die zou het wel weten.

Catriona liep naar de radio en legde de verbinding. Er bestond een kleine kans dat de vakantie van Clemmie en John al voorbij was. De post kwam hier onregelmatig en de brief was weken geleden gedateerd. Terwijl ze wachtte tot de telefoniste haar had doorverbonden trommelde ze met haar lange nagels op het geboende houtwerk. Haar ongeduld maakte haar prikkelbaar. 'Laat ze alsjeblieft thuis zijn,' fluisterde ze. 'Alsjeblieft, Clemmie. Neem die verdomde telefoon op.'

'Hallo?' De stem klonk veraf en ging bijna verloren in het geruis op de telefoonlijn.

'Clemmie?' Catriona's hand klemde zich om de hoorn.

'Wat is er aan de hand?' De stem klonk nu scherper.

'Ik heb een brief uit Engeland gekregen,' zei ze. Ze moest voorzichtig zijn, er waren ongetwijfeld heel wat oren die meeluisterden. 'Het is geweldig nieuws, maar ik heb je raad nodig.'

'O, prima,' antwoordde Clemmie. 'Ik had verwacht al eerder van je te horen. Heb je ook de uitnodiging voor de opening gekregen?'

'Ja. Maar ik kan geen van beide aannemen.'

'Waarom niet in vredesnaam?'

'Ik kan niet te veel zeggen, het is een open lijn. Maar je weet wel waarom het niet kan, Clem.' Ze wachtte even en luisterde naar het gezoem van atmosferische storingen. 'Susan Smith,' zei ze ten slotte.

Clemmie lachte. 'Doe niet zo stom,' zei ze. 'Dat kan ze helemaal niets schelen. Ze willen je alleen maar belonen voor het geweldige werk dat je al die jaren hebt verricht. En voor het geld en de tijd die je in de academie hebt gestoken en in al die andere liefdadige instellingen die je hebt opgericht en gesteund.'

Catriona voelde zich licht in het hoofd worden. 'Weet je dat zeker?' drong ze aan. 'Ik zou het vreselijk vinden als het ineens weer zou worden afgenomen.'

'Dat gebeurt niet, schat. Je hebt het verdiend.' Ze gniffelde. 'Dame Catriona Summers klinkt geweldig. Gefeliciteerd. Mag ik dan nu weer gaan slapen? Ik bel je morgenochtend nog wel.'

Catriona verbrak de verbinding en ging de kamer weer in. Ze was opgewonden en nerveus, verrukt van het nieuws – maar onder die vreugde ging een enorm verdriet schuil. Haar dochter zou dit moment nooit met haar delen. Ze zou nooit weten hoe bemind ze werd en hoe erg ze werd gemist. Catriona pakte de brieven, drukte ze tegen haar borst en barstte in tranen uit.

Rosa lag naar de schaduwen te staren die de maan op de muur wierp. Ze wist niet waardoor ze wakker was geworden, alleen dat er iets was. Ze lag te luisteren en was op haar hoede. Na een tijdje kwam ze tot de conclusie dat het waarschijnlijk een opossum op het dak was. Maar vervelend was het wel, want nu was ze klaarwakker en moest naar de wc. Ze gooide de dekens van zich af en stapte uit bed.

Toen ze de deur van haar kamer opendeed hoorde ze een geluid dat ze aanvankelijk niet herkende. Ze keek even over haar schouder naar Belinda. Haar vriendin lag diep onder de dekens en ze haalde diep en regelmatig adem. Rosa liep op haar tenen de kamer uit en sloop door de hal. Er kwam licht door de openstaande deur van de zitkamer. Dat was waar het geluid vandaan kwam.

Ze liep voorzichtig langs de muur en gluurde naar binnen. Toen ze het tafereel zag wilde ze roepen – wilde ze naar binnen snellen om troost te bieden – maar iets aan de manier waarop Catriona zat te huilen hield haar tegen. De tranen stroomden over haar wangen, maar ze maakte nauwelijks geluid terwijl ze over een paar brieven gebogen zat en heen en weer wiegde alsof de brieven iets waren dat beschermd moest worden. Wat had dat te betekenen? Rosa beet op haar lip. Ze hoorde hier niet te zijn. Ze hoorde niet te spioneren. Maar ze kon zich niet verroeren, want ze werd volledig in beslag genomen door wat Catriona toen deed.

De oude metalen hutkoffer stond al naast het bureau sinds ze de boerderij hadden betrokken. Het was een schatkist vol kleren en handschoenen en schoenen die Belinda en zij van Catriona soms aan mochten. Er waren programma's en bladmuziek en brieven van fans. Verder zaten er foto's in van Catriona in verschillende rollen die ze had gezongen, maar Rosa was nooit alleen gelaten met de koffer en nu begreep ze waarom. Het was Catriona's bergplaats voor haar meest geheime zaken.

Terwijl Rosa in de duisternis achter de deur stond, zag ze hoe ze de koffer van het slot deed en de brieven zorgvuldig onderin legde. Ze hield haar adem in toen de sleutel werd weggestopt achter de grote klok op de schoorsteenmantel. Toen moest ze als een haas terug naar haar slaapkamer, want Catriona draaide zich om en liep in de richting van de deuropening. Haar hart ging tekeer en ze had moeite om haar ademhaling regelmatig te laten klinken terwijl ze onder de dekens dook en net deed of ze sliep. Ze hoorde Catriona's voetstappen in de hal. Hoorde hoe ze stilhielden voor haar deur die ze niet meer dicht had kunnen doen. Na een lange stilte, waarin ze er zeker van was dat Catriona overal achter zou komen, ging de deur dicht en verplaatsten de voetstappen zich naar de keuken.

Rosa was veel te opgewonden om te gaan slapen en de tijd leek maar niet voorbij te gaan terwijl ze wachtte tot Catriona naar bed ging. Belinda sliep nog steeds en ze kwam in de verleiding haar wakker te maken. Ze deden alles samen, en dit was een echt mysterie. Maar, net toen ze op het punt stond haar een por te geven, hield ze zich in. Dit was privé, dacht ze. Catriona's geheim moest bewaard blijven.

Ze kroop opnieuw uit bed en deed de deur open. Het licht in Catriona's slaapkamer was uit, maar het was waarschijnlijk beter als ze nog even zou wachten om er zeker van te zijn dat ze echt in slaap was. Ze was een beetje bang, want als Catriona haar betrapte terwijl ze in haar koffer zat te rommelen, dan waren de rapen gaar. Maar de angst was vermengd met een gevoel van avontuur. Rosa ging snel naar de wc en klom toen weer in bed en wachtte.

De tijd verstreek en toen de klok in de hal elf uur sloeg, kwam Rosa tot de conclusie dat Catriona nu eindelijk wel in slaap moest zijn. Ze liep op haar tenen door de hal en luisterde aan haar slaapkamerdeur. Ze kon de regelmatige ademhaling horen. Terwijl haar eigen hart tekeerging en de adem in haar keel schuurde, sloop ze de zitkamer binnen en klom op een stoel om bij de klok te kunnen komen. De sleutel was klein en glom koud in het maanlicht toen ze zich omdraaide naar de hutkoffer.

Het was een geheimzinnig iets dat op haar lag te wachten en de stilte oefende een onweerstaanbare aantrekkingskracht op haar nieuwsgierigheid uit. Rosa stond te trillen op haar benen en ze liet zich op de bank ploffen. Haar blik bleef strak gericht op het roestige metaal en de verweerde leren riemen. De tijd verstreek en de kans dat ze zou worden betrapt werd met de minuut groter. Maar dat maakte op de een of andere manier het vooruitzicht alleen maar spannender, want zo'n kans zou ze waarschijnlijk nooit weer krijgen.

De stilte van het huis omringde haar en beelden die waren opgewekt door de verhalen die Catriona altijd vertelde begonnen voor haar ogen te verschijnen. Het waren stille, vluchtige beelden die een tijd en een plaats opriepen waar Rosa geen herinnering aan kón hebben, maar die toch zo bekend leken, zo uitnodigend, dat ze er geen weerstand aan kon bieden. Ze knielde en maakte de gespen los. De riemen kwamen los en ze worstelde met de sleutel in het hangslot. Eindelijk draaide hij om en het deksel ging piepend open.

Ze verstijfde en luisterde gespannen naar een teken dat zou betekenen dat ze ontdekt was. Maar het enige wat ze hoorde was het bekende kraken en zuchten van het huis. Ze leunde achterover en keek in de koffer. Ze had een droge mond en haar keel was samengeknepen zodat ze nauwelijks kon ademen.

Op een lap mousseline lag een centimeters dikke laag bladmuziek, oude programma's en persfoto's. Haar ogen begonnen te tranen van de doordringende geur van mottenballen terwijl ze door de bladmuziek bladerde en de stapel aan de kant legde. De foto's waren gemaakt door een professionele fotograaf, sommige in zwart-wit, andere in kleur en toonden Catriona van toen ze nog voor in de twintig was tot aan het einde van haar carrière. De programma's waren het evenbeeld van die Catriona in haar bureau had opgeborgen en waren gedrukt in een groot aantal verschillende talen. Ze kwamen uit uiteenlopende plaatsen, van het Scala in Rome, tot Parijs, Madrid, Londen, Sydney en Moskou. Rosa had ze al eens eerder gezien en legde ze vlug aan de kant.

Onder de programma's en allerlei andere rommel lagen de kranten. Die waren stevig opgerold en werden bij elkaar gehouden door elastiek dat met het verstrijken van de jaren broos was geworden. Rosa wierp een blik op de koppen en aangezien de troonsafstand van de koning, de oorlogsverklaringen en de kroning van de koningin haar niet interesseerden, legde ze ze op de grond. Met trillende handen trok ze het mousseline opzij.

De jurken waren oude bekenden, en terwijl ze ze er een voor een uithaalde, herinnerde ze zich de verhalen die erbij hoorden. De donkerrode, fluwelen baljurk was de jurk die Catriona had gedragen toen haar portret werd geschilderd. Rosa haalde hem tevoorschijn en hield hem tegen zich aan. Ze ving nog vaag een vleugje op van Catriona's parfum en wat talkpoeder. Ze vlijde de jurk over de armleuning van een stoel en pakte de volgende. Deze was van paarse zijde, met blauw en groen erdoor, hij kwam tot op de grond en was aan de hals afgezet met glinsterende kristallen. Toen volgde er een elegante zwarte jurk. Catriona had gezegd dat die van Dior kwam, maar dat kon Rosa niet boeien. Ze wilde de brief vinden.

Er was nog een jurk van Dior, een pakje van Chanel en een cocktailjurk van Balmain. Lange, witte geitenleren handschoenen waren zorgvuldig verpakt in zakjes die met een koordje waren dichtgeregen en frivool kanten ondergoed lag opgevouwen tussen vloeipapier. Terwijl Rosa ze voorzichtig op de bank legde, voelde ze hoe haar hart als een wilde begon te kloppen. Want daar, glanzend in het licht van de schemerlamp, lag de trouwjurk die ze niet hadden mogen passen van Catriona. Ook nu durfde ze hem nauwelijks aan te raken, want het was het teerste en mooiste dat ze ooit had gezien. Het kant was oud en viel in lagen van de schouders tot op de vloer in een waterval van pareltjes en diamantjes.

Toen ze hem tegen zich aan hield was het net of ze kerkmuziek kon horen, de bloemen kon ruiken en de opwinding voelen terwijl de jonge bruid naar het altaar liep. Catriona moest zich die dag als een prinses hebben gevoeld, dacht ze. Dat zou ik in ieder geval wel hebben gedaan. Ik vraag me af of ik hem mag lenen als ik de bruid ben.

Ze besefte dat ze tijd aan het verspillen was. Rosa legde de trouwjurk zorgvuldig over de rugleuning van de bank, dook weer in de hutkoffer en vond sierlijke satijnen schoentjes en witte handschoenen. Toen ze de ragfijne sluier optilde, ontdekte ze een enkele gele roos.

De blaadjes waren verdroogd en broos en de geur vervlogen. Iets in die kwetsbare roos raakte haar en ze voelde zich even heel erg triest. Ze vroeg zich af waarom Catriona hem had bewaard.

Haar hand bleef boven de brieven hangen. Sommige waren met een lint samengebonden, andere zaten in grote bruine enveloppen gepropt die het opschrift FANMAIL droegen. Die legde ze apart, toen keek ze snel even naar de deur en na een korte aarzeling haalde ze het laatste pakket tevoorschijn. Haar vingers trilden toen ze aan het paarse lint plukte dat de brieven bij elkaar hield. Ze voelde hoe Catriona's levendigheid de kamer vulde en kon bijna haar stem horen die haar waarschuwde niet verder te snuffelen.

Ze gooide de brieven terug in de kist, alsof ze met deze snelle actie het stemmetje in haar hoofd tot zwijgen kon brengen. Catriona vertrouwde haar. Ze zou woedend zijn als ze ontdekte wat Rosa aan het doen was. Rosa ging met haar vingers door haar haar. Ze had het gevoel dat Catriona achter haar stond. Ze keek vlug achter zich, bang dat ze was betrapt en hoewel ze alleen was, leek de geest van Catriona in alles om haar heen aanwezig. Haar leven zoals dat was geweest voor ze op Belvedère kwam wonen lag verspreid over de vloer en in de hutkoffer. Haar leven was nu doorgedrongen in de muren van deze kamer en toen Rosa naar het olieverfschilderij boven de open haard keek, zou ze gezworen hebben dat die violette ogen haar in de gaten hielden.

Niet in staat om er nog langer weerstand aan te bieden en ondanks dat ze het gevoel had dat ze werd bekeken, haalde Rosa het bundeltje brieven opnieuw voor de dag. Het waren er niet veel, maar duidelijk geadresseerd. Rosa pulkte onhandig de velletjes uit de enige envelop die was geopend. De brief was enkele jaren geleden gedateerd en toen ze hem had gelezen, begreep ze waarom Catriona had zitten huilen.

Ze slikte haar eigen tranen weg, stopte snel alles weer terug in de koffer en deed hem op slot. Ze legde de sleutel terug waar ze hem had gevonden en keek de kamer door om te zien of ze iets had laten liggen dat haar nachtelijke zoektocht kon verraden en haastte zich op haar tenen terug naar haar kamer.

Terwijl de maan langs haar venster schoof, staarde Rosa in het nachtelijk duister en worstelde met de wetenschap van wat ze had ontdekt.

18

St Helen's Middelbare School voor Meisjes was een privéschool, waar de rijke landeigenaren en de stadse elite hun kinderen naartoe stuurden. Het was ooit een buitenhuis geweest, maar twee ondernemende ongetrouwde dames hadden het na de Depressie goedkoop gekocht en er een school van gemaakt. De dames waren al lang dood, maar hun erfenis leefde voort in de nieuwe gebouwen, de stallen en de dressuurbakken en in de welvoorziene bibliotheek en de keurige klaslokalen. Een dankbare ouder had een enorme gymzaal betaald en de slaapzalen waren comfortabel en gezellig dankzij flinke giften van anderen. Aan een kant lag het zwembad dat dankzij een canvas overkapping altijd in de schaduw lag.

Het hoofdgebouw was vierkant en witte pilaren ondersteunden de overkapping boven aan de stenen trap. De rode bakstenen muren gingen bijna helemaal schuil achter klimop die 's winters schitterend rood kleurde. Er was een door bomen omzoomde oprijlaan van grind die tot aan de trap en om een enorme fontein liep en Catriona, die in de taxi zat, werd sterk herinnerd aan het hotel in Atherton.

'Wat is er?' vroeg Pat. 'Je ziet eruit alsof je een geest hebt gezien.'

Catriona schudde de herinneringen van zich af en richtte haar aandacht op andere dingen. 'Ik hoop dat ik niks vergeten heb in te pakken,' zei ze zacht. 'Er kwam geen eind aan die lijst.'

Pat lachte. 'Als we iets vergeten hebben, dan is het nu toch te laat.'

Ze stapten uit de taxi en van de zijkant van het huis verscheen een man die op zijn lijst keek, alles op een karretje laadde en dat wegreed. Belinda en Rosa waren stilletjes, wat erg ongebruikelijk was, maar Catriona herinnerde zich haar eerste dag op de academie en begreep precies hoe ze zich voelden. Ze wilde haar arm om Rosa slaan en haar weer mee naar huis nemen. De school was zo groot en er waren zo veel mensen. Hoe moest dat nou als ze er niet gelukkig was?

'Het komt wel goed,' zei Pat zachtjes. 'Kijk, ze hebben al iemand gezien die ze kennen. Ze zullen niet lang last van heimwee hebben.' Ze knikte naar een door een chauffeur bestuurde auto.

Catriona keek toe hoe de meisjes hun vriendinnen begroetten en er zich nog meer bij hen voegden. 'Het lijkt wel of de halve outback hier op school zit,' zei ze toen ze de meeste meisjes herkende.

'Er loopt in ieder geval heel wat geld rond,' mopperde Pat terwijl ze aanstalten maakten om de trap op te lopen en het huis binnen te gaan.

Catriona keek hoe het kleine meisje uit de auto stapte en gehoorzaam wachtte tot de chauffeur haar koffer had gepakt en die aan de conciërge had overhandigd. Het was een lief klein ding met weelderig blond haar en grote blauwe ogen. Ze droeg net als Rosa en Belinda de gestreepte rok van het schooluniform, witte sokken en een donkerblauwe blazer met op de borstzak het geborduurde schoolwapen. Haar panamahoed stond zwierig op haar prachtige haar, maar Catriona zag hoe gespannen ze haar dure leren tasje vasthield. 'Arme kleine,' zei ze zacht. 'Ik vraag me af waar haar ouders zijn.'

Pat snoof. 'Waarschijnlijk veel te druk met geld verdienen. Zulke mensen zouden geen kinderen moeten krijgen als ze niet de moeite willen nemen om haar op haar eerste dag naar school te brengen.'

'Ze ziet er zo verloren uit. Denk je dat we tegen onze meiden moeten zeggen dat ze met haar moeten gaan praten?'

Pat keek even naar het meisje en schudde toen haar hoofd. 'We kunnen het maar beter zijn loop laten nemen,' zei ze, terwijl het meisje verschillende leden van het personeel de hand schudde en rustig met ze stond te praten. 'Maar je raakt toch in de war als je iemand zo jong ziet met zo veel zelfbeheersing.'

Catriona slaakte een zucht. Pat had gelijk. Ze had gewoon het gevoel dat ze een moederkloek met een leeg nest was. Ze trok de bontkraag strakker om haar nek. Het was kil in Sydney en de winter deed zich nog steeds voelen in de wind die van zee kwam.

Ze liepen de trap op, stapten de weergalmende hal binnen en werden voorgesteld aan het hoofd van de school. Dat bleek een vrolijke vrouw te zijn en een groot operaliefhebber. Na een kop thee in haar zitkamer kregen ze een rondleiding door de school van een van de oudere meisjes en zagen ze waar Belinda en Rosa gedurende hun eerste jaar hier zouden slapen. Catriona bekeek de twee rijen bedden in de enorme slaapzaal. Wat benijdde ze Rosa, want dit was een echte kostschool, precies als die scholen waar ze als kind over gelezen had. Wat zouden de meiden een lol hebben, dacht ze weemoedig toen ze zich omdraaiden om weg te gaan. Er zouden nachtelijke feestjes zijn en gefluister dat de hele nacht zou duren, echte lessen overdag en de kans om de slanke paarden te berijden die ze in de stallen had gezien.

De meisjes kwamen de hal in gevlogen net op het moment dat ze zich begonnen af te vragen waar ze waren. 'Het is geweldig, mam,' gilde Rosa en ze wierp zich in Catriona's armen. 'Er zijn een heleboel paarden, een enorm zwembad en Belinda en ik kennen de meeste meisjes uit ons jaar al.'

Catriona hield haar stevig tegen zich aan gedrukt. Ze kon nauwelijks adem krijgen. 'Wat zei je, schat?'

Rosa maakte zich los en keek haar aan. 'Ik zei dat er een zwembad was en paarden...'

'Nee,' onderbrak Catriona haar terwijl haar hart als een bezetene tekeerging. 'Dat bedoel ik niet. Het eerste stukje.'

Rosa bloosde tot aan de wortels van haar verwarde haren. 'Mam,' zei ze aarzelend, op een manier die helemaal niet bij haar paste.

De tranen stroomden over Catriona's wangen en het meisje wierp zich weer in haar armen en hield haar stevig vast. 'Ik weet dat het stom klinkt,' snikte Catriona. 'Maar je hebt me nooit eerder zo genoemd en ik heb zo lang gewacht om het te horen.'

Rosa week achteruit en keek haar aan. 'Mam,' zei ze vastbesloten. 'Je bent de beste moeder die ik maar zou kunnen wensen en het spijt me dat je er zo lang op hebt moeten wachten. Maar ik wist niet zeker of je het wel goed zou vinden.'

Catriona knuffelde haar opnieuw en gaf haar een zoen op haar voorhoofd. 'O, schat,' zuchtte ze. 'Ik vind het de mooiste naam van de wereld. Natuurlijk vind ik het goed.'

Rosa lachte en maakte zich los uit de omhelzing terwijl Catriona de lippenstift van haar voorhoofd veegde en Rosa's haar weer in het gareel probeerde te krijgen. 'Wat heb je in hemelsnaam allemaal uitgespookt?' zei ze berispend. 'Waarom kun je nou nooit eens langer dan vijf minuten netjes blijven?'

'We zijn bij de paarden gaan kijken,' legde ze uit. 'Ze zijn echt top, mam.' Ze haalde diep adem. 'En ze hebben hier een echt natuur- en scheikundeblok. Belinda en ik gaan stinkbommen maken en die gebruiken we dan bij de jongensschool verderop.'

Catriona keek over Rosa's hoofd naar Pat. Ze wisselden een blik van opluchting. Het zou wel goed komen met die meiden van hen.

Pat was een uur geleden weggegaan en Catriona zat op de veranda achter en keek uit over de weilanden. Het was te stil. Het huis echode en ze voelde zich erg alleen. Maar ze besefte dat het geen enkele zin had om hier een beetje medelijden met zichzelf te gaan zitten hebben. Ze had steeds geweten dat dit moment zou aanbreken, had zich daarop voorbereid door plannen te maken om zich intensiever bezig te houden met liefdadigheidswerk en met de organisatie van de academie in Melbourne. Het leven ging verder en de vreugde om Rosa en Connor te zien opgroeien tot volwassenen zou deze momenten van verdriet ruim compenseren. Want dit was hun thuis, en zij hun steun en toeverlaat. Ze zouden altijd contact met haar blijven houden, ongeacht wat het leven voor avonturen voor hen in petto had.

Ze schrok van een beweging in de schaduwen. Vervolgens moest ze lachen toen een jong katje naar haar toe kwam gelopen. Voor zo'n klein verfomfaaid ding had het een aandacht opeisend stemgeluid en een zelfverzekerde pas. Ze bukte zich en tilde het diertje op. Ze ontdekte dat onder al het vuil een rode kater schuilging. De kat had een witte vlek op de borst, witte sokjes en een magere, gestreepte staart. 'Waar kom jij vandaan?'

Het wollige bolletje zat op haar hand en keek haar met verontrustend gele ogen aan. Hij zag er uitgehongerd uit en woog niet meer dan enkele tientallen grammen, en Catriona dacht dat hij niet ouder dan een paar weken kon zijn. Ze aaide over de smerige vacht en hij begon te spinnen, zijn ogen draaiden weg en zijn tong kwam tevoorschijn tussen zijn vlijmscherpe melktandjes. Ze lachte. 'Nou,' zei ze zacht, 'dat vind je zo te zien wel lekker, maar ik denk dat je liever iets te eten hebt.'

Ze droeg hem het huis binnen en was zich er heel goed van bewust dat ze alle regels aan haar laars lapte. Het katje was ongetwijfeld het onderdeurtje van het nest en door zijn moeder in de steek gelaten. Net als iedereen op Belvedère moesten de katten werken voor de kost. Er werd van ze verwacht dat ze op ongedierte joegen dat van tijd tot tijd in de schuren wist door te dringen en soms de veestapel aanviel.

Dit knaapje zag er niet uit alsof hij op wat dan ook kon jagen en moest maar zien of hij zou overleven of niet.

Ze deed wat melk op een schoteltje en keek hoe hij dat oplikte. Toen hij klaar was, keek hij naar haar op en eiste meer. Ze liet zich vermurwen en sneed wat kippenvlees fijn dat ze voor het avondeten had bewaard. Hij viel er met een geweldige eetlust op aan en toen hij klaar was, besteedde hij lange tijd aan het poetsen van zijn snorharen en het verzorgen van zijn vacht. Voldaan en slaperig zette hij zijn nagels in haar been en eiste dat hij zou worden opgetild. Tevreden rolde hij zich op haar schoot op.

Ze voelde de botjes van zijn magere lijfje toen ze zijn vacht streelde en hij begon te spinnen. Het huis leek plotseling niet meer zo leeg. Het was vreemd en eigenlijk erg mooi hoe het lot tussenbeide was gekomen, want nu had ze weer iemand anders om voor te zorgen en over te moederen. 'Hoe zal ik jou eens noemen?' mompelde ze.

Hij spitste de oren en deed zijn ogen open om haar met een guitige blik op te nemen. Hij leek haar te zeggen dat hij hier was gekomen voor eten, warmte en liefde en dat Catriona diende te begrijpen dat hij van nu af aan de baas was en dat hij haar het genoegen deed haar te adopteren. 'Ik noem je Guit,' zei ze terwijl ze hem naar de kamer droeg en met hem op de bank ging zitten. 'Ik denk dat jij en ik het prima zullen kunnen vinden.'

Rosa was nu al bijna vijf weken weg en hoewel Connor haar miste, besefte Catriona dat hij blij was dat Belinda was opgehoepeld. Hij begon al op te zien tegen de schoolvakantie.

Rosa kwam naar huis gevlogen voor de eerste vakantie en zaagde hen het hele weekeinde door over haar nieuwe vriendin Harriet Wilson. Catriona luisterde terwijl de loftrompet werd gestoken over dit toonbeeld van deugd tegenover iedereen die het maar wilde horen. Het scheen dat Harriet, of Hattie zoals Rosa haar noemde, een voortreffelijke danseres, amazone en gymnaste was. Ze was ook heel erg slim en hielp Rosa vaak met haar huiswerk als de leraren niet keken.

Connor leek hier allerminst van onder de indruk en was meer geïnteresseerd in de paarden die de school ter beschikking had en in de ritten die de meisjes 's avonds en in de weekeinden maakten. Hij vond het maar vreemd dat er midden in de stad stallen en omheinde weides waren en Rosa beloofde hem dat hij op bezoek mocht komen, dan kon hij het met eigen ogen zien.

De vakantie was al vlug voorbij en Catriona keek vanuit de omheinde wei toe hoe de Cessna het luchtruim koos. Ze zou Rosa volgende week weer zien, want het was bijna 20 oktober, de dag dat het Opera House geopend zou worden. Ze was teleurgesteld dat Connor besloten had niet aanwezig te zijn bij haar glorieuze moment, maar de jongen had niet echt begrepen wat het voor haar betekende en had al helemaal geen enthousiasme getoond bij het vooruitzicht van een tochtje naar Sydney.

Ze glimlachte toen ze terugging naar de boerderij en de laatste voorbereidingen trof voor haar reis. Hij zou zeker niet genoten hebben van alle aria's en muziekconcerten, de toespraken en de eindeloze reeks beleefde gesprekken op de recepties na afloop en hoewel hij omwille van haar zijn best zou hebben gedaan geïnteresseerd te lijken, zou hij zich dood hebben verveeld en niet hebben geweten hoe snel hij zijn deftige pak kon verruilen voor een paardenrug.

Rosa daarentegen liep over van enthousiasme. Ze had een nieuwe jurk en nieuwe schoenen en Catriona zou haar het enkele parelsnoer lenen dat Velda zo veel jaar geleden had nagelaten. Het zou Rosa's eerste officiële gelegenheid worden en Catriona hoopte maar dat het kind zich zou weten te gedragen.

Die bijzondere dag brak badend in het zonlicht aan. Overal op en rond Circular Quay hingen slingers en feestverlichting. Allerlei bootjes en vaartuigen voeren op de rivier, de blusboten spoten grote stralen water in een boog de lucht in, terwijl de grotere schepen hun fluit en scheepstoeter lieten horen. De veerboten en plezierjachten waren gepavoiseerd en de opgewonden menigte stond al rijen dik achter de dranghekken toen het muziekkorps van de Royal Australian Air Force een levendige melodie inzette.

De bevolking van Sydney begroette de koninklijke stoet met vreugdekreten en gewapper van vlaggetjes toen de rij auto's langzaam naar Bennelong Point kwam gereden en onder aan de sierlijke trappen tot stilstand kwam. Van daar liep een rode loper naar boven naar de hoofdingang die werd overkapt door een van de fantastische zeilen van het dak van het Opera House.

Catriona stond geduldig in de rij te wachten met Rosa naast zich. Het kind zag bleek, maar haar ogen glansden terwijl ze de franje van haar jurk gladstreek en met haar voeten stond te schuifelen. Toen koningin Elizabeth onder begeleiding van de Britse ambassadeur binnenkwam, werden de ogen van het meisje groot. 'Ze heeft een echte kroon met diamanten,' fluisterde ze. 'Kijk eens hoe ze schitteren.'

Catriona zei dat ze stil moest zijn, maar ze kon zien waarom het kind zo onder de indruk was. Het diadeem, de halsketting, oorhangers en broche van hare majesteit schoten vuur in het zonlicht en de diamanten glinsterden tegen de donkerblauwe achtergrond van haar jurk. 'Sta klaar om een kniebuiging te maken,' zei ze zachtjes toen de koningin naderbij kwam. 'En zeg geen woord tenzij ze je iets vraagt.'

De koningin bewoog zich langzaam langs de rij en werd voorgesteld aan de groten en machtigen uit de culturele wereld. Buiten de burgemeester van Sydney en ministers van het Australische parlement, waren er dansers en zangers, musici en tientallen diva's.

Catriona hield haar adem in toen de koningin in de buurt van Rosa kwam. Het kind maakte een langzame en tamelijk elegante kniebuiging, zoals ze die de hele maand al had geoefend. De koningin glimlachte en zei: 'Keurig' en liep naar Catriona.

Catriona boog diep en keek pas op toen de koningin haar vroeg hoe haar pensioen haar beviel. 'Heel erg goed, majesteit,' antwoordde ze. De koningin glimlachte en knikte, keek nog een keer naar Rosa en ging verder langs de rij.

De rij loste ten slotte op toen de koningin Exhibition Hall werd binnengeleid waar ze de onderscheidingen zou opspelden. 'Ga met Clemmie mee,' fluisterde Catriona tegen Rosa toen haar vriendin uit het gedrang achter de rij opdook. 'Ik moet hier wachten tot ik word geroepen.'

Rosa knikte, ging op haar tenen staan en gaf Catriona een kus op haar wang. 'Veel geluk, mam,' zei ze en haar ogen glommen van trots.

Catriona keek hoe ze samen met Clemmie wegliep naar hun stoelen in de zaal. Ze haalde diep adem om haar zenuwen in bedwang te krijgen. Om haar heen zwol het geroezemoes aan en ze was dolblij dat ze weer zo veel oude vrienden zag. Er waren baritons, alten en sopranen met wie ze had gewerkt, dirigenten met wie ze ruzie had gehad, managers en regisseurs met wie ze in botsing was gekomen en koorleden met wie ze kleedkamers had gedeeld. Het was leuk om de laatste roddels te vernemen, maar veel tijd was er niet, want de eerste namen werden al afgeroepen. Het gepraat verstomde tot een fluistering toen de rij de zaal binnenschuifelde.

Een vergulde, met rood fluweel beklede stoel was aan het einde van een rode loper neergezet. De koningin stond naast de gouverneur die haar de juiste medaille aanreikte en haar de naam van de ontvanger meedeelde.

Terwijl ze op haar beurt wachtte, keek Catriona even in de richting van Rosa en Clemmie. Toen was het haar beurt om over de rode loper te schrijden, voor haar vorstin te buigen en haar onderscheiding in ontvangst te nemen. De koningin feliciteerde haar met enkele woorden met het werk dat ze had verricht bij het tot stand komen van de financiering van het Opera House en bedankte haar voor de jaren dat ze haar zo veel plezier had geschonken met haar zang. De koningin deed een stap achteruit, Catriona maakte opnieuw een kniebuiging en ging weg.

De rest van de dag verliep in een waas van geluk en ongeloof. Toen ze werd gefeliciteerd door de burgemeester, de ambassadeur en de minister van Cultuur kon ze nauwelijks voorkomen dat ze in gegiechel uitbarstte. Dame Catriona: het deed haar vreselijk belangrijk klinken, maar ze voelde zich door alles eerder verdwaasd. Wat een buitengewone eer voor iemand die haar leven achter in een beschilderde paarden-wagen was begonnen.

19

Kerstmis was alweer achter de rug en Catriona nam weer eens afscheid van Rosa.

'Mag Hattie de hele volgende vakantie bij ons logeren?' vroeg Rosa toen ze haar koffer in de Cessna laadden.

Catriona dacht een ogenblik na. 'Willen haar ouders dan niet dat ze thuiskomt?'

Rosa schudde haar hoofd. 'Haar vader is dood en haar moeder is altijd op tournee.'

Catriona's nieuwsgierigheid was gewekt. 'Op tournee? Zit ze dan bij het toneel, of zo?'

Rosa haalde haar schouders op. 'Ze is danseres, of iets dergelijks.' Ze keek Catriona aan. 'Nou, mag het?'

Catriona moest haar best doen zich te concentreren. 'Wat voor iemand is haar moeder?'

'Wel aardig, denk ik, maar ze is niet zoals jij.' Rosa aarzelde, alsof ze naar de juiste woorden zocht. 'Ze is niet zo warm zoals jij en ze lacht ook niet zo veel en ze is heel erg mager. Ze heeft het altijd koud en moppert de hele tijd over kruimels in de auto.'

'Wanneer heb je dan in hun auto gezeten?' Rosa had niets verteld over uitstapjes gedurende het afgelopen trimester.

'We zijn op de thee geweest toen Hatties moeder uit Londen terugkwam. Belinda en nog drie meisjes waren er ook bij, maar ik geloof niet dat ze ons erg mocht.'

'Hoe dat zo?' Catriona deed haar best om niet in lachen uit te barsten; het kind keek zo ernstig.

Rosa haalde haar schouders op. 'Hoe moet ik dat nou weten?' zei ze brutaal. 'Ze is gewoon niet dol op meisjes, denk ik. We waren nogal luidruchtig.' Ze grijnsde. 'Maar we hebben heerlijk gegeten, veel beter dan op school.'

'O jee,' verzuchtte Catriona, terwijl ze haar best deed om niet te lachen. 'Misschien is het dan maar beter dat Harriet niet komt logeren als haar moeder een beetje...' Ze liet de zin onuitgesproken in de lucht hangen.

'Die geeft er niks om,' antwoordde Rosa met de onverschilligheid van een twaalfjarige. 'Ze zit dan trouwens toch in Parijs.'

'Dan is het kind dus de hele vakantie alleen?'

Rosa knikte. 'Ja, ze moet dan op school bij juffrouw Hollobone blijven. Ze zegt dat ze dat niet erg vindt en dat ze dat wel gewend is, maar ik denk dat ze veel liever bij ons zou logeren.'

Catriona kon de gedachte dat zo'n eenzaam klein meisje haar vakantie in een lege school moest doorbrengen niet verdragen. 'Dan moet je haar maar uitnodigen,' zei ze toen de piloot de motor startte. 'Ik zal juffrouw Hollobone vanmiddag nog wel bellen.'

'Dat is nog eens een uitzicht, hè?' verzuchtte Rosa terwijl de Cessna een langzame bocht maakte en de landing inzette.

Harriet knikte. Er leken geen woorden die konden beschrijven wat ze voelde, want het schouwspel dat zich voor haar ogen ontvouwde leek zo uit een plaatjesboek te komen. Een zandweg slingerde lui de heuvel af naar een vredige vallei die goud lag te schitteren in de middagzon. Gebouwen lagen verspreid op het vlakste deel van de vallei als balen stro die her en der van een wagen waren gesmeten. De boerderij zelf stond op een open plek van rode aarde in de schaduw van citroengele bladeren van de peperboom. De beschutting biedende bergen stonden blauw aan de trillende horizon en vormden de omlijsting van uitgestrekte grasvlakten die golfden in de warme wind als een goudgele oceaan. De volledig onbewolkte hemel was zo bleek dat er bijna geen kleur meer was te bekennen en de uitgestrektheid maakte dat ze zich heel klein en onbetekenend voelde in het grote geheel.

'Daar staan mam en Connor op ons te wachten,' gilde Rosa. Belinda duwde haar aan de kant en boog voorover om uit het raam te kunnen kijken. 'Waar?' wilde ze weten. Rosa giechelde en keek ondeugend in de richting van Harriet. 'Belinda heeft een oogje op mijn broer,' zei ze luidop fluisterend. 'Al snap je niet waarom, hij is soms echt een etter.'

Belinda bloosde en gaf Rosa met haar elleboog een por in de ribben, wat weer aanleiding was voor een stoeipartij. Harriet glimlachte en wist niet wat ze moest zeggen. Ze was nog steeds niet helemaal gewend aan het gemak waarmee die twee met elkaar omgingen, want aangezien ze het enige kind was van een moeder die zelden thuis was, was ze nog nooit echt vertrouwd met iemand geweest. Ze wendde zich weer naar het raam en voelde een steek van verlangen toen een troep kangoeroes met grote sprongen over de vlakte snelde. Hoe konden Rosa en Belinda ertegen om van zo'n prachtige plek weg te gaan? Er was zo veel ruimte, zo veel plekken om te ontdekken, zo veel hemel en schone lucht.

Rosa giechelde toen de laagvliegende Cessna een koppel grazende emoes stoorde en de vogels er met opgestoken veren en wapperende staarten in een merkwaardige looppas op hun x-benen vandoor gingen. 'Het lijkt wel een stel boze cancandansers,' proestte ze. 'Een en al veren en ruches.'

Harriet grinnikte terwijl ze naar de belachelijke vogels keek, maar haar aandacht werd al vlug weer opgeëist door het hek bij de landingsbaan en de mensen die daar stonden te wachten. Ze had al veel over Rosa's familie gehoord, maar dit zou de eerste keer worden dat ze Catriona Summers ontmoette en ze was zenuwachtig. Rosa had al zo veel verteld over de vrouw die hen beiden had opgenomen en een thuis had gegeven en Harriet kon niet anders dan onder de indruk zijn van het feit dat de grote Catriona Summers de hele herfstvakantie haar gastvrouw zou zijn.

Rosa was als eerste uit het vliegtuig; ze rende over de open plek en sprong in de armen van een jongen die breed stond te lachen. 'Hoe gaat 't?' gilde ze opgetogen terwijl hij haar in de lucht tilde en haar stevig tegen zich aan drukte. 'Hallo daar, je hoeft m'n ribben niet te breken!'

Hij zette haar met een bezorgde blik neer. 'Sorry, Rosa. Ik heb je toch geen pijn gedaan, hè?'

Rosa giechelde. 'Neuh. Maar denk er voortaan aan dat ik een meisje ben,' zei ze bestraffend, 'en geen stier.' Ze draaide zich snel om naar Catriona en gaf haar een kus en een knuffel. 'Hoi, mam,' zei ze warm.

Catriona's wangen werden rood en haar ogen twinkelden van genoegen. 'Ik zie dat kostschool je niet heeft veranderd, Rosa,' zei ze met bruuske genegenheid. 'Nog steeds een deugniet.'

Rosa drukte nog een kus op de zachte wang. 'Geweldig om weer thuis te zijn, mam,' antwoordde ze met een aanstekelijke lach.

Terwijl Belinda en Rosa werden begroet door hun moeders, nam Harriet de gelegenheid te baat om het schouwspel dat zich voor haar ogen voltrok in zich op te nemen. Ze was gewend om waarnemer te zijn – was eraan gewend om buitenstaander te zijn bij hechte gezinnen – en ze was zich al een tijd geleden gaan realiseren dat ze een talent had om dingen te zien die aan anderen onopgemerkt voorbijgingen. Belinda had inderdaad alleen maar oog voor Connor, en hoewel de zestienjarige zich duidelijk bewust was van haar aanbidding, deed hij zijn uiterste best haar te negeren. Rosa's genegenheid voor haar broer was absoluut wederkerig en hun nauwe verwantschap bleek overduidelijk uit het gemak waarmee ze met elkaar omgingen. Maar ze was pas echt gefascineerd door Catriona Summers.

Catriona was klein en slank en verschilde niet veel van hoe ze er op de publiciteitsfoto's uitzag die Rosa mee naar school had genomen. Maar dat tengere lichaam had een kern van staal, dat sprak uit haar violette ogen en haar houding. Ze had kort en dik haar dat prachtig was geknipt en ze droeg dan misschien wel vrijetijdskleding, maar Harriet herkende de dure snit van de broek en de prachtige stof van het bedrieglijk eenvoudige hemd. Afgezien van een paar ringen aan haar vingers droeg ze nauwelijks sieraden, alleen een paar gouden knopjes in haar oren en een hanger om haar nek.

Alsof ze voelde dat ze werd bekeken, draaide Catriona zich om met een nieuwsgierige blik in haar violette ogen waaruit intelligentie straalde. 'Dit moet dan Harriet zijn,' zei ze vriendelijk. 'Welkom op Belvedère.'

Harriet voelde de zachtheid van de hand die ter begroeting de hare pakte. De slanke, fijne beenderen waren in tegenspraak met de stevige handdruk, terwijl de diamanten schitterden in de zon en de violette ogen verdergingen met hun onderzoek.

'Ik ben blij dat je bent gekomen,' zei ze. 'Rosa heeft al zo veel over je verteld.' Ze lachte en de violette ogen lichtten op. 'Ik weet zeker dat we het deze vakantie geweldig naar ons zin zullen hebben. Maar ik denk dat jullie allemaal eerst wel thee willen voor Belinda ervandoor gaat? Kom mee naar binnen.'

Rosa straalde en haar ogen twinkelden van plezier terwijl ze Connor de trap naar de veranda op hielp. Een stier had hem een paar weken geleden een trap tegen zijn knie gegeven; hij liep nog steeds met een wandelstok en hij vertrok zijn gezicht elke keer dat hij zijn stijve been een tree hoger zwaaide. 'Harriet, dit is Connor,' zei ze volstrekt ten overvloede.

Harriet keek in een paar ogen die bruin konden zijn, of misschien de kleuren van een herfstbos hadden. Er zat een zwarte rand om de irissen en hij had slaperige oogleden met dikke wimpers. Haar hand werd verzwolgen door die van hem en ze voelde de warmte en de ruwe huid van iemand die nog nooit achter een bureau had gezeten. De mouwen van zijn geruite overhemd waren tot aan de ellebogen opgerold, waardoor zijn gebruinde en gespierde, met donker haar begroeide armen zichtbaar waren. Hij was verder gekleed in een nauwsluitende leren broek en zag er donker en lang uit in zijn laarzen met lage hakken die het stof droegen van de lange uren die hij in de buitenlucht doorbracht.

Connor glimlachte en bij zijn ooghoeken verschenen lachrimpeltjes waardoor zijn gebruinde gezicht nog aantrekkelijker leek terwijl ze elkaar de hand schudden. 'Hallo,' zei hij met zijn lijzige Queensland-accent. 'Zus hier heeft me in haar brieven al een heleboel over je verteld. Blij je eindelijk eens te ontmoeten.'

'Hallo,' mompelde Harriet die zich maar al te bewust was van zijn goedmoedige, onderzoekende blik en van het effect dat zijn glimlach op haar had. Connor Cleary was niet echt knap – daarvoor waren zijn trekken te onregelmatig. Maar ze zag wel waarom Belinda zo verkikkerd op hem was. Hij was een stuk.

Catriona lachte luid. 'O, hemel, Connor. Het ziet er naar uit dat je fanclub weer is gegroeid.'

Connor bloosde en Harriet keek naar de grond en vermeed Belinda's vijandige blikken door haar haar als een gordijn langs haar gezicht te laten vallen. Het laatste dat ze wilde was haar nieuwe vriendinnen van zich te vervreemden en Catriona's gelach hielp haar niet echt.

Ze liepen met zijn allen achter Catriona aan naar de keuken en Harriet bleef een beetje achter, niet zeker wetend wat ze moest doen toen de anderen hun tassen op de grond lieten vallen en het zich gemakkelijk maakten. Belvedère was erg klein, realiseerde ze zich toen ze om zich heen keek. Het hele huis zou makkelijk in een fractie van hun penthouse in de stad hebben gepast, maar de keuken was gezellig en uitnodigend en duidelijk het meest geliefde vertrek van de boerderij.

Catriona zette al snel iedereen aan het werk. 'Rosa, pak jij de melk en de cake? Harriet,' zei ze terwijl ze zich omdraaide en glimlachte. 'Wil jij alles op het dienblad zetten en dat naar de zitkamer brengen?'

Harriet knikte, blij dat ze iets te doen had gekregen, maar het duurde even voor ze de borden en het bestek had gevonden en haar taak werd er niet makkelijker op omdat Belinda haar bij iedere gelegenheid boze blikken toewierp. Ze schrok op door een scherpe por in haar ribben van Rosa. 'Let maar niet op haar,' fluisterde ze terwijl ze de borden van de kast naar de tafel droegen. 'Zo is ze altijd met Connor in de buurt.'

'Maar waarom dan?'

'Bang voor concurrentie,' mompelde Rosa met een mond vol cake die ze van de schaal had gepikt.

Harriet wierp een verbijsterde blik in de richting van Belinda. 'Maar dat is stom,' siste ze.

'Ik weet het,' zei Rosa. 'Ik bedoel, wie behalve Belinda vindt mijn broer nou aantrekkelijk?' Ze lachten samenzweerderig en Harriet liep met het volgeladen dienblad achter Rosa aan naar de zitkamer.

In de namiddag was het koel in de kamer en de zon zakte snel achter de omringende bergketens. Het meubilair had ongetwijfeld betere tijden gekend, maar het cilinderbureau en de kruk waren beslist antiek en de uitgebreide collectie porselein en glaswerk in de kabinetten was prachtig. Harriet zette het dienblad op een bijzettafel en het viel haar op dat alles onder een dikke laag stof zat. Wat was dit kleine huis een verschil met haar moeders luxueuze penthouse. Daar mocht nooit een stofje te zien zijn, maar toch was het hier comfortabel en huiselijk en ze voelde zich in dit allegaartje vreemd genoeg op haar gemak.

Rosa ging terug naar de keuken en Harriet maakte van de gelegenheid gebruik om eens goed rond te kijken. Boven de gemetselde open haard hingen drie schilderijen en ze liep er naartoe om ze beter te bekijken. Het waren portretten, en hoewel ze er oud uitzagen en dringend moesten worden schoongemaakt, straalden de karakters van de geportretteerden haar tegemoet.

'Mijn ouders,' zei Catriona die met Rosa in haar kielzog de kamer binnenkwam. 'Die schilderijen zijn gemaakt toen ze net in Australië waren aangekomen. Toen hadden ze nog geld voor dergelijke dingen.' Harriets blik die van het ene portret naar het andere flitste moest haar zijn opgevallen, want ze glimlachte wrang toen ze naast haar ging staan. 'Dat ben ik,' zei ze en ze wees naar het middelste schilderij. 'Ik was toen nogal een stuk, hè?' Ze leek geen antwoord te verwachten, want ze lachte, keerde het portret de rug toe en ging zitten. 'De jaren vlakken alles uit,' zei ze luchtig. 'Dat ding daar herinnert me voortdurend aan de jaren die zijn verstreken en aan het begin van ouderdom en verval.' Ze grijnsde. 'Maar het alternatief is nog erger, denk ik, dus ik zal me er bij neer moeten leggen.'

Harriet, die was opgevoed door een moeder die aanstoot nam aan de minste verwijzing naar haar voortschrijdende leeftijd, en die elke verjaardag haatte en verafschuwde, zei niets. Catriona was inderdaad een schoonheid geweest, maar die schoonheid straalde nog steeds van haar gladde huid, uit de violette ogen en de trotse houding, het soort schoonheid dat veel dieper ging dan alleen de huid.

Rosa schonk thee in en de anderen kwamen bij hen zitten. Het gesprek was geanimeerd en Harriet stelde zich er tevreden mee alleen maar te zitten en te luisteren. Maar buiten de kamer hoorde ze de lokkende geluiden van het erf – geloei van kalveren, gehinnik van paarden en geblaf van honden – en al die geluiden waren vermengd met het gerinkel van paardentuig en gelach en geklets van de mannen. Wat een hemelsbreed verschil met de wereld waarin zij leefde, dacht ze terwijl ze kleine slokjes van haar thee met melk nam en zich begon te ontspannen.

De daaropvolgende vier weken vergastte Catriona de meisjes op verhalen over haar jeugd. Harriet had buiten het klaslokaal nog nooit een verhaal horen vertellen en ze verheugde zich er iedere avond op samen met Rosa in pyjama op de bank te kruipen om naar Catriona's verhalen over de rondtrekkende troep te luisteren. Het was allemaal zo echt voor haar geworden, dat ze zich soms verbeeldde dat ze het gekraak van de wagens en het gelach van de danseresjes kon horen.

Overdag was Harriet in de gelegenheid om Belvedère vanaf de rug van een paard te bekijken, dat wil zeggen, wanneer Catriona niet een picknick had georganiseerd of een uitstapje naar een van de vele plattelandsfeesten en markten. Rosa had haar meegenomen naar al haar favoriete plekjes, maar de bijzonderste had ze bewaard voor de laatste dag van de vakantie.

De schuur stond alleen aan de verste rand van het terrein bij de boerderij. Het was een vervallen geval, het dak was herhaalde malen opgelapt en de muren stonden scheef. Rosa steeg af en trok aan de deur. Hij kraakte en protesteerde en er vielen stukken af toen hij in het lange gras en het onkruid dat er voor groeide bleef steken. Harriet liet zich van haar ruin glijden en stapte het schemerduister van de schuur binnen. Stof danste in de bundels zonlicht die naar binnen vielen en er hing nog steeds de geur van hooi en haver, maar Harriets aandacht werd uitsluitend getrokken door het ongerijmde schouwspel in het midden van de schuur.

'Mams trots,' zei Rosa fluisterend terwijl ze eromheen liep en er liefkozend met haar vingers overheen ging.

Harriet deed een stap naar voren en raakte het ongerepte schilderwerk aan. Het rood en groen en geel glansden in het stoffige zonlicht, de letters aan de zijkant zo duidelijk alsof ze er nog maar de vorige dag waren op geschilderd. 'Het is de wagen,' zei ze ademloos. 'Catriona's wagen. Maar hoe heeft ze die na al die jaren weten te vinden?'

'Hij was te koop toen een fokkerij werd geveild. De eigenaar gebruikte hem als kippenhok,' antwoordde Rosa. 'Mam heeft hem hier naartoe laten brengen en Connor en zij hebben hem opgeknapt toen ze stopte met zingen. Prachtig, hè?'

Harriet had een sterk gevoel van déjà vu. Het was vreemd om na al die verhalen van Catriona geconfronteerd te worden met iets dat ze overal zou hebben herkend. Het was net alsof ze was teruggekeerd naar een verleden dat ze nooit had gekend, maar zo vertrouwd was als dat van haarzelf. 'Dat moet jaren hebben gekost,' mompelde ze, toen ze het sierwerk zag dat langs de hele onderkant van de wagen liep en de zorgvuldig beschilderde wielen.

Rosa stak haar handen diep in haar zakken en knikte. 'Belinda en ik speelden er altijd in. Dan deden we net of we zigeuners waren. Maar ik weet nu hoe kostbaar hij is en dat er waarschijnlijk geen tweede bestaat. Het Geschiedkundig Genootschap heeft mam gesmeekt of ze hem mochten hebben, maar hij betekent te veel voor haar om hem nog een keer te laten gaan.'

'Ik vraag me af wat er met de andere is gebeurd,' zei Harriet terwijl ze haar nek verdraaide om naar binnen te kunnen kijken. Daar was het teleurstellend leeg, maar ze kon zich voorstellen hoe het eruit had gezien met de kostuummanden, het beddengoed, de potten en pannen en de overige rommel die ze op hun reizen hadden meegesjouwd.

'Wie weet?' zei Rosa een beetje triest. 'Waarschijnlijk zijn die ergens weggerot. Volgens mam raken mensen pas geïnteresseerd in geschiedenis wanneer het te laat is of wanneer ze denken dat er iets aan te verdienen valt.' Ze grijnsde en ging met haar hand over een wiel. 'In ieder geval is deze veilig.'

Harriet knikte, voelde nog een keer aan de beschildering en draaide zich om. Terwijl ze in de deuropening van de vervallen schuur bleef staan leek het alsof ze het knarsen van de wielen, het regelmatige klipkloppen van de zware hoeven en het gerammel van het paardentuig kon horen en toen ze naar de horizon tuurde was het net of ze de stoet in de trillingen van de hitte zag voorttrekken, het stof kon zien dat door de wielen werd opgeworpen en het gelach dat tegen de stille heuvels weerkaatste kon horen.

'Hat? Harriet, wat is er?'

Ze knipperde met haar ogen en de beelden verdwenen. Ze keek Rosa aan terwijl haar gedachten nog vol waren van de geluiden uit die lang vervlogen tijd. 'Catriona heeft het zo echt gemaakt,' begon ze, 'en nu ik dit zie is het net of alles tot leven is gewekt.'

Rosa grinnikte. 'Je kunt die verbeelding van jou maar beter een beetje in de gaten houden, Hat. Als die met je op de loop gaat, beland je vroeg of laat in een inrichting.'

Harriet lachte. De beelden vervaagden en ze keerde terug in de werkelijkheid. Ze rende het zonlicht in en maakte de teugels los van de haak aan de muur. 'Laten we nog een eind gaan rijden,' zei ze gretig. 'We hebben alleen vandaag nog, en dan is het weer die saaie, ouwe school.'

Toen ze eenmaal op de uitgestrekte vlakte waren lieten ze de teugels vieren en onder het slaken van uitgelaten kreten raceten ze in gestrekte galop over het vlakke land. Tijd betekende ineens niets meer en het simpele genoegen van jong en zorgeloos zijn in het hart van Australië was alles wat ze nodig hadden. Het was alsof ze de aarde achter zich hadden gelaten en vrij waren, vrij als de vogels die boven hun hoofden vlogen, zo vrij als dat ene witte wolkje dat zo koppig boven de bergen in de verte bleef hangen.

Ze brachten de paarden tot stilstand en lieten zich uit het zadel glijden. 'Wauw,' verzuchtte Rosa terwijl ze haar paard op de hals klopte en zijn buikriem wat losser maakte. 'Dat was al even geleden dat ik zo gereden heb.'

'Nou en of,' hijgde Harriet die buiten adem was van de dolle rit. 'Ik weet niet hoe het met jou staat, maar ik sterf van de honger en ik lust ook wel wat te drinken.' Ze zette haar hoed af en veegde het zweet weg. Haar haar was doorweekt en haar overhemd plakte aan haar rug. Het viel niet mee om Rosa bij te houden en ondanks alle jaren dat ze paardreed had Harriet haar uiterste best moeten doen om de vos tijdens de nek-aan-nekrace over de open vlakte onder controle te houden. Ze zou het morgen wel voelen, besefte ze, maar het was het waard geweest. De rit had de spoken verjaagd en haar vervuld van een gevoel van welbehagen dat ze niet meer had gehad sinds ze te paard met haar vader door de wildernis rond Glasshouse Mountains trok.

De vos gooide zijn hoofd in de nek en liet zijn enorme tanden zien toen ze over zijn voorname neus aaide. Zijn oren waren gespitst en er lag een ondeugende schittering in zijn ogen die haar vertelde dat hij net zo van de rit had genoten.

'In die bocht daar stroomt een riviertje,' zei Rosa. 'Daar gaan we lunchen en dan rijden we weer naar huis.'

Ze leidden de paarden naar het dalletje en lieten de teugels loshangen terwijl de paarden naar hartenlust dronken uit het dunne stroompje dat zijn weg zocht door de bedding van kiezelsteen. Rosa en Harriet knielden naast hen en schepten het water op met hun hoeden dat ze vervolgens lachend en spetterend over hun hoofd goten tot ze zich verfrist voelden. Toen ploften ze neer onder een boom en keken door het bladerdak naar de bleke hemel.

'Wel iets anders dan school, hè?' zei Rosa met een tevreden zucht. 'Ik weet nog dat ik dit met mam deed toen ik nog heel klein was. We kwamen hier vaak na schooltijd en dan lagen we hier alleen maar onder de boom wat te kletsen. Ze vond het nooit erg dat ik vuil werd. Dat moedigde ze zelfs aan.'

Ze draaide zich op haar buik en pakte de stapel boterhammen. Met een mond vol kip en sla ging ze verder. 'Mam is geweldig. Ze snapt kinderen en ze weet dat we moeten experimenteren en ons vuil moeten maken en verwikkeld raken in knokpartijtjes. Con en ik hebben geluk gehad.'

'Ik deed dit soort dingen alleen wanneer ik met mijn vader was,' antwoordde Harriet terwijl ze limonade uit de veldfles in tinnen bekers goot en er een aan Rosa gaf. De kipsandwich had beter gesmaakt dan wat dan ook in de stad. Dat kwam waarschijnlijk door de frisse lucht en de opwinding van de rit. Ze slikte de laatste hap door en veegde haar handen af aan haar broek, een handeling die haar moeder met afschuw zou hebben vervuld. 'Mam zeurt altijd maar dat ik me niet vuil mag maken en me keurig moet gedragen. Als ze thuis is moet ik van die vreselijke jurkjes aan waar je alles op ziet.' Ze giechelde. 'Toen ik nog heel klein was, liet ze me meedoen aan van die verkiezingen. Aangekleed als een pop, met make-up en alles. Maar dat heeft niet lang geduurd. Ik vond het vreselijk om voor een jury te verschijnen en trok dan altijd rare gezichten naar die mensen en gedroeg me vreselijk. Ze was woest, maar ze kon er niet veel tegen doen.'

'Arme Hattie,' zei Rosa vol medeleven. 'Dat moet vreselijk zijn geweest.'

'Het ging wel toen papa nog leefde, want hij koos altijd mijn kant, maar daarna...' Harriet slikte en knipperde met haar ogen tegen de tranen. 'Daarna veranderde alles,' ging ze verder. 'Maar het is heel moeilijk zonder hem en toen mam er eenmaal achter kwam dat ik nooit een danseres als zij zou worden, heeft ze me min of meer opgegeven.'

'Dan ben ik blij dat we vriendinnen zijn,' zei Rosa met een warme glimlach. 'Je kunt in de vakanties altijd hier naartoe komen. Dat heeft mam vanmorgen nog gezegd.'

Harriet beantwoordde de glimlach en voelde zich vanbinnen warm worden van alle vriendschap en gulheid die ze tijdens haar verblijf had ondervonden. 'Dank je,' zei ze, niet in staat om de gevoelens die haar overspoelden onder woorden te brengen.

Rosa haalde haar schouders op. 'Geen dank, Hat. Als mam er niet was geweest, had ik niet geweten wat er van Connor en mij geworden was. Ik ben blij dat ik dit met je kan delen.'

Harriet was nog steeds bijna in tranen; zoveel vriendelijkheid, zoveel vanzelfsprekende vriendschap had ze nooit eerder gekend. Het was een moment vol emoties. Toen ze haar gevoelens eindelijk weer onder controle had, rolde ze zich op haar rug en ademde de warme lucht in die vermengd was met de geur van acacia, naaldbomen en eucalyptus. Terwijl ze daar in het gras lag, keek ze door de bladeren naar de lucht. Ze voelde zich slaperig en tevreden. De hemel was onbewolkt en ze hoorde de krekels in het gras en in de buurt klonk het gelach van een kookaburra. Het was hier zo afgelegen dat Sydney, de school en haar moeder miljoenen kilometers ver weg leken. Kon het maar zo blijven, dacht ze weemoedig. Maar dat was natuurlijk niet mogelijk.

Harriet zuchtte en deed haar ogen dicht. Ze had hier op Belvedère een andere manier van leven leren kennen. Catriona had uren met Rosa en haar doorgebracht, had picknicks georganiseerd en was met ze gaan zwemmen in de kreek, had verhalen verteld en de meisjes aangemoedigd op onderzoek uit te gaan en plezier te maken. Dat was allemaal mijlenver verwijderd van het geregelde, maar beperkte bestaan in Sydney waar ze geacht werd beleefd te zijn en zich netjes te gedragen. Rosa was gelukkiger dan ze zich ooit had kunnen voorstellen, maar toch voelde ze geen jaloezie; hoe kon dat ook nu Rosa zo spontaan had aangeboden alles met haar te delen?

Het credo van Harriets moeder dat kinderen wel gezien, maar niet gehoord mochten worden, had ze al heel jong geleerd. Ze had het grootste deel van haar kinderjaren op kostscholen doorgebracht en tijdens de korte periodes in de schoolvakanties dat haar moeder kwam opdagen, werd ze geacht zich te voegen naar haar niet-aflatende pogingen de sociale ladder te beklimmen. Alleen om de vrede te bewaren ging ze mee naar de feestjes en weekendjes weg met mensen die ze nauwelijks kende en al helemaal niet mocht, want Jeanette Wilson liet zich niet dwarsbomen in haar ambitie.

School betekende een ontsnapping aan de beperkingen van dat keurige appartement in de stad en de verstikkende regels en voorschriften waar ze zich zo lang als ze zich kon herinneren aan had te houden. Het was iets gemakkelijker geweest toen haar vader er nog was, en ze miste hem vreselijk. Pap had ondanks zijn drukke werkzaamheden altijd kans gezien tijd te vinden om naar open dagen te komen, om getuige te zijn van haar triomfen en om haar te troosten als dingen mislukten. Hij was haar beste vriend geweest, haar rots in de branding, en had haar altijd aangespoord haar eigen ambities te volgen – om trots te zijn op wat ze wist te bereiken – had altijd haar zelfvertrouwen een duwtje gegeven en had altijd laten merken hoe trots hij erop was dat ze zo slim was.

Haar moeder, Jeanette, had heel andere ideeën en naarmate Harriet ouder werd, begon ze zich te realiseren dat de privéscholen niets anders betekenden dan een nieuw middel voor haar moeders zoektocht om haar in contact te laten komen met wat zij 'de juiste mensen' noemde. Ze had het er steeds over dat ze haar opleiding in Zwitserland zou afronden en over de mogelijkheden om een rijke echtgenoot met de juiste contacten te strikken, zodat ze niet zou hoeven werken om in haar levensonderhoud te voorzien. Harriet raakte in de war door de tegenstrijdige signalen die ze van haar moeder kreeg. Jeanette had haar hele volwassen leven gewerkt – ze was prima ballerina bij de Sydney Ballet Company – en had lange, uitputtende uren gewerkt om de top te bereiken. Waarom zou het voor haar anders moeten zijn?

'Wat scheelt eraan, Hat?' Rosa's stem deed haar opschrikken uit haar gedachten.

'Niks,' zei ze met een zucht van tevredenheid. 'Ik ben gewoon zo blij dat ik hier ben.'

De daaropvolgende zes jaar werd de vriendschap van Harriet met Rosa en Belinda alleen maar hechter. Belvedère was haar tweede thuis geworden en Catriona een welkome en warme aanwezigheid tijdens de schoolvakanties. Belinda's onbeantwoorde liefde voor Connor bleef onverminderd voortduren, ondanks zijn talrijke veroveringen in Drum Creek. Catriona was ervan overtuigd dat de piraatachtige manier waarop hij mank liep, een gevolg van zijn gekwetste knie, alleen maar bijdroeg aan zijn succes bij de vrouwen.

Terwijl ze samen met Pat Sullivan op het erf stond en toekeek hoe de drie meisjes hun paarden zadelden en op pad gingen, besefte ze tot haar schrik dat Rosa, Belinda en Harriet geen kinderen meer waren. Op haar zeventiende was Rosa nog steeds klein en slank, maar ze was op alle juiste plekken ronder geworden en dat was verrassend bij zo'n klein ding. Haar haar was kortgeknipt en piekerig en de punten waren felrood gekleurd. Ze hield van donkere oogmake-up en lippenstift en haar kleren waren op z'n zachtst gezegd ongebruikelijk – meestal zwart, strak en volledig uit de toon vallend bij wat op een boerderij in de outback gebruikelijk was. Haar voorliefde voor sieraden, korte rokken en minuscule topjes maakte haar in de buurt tot het gesprek van de dag. Ze begon met de dag meer op Poppy te lijken.

Belinda was langer, breder en net zo stevig gebouwd als haar broers. Ze droeg nog steeds het liefst spijkerbroeken en T-shirts en voelde zich beter thuis op een paard dan in een klaslokaal. Ondanks haar leeftijd zou Belinda altijd een wildebras blijven. Haar haar was een grote bos uitstaande krullen die bijna tot aan haar middel reikten en ze had felblauwe ogen. Als ze glimlachte kon ze een ijsberg doen smelten en op haar persoonlijkheid was helemaal niets aan te merken.

Harriet was van gemiddelde lengte, slank en elegant en haar houding was die van een danseres. Haar dikke, blonde haar viel tot op haar schouders, ze had een zachte teint en haar ogen waren soms blauw, dan weer groen. Ze was nog steeds de rustigste van het drietal, maar haar gevoel voor humor en haar zelfvertrouwen waren enorm toegenomen tijdens de jaren dat ze op Belvedère kwam en ze was een heel ander meisje dan degene die destijds op de eerste schooldag verlegen en alleen arriveerde.

'De tijd lijkt voorbijgevlogen,' zei Catriona zacht. 'Ik kan bijna niet geloven dat die drie deugnieten bijna achttien zijn.'

Pat glimlachte. 'Achttien, maar bijna tien, daar lijkt het meer op,' zei ze. 'Paardengekken en net zo vol kattenkwaad als een wagonlading apen. Kijk toch eens hoe ze ervandoor vliegen, zonder zich ook maar ergens druk om te maken.' Ze wendde zich tot Catriona. 'Het lijkt nog maar zo kortgeleden dat je hier bent komen wonen,' zei ze. 'Geen spijt?'

Catriona lachte en ging met haar vingers door haar kortgeknipte haar. Dat was veel praktischer – en koeler ook – en het paste bij haar zevenenvijftig jaar. 'Totaal niet,' zei ze ferm. 'Maar ik zou niet zo snel zijn gewend als ik jou niet had gehad.'

Pat haalde haar schouders op. 'Zoveel heb ik niet gedaan,' wierp ze tegen. 'Jouw persoonlijkheid en de manier waarop je Rosa en Connor hebt grootgebracht waren genoeg om ieders respect te verdienen.'

Catriona stak haar handen in haar broekzakken. 'Ik wist dat ik m'n handen er aan vol zou hebben om de kinderen van iemand anders op te voeden, en ik was er een beetje bang voor om me na al die jaren van reizen ergens te vestigen,' zei ze stilletjes. 'Je hebt meer geholpen dan je wel beseft, Pat. Ik was doodsbang dat ik het verkeerde zou doen of zeggen of dat ik in een jurk van een of andere ontwerper zou komen opdagen terwijl spijkerbroek en overhemd beter op hun plaats zouden zijn geweest.' Ze kneep haar ogen tot spleetjes tegen de zon. 'Ik wilde niet anders zijn, snap je,' bekende ze.

Pat drukte haar even tegen zich aan. 'Jij zult altijd anders zijn,' zei ze met een glimlach. 'Maar dat is juist leuk en we zijn allemaal dol op die sterke verhalen van je. Het is net of Poppy dan weer terug is.'

Catriona keek naar de drie figuren in de verte die bijna werden opgenomen door de trillingen van de hitte. 'Ik geloof dat dat het grootste compliment is dat je me kunt maken,' zei ze ten slotte.

Ze liepen op hun gemak terug naar het huis. Guit wilde zoals gewoonlijk eten en was bijzonder uit zijn humeur toen hij restjes droogvoer kreeg. Hij was een grote, dikke, rode kater geworden met een enorme eetlust en de neiging om de hele dag slapend door te brengen. Catriona twijfelde er absoluut niet aan wie de baas was in hun relatie, maar hij was aangenaam gezelschap wanneer de meisjes er niet waren en ze genoot van zijn snorrende gewicht op haar schoot tijdens de lange, koude winteravonden.

Nadat ze een pot thee hadden gezet gingen Pat en Catriona in de schaduw op de veranda zitten en keken naar de mannen die heen en weer liepen tussen de wei en de kraal, en van de schuur naar de stal. De kalveren waren van hun moeder gescheiden en klaagden luid terwijl ze stof opwierpen in de kraal. Later vandaag zou de wegtrein, de truck met meerdere aanhangers, komen om ze in te laden en naar de veemarkt te brengen. Dat was de enige periode op Belvedère waar ze een hekel aan had, maar ze was verstandig genoeg om niets te zeggen. Hier op het platteland was geen plaats voor sentiment: alleen maar goed zakendoen en je gezonde verstand gebruiken.

'Arme Connor,' zuchtte Pat toen ze hem voorzichtig vanuit de smidse het erf over zag kijken voor hij overstak. 'Hij is nog steeds doodsbenauwd voor Belinda.'

De twee vrouwen giechelden. 'Ze volgt hem overal als een schaduw en verslindt hem met haar ogen,' proestte Catriona. 'Hij is de helft van de tijd bezig haar te ontlopen.'

'Onbeantwoorde liefde,' zuchtte Pat. 'Arme Belinda. Ik had gehoopt dat ze er wel overheen zou komen en op school een aardige jongen zou tegenkomen.'

'Misschien vindt ze straks iemand op de universiteit,' zei Catriona.

Pat kauwde op haar onderlip en begon aan een knoop van haar vest te friemelen. 'Ze heeft besloten dat ze daar niet heen gaat,' zei ze binnensmonds.

Catriona's ogen werden groot van verbazing. 'Maar ik dacht dat ze net als Rosa en Harriet gebrand was op een rechtenstudie. Ze hebben het al jaren nergens anders over.'

Pat stopte haar korte, grijzende haar achter haar oren. 'Belinda is school beu,' zei ze simpelweg. 'Ze kan niet wachten om de geweldige, grote wereld binnen te stappen en geld te gaan verdienen.' Ze zuchtte. 'Ik heb geprobeerd met haar te praten, maar ze heeft haar beslissing genomen en je weet hoe koppig ze kan zijn. Wanneer ze eenmaal iets in haar hoofd heeft, laat ze zich daar niet vanaf brengen.'

Catriona dacht aan de passie van het meisje voor Connor – dit voorspelde niet veel goeds voor de jongen, maar aan de andere kant, hij was bijna tweeëntwintig; vroeg of laat zou een meisje hem toch te pakken krijgen. En het idee van Belinda als schoondochter stond haar wel aan. Ze verzette haar gedachten en richtte zich weer op het onderwerp. 'Ik neem aan dat ze op Derwent Hills gaat werken? Dat verbaast me niets. Ze is een boerenmeid in hart en nieren.'

Pat schudde haar hoofd. 'Haar broers nemen de boel al over. Daar is eigenlijk geen werk meer voor haar. Ze heeft besloten zich bij het recht te houden, maar dan aan de handhavende kant. Ze is aangenomen op de politieacademie in Sydney.'

Catriona keek naar haar vriendin en zag de teleurgestelde uitdrukking op haar gezicht. Pat had zoveel meer voor haar enige dochter gewenst. 'Het spijt me, Pat,' zei ze. 'Maar Belinda was altijd al gelukkiger wanneer ze iets met haar handen deed dan wanneer ze over de boeken gebogen zat.'

'Ja, je hebt gelijk. Maar ik had me er nogal op verheugd om een advocaat in de familie te hebben.' Ze grinnikte. 'Dat is iets om over op te scheppen. Maar als ik mijn dochter een beetje ken, dan zal ze het in ieder beroep dat ze kiest goed doen.' Ze begon te lachen. 'Maar ik heb medelijden met de knaap die probeert haar eronder te krijgen. Met drie broers en een leven op een veefokkerij achter zich is ze meer dan in staat om voor zichzelf op te komen.'

De twee vrouwen dronken hun thee op en liepen naar de pick-uptruck. 'Ik moet gaan. Er zijn nog duizend dingen die moeten gebeuren voor het donker wordt.'

Catriona omhelsde haar even. 'Ik breng Belinda zondagavond terug,' zei ze. 'Dan vliegen we maandag met z'n allen naar Sydney en dan kunnen de meisjes aan hun laatste kwartaal beginnen.'

'Het is nauwelijks te geloven dat ze binnenkort van school af zijn,' verzuchtte Pat terwijl ze de sleutel in het contact omdraaide. 'Het lijkt nog maar zo kortgeleden dat ze op de lagere school zaten.'

Catriona stond op de trap en zwaaide toen Pat door het eerste hek reed. Ze keek naar het stof dat opstoof en weer ging liggen en draaide zich toen om en ging naar binnen. Ze deed de deur achter zich dicht en ging naar de zitkamer waar ze aan de piano ging zitten. Na even nadenken begon ze te spelen en haar vingers dansten over de toetsen.

De melodie heette *Summertime* en was afkomstig uit *Porgy and Bess* van Gershwin en het leek de essentie van dit moment exact samen te vatten. Terwijl ze de pakkende melodie begon te zingen, realiseerde ze zich dat er binnenkort opnieuw een verandering in haar leven stond te gebeuren en hoewel ze een beetje verdrietig was dat de kindertijd voorbij was, verheugde ze zich toch ook wel op de avontuurlijke volgende stap in het leven.

De drie meisjes kwamen even na zonsondergang binnengestormd. Ze waren vuil, buiten adem en uitgehongerd – zoals gewoonlijk. Catriona stuurde ze naar de badkamer en deed de klep van de piano dicht. Ze was zo opgegaan in de muziek dat de dag voorbij was voor ze het in de gaten had gehad.

Rosa kwam de keuken binnengerend toen ze net op het punt stond de rosbief te snijden. 'Mam,' riep ze. 'Billy zegt dat hij ons vanavond mee wil nemen. Jij mag ook mee,' voegde ze er haastig aan toe. 'Mag het alsjeblieft, toe?'

Catriona moest glimlachen vanwege die toevoeging. 'We zullen zien,' zei ze terwijl ze verderging met snijden. 'Waar wil Billy jullie precies mee naartoe nemen?'

'Komt Connor niet eten?' vroeg Belinda toen Harriet en zij het vertrek binnenkwamen en aan tafel gingen zitten.

'Hij eet bij de mannen,' zei Catriona terwijl ze snel het laatste stuk sneed. Ze zag het teleurgestelde gezicht en liet zich vermurwen. 'Misschien dat hij later nog komt,' voegde ze eraan toe.

'Mogen we nou met Billy mee?' vroeg Rosa ongeduldig.

Catriona keek naar haar en glimlachte. 'Zou je me niet eens precies vertellen wat Billy in het holst van de nacht van plan is?'

Rosa schudde haar hoofd. Haar ogen schitterden en ze gloeide gewoon van opwinding. 'Ik heb beloofd dat ik niks zou zeggen. Het is een verrassing.'

Waarschijnlijk weer een van zijn geheimzinnige zwerftochten, dacht Catriona. Maar waarom niet? Het kon best leuk worden. 'Aangezien het jullie laatste weekend thuis is, denk ik dat we allemaal maar moeten gaan,' zei ze. Ze keek naar Belinda. 'Misschien heeft Connor ook wel zin om mee te gaan. Ik ga het na het eten wel even vragen.'

Belinda bloosde en sloeg haar ogen neer. 'Als je wilt,' mompelde ze met bestudeerde onverschilligheid.

Rosa en Harriet stootten elkaar aan en giechelden, en Catriona wierp hun woedende blikken toe dat ze zich moesten gedragen. Rosa pestte haar broer voortdurend met Belinda en het was inmiddels geen grapje meer. Misschien dat de politieacademie Belinda van deze verliefdheid zou genezen zodat ze zich met andere dingen kon bezighouden.

De stilte van de nacht had iets dat alle conversatie overbodig maakte. Catriona zat ontspannen in het smalle veedrijverszadel, met de teugels in haar ene hand en de andere rustend op haar dij terwijl ze achter Billy Birdsong en zijn twee potige zoons aan reden de wildernis in. Haar zintuigen werden verscherpt door de tintelend frisse lucht en de geuren van de nacht kwamen haar tegemoet terwijl de paarden in een gezapig tempo voortsjokten door het hoge gras. De geuren van eucalyptus, dennen, gekneusd gras en wilde bloemen vermengden zich tot een verrukkelijke potpourri terwijl de maan een gouden randje om de toppen van de bomen toverde en de schaduwen eronder dieper maakte. Het geruis van een zacht briesje klonk in de plukjes broos Australisch gras en klonk als de stemmen van oude geesten in de bladeren van de eucalyptus. Het effect was betoverend.

Catriona keek even naar de drie meisjes en zag dat ook zij onder de indruk waren van de grootsheid van hun omgeving, alhoewel moeilijk te zeggen was in hoeverre Belinda's stemming te wijten was aan de humeurige aanwezigheid van Connor. Het kind straalde gewoon.

Het land opende zich en de plukjes bomen lagen nu achter hen, terwijl de heuvels een rij donkere schaduwen aan de horizon vormden. Billy Birdsong liet zijn paard langzamer stappen en wees naar enkele verhogingen in de grond. 'Eieren van Regenboogslang,' zei hij zachtjes. 'Goede Droomplaats. Veel Vooroudergeesten.'

Catriona's mond krulde zich tot een glimlach. Billy deed zoals gebruikelijk weer eens een beetje dramatisch. Hij was een fantastisch verteller, maar had de neiging het er een beetje te dik bovenop te leggen wanneer hij een publiek had. Maar toen ze naar de anderen keek, zag ze dat ze in de ban waren geraakt van hun omgeving en het geheim achter deze mysterieuze tocht in de nacht. Ze staarden voor zich uit en luisterden met een geboeide uitdrukking op hun gezicht naar de zangerige stem van de Aboriginal die vertelde over voorouders en geesten en symbolen uit de Droomtijd.

De neiging om dit uitstapje als een geintje te beschouwen verdween ogenblikkelijk toen ze zich realiseerde dat Billy vast geloofde in het Droomtijdverhaal van de Regenboogslang en hen een gebied binnenleidde dat geen blanke ooit in kaart had gebracht: het land van de mythes en de legendes van de schepping. En wie was zij om daaraan te twijfelen? Deze plek, dit gevoel van tijdloosheid, was overweldigend. De kern van alles waar ze in geloofde ging verloren in de geweldige grootsheid van dit oude en mystieke land, en in de kalmerende, zangerige stem van de Aboriginal die hen dichter bij het hart ervan bracht.

Het gevoel dat ze op een heilige plek waren, werd sterker toen zij hun paarden in de richting van de weelderige rondingen van de lage heuvels wendden en Catriona werd zich ervan bewust hoe ze erdoor werd aangetrokken. Het was alsof ze droomde, alsof ze zich gewillig had laten overnemen door een onzichtbare kracht die te sterk was om te weerstaan. Toch was ze niet bang en had ze geen enkele behoefte om terug te keren, want ze had de diepe overtuiging dat ze op het punt stond iets buitengewoons mee te maken.

De golvingen in het landschap staken af tegen de nachtelijke hemel als de ruggen van vriendelijke walvissen die gestold waren in de tijd terwijl zij in de golven van gras doken. De Aboriginals reden voorop en de stem van de oude man zweefde op de zachte wind terwijl ieder van hen langzaam werd opgeslokt door de diepe schaduwen die de heuvels op het grasland wierpen. Het rustige ruisen van de paardenhoeven in het gras begeleidde de muziek van zijn stem en de zucht van de wind. Ze werden binnengezogen in de Droomtijd, terug naar de tijd toen de eerste Vooroudergeesten hun voetstappen op de pas geschapen aarde zetten.

De ruiters kwamen met grote tussenpozen achter de Aboriginals aan en Catriona vroeg zich af of zij ook dat diepe gevoel van alleen zijn ervoeren, het gevoel klein en onbetekenend te zijn te midden van deze oeroude heuvels en alles omspannende hemel. Voelden zij ook de aanwezigheid van geesten die lang geleden waren gestorven, of verbeeldde zij zich dingen? Ze verschoof in het zadel en keek naar de anderen, maar ze waren net kinderen vol ontzag terwijl ze de zoete, verleidelijke klanken van hun Rattenvanger volgden naar het Land van Niets.

Ze stopten eindelijk en lieten zich uit het zadel glijden. Toen de paarden waren gekluisterd, volgden ze de mannen die barrevoets een smal, slingerend pad beklommen dat tegen de hoogste van alle heuvels omhoog kronkelde. Billy Birdsong mompelde onverstaanbare, maar op de een of andere manier geruststellende woorden toen hij aan de rand van een lang, vlak plateau stopte en ging zitten.

Catriona en de anderen volgden zijn voorbeeld, stuk voor stuk in de ban van zijn stem en het uitzicht voor hen. Verguld grasland strekte zich voor hen uit en zilveren slangen van water kronkelden de schaduwen in en uit terwijl het land in het maanlicht welfde en plooide. Maar het was de hemel die hun aandacht opslokte en Catriona merkte dat het de natuurlijkste zaak van de wereld was om achterover te gaan liggen in het gras en naar boven te staren en zich te verliezen in de grootsheid van alles terwijl ze elk spoor van de twinkelende sterrenbeelden volgde.

De Melkweg was een brede boog in de duisternis. Orion en het Zuiderkruis leken zo dichtbij dat het net was alsof ze haar arm maar hoefde uit te strekken om ze uit de hemel te kunnen plukken, alsof ze de gouden bol van de maan in haar hand kon houden en zijn kracht kon voelen. Terwijl Catriona zich liet meeslepen door de aantrekkingskracht van de maan en de sterren, luisterde ze naar de sirenenzang van de Aboriginal en voelde hoe de aarde onder haar wegsmolt. Ze was gewichtloos, dreef weg, werd door onzichtbare handen gewiegd in de armen van de schepping die haar langzaam meenamen naar de oneindigheid. Er was geen angst, alleen een diep gevoel van vrede, van zijn waar ze bedoeld was te zijn.

De sterren waren dichterbij en sloten haar in, namen haar mee langs de Grote Witte Weg waar elke ster de geest van een lang geleden overleden voorouder was. Ze kon hun gezichten onderscheiden, hun stemmen horen en hoewel het vreemdelingen voor haar waren, voelde ze de warmte van hun welkom en was ze niet bang.

Zwevend, voor altijd zwevend, gewiegd door de armen van een goede en liefhebbende Schepper hoog boven de aarde was het zo gemakkelijk om alle aardse gedachten en angsten te laten varen. Hier was de eeuwigheid, hier was het mysterie van leven en dood, en ze omhelsde en verwelkomde hem. Het wiegelied van Billy klonk in haar hoofd en ze was opnieuw een kind – ontdaan van eerzucht en gemeenheid en aardse beslommeringen – zonder angst voor de kracht die haar zo teder meenam naar de verste sterren. Ze lag te slapen in de armen van de eeuwigheid en zou daar altijd willen blijven.

Tijd verloor alle betekenis terwijl ze op ontdekkingstocht ging door de uitgestrekte duisternis achter de sterren. Ze zag de geboorte en dood van planeten zonder naam. Ze zag de vlucht van de kometen die door de eindeloze duisternis flitsten en de toppen van de gekartelde bergen van de maan die omhoogstaken in het koude blauwe schijnsel dat hem omringde. Ze voelde de warmte van de fluwelen eindeloosheid, de kilte van de ring om de maan en de ademtocht van de schepping op haar wang.

Met een diepe bedroefdheid begon ze weg te drijven van deze hemelse viering van het leven. Langzaam en onweerstaanbaar werd ze teruggeroepen naar de aarde, naar beneden getrokken en zachtjes neergezet op het bedauwde gras van die gewijde heuvel. Ze voelde de koelte van de nacht door haar kleren dringen, hoorde de roep van een eenzame vogel en de diepe stilte waarin het land om haar heen was gehuld. Maar de sterren waren er nog steeds en ze verlangde ernaar om weer in hun midden te zijn. Verlangde naar het gevoel van tijdloze vrede, het troostende wiegen van die enorme, spirituele armen die haar tijdens haar reis zo liefhebbend hadden gekoesterd.

Het geritsel van een beweging naast haar verbrak de betovering; ze ontwaakte uit de magie en knipperde schaapachtig met haar ogen naar de anderen. Ze had vergeten dat ze niet alleen was en tijdens dat moment van ontwaken voelde ze een steek van verlangen om nogmaals die eindeloze afzondering binnen te gaan die de sterren hadden geboden. Want deze nacht had haar de droombeelden van haar jeugd onthuld, de droombeelden die nu onuitwisbaar in haar ziel waren gegrift – en waar ze nooit meer aan wilde ontkomen.

20

De afgelopen tien jaren waren voorbijgevlogen en Catriona schrok toen ze zich realiseerde dat ze binnenkort haar zevenenzestigste verjaardag zou vieren. Hoe kon ze zo snel zo oud zijn geworden? Waar waren de jaren gebleven? Ze ging met haar hand door haar kortgeknipte haar dat nu meer grijs dan zwart was en liep met de post terug naar de boerderij. Ze voelde zich helemaal niet oud, ze voelde zich het grootste deel van de tijd zelfs tientallen jaren jonger, dacht ze glimlachend. Ze had nog steeds een goed figuur en ze nam altijd de moeite er goed verzorgd uit te zien en zich netjes te kleden, ook al droeg ze dan vrijwel alleen broeken en overhemden. Oude gewoonten waren moeilijk af te leren. Ze was te lang gewend geweest in de publieke belangstelling te staan om dat nu af te leren.

Ze gooide de post op tafel en wachtte nog even met openmaken – voorpret was misschien wel het grootste deel van de pret. Er kwamen hier maar zo nu en dan kranten, en dat gold ook voor de brieven, maar het was wel prettig om alles in één keer te krijgen, net Kerstmis. Terwijl ze wachtte tot het water in de ketel aan de kook kwam, keek ze uit het raam en dacht terug aan de voorbije tien jaar.

Het was een drukke tijd geweest, met voor iedereen hoogtepunten en verdriet. Haar werk voor verschillende liefdadige instellingen bracht met zich mee dat ze af en toe naar Sydney en Brisbane moest reizen en haar betrokkenheid bij de academie was ook gegroeid. Ze was naar Londen geweest om vrienden te bezoeken en deel te nemen aan masterclasses en workshops van de Royal Opera School of Music. Dat was een bevredigende periode geweest, dergelijke bezigheden hielden haar jong, zowel van lichaam als van geest, want hoe kon je met zulk jong talent werken, zonder dat iets van hun enthousiasme en levenslust op je afstraalde?

Haar bezoek aan Parijs was bitterzoet geweest, want terwijl ze de bloemen op Brins graf legde, moest ze terugdenken aan de ziekte die hem van haar had weggenomen. Het was niet langer een mysterie, want de medische wetenschap had vooruitgang geboekt en het aidsvirus geïdentificeerd. Nu was het al bijna alledaags. Toch was er nog steeds geen medicijn tegen en anderen waren er, net als Brin, het slachtoffer van geworden.

Clemmie was een paar maanden na haar echtgenoot overleden. Catriona miste haar beste vriendin nog steeds en wanneer ze in Sydney kwam, legde ze altijd verse bloemen op hun graven. Fred Williams was tot ieders verrassing getrouwd met een weduwe uit Bundaberg en toen Connor oud en ervaren genoeg was, had hij het management over Belvedère aan hem overgedragen en zich teruggetrokken aan de kust.

Rosa's snelle en onverwachte huwelijk met Kyle Chapman had maar nauwelijks iets meer dan een jaar geduurd. Ze waren halsoverkop getrouwd toen ze nog op de universiteit zaten, ondanks Catriona's waarschuwing dat ze nog veel te jong waren. Helaas had ze gelijk gekregen, want Kyle kreeg al snel een afkeer van Rosa's enorme ambitie en nam wraak door met zo veel vrouwen naar bed te gaan als hij maar kon. Gelukkig waren er geen kinderen. De echtscheiding was van beide kanten een bittere affaire en iedereen was opgelucht toen het allemaal achter de rug was.

Nu, op haar achtentwintigste, was Rosa een volledig, en cum laude, afgestudeerd advocaat. In plaats van in te gaan op aanbiedingen van de meer prestigieuze advocatenkantoren, had ze ervoor gekozen om voor een van de kleine firma's te gaan werken die kosteloze rechtsbijstand boden. Ze was onvermoeibaar in haar strijd voor gerechtigheid voor diegenen die geen stem hadden en Catriona vroeg zich af of dat misschien het gevolg was van haar familiegeschiedenis.

Belinda was afgestudeerd aan de politieacademie en was nu rechercheur bij de narcoticabrigade in Brisbane. Pat Sullivan maakte zich zorgen, net als Catriona. Het was een zware en smerige baan, maar gelukkig had ze een stoere beschermer in Max, een grote Duitse herder die er op was getraind problemen te ruiken. Belinda was populair en had een drukbezet sociaal leven, maar woonde nog steeds alleen in een appartement met uitzicht op de rivier de Brisbane. Ze kwam maar zelden naar huis en hoewel Rosa en Harriet nog steeds contact met haar hadden en Pat haar alle nieuwtjes uit haar brieven vertelde, had Catriona haar al jaren niet meer gezien.

Harriet kwam nog steeds naar Belvedère wanneer haar drukke agenda dat toeliet. Ze werkte voor een advocatenkantoor in Sydney als bedrijfsjurist en was er al snel uitgepikt als uitstekende kandidaat voor een partnerschap. Ze had Catriona toevertrouwd dat haar moeder niet zo verrukt was van haar carrière in de advocatuur, maar nu vastbesloten was dat ze dan maar moest trouwen met een van de jongste medefirmanten die van goede komaf was en een fortuin zou erven wanneer zijn vader overleed.

Catriona glimlachte bij de gedachte aan de jonge vrouw die zo deel was gaan uitmaken van haar gezin. Hattie was een vastberaden jonge vrouw met een eigen wil. Ze zou doorgaan haar moeder te trotseren en haar eigen beslissingen te nemen, en daar bewonderde Catriona haar om. En hun gelach zou binnenkort weer door het huis schallen, want Rosa en Harriet kwamen een paar weken naar Belvedère om haar verjaardag te vieren. Ze schudde de gedachte van zich af dat ze veel te oud was om wat dan ook te vieren – verjaardagen hadden, ondanks haar leeftijd, nog steeds iets magisch – en ze verheugde zich eerlijk gezegd op het feest dat ze had georganiseerd.

Ze nam de post door; er zaten maar een paar interessante brieven bij die ze snel doorlas en vervolgens nam ze de stapel kranten mee naar de veranda. Ze zou daar een tijdje met Guit in de zon gaan zitten en zichzelf op de hoogte stellen van het laatste nieuws.

Catriona's ogen waren niet meer wat ze geweest waren, maar zelfs zonder haar leesbril kon ze de koppen gemakkelijk lezen. De woorden, meer dan twee weken geleden gedrukt, sprongen van de pagina af in schreeuwende vette letters die boven de foto stonden. Het hotel in Atherton had eindelijk zijn gruwelijke geheim prijsgegeven.

Haar handen trilden en ze voelde een verontrustend onregelmatig kloppen in haar borst terwijl ze achter zich tastte en de armleuning van de stoel op de veranda beetpakte. Angst nam bezit van haar, legde de verschillende lagen van haar leven bloot en stelde plotseling alle tinten en structuren in een veel te scherp licht. Ze liet zich in de zachte kussens zakken en sloot haar ogen. Maar de beelden wilden niet weggaan, werden zelfs scherper dan ze in tientallen jaren waren geweest. Het was net alsof het krantenartikel het doek had weggerukt waarmee zij haar herinneringen zo zorgvuldig had bedekt en ze nu in het onbarmhartige zwart en wit van de waarheid prijsgaf.

Catriona deed haar ogen open en nam in het verblindende zonlicht haar omgeving in zich op. Haar blik werd zoals altijd getrokken door de flamboyantbomen. Ze stonden nog steeds in bloei en de takken bogen door onder het gewicht van de rode bloemen, waarvan de blaadjes als confetti op het gras neerdwarrelden. Er welde een snik op in haar keel en ze verzette zich uit alle macht tegen de aandrang om het uit te schreeuwen en die herinneringen aan wat er al die jaren geleden was gebeurd in stukken uiteen te laten barsten en die alle kanten op te laten vliegen.

Ze haalde diep adem, slikte haar tranen weg en blikte woedend van de schaduwrijke veranda naar de verblindende schittering van de hitte. Ervaring had haar geleerd haar tranen in bedwang te houden, haar emoties onder controle te brengen en haar nuchterheid de boventoon te laten voeren. Het misbruik door Kane had ze ergens diep in haar herinneringen weggestopt – de moord die daarop was gevolgd stak zo nu en dan alleen in een nachtmerrie de kop op. Ze had zich al snel gerealiseerd dat als ze wilde overleven en slagen, ze het verleden definitief moest laten rusten. Maar de schok die het krantenartikel teweegbracht, had die bijna verlammende angst doen terugkeren die in die vreselijke tijd haar metgezel was geweest. Haar geheim stond op het punt ontdekt te worden. Had ze de kracht om dat aan te kunnen, om haar familie alles te vertellen, om toe te geven wat haar moeder en zij hadden gedaan?

Ze staarde met nietsziende blik voor zich uit en haar gedachten tolden door haar hoofd. Er was geen enkele manier om eraan te ontkomen, maar hoe vertelde je zo'n verhaal? Hoe kon ze in hemelsnaam een opsomming geven van misbruik en moord zonder het vertrouwen teniet te doen dat ze bij Rosa en Connor had opgebouwd? De jaren leken plotseling op haar te drukken toen ze het ontmoedigende vooruitzicht tot zich door liet dringen. Het leven was altijd al een uitdaging gebleken, maar haar harnas blonk niet langer en haar verdediging was met het verstrijken der jaren verzwakt. De dingen stonden op het punt te veranderen, zoals meestal gebeurde op een moment dat je het niet verwachtte; zo was het leven en de uitdaging van die verandering bracht een angst teweeg die ze nooit eerder had gekend.

Met een diepe zucht deed ze een bewuste poging de angst van zich af te schudden en te ontspannen. Haar hartslag werd rustiger, maar toen ze naar haar handen keek – nog steeds elegant, nagels gelakt, glinsterende ringen – realiseerde ze zich dat ze beefden. De diamanten schitterden in het zonlicht en de eenvoudige gouden ring waarin ze waren gezet, zat losjes om haar vinger, dun geworden van ouderdom. Het was zo veel jaren geleden dat Peter hem om haar vinger had geschoven en er was een tijd geweest dat ze erover had gedacht hem weg te doen. Maar ondanks de verdrietige herinneringen aan wat de ring ooit had betekend, wist ze waarom ze nooit afstand had gedaan van die gouden ring. Hij was een voortdurende herinnering aan haar fouten, een waarschuwing om nooit meer een man te vertrouwen. Ze raakte hem aan, bleef hem ronddraaien aan haar vinger terwijl ze dacht aan het korte huwelijk en het verraad dat er een einde aan had gemaakt.

Het luidruchtige gekwetter van de rosella's riep haar weer naar het heden en met een ongeduldig handgebaar veegde ze de kranten van haar schoot. Ze keek gefascineerd hoe de pagina's van elkaar loskwamen en naar de vloer van de veranda zweefden. Het lot leek de spot met haar te drijven, want de voorpagina bleef aan haar voeten liggen en het grimmige beeld van het hotel staarde haar aan.

Ze zette haar voet midden op de foto en schoof de pagina onder haar stoel. Hij was uit het zicht, maar zou nooit ver uit haar gedachten zijn. Binnenkort zou ze het verleden onder ogen moeten komen en de confrontatie aangaan met de demonen waar ze haar hele leven tegen had gevochten. De schaduwen waren altijd aanwezig geweest en nu kwamen ze uit de verste uithoeken van haar geest en eisten aandacht.

Catriona schudde haar hoofd in een poging zich ervan los te maken, en maakte een ongeduldig geluid toen ze overeind kwam. Ze had het grootste deel van haar leven geleefd in de wetenschap dat deze dag onvermijdelijk een keer zou aanbreken – tot nu toe was ze erin geslaagd het te negeren – en zou op dezelfde manier verdergaan zo lang dat mogelijk was. Terwijl ze bij de balustrade van de veranda stond en in de verte keek, besefte ze dat haar emoties de overhand begonnen te krijgen. Ondanks de schreeuwende koppen zou de politie nauwelijks geïnteresseerd zijn in een moord die vijftig jaar eerder was gepleegd. Ze hadden hun handen vol aan lopende onderzoeken en tegen de tijd dat ze hier aan toe zouden komen zou zij er ongetwijfeld al een tijd niet meer zijn. Bovendien, zo redeneerde ze, was ze toen nog een kind en iedereen die zich haar zou kunnen herinneren was, mocht ze aannemen, allang dood. Er was waarschijnlijk geen enkele aanwijzing dat zij iets met die plek te maken had gehad, dus vanwaar die paniek? Ze stapte de veranda af, stak haar handen in haar broekzakken en hief haar gezicht naar de zon, alvorens weg te lopen om de nieuwe afrastering en de kralen te controleren.

Veefokkerij Belvedère strekte zich uit over een dikke vijfhonderd vierkante kilometer grasland, eucalyptusstruiken, bergen en bos en de verst gelegen weiden grensden aan de kleine nederzetting Drum Creek, een kleine gemeenschap die zich vastklampte aan de oude manier van leven, ondanks de uittocht van de jongeren die de voorkeur gaven aan de drukte en mogelijkheden van de stad. Het gebied lag ingeklemd tussen de Great Dividing Range en de Chesterton Range en daardoor droogden de kreken en riviertjes zelden uit, en hoewel de laatste droogte al vijf jaar duurde, stroomde er in Drum Creek nog steeds water, glinsterend over de gepolijste kiezels en gladde rotsblokken.

Maar er zat niet veel voeding in het gras en Connor had geadviseerd de kuddes gedurende de zomer op de bergweiden te laten grazen, of in ieder geval tot de regen kwam, want met de hand bijvoederen was een dure zaak. Nu de meeste mannen en runderen vertrokken waren, heerste er een vreemde lusteloosheid op Belvedère, een leegheid die haar gevoel van eenzaamheid leek te versterken. Maar terwijl Catriona door het hoge, bleke gras liep werden haar zintuigen geprikkeld door de geur van de droge, warme aarde, zoete acacia en eucalyptus. De hemel leek hier dichterbij, alles omvattend en eindeloos. Geen stadslichten die de magie van een sterrenhemel verborgen, of luchtvervuiling die het Wedgewoodblauw overdag aantastte en Catriona had vaak het gevoel dat ze één was met de oorspronkelijke bewoners die hier vóór haar op deze paden hadden gelopen, want die waren nog onaangetast en onbezoedeld door het moderne leven en bevatten nog steeds de betovering van onontdekt land.

Ze werd omringd door vrede en rust en het geluid dat haar broekspijpen in het gras maakten, herinnerde haar aan al die keren dat ze door het grasland had gereden met de wind in haar haar en de zon op haar rug terwijl het paard in volle galop in de richting van de horizon ging. Ze herinnerde zich de onbezorgde zwerftochten, de picknicks met de kinderen en de lange, lome dagen bij de kreek, wanneer ze in de zon lagen te drogen na een zwempartij en terwijl ze daar wandelde voelde ze de angst verdwijnen en haar kalmte weerkeren.

Ze kwam bij de kreek en ging op de bank zitten die ze daar jaren eerder had neergezet aan de voet van de oude coolabah, een enorme eucalyptus. De bank was een stevig ding geworden, gaf ze toe toen ze op het door de zon gebleekte hout ging zitten en met haar rug tegen de bast leunde. Dit was haar favoriete plekje – een prieel om in na te denken – een schaduwrijk hoekje op het uitgestrekte landgoed dat in de loop der jaren haar privétoevluchtsoord was geworden.

Het water in de Drum Creek was helder en weerspiegelde de ruitvormige zonnevlekken die door de erboven hangende takken vol bladeren schenen. Het stroomde langzaam om de zwarte rotsblokken en zocht kabbelend zijn weg naar het meertje verderop stroomafwaarts. Ze hoorde de vogels naar elkaar roepen, een concert van vogelgeluiden en veel mooiere muziek dan de mens ooit kon maken. De klokvogel liet zijn roep horen, de eksters neurieden en de rosékaketoes en parkieten kwebbelden. Een kookaburra lachte in de verte en ze glimlachte, want dat was, meer dan wat ook, het geluid dat haar liefde voor deze plek in de outback versterkte en haar hart verwarmde.

Ondanks de schaduw van de coolabah voelde ze de geruststellende warmte van de zon op haar schouders. Ze sloeg met haar hand naar de rondzoemende vliegen, maar dat was meer symbolisch, een gewoonte die ze zich gedurende de jaren in de outback had eigen gemaakt en ze wist dat het weinig zou uithalen, want de vliegen waren hardnekkig en zouden niet eerder weggaan dan wanneer de zon onder was.

Achterovergeleund tegen de stevige, warme bast van de oude boom keek ze naar het stromende water en de blauwe flitsen van de kleine winterkoninkjes wanneer ze uit de bomen doken om te drinken. Het was te heet en te licht voor de wallaby's en kangoeroes, maar wanneer de zon onderging zouden ze hier komen drinken. Dat was een schouwspel dat haar altijd blij stemde en waardoor ze zich één voelde met de omgeving. 'Je wordt nog sentimenteel op je ouwe dag,' mopperde ze terwijl ze opstond en het stof van haar broek klopte. 'Het wordt tijd dat je tot jezelf komt, vrouw.' Ze keek woedend naar de rivier, alsof ze hem uitdaagde haar tegen te spreken, draaide zich toen om en keek in de richting van de boerderij.

Het kleine houten huis was in de loop der jaren vele malen overgeschilderd en het leek in weinig meer op het gebouwtje dat ze als kind had gezien. De nieuwe aanbouwen hadden de omvang verdubbeld en hoewel er wel wat aan de veranda mocht gebeuren – de trap werd voortdurend aangetast door termieten, de posten waren de favoriete krabpalen van Guit en het dak miste een paar pannen – zag het er stevig uit en was het een plek vol zoete herinneringen. Met verbleekte luiken en horren weerspiegelde het huis de aardse kleuren van zijn omgeving en leek het op zijn plaats te midden van het bleke gras en de overhangende eucalyptusbomen. Ze had er wel meer geld in kunnen steken – ze had per slot van rekening genoeg – maar eerlijk gezegd gaf ze de voorkeur aan hoe het nu was. 'We kunnen samen beschimmelen en oud worden,' mompelde ze. 'En verder kan iedereen de pot op.'

Ze snoof de heerlijke, schone lucht op en dronk het beeld van haar geliefde plek in. Belvedère stond slaperig in de middaghitte en in het omringende struikgewas klonk het geluid van vogels en krekels. Paarden stonden in de verste omheinde wei te doezelen in de schaduw van de peperbomen en de koeien loeiden klagelijk omdat ze gemolken wilden worden. De grote schuren en het kookhuis stonden aan een kant van het grote erf en achter de slaapzaal en de paardenkraal lagen de kippenhokken, hondenhokken en de melkschuur. Belvedère kon vrijwel in zijn eigen onderhoud voorzien, maar begon er wel naar zijn leeftijd uit te zien.

Catriona hield haar hand boven haar ogen tegen de zon en keek in de richting van het huis van de voorman. Connor werd vanavond thuis verwacht en ze verheugde zich erop om te horen hoe de zomerdrijverij was verlopen. Ze zuchtte en begon terug te lopen naar de boerderij. Het was stilletjes nu het merendeel van de mannen weg was en ze miste Connors opgewekte glimlach. Hij was opgegroeid tot een man op wie ze trots kon zijn; een man die haar, vreemd genoeg, vaak aan haar vader deed denken, want hij hield van de afzondering op deze Droomplek en begreep de genoegens en de gevaarlijke schoonheid ervan.

Guit sprong voorzichtig van zijn gebruikelijke plek op het kussen en strekte zijn nek zodat zij onder zijn kin kon krabben. Hij was nu meer dan vijftien jaar oud, reumatisch en veel te zwaar, een wereld van verschil met het scharminkel dat ze al die jaren geleden had aangetroffen. Catriona aaide zijn gladde rode vacht en liet zijn gepluimde staart door haar vingers glijden. 'Jij wil zeker eten,' zei ze zachtjes. 'Je praat alleen maar met me als je honger hebt.'

De hordeur piepte toen ze hem opendeed en Guit het halletje in beende en omkeek om te zien of ze wel achter hem aankwam. Ze raapte de kranten op die ze op de grond had gegooid en liet de hordeur met een klap achter zich dichtvallen toen ze het koele, schemerige huis binnenstapte en naar de keuken achter in het huis ging. De boerderij was als een vierkant gebouwd en ondanks de aanpassingen die ze had gedaan, had hij veel van zijn oorspronkelijke karakter van een eeuw geleden behouden. Alleen waren er nu een echte badkamer en een nieuwe generator. De generator gaf haar elektriciteit, maar haar water kwam rechtstreeks uit de put en ze kookte nog steeds op de Aga die ze al die jaren geleden uit Engeland had laten komen.

Ze propte de kranten in het fornuis en keek hoe de vlammen het drukwerk verteerden; wat ging dat gemakkelijk, wat veranderde het snel in as. De warmte van de Aga verdreef de koude tocht die 's winters door de kieren in de houten muren floot, maar in de zomer, zoals nu, maakte hij de kleine keuken tot een oven.

Catriona worstelde met de blikopener en gaf Guit te eten die enthousiast op zijn avondmaal aanviel. Ze stond tegen de stang aan de voorkant van het fornuis geleund en keek hoe hij het voer naar binnen schrokte en wenste, niet voor de eerste keer, dat hij hetzelfde enthousiasme zou tonen voor de jacht op ratten en muizen die Belvedère bevolkten. Als boerderijkat was het zijn taak om de boel vrij te houden van ongedierte – maar anders dan de verwilderde katten die in de schuren en bijgebouwen rondzwierven, was Guit veel te vet en zelfgenoegzaam en veel te lui om meer te doen dan de dag verslapen en daar kon Catriona alleen zichzelf de schuld van geven. Guit was verwend.

Ze haalde haar schouders op en zette een kop thee, nadat ze met moeite water had geschonken uit de zware zwarte ketel die altijd op het fornuis stond, en trok een stoel bij de tafel. Terwijl ze een plekje vrijmaakte voor haar kop en schotel bekeek ze de rommel. Ze had altijd een hekel gehad aan het huishouden – ze was liever buiten met de kinderen of verdiept in haar werk en haar muziek – en het grootste deel van haar volwassen leven had ze in hotels geleefd of appartementen waar iemand anders het schoonmaakwerk voor zijn rekening nam. Nu waren de kinderen groot en hadden het nest verlaten, er was niemand die zich druk maakte over haar huishoudelijke vermogens en ze zag niet in waarom het hier netjes zou moeten worden gehouden. Het stof kwam toch altijd weer terug, dus wat had het eigenlijk voor zin?

Ze dronk van haar thee en keek om zich heen en voelde zich te midden van de rommel op haar gemak. Kranten en catalogussen bedekten elk egaal oppervlak. Laarzen, schoenen en jassen lagen opgestapeld in de hoek en de tafel lag bezaaid met boeken en bladmuziek en brieven die nog moesten worden beantwoord. Vliegenpapier hing vanaf het plafond naar beneden, zwart van de slachtoffers, en spinnenwebben hingen in de hoeken en aan de plafondventilator die piepte van ouderdom terwijl hij de bedompte lucht in beweging bracht zonder veel invloed op de temperatuur uit te oefenen.

Ze trok een gezicht en bedacht dat ze de zaken misschien wel een beetje uit de hand had laten lopen. De meisjes zouden binnenkort komen en ze zouden geschokt zijn als ze zagen hoe ze de boel had laten versloffen. Ze vond ergens een paar rubberhandschoenen en een schort en ging aan de slag. Ze vond een vreemd soort bevrijding in de fysieke arbeid van het boenen en wassen en het opruimen van de verzamelde rommel, want dat verhinderde dat ze nadacht. De spinnenwebben bleken moeilijk aan te pakken, maar ze slaagde er ten slotte in ze weg te krijgen, de vloer te vegen en de meeste laarzen en jassen in een kast te proppen.

Toen er weer iets in de keuken heerste dat op orde leek, verschoonde ze het beddengoed en stopte de wasmachine vol. Vervolgens maakte ze een boterham van schapenvlees en zuurdesembrood dat die ochtend was gebakken en nam haar vroege avondmaal mee naar de zitkamer. Er viel nog heel wat te doen, bedacht ze, maar dat kon wel even wachten. Ze kon maar zóveel huishoudelijk werk aan op een dag en zoals het er nu naar uitzag was het huis aan een grote voorjaarsschoonmaak toe. Ze prentte zich in dat ze de volgende ochtend Billy Birdsongs vrouw te pakken moest zien te krijgen, deed de deur achter zich dicht en zette haar bord op een lage tafel.

Ze hield van deze kamer, stelde ze vast. Hij was niet erg groot, maar de ramen waren beschut tegen de zon door de grote peperboom naast het huis en door de afhangende takken kon ze net de paardenkralen en de slaapzaal zien. De bank was comfortabel en omarmde haar en gaf haar het gevoel dat haar hier niets kon overkomen. Kabinetten vol porselein en glaswerk namen het grootste deel van een van de muren in beslag en het cilinderbureau liep nog steeds over van alle agenda's, correspondentie, programma's en affiches. Twee boekenplanken onder het raam bogen door en de piano, die vol stond met foto's in zilveren lijstjes en bedekt was met een sjaal met franjes, moest worden gestemd. De man zou over een paar dagen komen en ze hoopte dat hij zich aan zijn afspraak zou houden en haar niet weer in de steek zou laten. Ze vond het vervelend dat ze niet kon spelen en bovendien wilde ze hem op tijd voor het feest in orde hebben.

Ze liep naar de open haard en staarde naar de portretten die erboven aan de muur hingen. Haar ouders vormden een knap stel, met hun donkere Ierse haar, en ze kon de gelijkenis met hen zien in het portret van zichzelf. Terwijl ze naar de schilderijen stond te kijken, raakte ze zich nog meer bewust van de jaren die waren verstreken. Ze was toen in de kracht van haar leven, mooi, getalenteerd en zeer geliefd. Er was geen spoor te bekennen van de schaduw die over haar leven hing, geen enkele aanwijzing in die violette ogen van wat eraan vooraf was gegaan. Ze had bewezen een doorgewinterde actrice te zijn.

De avondjurk was van rood fluweel; hij liep bevallig af van haar slanke schouders en onthulde een roomblank decolleté. Robijnen oorhangers en een diamanten halsketting weerkaatsten het jeugdige vuur in haar ogen. Haar zwarte haar was kunstig achter een oor gespeld met een corsage van perfect gevormde orchideeën en de slanke hals was verleidelijk gebogen en gaf iets prijs van de zo dicht onder de oppervlakte huizende passie van deze elegante jonge vrouw. De schilder was knap geweest, herinnerde ze zich, de manier waarop hij de liefde bedreef opwindend en heel even vroeg ze zich af of hij nog leefde, of hij zich die hartstochtelijke maand in Parijs nog herinnerde, waarin ze nauwelijks de chaise longue in zijn atelier hadden verlaten. 'Ik betwijfel het,' zei ze in zichzelf en ze keerde het schilderij de rug toe. 'Minnaars komen en minnaars gaan. Ik kan het weten. Ik heb er in mijn tijd genoeg gehad.'

Ze grinnikte terwijl ze ging zitten en haar boterham pakte. Wat was Clemmie er altijd dol op geweest om de verhalen te horen over de mannen die ze op haar tournees had ontmoet. Wat hadden ze gelachen om Hank de Yank en om Jean Paul met zijn walrussnor die meer had geprikkeld dan alleen haar nieuwsgierigheid. Ze giechelde. Dat waren nog eens tijden.

Toen ze haar boterham op had, schonk ze een stevige gin-tonic in, zette de stereo aan en ontspande zich in de dikke kussens terwijl de klanken van de aria van Puccini de kamer in zweefden. Ze deed haar ogen dicht, maar de gedachte aan wat de toekomst voor haar in petto kon houden, maakte haar rusteloos. Het zou niet leuk worden, zoveel was zeker, maar aan de andere kant, ze was niet onbekend met de onaangename kanten van het leven en ze zou ze het hoofd bieden als ze er niet langer omheen kon.

De gin en de zachte muziek deden hun invloed gelden en ze dacht aan haar sinds lang verdwenen dochter. Ze schreef haar niet meer; het had geen zin, want er was nooit antwoord gekomen, geen enkele bevestiging. Maar o, wat wilde ze graag dat alles anders was geweest. Haar gedachten gingen als vanzelf naar Rosa, Connor en Harriet en ze glimlachte. Er waren fantastische dingen voor in de plaats geweest, giften van onschatbare waarde waarmee ze was gezegend.

Het was net na zonsopgang toen Connor en de anderen terugkwamen op Belvedère. Ze waren drie weken weggeweest en toe aan een echt bad en een behoorlijke maaltijd. Connor zwaaide uit het zadel en rekte zich uit. Zijn rug deed pijn en de oude kwetsuur aan zijn knie herinnerde hem eraan dat zestien uur per dag in het zadel bij een temperatuur van meer dan veertig graden niet gezond was voor een man van tweeëndertig.

Het vuil en stof van meer dan duizend stuks vee plakten aan zijn huid en het opgedroogde zweet in zijn kleren bezorgde hem jeuk. Maar Connor wist dat hij ondanks de hitte, de vliegen en het stof, niet anders zou willen. Terwijl hij zijn paard verzorgde en het losliet in de kraal, erkende hij in stilte dat de drie weken van vee bijeendrijven een onlosmakelijk onderdeel van het leven hier waren, en als hij volstrekt eerlijk was, moest hij toegeven dat hij het heerlijk vond vanwege de vrijheid die het bood. Er ging niets boven achter een kudde runderen aanrijden over de uitgestrekte, lege vlaktes van Queensland om een man waardering voor het leven en de tradities van zijn afkomst bij te brengen.

'Het eten staat klaar, maat,' zei de veedrijver. 'Ik kan wel een paard op.'

Connor grijnsde en veegde het zweet van zijn voorhoofd voor hij de Akubra weer op zijn hoofd zette. 'Ik hou het bij rundvlees,' zei hij. 'Dat smaakt beter.'

De veedrijver maakte met zijn hand een kommetje om de lucifer en stak een shagje op. 'Ik geloof dat de juffrouw ook al op is,' zei hij. 'Er brandt licht.'

Connor keek in de richting van de boerderij en knikte. 'Ik kan maar beter even verslag uitbrengen,' zei hij vermoeid. 'Zie je zo.' Hij hees zijn broek op en stopte zijn overhemd in terwijl hij over het erf liep. Hij had zich liever eerst gewassen en zijn maag knorde bij de gedachte aan eieren met spek en een berg aardappelpuree, maar ma kennende, zat ze op hem te wachten.

Hij klopte op de hordeur en toen hij geen antwoord kreeg, stapte hij de hal binnen. Misschien was ze in slaap gevallen voor ze de lichten had uitgedaan en in dat geval zou hij later wel terugkomen. Maar hij was altijd bang dat hij op een dag zou thuiskomen en haar dood zou aantreffen, net als met zijn grootmoeder het geval was geweest. Ma begon aardig op leeftijd te raken, ook al wilde ze dat niet toegeven en Connor liet haar niet graag lange tijd alleen, ondanks haar scherpe geest en haar vitaliteit. Hij zag in dat zijn angst voortkwam uit zijn eigen onzekerheid en dat ma volledig van haar stuk zou zijn als ze zijn gedachten kon lezen. Maar hij kon niet helpen dat hij zo in elkaar stak.

Hij stapte de zitkamer binnen, geleid door muzikale klanken. Het was een van ma's favoriete liederen en ze was duidelijk weggedommeld. Hij zette zijn hoed af en keek op haar neer. De liefde voor deze uitbundige, liefhebbende vrouw was duidelijk zichtbaar in zijn uitdrukking. Zo te zien had ze behoorlijk aan de gin gezeten. Groot gelijk. Maar ze zag er zo kwetsbaar uit terwijl ze daar lag te slapen, zo klein in die dikke kussens en hij voelde een beschermend gevoel in zich opwellen.

Connor keek de kamer rond. Die gloeide met het licht van een nieuwe dag en de stofjes dansten in de eerste zonnestralen die de schaduwen in de hoeken alleen maar dieper maakten. Hij deed een stap bij de bank vandaan en liep op zijn tenen naar de deur. Hij zou na het ontbijt wel terugkomen. Ma zou het niet leuk vinden om erop betrapt te worden dat ze in slaap was gevallen.

'Wie is daar?' Het grijzende hoofd kwam omhoog van het kussen en de ogen knipperden uilig het laatste restje slaap weg.

'Ik ben het maar, ma,' zei Connor vanuit de deuropening. 'Sorry. Ik wilde je niet wakker maken.'

'Hoe laat is het?'

Connor keek op de klok op de schoorsteenmantel, bedacht toen dat die al tien jaar halfvier aanwees en keek met samengeknepen ogen naar buiten. 'Zonsopgang,' zei hij. 'Een uur of vijf.'

Ze worstelde met de kussens en hees zich overeind. Ze ging met haar handen door haar haar om te proberen iets aan haar uiterlijk te doen. 'Je moet mensen niet zo besluipen, Connor,' knorde ze. 'Ik schrik me halfdood.'

Hij was na al die jaren wel gewend aan hoe ze deed en liet de lichte berisping voor wat die was. 'Ik zag licht branden,' zei hij. 'Ik dacht dat je al op was.'

Ze keek hem een ogenblik boos aan, maar kon niet lang streng blijven. 'Nu wel,' antwoordde ze met een grijns. 'Nou, vertel op. Hoe is het gegaan?'

Connor knikte. 'Prima. Ik denk dat de kudde het goede gras kon ruiken, want het kostte geen enkele moeite om ze naar boven te krijgen.' Hij propte zijn handen in zijn zakken en verplaatste zijn gewicht van de ene voet op de andere. Zijn knie speelde nog steeds op. 'De omheinde weiden daarboven zijn nog in orde en er staat meer dan genoeg water in de kreek. Een paar omheiningen moeten worden gerepareerd, dus ik zal er later een paar man naartoe sturen om ze op te lappen.'

'En hoe is het gegaan met Billy's kleinzoon?'

Connor dacht aan de jonge Aboriginal en glimlachte. Johnny Two Toes reed al paard sinds hij kon blijven zitten. Hij had zijn hele leven op Belvedère gewoond en zijn familie maakte er zo deel van uit dat het raar zou zijn als ze er niet waren. 'Geen probleem,' antwoordde hij. 'Hij is ervoor in de wieg gelegd, net als Billy Birdsong.'

Ze glimlachte naar hem terug. 'Belachelijke naam voor het arme jong,' mopperde ze. 'Hij kan het toch niet helpen dat hij twee kleine tenen heeft aan een voet.' Ze trok een gezicht. 'Maar dat lijkt hem er niet van te weerhouden allerlei rottigheid uit te halen. De kok vertelde me dat hij een blik koekjes mist.' Ze keek hem onderzoekend aan. 'Weet jij daar misschien iets van, Connor?'

Connor grinnikte en keek omlaag naar de neuzen van zijn laarzen. 'We hebben allemaal gesmuld van die koekjes, ma. Geen probleem.'

Catriona trok een wenkbrauw op, maar ze kon de strenge blik niet lang volhouden en begon te lachen. 'Goed zo. Dat is in ieder geval weer eens iets anders dan zo'n kampmaaltijd,' zei ze.

'Als er verder niets is, dan ga ik ontbijten,' zei hij. 'Waarom kom je ook niet? Het is al een tijdje geleden dat je met ons hebt gegeten.'

'Geen schijn van kans,' zei ze ronduit. 'Zweterige mannen, een slechtgehumeurde kok en een doorbakken biefstuk is niet mijn idee van een aangenaam ontbijt. Ik eet hier, zoals altijd.'

Connor keek haar vol genegenheid aan. Ma had heel vaak in het kookhuis gegeten gedurende zijn eerste jaren op Belvedère, maar ze was zich er bewust van hoe ongemakkelijk de mannen zich daarbij voelden en ze was slim genoeg om te beseffen dat ze beter af was als ze niet ging. 'Geen probleem,' mompelde hij.

'Wacht.' Catriona trok aan zijn mouw. 'Ik wil dat je eerst iets voor me doet.'

Hij keek op haar neer en grinnikte. 'Wat is er zo dringend dat het niet kan wachten tot ik me gewassen heb en heb gegeten?'

'Bemoei je met je eigen zaken,' zei ze terwijl ze hem in de ribben porde. 'Kom mee.'

Connor torende hoog boven haar uit terwijl hij achter haar aan de kamer uit liep naar de hal. Ze wees naar het luik in het plafond. 'Je moet de grote metalen hutkoffer voor me naar beneden halen,' zei ze. 'En doe een beetje voorzichtig, hij zit vol kostbare dingen.'

Connor haalde de ladder van de achterveranda en klom naar de lage vliering waar het naar stof en uitwerpselen van dieren rook. De hitte was verstikkend, ondanks het feit dat de zon nog maar net op was. De koffer balanceerde in de verste hoek op de daksparren. Hij kroop over de daksparren en trok de koffer naar zich toe, tilde hem door het luik en zette hem op de grond. Hij was gedeukt en zwaar en zat onder de spinnenwebben en opossumpoep.

'Wil je hem voor me naar de zitkamer brengen?' Catriona stond naast de ladder.

Connors knie leek in brand te staan en zijn maag kromp samen van de honger, maar hij deed wat hem werd gezegd. Hij veegde de troep van de hutkoffer en maakte opnieuw kennis met de exotische labels die er aan alle kanten opgeplakt waren en die hem als jongetje zo gefascineerd hadden. Hij had verhalen gehoord over haar leven vóór Belvedère en hoewel hij de koffer heel vaak had gezien, had hij de inhoud nooit aan zo'n zorgvuldig onderzoek onderworpen als zijn zus had gedaan. Hij sleepte hem de kamer binnen en zette hem tegen een muur zodat hij niet in de weg stond. 'Wat moet je met dat ouwe ding, ma?' vroeg hij. Het verrekte ding woog wel een ton, Joost mocht weten wat ze er in bewaarde.

'Er zijn wat dingen die ik wil bekijken,' zei ze met een afwezige blik in haar ogen. 'Ga nu maar lekker eten, jongen. En bedankt.'

Hij keek haar een ogenblik onderzoekend aan. Er lag iets vreemds in haar gelaatsuitdrukking en ze had kringen onder haar ogen die hij nooit eerder had gezien. 'Alles in orde, ma?' vroeg hij bezorgd.

'Natuurlijk,' antwoordde ze en ze stak haar kin vooruit. Haar ogen stonden uitdagend, alsof ze hem tartte aan haar motieven te twijfelen.

'Oké dan,' mompelde hij voor hij zijn hoed weer op zijn hoofd ramde en de hal in hinkte. Ma voerde iets in haar schild, maar ze zou hem wel vertellen wat het was wanneer het haar uitkwam.

Inspecteur Tom Bradley kwam onder de douche vandaan en sloeg een handdoek om zijn middel. Hij veegde de condens van de spiegel, staarde met bijziende ogen naar zijn spiegelbeeld en begon zijn gezicht in te zepen. Met zijn drieëndertig jaar begon hij te oud te worden voor het werk, besloot hij terwijl het nieuwe mesje door de stoppels schraapte. De late avonden, de enorme werkdruk en het ziekmakende geweld dat zo'n belangrijk onderdeel van zijn werk was, begonnen hun tol te eisen en na bijna zestien jaar bij het korps had hij er genoeg van. Hij zag de schaduwen onder zijn ogen, de stress die lijnen in zijn gezicht had getrokken en de eerste grijze haren die glinsterden in de warrige bruine dos die hij nooit helemaal had weten te temmen.

Het korps was veranderd sinds zijn vaders tijd en zelfs nog meer sinds zijn grootvader de plaatselijke politieman in Atherton was geweest. Er was meer geweld, meer drugs en corruptie – minder tijd om dat allemaal aan te pakken – meer papierwerk dat het systeem verstikte en minder agenten om het benenwerk te doen. Misschien was het tijd om de pijp aan Maarten te geven en iets anders te zoeken. Hij werd misselijk van al die moorden, van de donkere kant van de mensheid waar hij dag in, dag uit mee te maken had. Het had hem zijn huwelijk, zijn huis en zijn kinderen gekost – niets was dat toch zeker waard?

Hij gooide koud water in zijn gezicht, droogde zich af en worstelde met zijn contactlenzen. Hij kon niet zonder die verrekte dingen, maar hij raakte er maar niet aan gewend om elke morgen opzettelijk iets in zijn ogen te steken. Hij knipperde, veegde de tranen weg en liep naakt zijn slaapkamer binnen. Het pak kon nog wel een paar dagen mee en het shirt was er een van een stapeltje dat net terug was van de wasserij en nog maagdelijk in plastic gewikkeld zat. Hij strikte zijn das, stapte in zijn schoenen en pakte het kleingeld van het nachtkastje.

Daar stond de foto naast de telefoon. Dat herinnerde hem eraan dat hij al een paar weken niet meer met zijn zoons had gesproken – een haastig gekrabbeld briefje of ansichtkaart gaf hem niet dezelfde voldoening als een gesprek van man tot man – zelfs wanneer dat het gebruikelijke gegrom van een tiener inhield en eenlettergrepige antwoorden op elke vraag. Hij keek hoe laat het was – ze zouden nu op school zitten, realiseerde hij zich. West-Australië lag in een andere tijdzone. Met een zucht stopte hij zijn portefeuille in zijn jaszak, pakte de verbleekte dossiermap en stapte het appartement uit. Misschien had hij later vandaag tijd om ze te bellen.

Brisbane lag te bakken in de ochtendhitte, de wolkenkrabbers van glas weerspiegelden de rivier en het passerende verkeer dat over de viaducten en bruggen naar de zuidkant van de stad reed. Terwijl hij weer in een rij voor een verkeerslicht stond te wachten, zette hij de cassetterecorder aan en liet de klanken van de onaards mooie aria over zich heen komen. Puccini was zijn favoriete componist en de stem van Catriona Summers wist het wezen van de tragedie van *Madame Butterfly* te treffen.

Hij ontspande zich in de ijzige kou van de airconditioning en keek door de voorruit naar de optocht van toeristen, winkelpubliek en zakenmensen die het zebrapad overstaken. Hij woonde graag in de stad – hij genoot van de opwinding die het hem gaf, al was hij maar al te goed op de hoogte van het kwaad dat schuilging onder dat dunne laagje vernis van de moderne tijd en succes – maar soms, zoals vanmorgen, wou hij dat hij dat niet deed.

Terwijl Catriona's stem de auto vulde, keek hij naar de map op de stoel naast hem. Zijn vader had die bewaard en Tom herinnerde zich dat hij bij zijn opa op schoot zat en dat die hem vertelde over de Rus, de Engelsman en het verdwenen zilver. Toen het lichaam gevonden was, had zijn vader onmiddellijk contact met hem opgenomen. Een snel bezoek tijdens het weekeinde om het dossier op te halen en de vooruitgang in de moderne techniek betekende dat Tom er eindelijk in was geslaagd om Velda en haar dochter op te sporen; van Yvchenkov was geen spoor, het was alsof hij in rook was opgegaan.

Het was een schok geweest om te ontdekken dat een van de grootste diva's van Australië van zo'n nederige komaf was en dat ze al die jaren geleden betrokken kon zijn geweest bij de moord, al kon ze toen niet meer dan een kind zijn geweest. Dat nam niet weg dat kinderen vaak meer wisten dan volwassenen wel dachten; ze hoorden en zagen dingen omdat ze bijna niet werden opgemerkt in de wereld van volwassenen, zoals hij keer op keer had gemerkt tijdens zijn jaren bij de politie.

Maar hij was niet zo naïef dat hij dacht dat de politie iets zou doen aan zo'n oude moord. Het vergde al meer dan genoeg inspanning om de hedendaagse misdaden op te lossen zonder ook nog eens een jaar of vijftig terug te gaan graven. Het was een slapend dossier en zou onder op de stapel worden gelegd tot men er niet langer omheen kon. Dat betekende dat hij de tijd had om er iets mee te doen en de zaak kon oplossen voor de pers er lucht van kreeg dat Dame Catriona erbij betrokken was en er een mediacircus van maakte.

Luid getoeter rukte hem uit zijn overpeinzingen en hij duwde het gaspedaal in. Zijn kantoor was net om de hoek en een paar minuten later stond hij op zijn eigen plek geparkeerd en was hij op weg naar de trap.

Rechercheur Wolff stond hem op te wachten. 'De baas wil dit uitgezocht hebben,' zei hij toen Tom binnenkwam en zijn jasje ophing. 'Vandaag nog, als het enigszins kan.'

Tom nam het uitpuilende dossier aan, keek ernaar en liet het op zijn bureau vallen. Het betrof een lopend onderzoek dat nergens toe leidde. 'Dat zou hij wel willen,' mompelde hij terwijl hij het Athertondossier in zijn bureaula borg en een kop koffie voor zichzelf inschonk. 'De getuigen zeggen niks, vooral de vriendin niet. Iedereen heeft een ernstige aanval van geheugenverlies en tot dusverre hebben we niets dat het slachtoffer verbindt met een van de verdachten.'

'Ik krijg de getuigen wel aan het praten,' zei Wolff terwijl hij met zijn schouders rolde op een manier waarvan hij dacht dat die dreigend was. 'Jij pakt ze veel te slap aan.'

Tom trok een gezicht toen de bittere koffie door zijn keel gleed en liet de mok in de vensterbank naast zijn bureau staan. Deze jongste moord was gewoon weer een van die onopgeloste misdaden die zij moesten aanpakken en Wolffs ruzieachtige houding begon op zijn zenuwen te werken. Hij mocht de man niet, maar hij was voor drie maanden uit Sydney hiernaartoe gestuurd en toegewezen aan zijn team. Hij kon er niets tegen doen, maar hij zou blij zijn wanneer Wolffs tijd erop zat en hij weer naar het zuiden ging. De man nam veel te gauw zijn toevlucht tot intimiderende praktijken en stond veel te snel met zijn vuisten klaar in situaties waarin dat gemakkelijk kon worden vermeden. 'Geweld lokt alleen maar meer geweld uit,' zei Tom terwijl hij keek welke dossiers er in zijn in-bak lagen. 'Soms is het beter om even in alle rust te praten en een beetje begrip te tonen. Ik heb liever dat ze me zien als iemand die ze kunnen vertrouwen dan als een vijand, en je hebt geen idee hoe koppig mensen kunnen worden als ze onbeschoft worden behandeld.'

'Ze is een rijke slet die dacht dat ze de grote jongens een hak kon zetten. Nu heeft ze haar vingers gebrand en is ze als een haas teruggerend naar pappie,' zei Wolff minachtend.

Tom leunde achterover in zijn stoel. Hij keek lange tijd naar Wolff en nam de haviksneus, het smalle gezicht en de ontevreden trek om de mond in zich op – met zijn negenentwintig jaar zag Wolff er eerder uit als een misdadiger dan als een van de goeien. 'Je laat de getuigen met rust,' zei hij met nadruk. 'Dat meisje is al bang genoeg zonder dat jij haar ook nog eens op haar nek zit. Ze gaat heus wel praten als ze eenmaal doorheeft dat het voor haar eigen bestwil is.'

Wolff griste het dossier weg dat Tom terzijde had gelegd. 'Ik wist niet dat er een wet voor de rijken was en een andere wet voor de rest,' snauwde hij. 'Alleen omdat die stomme trut een rijke pappa heeft wil dat nog niet zeggen dat ze boven de wet staat.' Zijn ogen schitterden. 'Ze weet dingen van Robbo Nilson waarmee we hem voorgoed achter de tralies kunnen krijgen. Ze dwarsboomt de rechtsgang en als ik haar vader was, zou ik haar een pak slaag geven.'

Tom klemde zijn kaken op elkaar. Hij wilde Wolff dolgraag een draai om zijn oren geven, maar dat zou niets oplossen. 'Hou je grote mond, Wolff, anders zórg ik dat je hem houdt,' teemde hij.

Wolff keek hem woedend aan en klopte zijn revers af en rolde met zijn schouders, zijn hele houding ruzieachtig. 'Ik dacht dat je niks van geweld moest hebben?' sneerde hij. 'Ik zou een klacht tegen je kunnen indienen wegens ongeoorloofd geweld.'

'Probeer dat maar, dan zal ik de hoofdinspecteur eens wat in zijn oor fluisteren over jouw bijverdiensten,' was Toms antwoord. 'Nou, duvel op en ga eens iets nuttigs doen.'

Wolffs blik was vervuld van haat. Hij draaide zich op zijn hakken om en stormde de deur uit terwijl hij mompelde dat hij het hem betaald zou zetten.

Door de tocht die zijn vertrek veroorzaakte vlogen de papieren van Toms bureau op de vloer. Hij raapte ze op en stond lange tijd in gedachten verzonken voor hij tot een beslissing kwam. Voor hij van gedachten kon veranderen of langer kon nadenken over de gevolgen, gooide hij alles weer op het bureau, greep zijn jasje en beende de gang door naar het kantoor van de hoofdinspecteur. De sleutels van de bureaula lagen te blinken in het zonlicht dat door het raam binnenstroomde – Tom had ze in zijn haast vergeten.

21

'Ik wil niet met hem trouwen,' zei Harriet vastbesloten. 'Bovendien,' voegde ze eraan toe, 'wil ik op dit moment met helemaal niemand trouwen, dus hou er nou maar over op.' Ze keek haar moeder aan en vroeg zich af hoe ze in vredesnaam op dit onderwerp waren gekomen aangezien het bezoek aan haar moeder om heel iets anders ging. Maar Harriet vermoedde dat Jeanette Wilson willens en wetens was afgedwaald en Harriet wist precies waar deze woordenwisseling toe zou leiden. Het was altijd hetzelfde als ze om deze hete brij heen draaiden en hoewel Harriet was opgeleid voor logische debatten en argumentatie voor de rechtbank, zag ze eigenlijk nooit kans haar moeders kromme redeneringen te weerleggen of die zelfs maar te begrijpen.

Jeanette was niet het soort vrouw dat een hint ter harte nam, hoe luidruchtig die ook werd gegeven. Ze was drieënvijftig, goed geconserveerd, kon maar aan één ding tegelijk denken en dat was op dit moment de ongetrouwde status van haar dochter. Ze sloeg haar armen over elkaar en kneep haar lippen samen tot een dunne streep terwijl ze afkeurend naar het keurige zwarte pakje, de witte blouse en de gemakkelijk zittende schoenen keek. 'Je wordt te oud om nog eisen te stellen, schat,' zei ze vriendelijk. 'En je verzorgt jezelf nou ook niet bepaald geweldig. Zwart kan zo bleek maken, zeker bij iemand met jouw teint.'

'Ik kan moeilijk op kantoor verschijnen in minirok en netkousen.' Harriet haalde een paar keer diep adem in een poging de boosheid die ze voelde opkomen in bedwang te houden. 'Ik ben achtentwintig,' zei ze vlak. 'Niet bepaald een leeftijd dat je kinds wordt.' Ze streek met haar handen over de strakke rok en zag tot haar grote woede dat ze trilden. Hoe kreeg haar moeder het na al die jaren nog steeds voor elkaar zulke sterke emoties bij haar op te roepen?

'Achtentwintig én ongetrouwd,' antwoordde haar moeder met iets dat verdacht veel leek op zelfvoldaanheid. 'De klok tikt door, Harriet. Binnenkort ben je te oud om zelfs maar aan kinderen te denken.'

Harriet negeerde de steek. Ze had nog jaren en ze verdomde het om met Jeremy Prentiss te trouwen alleen maar om zich voort te planten. 'Jeremy is de laatste die ik als vader voor mijn kinderen zou willen,' was haar weerwoord. 'Dan hebben ze straks allemaal zo'n bekakt Engels accent en geen kin.' Ze haalde diep adem en deed haar best te kalmeren. Dat was niet eerlijk tegenover Jeremy, die in feite een heel knappe, aardige man was, maar haar moeders aansporingen maakten haar gemeen.

'Ik begrijp je niet, Hattie,' antwoordde haar moeder, die het koosnaampje uit haar jeugd gebruikte in een late en er tamelijk dik bovenop liggende poging om de ruzie niet te hoog te laten oplopen. 'Jeremy is de jongste firmant en een huwbare vrijgezel met een benijdenswaardige stamboom. Hij is rijk en duidelijk smoorverliefd. Je ziet toch wel in dat dat prima zou uitpakken voor je carrière en je manier van leven?' Ze vouwde haar handen in haar schoot. De lichtroze trui die ze droeg accentueerde haar nog steeds vlekkeloze huid. 'Met een appartement aan het water en die boot blijft er niets meer te wensen over.'

'Ik heb er niet zo'n behoefte aan om vanwege geld te trouwen.' Harriet rukte de speld uit haar haar en liet het om haar schouders vallen. Ze had behalve haar vaders kleur ook zijn ongeduld geërfd en mams allesbehalve subtiele bewondering voor Jeremy's kwaliteiten als dekhengst was de druppel die de emmer deed overlopen.

'Is dat bedoeld als een steek onder water?' Jeanettes stem werd scherper. Ze graaide een sigaret uit de zilveren doos op de glazen koffietafel en na er woedend mee op het deksel te hebben geklopt, stak ze hem aan met de gouden aansteker.

Harriet gaf in stilte toe dat het een goedkope opmerking was geweest en hoewel haar moeder ongetwijfeld een koekje van eigen deeg verdiende, was dit niet eerlijk, of verstandig. Maar ze werd doodziek van dit gezeur. Doodziek van haar moeder die voortdurend die ellendige Jeremy Prentiss onder haar neus wreef. 'Hou er maar over op, mam,' zei ze vermoeid terwijl ze met haar vingers door haar haar ging. 'We worden het toch nooit eens, dus waarom zou je er over doorgaan?'

'Ik ben je moeder,' zei Jeanette door de sigarettenrook. 'Het is mijn plicht om me daar zorgen om te maken.'

'Dat weet ik,' gaf Harriet toe. 'Maar als je echt om me gaf zou je niet eens willen dat ik met Jeremy trouwde, alleen vanwege een huis en een boot en een vette bankrekening. Ik hou niet van hem.'

'Hmm. Wat heeft liefde er nou mee te maken?' Jeanette keek haar door de rook aan en kneep haar blauwe ogen tot spleetjes. 'Trouwen gaat om zekerheid, en die zou je bij Jeremy vinden.'

Harriet had een heleboel ter verdediging kunnen aanvoeren, maar ze had geen zin meer in ruzie en bovendien, dit was niet de eerste keer dat deze discussie plaatsvond en ze was het meer dan zat. Het kon mam waarschijnlijk echt wel schelen wat er met haar gebeurde, maar Harriet verdacht haar ervan dat ze alleen maar kleinkinderen wilde. Al haar vriendinnen hadden kleinkinderen en Jeanette voelde zich duidelijk buitengesloten van dit kliekje liefhebbende oma's.

Harriet zuchtte en hield zich bezig met het inschenken van koffie. Mam was aan de vooravond van haar vijfentwintigste verjaardag met pap getrouwd. Precies negen maanden later werd Harriet geboren en omdat ze vond dat ze daarmee haar steentje wel had bijgedragen, wijdde Jeanette zich weer volledig aan haar danscarrière en het zo goed mogelijk plunderen van de bankrekening van haar rijke echtgenoot.

Brian Wilson had zijn fortuin vergaard met de levering van raffinaderijen en machines voor de olie-industrie en Jeanette had ronduit toegegeven dat ze eropuit was geweest hem te strikken. Hij was een liefhebbende vader wanneer hij tijd had en zijn zaken het toestonden, maar hij was niet gelukkig geweest in zijn huwelijk en er waren knetterende ruzies geweest tussen Jeanette en hem. Harriet was tien toen hij tijdens zo'n titanengevecht een fatale hartaanval kreeg. 'Ik ben liever gelukkig,' zei Harriet zacht. 'Zekerheid wordt zo enorm overschat.'

Jeanette rookte haar sigaret en haar zwijgen zei meer dan woorden hadden kunnen doen.

Harriet draaide zich om en stond voor de muur van glas die uitzicht bood op Circular Quay. Het was nog maar vroeg in de ochtend en nu al beloofde het een lange dag te worden. Ze wou dat ze op weg naar haar kantoor niet had besloten hier even op bezoek te gaan, maar de macht der gewoonte had haar hier naartoe geleid om haar moeder haar nieuwtje te vertellen en om te zien of alles met haar in orde was. En toch moest ze nu nog een bijzonder netelig onderwerp ter sprake brengen en ze wist niet hoe ze dat moest aanpakken.

Jeanette had onmiddellijk een hekel aan Rosa en Belinda gehad en had geweigerd te erkennen dat Harriet met die twee bevriend was. Ze beschouwde de twee meisjes als ongeschikt gezelschap en had haar uiterste best gedaan om de band tussen hen te ontmoedigen. Harriet zou de volgende dag uit Sydney vertrekken om twee weken op Belvedère te gaan logeren en haar afwezigheid diende verklaard te worden.

Ze staarde uit het raam, op zoek naar inspiratie. Het penthouse had een panoramisch uitzicht op de opgeknapte Circular Quay. Ze kon het woud van sierlijke, glazen torens zien, de elegante victoriaanse kerkspitsen en de gracieuze welvingen van de zeilen van het Sydney Opera House. In de haven wemelde het al van de rondvaart- en raderboten die te midden van de watertaxi's heen en weer voeren. Prachtige jachten lagen afgemeerd aan hun boeien voorbij de botanische tuinen en witte ibissen met hun zwarte nek en kop en lange, gebogen snavels scharrelden tussen het wrakhout en zeewier aan de waterkant en in het gras langs de weg.

Na de opening van het Opera House hadden de jaren tachtig een nieuwe levendigheid in dit deel van Sydney gebracht. De oude kades, de pakhuizen en de uiteenlopende rommel van de oude haven waren verdwenen en hun plaats was ingenomen door gebouwen van glas en koel chroom. Er was een cafégemeenschap ontstaan. Langs de hele hoefijzervormige haven stonden kleine tafels onder kleurige parasols en dure boetieks en exclusieve hotels deden er uitstekende zaken. Straatmuzikanten vermaakten in het weekend het publiek en zelfs de kleine huizen in The Rocks waren opgeschilderd en gerenoveerd om de mensen naar de markten te lokken.

Links van haar stond Harbour Bridge die in een grote boog het water omspande van de noordoever van Sydney tot aan het woud van kantoortorens van blauw en groen glas en onder de nieuwste architectuur gebouwde appartementenblokken waarin het gedoe om hen heen werd weerspiegeld. Hij stond bij de meeste inwoners van Sydney bekend als de Kleerhanger en was met zijn twee spoorlijnen en acht rijbanen de belangrijkste route naar het centrum.

Harriet zuchtte. Ze wist dat het uitzicht 's avonds nog betoverender was. Dan weerspiegelden twinkelende lichtjes op het water en in de fonteinen en overal langs de drukke wandelpaden brachten cafés en bars en restaurants levendigheid in dit ooit vervallen deel van de stad. De raderboten waren versierd met kleurige lichtjes terwijl ze vertrokken voor hun dinercruises en de neonverlichting op sommige van de kantoortorens ging aan en uit en flikkerde tegen de nachtelijke hemel.

Ze keerde zich weer naar haar moeder. Jeanette had de sigaret uitgedrukt en werkte haar make-up bij in de spiegel met de vergulde rand die boven de ingebouwde gashaard hing. Ze zag er niet slecht uit, moest Harriet toegeven. Haar donkere haar was kunstig geverfd en voorzien van strepen om het grijs te verbergen en de coupe stond haar goed. Ze had nog steeds een slank figuur, gespierd door al die jaren dat ze bij de Sydney Ballet Company had gedanst en door het bijna spartaanse fitnessregime waar ze zich na haar pensionering aan had onderworpen. Ze was een kleine vrouw, maar had een krachtige persoonlijkheid en Harriet vermoedde dat zij die had geërfd. Misschien is dat de reden dat we zo vaak ruzie hebben, dacht ze vermoeid. We lijken te veel op elkaar.

Hun ogen ontmoetten elkaar in de spiegel en Jeanette was de eerste die wegkeek. 'Ik weet waarom je vandaag gekomen bent,' zei ze terwijl ze haar verschijning aan een kritisch onderzoek onderwierp. 'Maar ik wil het er niet over hebben.'

'Het wordt tijd dat je je kop niet langer in het zand steekt en eens om je heen kijkt,' zei Harriet vastbesloten. 'Rosa is mijn vriendin en dat zul je moeten accepteren, of je het nou leuk vindt of niet.'

Jeanette draaide zich om en keek haar aan. 'Nee, dat hoef ik niet,' zei ze koel en afstandelijk.

Harriet slaakte een geërgerde zucht. 'Het is belangrijk voor me. Snap je dat dan niet?'

In Jeanettes ogen lag een vastberaden blik. 'Voor jou misschien. Niet voor mij.' Ze pakte haar handtas van tafel en griste de lila pashmina van de rugleuning van de leren bank. 'Ik ben al laat voor een koffieochtend, Harriet. Je had me moeten laten weten dat je kwam, dan had ik wat dingen kunnen verzetten.'

Harriet pakte haar aktetas. Jeanette had nog nooit van haar leven een sociale bezigheid verzet of afgezegd – tenzij het in haar eigen voordeel was – en ze betwijfelde of ze daar nu mee zou beginnen, alleen om oude zaken op te rakelen. 'Mijn uitstapje naar Belvedère is heel wat belangrijker dan zo'n verdomde koffieochtend,' snauwde ze.

'Doe niet zo vulgair,' zei Jeanette kortaf terwijl ze zich in de deuropening omdraaide. 'Ik heb je niet opgevoed om zo tegen me te praten. Dat is ongetwijfeld de invloed van die slet van een Rosa.'

'Hoe durf je zo over haar te praten?' siste Harriet terwijl ze de hal instapte. 'Je hebt haar één keer gesproken, je weet helemaal niets van haar. En ik ben het hartstikke beu dat je haar altijd maar neerhaalt.'

Ze keken elkaar in de stilte die volgde woedend aan tot Jeanette met een klap de deur dichtdeed en door de lege gang in de richting van de lift begon te lopen.

'Loop nou niet bij me weg, mam.' Harriet pakte haar bij de arm en hield haar tegen. 'Dit gaat niet weg door er niet over te praten. Wat is dat toch met jou? Waarom heb je zo'n hekel aan haar?'

Jeanette was witheet en de woede straalde in elektrische golven van dat kleine lichaam. 'Ze is een sloerie,' snauwde ze. 'Ze is voor haar eenentwintigste al gescheiden, werkt voor dat verlopen kantoor in Paddington en gaat om met het laagste van het laagste volk. Wie met pek omgaat, Harriet... Je zult merken dat haar reputatie over niet al te lange tijd op jou afstraalt als je doorgaat met deze belachelijke vriendschap.' Haar smalle borst ging op en neer terwijl ze probeerde haar snelle ademhaling onder controle te krijgen. 'Wat je zaait, zul je oogsten, Harriet. Maar verwacht niet van mij dat ik me er ook maar iets van aantrek als je carrière naar de knoppen gaat.'

Harriet deed een stap achteruit. Dit was een kant van haar moeder die ze niet meer had gezien sinds haar vaders overlijden. 'Rosa is geen sloerie,' hijgde ze. 'Ik ben hier gekomen om je te vertellen dat ik een paar weken naar Belvedère ga en alles wat ik krijg is dit!'

Jeanette stapte in de lift en duwde op een knop. 'Je bent nu een grote meid, Harriet. Je hoeft me niet te vertellen wat je plannen zijn. Zeker niet als die te maken hebben met die plek.'

'Oké, prima,' mompelde ze en ze ging naast haar moeder staan.

Jeanettes blauwe ogen namen haar met een kille blik op en Harriet deinsde achteruit. Ze had geweten dat er een reactie van haar moeder zou komen, maar dit was belachelijk. Ze pakte haar moeders hand. Die was koud en weinig toegevend. 'Ik wil alleen maar dat je accepteert dat ik bevriend ben met Rosa en Catriona en blij voor me bent. Ze hebben me een thuis gegeven toen jij weg was, hebben me liefde en vriendschap geboden, zelfs toen jij heel duidelijk liet merken dat je daar niet van was gediend. Alsjeblieft, mam. Wees nou redelijk.'

Haar stem klonk zacht en de behoefte aan instemming was zo groot dat ze stotterde.

Jeanette rukte haar hand los. 'Je neemt je eigen beslissingen. Verwacht alleen niet van mij dat ik vooraan sta om te juichen.'

Ze stonden naast elkaar in de lift en keken allebei zwijgend in het niets, terwijl ze hun emoties stevig in bedwang hielden. Harriet ademde de bekende geur van Rive Gauche in. Die hoorde zo bij haar moeder dat het raar zou zijn geweest wanneer ze iets anders zou hebben gebruikt. Maar in zulke kleine ruimtes en onder zulke vijandige omstandigheden was het bedwelmend.

De gladde, stalen deur schoof eindelijk met een zacht geluid open en ze stapten uit de ijskoude airconditioning in de hitte van de ondergrondse parkeergarage. Harriet haalde diep adem. 'Het spijt me dat je het er niet mee eens bent, mam, maar vind je niet dat je jaloezie een beetje uit de hand begint te lopen?'

Jeanette keek haar lange tijd aan en deed toen haar BMW van het slot. 'Jaloezie is een emotie die mij onbekend is,' zei ze. 'God helpe me als ik die mensen iets zou benijden.'

'O, in vredesnaam,' snauwde Harriet.

Jeanette draaide zich om en keek haar woedend aan en haar blauwe ogen spoten vuur. 'Ze hebben je dan misschien in de schoolvakanties kost en inwoning gegeven, maar dat betekent nog niet dat ik dankbaar moet zijn. Ik ben je moeder, Harriet, niet Dame Catriona Summers. Het kan geen kwaad als je dat voor ogen houdt.'

'Natuurlijk ben jij m'n moeder,' zei ze geërgerd. 'Waar heb je het in vredesnaam over?'

'Je hoeft niet bij me aan te kloppen als alles naar de bliksem gaat,' snauwde Jeanette terwijl ze in haar auto stapte en het portier dichtsloeg.

Harriet fronste haar voorhoofd. Het feit dat haar moeder jaloers was op de genegenheid die zij kreeg van Rosa's familie was altijd een twistpunt geweest, maar dit was meer dan afgunst, dit was wraakzucht en sloeg helemaal nergens op. Ze deed haar MG van het slot en stapte in. Met de kap naar beneden en het gaspedaal diep ingedrukt, scheurde ze de parkeergarage uit, het zonlicht tegemoet. Het had geen zin nog iets te zeggen, zelfs geen 'tot ziens'.

Tom trof Belinda in de kantine. Max lag onder de tafel, met zijn snuit op zijn voorpoten, en zijn bruine ogen volgden elke hap eieren met spek die zijn jonge bazin verslond. 'Hallo, Tom,' zei ze opgewekt terwijl ze het laatste stukje spek aan de kwijlende Duitse herder voerde. 'Wat kan ik voor je doen?'

Tom trok een stoel bij en ging zitten. Belinda was wat de andere mannen een 'stevige brok van een meid' noemden, een omschrijving die ze verafschuwde, maar die ze desalniettemin met verschillende gradaties van gelatenheid over zich heen liet komen. Haar haar was dik en krullend en had dezelfde donkerbruine kleur als haar ogen. Ze was lang en had een vol figuur en een goed karakter, en ze was in prima conditie. Hij vermoedde dat al die jaren van paardrijden en met balen hooi zeulen op de boerderij van haar ouders daar debet aan waren. 'Ik wil je een gunst vragen,' begon hij.

'Zoiets dacht ik al,' zei ze terwijl ze hem strak aankeek. 'Nou, kom op. Voor de dag ermee.'

Hij besloot meteen ter zake te komen. 'Jij kent Dame Catriona Summers toch?'

Ze knikte en grijnsde. 'Wat is dat, Tom? Ben je op jouw leeftijd nog op handtekeningenjacht?'

Hij schudde zijn hoofd. 'Het is een beetje serieuzer dan dat,' antwoordde hij. Hij keek om zich heen om er zeker van te zijn dat niemand kon horen wat hij te zeggen had. 'Ik moet naar Belvedère om met haar te praten en ik dacht dat jij, omdat je haar al je hele leven kent, misschien met me mee zou kunnen gaan.' Hij pauzeerde. 'Het ligt nogal gevoelig en het zou beter zijn als er een vrouwelijke agent bij aanwezig was,' besloot hij.

Haar donkere ogen stonden ernstig. 'Catriona is altijd als een tweede moeder voor me geweest,' zei ze zachtjes. 'Ik denk dat je maar beter eens goed kunt uitleggen waar je het precies over hebt.'

Het was Harriets beurt om achter het stuur te gaan zitten. Rosa en zij hadden besloten om voor de verandering eens met de auto naar Belvedère te gaan. Dat gaf hun de gelegenheid op adem te komen en na maanden in de stad van het landschap te genieten. Ze waren de vorige ochtend naar Rockhampton gevlogen, hadden daar een auto gehuurd en reden nu door de hoofdstraat van Emerald op weg naar Drum Creek en Belvedère.

Hoewel ze een goede nachtrust achter de rug had, zat de ruzie met haar moeder haar nog steeds dwars, maar het was belangrijk dat ze zich concentreerde. De wegen in de outback waren verraderlijk rustig en een wegtrein kon zomaar uit het niets opduiken en slingerend over de weg denderen, waardoor het noodzakelijk was om van het asfalt af te gaan en in de berm te wachten tot hij voorbij was.

Rosa ging met haar hand door haar piekerige zwarte haar dat ze ter gelegenheid van de vakantie rijkelijk had voorzien van felroze strepen – in de rechtbank werd dergelijk buitensporig gedrag niet erg gewaardeerd en ze was vastbesloten een beetje lol te maken in de tijd dat ze niet op kantoor was. 'Heerlijk om weer in het vrije veld te zijn,' zei ze. 'Ook al heeft Connor gezegd dat hij ons met het vliegtuig wilde komen halen.' Ze keek met toegeknepen ogen naar Harriet die zich op de weg concentreerde. 'Hij is nog steeds vrijgezel, weet je,' zei ze giechelend. 'Weet je zeker dat je hem niet ziet zitten?'

Harriet trok een gezicht. 'Begin jij nou ook niet,' gromde ze met gespeelde boosheid. 'M'n moeder zit me al genoeg op m'n nek.'

'O, Hat,' verzuchtte Rosa. 'Je weet dat hij geweldig is, zelfs Belinda heeft na al die jaren nog een oogje op hem.'

'Hij is knap,' gaf ze toe. 'Maar verder gaat het niet. Sterk, zwijgzaam en mannelijk is allemaal prima als je daar opgewonden van raakt, maar hij is je broer en het zou net incest zijn.' Ze giechelde. 'Nog afgezien van het feit dat mijn moeder een beroerte zou krijgen als ik iets met hem begon.'

Rosa lachte. 'Mij hou je niet voor de gek, Harriet Wilson,' zei ze. 'Ik weet gewoon dat je niet lang meer weerstand zult kunnen bieden.' Toen zuchtte ze. 'Er zijn absoluut momenten dat ik blij ben dat ik Catriona heb,' zei ze. 'Het scheelt een hoop tijd dat ik niet steeds hoef uit te leggen waar ik mee bezig ben, zoals jij met je moeder.' Ze ging weer met haar hand door haar haar, waardoor ze de warrige stijl nog chaotischer maakte, en keek naar buiten.

De houten trottoirs en de schaduwrijke veranda's van de hotels hadden plaatsgemaakt voor uitgestrekte weidevelden en houten huisjes. 'Verdikkie, het is lang geleden dat ik hier ben geweest,' verzuchtte ze. 'Alles ziet er zo klein uit, ook al is het stadje helemaal niet veranderd sinds ik een kind was.' Haar lach was een diep, sexy gerommel dat van achter uit haar keel kwam en dat mannen onweerstaanbaar vonden. 'Potdomme, Hat,' zei ze zachtjes. 'Het hoogtepunt van de week is een avond in het hotel. De knullen praten nog steeds over schapen, koeien en pick-uptrucks; dat is het enige waar ze aan kunnen denken. Godzijdank ben ik ontsnapt.'

Harriet lachte terwijl ze naar haar vriendin keek. Rosa, gescheiden en niet gebonden door kinderen, leidde een losbandig leven wanneer het werk dat toestond. Ze was vastbesloten de tijd tot haar dertigste met zwier door te brengen. Haar oogmake-up was opvallend, het zwart met roze haar met gel in pieken geboetseerd en haar kleren waren oogverblindend kleurrijk. Niemand zou vermoeden dat ze de drijvende kracht was achter een klein advocatenkantoor waar lange uren werden gemaakt om de rechten te verdedigen van degenen die zich geen rechtsbijstand konden veroorloven. Maar het gebrek aan geld en het werk waar maar geen einde aan leek te komen, konden haar levenslust niet temperen. Harriet was dolgelukkig dat ze ondanks haar moeders afkeuring dik met elkaar waren gebleven. 'Ik geloof dat jij Dwayne wel aan de haak zou kunnen slaan,' plaagde ze. 'Ik zag wel hoe hij gisteravond in het hotel naar je keek.'

Rosa lachte en verschoof de veiligheidsgordel op haar weelderige boezem die dreigde over de rand van het rode topje te komen. 'Dwayne is een oude vriend, maar hij is een deel van de reden dat ik weg wilde uit de outback. Het wordt nooit wat met hem en net als zijn vader en zijn grootvader zal hij in Emerald blijven tot hij met z'n tenen omhoog ligt.'

'Kom op, Rosa. Hij is best een aardige vent en hoewel jouw opkomst de mannelijke bevolking van Emerald kwijlend tot stilstand bracht, heeft hij ons toch op het eten getrakteerd.'

Rosa giechelde. 'Dat kleine zwarte gevalletje was misschien iets te veel van het goede,' zei ze. 'Maar wat kan het schelen? Als je het hebt, moet je het laten zien ook en als ze daar niet tegen kunnen, dan geeft het ze in ieder geval een tijdje iets anders om over te praten dan over schapen.'

Harriet lachte. De korte zwarte jurk had nauwelijks het hoogstnoodzakelijke bedekt en aangezien Rosa's figuur heerlijk topzwaar was, konden de mannen van Emerald nauwelijks hun ogen van haar afhouden bij elke beweging die ze maakte, in de hoop dat er nog meer te zien zou komen. Rosa had ongetwijfeld het verkeerde beroep gekozen. Ze had actrice moeten worden, maar aan de andere kant eiste ze ook in de rechtszaal de hoofdrol op, dus misschien was dat genoeg voor haar. 'Heerlijk dat we in de gelegenheid zijn twee weken samen door te brengen,' zei ze terwijl ze gas gaf en de hoofdweg afreed. 'Maar het is jammer dat Belinda niet kon. Het zou geweldig zijn geweest als we weer met z'n drieën bij elkaar hadden kunnen komen.'

Rosa trok een gezicht. 'Ze zit tot over haar oren in het papierwerk en de drugdealers. Ik benijd haar absoluut niet.'

'Ik heb moeten smeken om een beetje vakantie; gelukkig had ik nog vrije dagen tegoed. Maar ik sta ervan te kijken dat jij hebt weten weg te komen.'

'Ik had in geen maanden vrij gehad,' zuchtte Rosa. 'Het werk blijft zich opstapelen, maar mams verjaardag is belangrijker.' Ze grinnikte en haar straatjochiesgezicht lichtte ondeugend op. 'Als een meisje niet oppast kan ze zomaar oudbakken worden en de houdbaarheidsdatum laten verlopen. Het wordt tijd dat ik er weer eens de losbol uithang en een beetje leven in de brouwerij breng.'

Harriet trok een wenkbrauw op en concentreerde zich op de weg. Rosa kon nooit oudbakken worden, daarvoor was ze veel te levendig. En wat de losbol uithangen betrof? Haar uiterlijk deed misschien aan een herrieschopper denken, maar onder dat laagje zat een jonge vrouw die haar werk heel serieus nam. Maar gezien de stemming waarin ze vandaag verkeerde mocht de Heer de mannen van Belvedère bijstaan.

Rosa trok haar topje goed en leunde met haar ogen dicht achterover in de stoel. Haar slanke benen waren gehuld in een strakke, veelkleurige, geborduurde spijkerbroek die om haar middel zat gesnoerd met een brede riem van paars leer. Ze was blootsvoets en de teenringen en de zilveren en turkooizen enkelband glinsterden in de zon. 'Geef mij maar de open vlakte,' verzuchtte ze. 'De wind in m'n haar, de zon op m'n gezicht.' Ze deed een oog open en keek Harriet lachend aan. 'Maar niet te lang, want al die leegheid bezorgt me soms pleinvrees.'

Harriet begreep hoe moeilijk het leven in een klein stadje kon zijn, maar met de bijkomende beperking van honderden kilometers leegte om elke kleine nederzetting kreeg de uitdrukking 'buurtwacht' een heel andere betekenis. Maar terwijl ze door het eindeloze okerkleurige landschap reden met zijn termietenheuvels, groene weiden en sierlijke eucalyptusbomen kon ze het niet helpen dat ze werd aangetrokken door de grootse openheid van de Australische outback. Er was hier sprake van een primitieve schoonheid en de hemel was zo hoog en weids boven de grimmige pracht van het land dat ze de aanwezigheid van de ouden die hier eerst waren geweest bijna kon voelen. Zoals Billy Birdsong haar vaak had gezegd, vormden zij het ware hart van het Grote Dromen. 'Droomlandschappen,' zei ze voor zich heen. 'We rijden door Droomlandschappen.'

Rosa kneep haar ogen dicht tegen de zon en draaide zich naar haar toe. 'Je wordt toch niet ineens dichterlijk, hè?'

Harriet glimlachte. 'Misschien wel,' gaf ze toe. 'Maar dat is wat Catriona het een keer heeft genoemd en ik ben het met haar eens. Het majestueuze van deze omgeving haalt de dichter in me boven. Daar kan ik niks aan doen.'

Rosa knikte. 'Majestueus is waarschijnlijk het juiste woord,' zei ze. 'Maar probeer hier maar eens langer dan een paar maanden achter elkaar te wonen. Het is heet, droog en het barst van de vliegen of het vriest, raakt overstroomd en dan is er geen ontsnapping mogelijk. De mannen zijn in het algemeen van het sterke, zwijgzame type – heel saai als je van een pleziertje houdt – en zouden er waarschijnlijk als een haas vandoor gaan als ze het idee zouden krijgen dat een meisje op het punt staat toe te slaan. Geef mij Sydney maar.'

Harriet wist niet of ze het daar wel mee eens was. De wijde, open ruimte was aanlokkelijk na de drukte en herrie van de Rocks, waar ze een klein victoriaans rijtjeshuis had. Er was geen auto te bekennen, de lucht was zo zuiver dat ze er duizelig van werd. Ze miste de chaos van de ochtendspits geen moment, of de mensenmassa op de trottoirs, en ze had zich al lang geleden gerealiseerd dat dit een andere wereld was, een waarin ze zich erg op haar gemak voelde. 'Je zult je wel verheugen op het weerzien met Connor,' zei ze terwijl ze om een dode kangoeroe en de bijbehorende troep kraaien manoeuvreerde.

'Ja, dat wordt leuk. Het is te lang geleden, om eerlijk te zijn, maar we leven in zulke verschillende werelden en het is voor ons allebei een hele reis. Ik betwijfel of we elkaar na al die tijd veel te zeggen hebben. Dat is verdrietig eigenlijk, maar zo is het leven.' Ze nestelde zich weer in haar stoel en deed haar ogen dicht. 'Hij hield toch al nooit van lange gesprekken en zal ons ongetwijfeld vervelen met de prijs van vee en de stand van zaken op de vleesmarkt. Maar het zal fijn zijn om mam weer te zien. Ik ben meer dan een jaar geleden voor het laatst op bezoek geweest en een gesprek over de telefoon is niet hetzelfde.' Ze geeuwde uitgebreid. 'Maak me maar wakker als het mijn beurt is om te rijden,' mompelde ze.

De uren verstreken en het uitzicht door de voorruit was hetzelfde als dat achter hen – eindeloze kilometers asfaltstrook die achter beide horizonten verdween. Aan haar rechterkant strekte zich de Great Dividing Range uit en de lagere ketens lagen in een blauw waas achter de wildernis van de outback. Het landschap was fantastisch en naarmate de kilometers haar dichter bij Belvedère brachten, begon ze reikhalzend uit te zien naar de eerste tekenen van haar tweede thuis.

Ondanks al haar goede voornemens had Catriona twee slapeloze nachten achter de rug en was die dag lang voor zonsopgang opgestaan. Haar geest was te actief en de herinneringen te veeleisend om te kunnen slapen en ze realiseerde zich dat ze het verleden niet langer kon negeren. Nadat ze voor Guit had gezorgd, nam ze een kop thee mee naar de zitkamer, ging zitten en keek naar de hutkoffer. Daar zat haar verleden in – de essentie van wie zij was – maar toch kon ze niet de moed vinden hem open te maken.

De schaduwen werden ondanks het heldere elektrische licht steeds dieper en ze meende de spookstemmen haar te horen roepen vanaf de andere kant van dit kwetsbare leven. Ze sloot haar ogen en probeerde hen met haar wil tot zwijgen te brengen. Ze lieten zich niet negeren – en met hen kwamen de beelden en geluiden waarvan ze had gedacht dat ze allang verdwenen waren in een ander tijdperk, een andere wereld. Maar deze fluisterende stemmen brachten niet alleen de geuren en de muziek van die herinneringen, maar drukten haar ook weer op het feit dat er een tijd was geweest dat haar jeugdige onschuld geen bescherming had geboden tegen harde levenslessen.

Harriet leunde achterover in de passagiersstoel en maakte haar broekband wat losser. Haar moeder zou bijzonder ingenomen zijn geweest met haar kleding, want de spijkerbroek was gebleekt en sloot nauw om haar lichaam en de mouwloze turkooizen blouse was van gelaagd chiffon met een zachtgele voering en allesbehalve somber en degelijk. Ze ging met haar hand door haar dikke haardos en tilde hem op, zodat de wind vrij spel had in haar nek. Haar turkooizen oorhangers pasten bij het klompje dat ze aan een fijn zilveren kettinkje om haar nek had hangen. Rosa had het haar lang geleden voor haar verjaardag gegeven en erbij verteld dat turkoois magische krachten had. Harriet was daar sceptisch over, maar ze voelde zich altijd kalm en tevreden wanneer ze hem droeg, dus legde ze zich bij dat droombeeld neer.

'We zijn er bijna,' zei Rosa terwijl ze een nieuwe sigaret opstak en naar de zandweg wees die vanaf de weg kronkelend in de bossen verdween. Ze reden al sinds ze Drum Creek uit waren op land van Belvedère.

Rosa ging langzamer rijden, draaide van de weg af en reed onder een grote balk boven de weg door waar BELVEDÈRE in het hout stond gebrand. Het asfalt van de weg was al lang geleden weggespoeld en het zalmkleurige pad slingerde tussen overhangende bomen door en om grote stukken Australisch gras heen waarvan de pluimen wuifden in de wind die werd opgewekt door de voorbijrijdende auto.

Wallaby's stonden op hun hoede te kijken, terwijl hun oren als radarschotels heen en weer draaiden en zij de indringers in de gaten hielden. Vogels vlogen luid protesterend op en een kudde wilde geiten ging springend aan de kant terwijl Rosa een weg zocht tussen de kuilen en de diepe bandensporen. Een verlegen mierenegel groef zich in aan de rand van de weg en grote zonnebadende leguanen waggelden weg, sloegen met hun dodelijke klauwen in de bast van de dichtstbijzijnde boom en klommen naar boven.

Harriet klampte zich vast aan de portiergreep en probeerde zich min of meer in evenwicht te houden terwijl de huurauto hotste en botste en slingerde in het spoor. 'Denk je wel aan die vijftienhonderd dollar borg die we kwijtraken als we schade oplopen?' kreunde ze terwijl Rosa de versnellingsbak mishandelde en een van de achterwielen in een diepe geul terechtkwam waardoor de uitlaat over de grond schraapte.

'Kan er niks aan doen,' zei Rosa. 'Connor heeft jaren geleden al gezegd dat hij dit zou verhelpen.'

Het spoor werd duidelijk weinig gebruikt en het zou waarschijnlijk een fortuin hebben gekost om het te asfalteren, dus Harriet had er wel begrip voor dat Connor niet stond te springen om het te repareren. Ze keek naar de omgeving en haar adem stokte in haar keel toen ze uit de schaduw van de bomen kwamen en de top van de lage heuvel bereikten. Belvedère strekte zich in de vallei onder hen naar alle kanten uit. Vriendelijk soezend in de middagzon, zo bekend en verwelkomend als het altijd was geweest. Ze slaakte een zucht van genoegen. Ze was thuis.

Catriona zat aan haar kaptafel en bekeek haar spiegelbeeld. Slapeloze nachten en duistere gedachten waren de pest voor haar teint, realiseerde ze zich terwijl ze make-up op haar gezicht smeerde en haar haren borstelde. Ze haalde het parelsnoer uit het juwelenkistje, maakte het vast om haar nek en deed de bijpassende knopjes in haar oren.

Haar diamanten ringen glinsterden toen ze ging staan en haar jurk glad trok over haar heupen. Die was boterkleurig, strak en recht en kwam tot net onder haar knie. Een sjaal van chiffon en lage schoenen waren haar enige accessoires. Dat moest voldoende zijn. Ze haalde diep adem en forceerde een glimlach: de meisjes kwamen thuis en ze vertikte het om ze te laten merken dat ze zich ergens zorgen over maakte.

Toen ze het geluid van een naderende auto hoorde, draaide ze zich om naar het raam. Daar waren ze. Ze haastte zich de kamer uit, sloeg met een klap de hordeur open en was tegelijk met de auto onder aan de verandatrap.

'Mam!' Rosa sloeg haar armen om haar heen en gooide haar bijna omver.

'Catriona,' schreeuwde Harriet terwijl ook zij haar omhelsde.

Ze drukte ze stevig tegen zich aan en liet ze slechts met tegenzin los. Haar meisjes waren weer thuis.

Alles zou goed komen.

22

Harriet liet Rosa en Catriona alleen zodat ze konden bijpraten en liep door het halletje door de hordeur naar buiten naar de veranda. Vanuit de zitkamer klonk het geroezemoes van stemmen en hoewel de woorden niet waren te onderscheiden, begreep ze uit het gelach dat Rosa haar moeder vermaakte met verhalen over haar stadse escapades.

Harriet leunde tegen de balustrade van de veranda, dronk de warme, geurige lucht in en voelde hoe de tevredenheid waarmee haar bezoeken aan Belvedère altijd gepaard gingen, bezit van haar nam. Ze keek over de grote open plek naar de gebouwen van de fokkerij, de kralen en hokken en vergeleek ze met haar normale omgeving. Terwijl ze de omgeving in zich opnam, herinnerde ze zich haar jeugdjaren hier. Dat was volstrekt anders dan het leven in de stad.

In Sydney zou ze achter haar bureau zitten, of zich door het verkeer worstelen op weg naar de rechtbank. Haar uitzicht was van een andere soort schoonheid, met glazen torens die het water weerspiegelden dat langs de elegante zeilen van het Opera House stroomde. Ze bracht haar werkdag door in de bedachtzame stilte van de wet en het ritueel van de rechtspraak – de beperkingen van het beroep van haar keuze. Maar hier? Hier was vrijheid.

Ze zuchtte van genoegen. De zon stond hoog aan de wolkeloze hemel, de hitte wierp een waas over het omringende land en de bijgebouwen. Er was een wegtrein gearriveerd, een enorme truck met oplegger en drie aanhangers voor vee erachter, die een grote stofwolk opwierp. Dit stof kolkte en draaide en daalde ten slotte als een roestige sluier op alles neer terwijl de kudde loeiende stieren de loopplanken werd opgedreven en werd verdeeld over de twee boven elkaar gelegen rijen hokken.

Connor was nog niet naar de boerderij gekomen om hen te verwelkomen, maar nu draaide hij zich om en grijnsde, terwijl hij tegen de rand van zijn hoed tikte om aan te geven dat hij wist dat ze er waren. Harriet keek een tijdje naar hem en de overige mannen tot ze zich realiseerde dat ook zij nauwlettend in het oog werd gehouden. Het lag in de blikken vanonder de van zweet doordrenkte hoeden, het was te zien aan de bestudeerde onverschilligheid waarmee ze heen en weer liepen en net deden of ze druk bezig waren, in plaats van haar eens goed te bekijken.

Ze boog haar hoofd en beet op haar lip om niet te hoeven lachen. Er was geen gejoel of gefluit, maar het deed haar wel denken aan de verschrikking van in de stad langs een bouwplaats lopen – en dat was iets waar ze zich al jaren geen zorgen meer over maakte – dus was het op een bepaalde manier wel vleiend om zo in het middelpunt van de belangstelling te staan.

Ze trok zich terug in de schaduw en liep over de veranda tot ze aan de andere kant en uit het zicht van de mannen was. Het uitzicht vanaf deze plek was fantastisch: honderden hectares taai, geel gras dat golfde in de hete wind en de treurende eucalyptussen die nauwelijks een schaduw wierpen. Groepjes naaldbomen staken groene torens in de lucht en de bijna ondoordringbare duisternis eronder zag er na het verblindende licht bijna verwelkomend uit.

Harriet pakte haar bos haar bij elkaar en maakte het met een haarspeld stevig boven op haar hoofd vast. De gedachte aan een lange verkoelende douche was verleidelijk, maar ze zou moeten wachten tot ze naar bed ging, wanneer het misschien echt zin zou hebben. Ze veegde met een zakdoek de druppels zweet van haar gezicht en ging zitten. Het was heet, zelfs in de schaduw en ze voelde de zweetdruppels langs haar rug lopen en haar zijden blouse doorweken. De spijkerbroek was een vergissing, die zat te strak, en ze wou dat ze een korte broek had aangedaan.

Terwijl ze in de oude, rieten stoel zat gingen haar gedachten terug naar al die jaren dat ze hier nu al kwam. Catriona was altijd een vriendelijke en ruimhartige gastvrouw geweest, het soort vrouw van wie ze wou dat haar eigen moeder zo was. Het was verbazingwekkend hoe weinig de jaren haar hadden getekend, dacht ze. Catriona's haar was het prachtige grijs geworden dat alleen mogelijk was bij pikzwart haar. Haar ogen waren nog steeds amethistkleurig en haar huid was gaaf. Je kon je nauwelijks voorstellen dat ze bijna achtenzestig was.

'Ik dacht al dat je ervandoor was. Hier, dit zul je wel kunnen gebruiken.' Rosa kwam de hoek om en haar blote voeten maakten nauwelijks geluid op de houten vloer. Ze gaf Harriet een glas waarin het ijs tinkelde, liet zich in de stoel naast haar ploffen en slaakte een zucht van tevredenheid. 'Gin, tonic, een schijf citroen en ijs. Precies wat de advocaat voorschrijft.'

'Is het niet een beetje vroeg?' wierp Harriet tegen.

Rosa keek met samengeknepen ogen naar de zon. 'De zon is over de schuur. Laat genoeg.'

Harriet nam een diepe teug. 'Dat gaat er wel in,' gaf ze toe. 'Waar is Catriona? Ze laat een slok gin niet gauw aan haar neus voorbijgaan.'

'Ze komt zo,' zei Rosa. 'Er belde net iemand, dus ik heb haar maar even alleen gelaten.' Ze nam nog een slok, zette toen het glas op de grond en stak een sigaret op. Terwijl ze de rook uitblies, leunde ze achterover en deed haar ogen dicht. 'Ik maak me eerlijk gezegd een beetje zorgen om haar,' zei ze na verloop van tijd. 'Ze ziet er moe uit en ik heb het gevoel dat ze zich ergens zorgen over maakt.'

Harriet keek haar vriendin aan. 'Waar kan Catriona zich in vredesnaam nou zorgen over maken?'

'Ik weet het niet.' Rosa haalde haar schouders op. 'Ik heb haar ernaar gevraagd, maar ze zei dat ze alleen maar slecht sliep.' Ze deed haar ogen open en leunde met haar ellebogen op haar knieën. 'Maar mam slaapt altijd als een roos, dat heeft ze altijd gedaan. Er klopt iets niet, dat voel ik gewoon.'

'Misschien moeten we de dokter laten komen voor een uitgebreid onderzoek?'

'Dat heb ik al voorgesteld, maar daar wil ze absoluut niets van weten,' zei Rosa.

'Ik laat geen enkele dokter in me prikken en porren.' Catriona kwam in zicht, terwijl haar hakken op de veranda tikten. 'En ik zou het op prijs stellen als jullie niet achter m'n rug over me kletsten.'

Harriet en Rosa schrokken als twee kleine kinderen die waren betrapt. 'Als je ons niet vertelt wat je dwarszit, wat kunnen we dan anders dan speculeren?' zei Rosa vastberaden.

Catriona keek hen beiden boos aan, ging toen in een andere stoel zitten en keek uit over haar land. 'Dat heb ik je al gezegd,' antwoordde ze. 'Ik slaap slecht. Waarschijnlijk last van m'n spijsvertering.' Haar toon maakte bij voorbaat een einde aan de discussie en ze veranderde van onderwerp. 'Heb ik jullie wel eens verteld hoe het kwam dat ik deze plek voor het eerst zag?' Ze wachtte niet op een antwoord. 'Ik droomde ervan toen ik nog een kind was. Ik zag het van daarboven,' en ze wees naar de heuvels in het westen. 'Ik realiseerde me toen niet hoelang het zou duren voor die droom werkelijkheid werd en nu zit ik al dertig jaar hier.' Ze lachte en haar gezicht begon weer te stralen terwijl ze haar gin-tonic in de hoogte stak. 'Op de volgende dertig.'

Catriona deed haar best om te blijven glimlachen; nu ze thuis waren, was het makkelijker om de duistere gedachten achter zich te laten. 'Hoe gaat het met je werk?' vroeg ze Rosa.

'Moeilijke kinderen, scheidingen, misbruik, gewelddadige huwelijken. Z'n gangetje, maar het is bevredigend,' antwoordde Rosa en ze rookte ondertussen haar sigaret.

Catriona wendde zich tot Harriet. 'Ik denk dat bedrijfsrecht heel wat minder stress met zich meebrengt, of niet?'

Harriet lachte. 'Je maakt een grapje, zeker? Er vloeit meer bloed in directiekamers dan in welke steeg in de stad dan ook. Het grote geld betekent grote ego's en nog grotere boeven. Maar ik geniet ervan.' Ze glimlachte en haar buitengewoon blauwe ogen twinkelden van pret.

Catriona besefte dat de belofte van schoonheid die Harriet als jong meisje in zich had, volledig was waargemaakt en ze had met haar slanke figuur en sierlijke manier van bewegen een geweldige danseres kunnen worden. Jurist was zo'n droog en stoffig beroep, maar de meisjes schenen er volop van te genieten. Ze zuchtte, plotseling benijdde ze hen hun jeugd en enthousiasme. Wat was het in haar tijd anders geweest. Toen mochten vrouwen dergelijke beroepen niet uitoefenen en er werd van hen verwacht dat ze hun werk onmiddellijk eraan zouden geven op het moment dat ze trouwden.

Catriona keek diep in gedachten uit over het in de zon bakkende land. Het krantenartikel betekende dat er heel wat dingen waren die in het reine moesten worden gebracht; er zaten veel kanten aan haar verhaal die de mening van deze jonge vrouwen over haar misschien zou veranderen en dat zorgde ervoor dat ze aarzelde om haar last te delen. Toch moest ze dat doen, want op een dag zou het algemeen bekend worden en het zou niet eerlijk zijn als ze het uit de krant moesten vernemen.

Harriet raakte even haar hand aan, waardoor ze weer terugkeerde naar het heden. 'Een kwartje voor je gedachten, Catriona.' Ze had een bezorgde uitdrukking op haar gezicht.

Ze forceerde een glimlach. 'Ik heb een beetje slecht nieuws gekregen,' begon ze. Ze pauzeerde terwijl zij zich gespannen en vol verwachting vooroverbogen.

'Wat is het, mam?' Rosa's ogen waren groot van afschuw. 'Je bent toch niet ziek, hè?'

Catriona realiseerde zich dat ze het helemaal verkeerd aanpakte. 'Nee,' zei ze vastberaden. 'Ik ben kerngezond.' Ze nam een slok van haar drankje en haar gedachten tolden door haar hoofd terwijl ze naar een blad van de eucalyptus keek dat naar de vloer van de veranda dwarrelde. Ze besefte dat ze het niet over haar hart kon verkrijgen, of de moed er niet voor had, om de waarheid te vertellen, dus besloot ze dat een leugentje om bestwil weinig kwaad kon. Ze liep op de zaken vooruit, haar levendige fantasie in combinatie met het gebrek aan slaap veranderde haar in een neuroot. Het zat er echt niet in dat de politie uit de bosjes tevoorschijn zou springen om haar te arresteren, en wat de pers aanging, ze was al zo lang niet meer in het nieuws, dat ze waarschijnlijk al vergeten waren wie ze was.

'Mam?' Rosa's stem beefde.

Ze zette haar gedachten op een rijtje, rechtte haar rug en glimlachte. 'Het gaat om een oud schandaal waarvan ik dacht dat het allang begraven was,' zei ze en ze vertrok haar gezicht toen de ironie van haar woorden tot haar doordrong. 'Ik had ooit eens een minnaar en hij dreigt nu alles te onthullen als ik hem niet betaal.'

'Dan moet je tegen hem zeggen dat hij dat maar moet doen en verder de pot op kan,' zei Rosa. 'De klootzak. Hoe heet hij? Dan zal ik hem eens een gepeperde brief sturen om hem te waarschuwen dat chantage een ernstig misdrijf is.'

Catriona lachte. 'Je bent een echte Jack Russell als je in de verdediging gaat.' Ze sloeg haar arm om Rosa en drukte haar even tegen zich aan. 'Ik kan hem wel aan, maak je geen zorgen, schat. En ik beloof je, hij krijgt geen cent van me.'

'Het verbaast me dat je je zorgen maakt om zoiets stoms,' zei Harriet. 'Ik bedoel, de pers zal nooit geïnteresseerd zijn in een oud schandaal.'

Catriona ging staan en sloeg haar armen om zich heen. 'Je hebt gelijk, Hattie,' zei ze gedecideerd. 'Ik heb alles tot buiten alle proporties opgeblazen. Ik zou gevleid moeten zijn dat hij me zich nog herinnert. Het was jaren geleden.' Ze grijnsde naar hen. 'Ik heb duidelijk een blijvende indruk gemaakt.'

Rosa lachte en ging weg om hun glazen bij te vullen. Maar Catriona zag Harriets vorsende blik en ze besefte dat het meisje zich niet echt voor de gek had laten houden. Vastbesloten om het onderwerp verder te laten rusten, draaide ze zich om, keek naar het bosje naaldbomen en ademde de heerlijke geur van eucalyptus, dennen en droge, warme aarde in. Vanuit haar ooghoeken zag ze een beweging waardoor ze omhoogkeek en ze glimlachte van verrukking en plezier. Dit was een schouwspel dat ze de laatste tijd maar zo zelden had gezien, want deze bijzondere vogel kwam nooit dicht in de buurt van de beschaving.

De goudbruine wigstaartarend zweefde hoog boven de thuisweide, zijn vleugels uitgespreid om de thermiek te kunnen vangen, zijn roofdierblik gericht op iets in het gras. Ze keek naar de langzame, bijna luie glijvlucht van deze prachtige jonge roofvogel terwijl hij lager en lager cirkelde. Zijn vleugels maakten nauwelijks geluid. De dood zou stil en onmiddellijk komen.

Haar adem stokte haar in de keel toen de vogel een bocht maakte en zich als een pijl naar de aarde stortte om vrijwel meteen weer op te stijgen met zijn prooi in zijn wrede klauwen. Het konijn was verschalkt – en Catriona vroeg zich af of dit een voorteken was van de dingen die haar te wachten stonden.

Harriet hield haar adem in terwijl ze naar de luchtshow keek. Ze snakte naar adem toen de vogel het konijn pakte en wegvloog en ze bleef hem bewonderend nakijken tot hij niet meer was dan een stip in de vlammende zonsondergang.

'Wat een schouwspel, hè?' vroeg Catriona toen ze weer in haar stoel ging zitten. 'Zoiets krijgen we niet iedere dag te zien.'

'Dan voel ik me dubbel bevoorrecht,' zei Harriet nog steeds ademloos. 'Ik had gelijk toen ik het over droomlandschappen had. Deze plek heeft een heel eigen magie.'

Catriona glimlachte. 'Droomlandschappen,' zei ze voor zich heen. 'Een uitstekende omschrijving, die ik me herinner jaren geleden gebezigd te hebben. Maar niet alle dromen zijn gelukkige dromen en het leven hier kan wreed en hard zijn en soms domweg bloederig, dus laat je niet te veel meeslepen.'

Harriet voelde hoe haar gezicht warm werd bij deze milde terechtwijzing. 'Sorry,' stamelde ze.

Catriona glimlachte. 'Je hoeft je niet te verontschuldigen, Harriet. Ik hou van je verbeeldingskracht. Dit is tenslotte het land van het Dromen, de plek waar de legenden van de Droomtijd hun oorsprong hebben.' Ze nam Harriets kin in haar hand en tilde haar gezicht zachtjes op tot ze elkaar in de ogen keken. 'Ik vermoed dat Billy's verhalen en legenden je ideeën over deze plek hebben beïnvloed, dat is bij mij tenminste wel gebeurd. Hij is nogal een verteller, maar hij zal altijd trouw blijven aan het Dromen, dat is zijn erfgoed en wat hem maakt tot de man die hij is.'

Harriet knikte, in de ban van de violette ogen en de scherpe blik. Ze was zich heel erg bewust van de aanraking van de oudere vrouw, van de zachtheid die ze bezat en die zo in tegenspraak was met de wereldwijze, mondaine persoon die ze voordeed te zijn. Catriona had haar in de loop der jaren zo veel gegeven en haar genegenheid voor deze vrouw maakte haar vastbesloten om uit te vinden wat haar nu werkelijk dwarszat.

Catriona moest de vragen in haar ogen hebben gezien, want ze maakte zich plotseling van haar los. 'Oké,' zei ze zakelijk. 'Genoeg gekletst. Tijd om te gaan douchen en eten. Je zult wel moe zijn en we komen hier bijtijds uit de veren, weet je nog, dus jullie zullen vroeg naar bed moeten. Ik heb jullie op één kamer gelegd; dat scheelt weer heen en weer gesluip 's nachts omdat jullie zonodig moeten roddelen.'

Harriet kon het niet weerstaan een blik op haar horloge te werpen. Het was nog maar net zeven uur geweest en de zon verdween juist achter de heuvels. Ze had vergeten dat het hier vroeg naar bed, en nog vroeger weer op was.

'Ik weet dat het vroeg is, vergeleken met de tijden die je in de stad gewend bent, maar hier gelden andere regels. We moeten gebruikmaken van elk uurtje daglicht – in het donker kun je niets beginnen met vee.' Ze begon terug te lopen in de richting van de voordeur. 'Ik heb meer dan genoeg eten in huis. De mannen weten ongetwijfeld al dat jullie er zijn en gaan alleen maar uit hun dak als jullie tweeën het heiligdom van het kookhuis betreden. Die arme Connor heeft het al moeilijk genoeg.'

'Potdomme,' mompelde Rosa terwijl ze achter Catriona aan over de veranda liep. 'Je zou haast denken dat ze nog nooit eerder een vrouw hebben gezien. Het is niet alsof ze ons niet kennen.'

'Jullie zijn geen van beiden kinderen meer,' antwoordde ze. Ze hield plotseling halt en bekeek Rosa's kleding. 'Probeer je een beetje meer te bedekken, Rosa,' zei ze vermoeid. 'Het heeft de vorige keer dat je hier was weken geduurd voor de mannen weer een beetje gekalmeerd waren en dit is de drukste tijd van het jaar. We kunnen niet hebben dat ze van de kook raken.'

Rosa gaf haar een kus op de wang en grinnikte. 'Ik zal me als een non kleden, mam, als jij belooft dat we de beste paarden mogen gebruiken en met de mannen mee mogen achter de wilde paarden aan.'

'Hmm.' Catriona keek haar kwaad aan, maar ze kon duidelijk niet lang boos blijven. 'Dat is het misschien nog waard ook,' zei ze en haar ogen sprankelden van humor. 'Maar ik denk niet dat je een kap en habijt hebt ingepakt, dus dat handeltje gaat niet door, jongedame.'

Rosa giechelde, rende de trap af en griste haar weekendtas uit de auto. Ze haalde een gevalletje van zwarte chiffon uit de tas tevoorschijn en hield dat omhoog. 'Dit lijkt me wel iets voor vanavond. Ik denk dat het wel gewaardeerd wordt als ik mijn goede vriend Kokkie gedag ga zeggen.'

Harriet probeerde haar lachen in te houden terwijl Catriona het minuscule jurkje vol afschuw bekeek. Het was de jurk die Rosa die avond ervoor met zo veel succes in Emerald had gedragen. 'Jij wint,' zei Catriona die nauwelijks haar lachen kon houden. 'Als Connor het goed vindt, dan mogen jullie aan het einde van de week mee. Er slingeren te veel scherpe messen rond en ik kan me niet veroorloven om m'n hele ploeg kwijt te raken als ze eenmaal beginnen te knokken.'

'Verdorie,' zei Rosa terwijl ze het bundeltje stof weer in haar tas propte. 'Ze moeten eens gaan leven.'

Harriet was geneigd haar gelijk te geven, maar de blik van Catriona deed haar haar mond houden. Ze boog zich in de auto, pakte haar eigen tas en vervolgens gingen ze allemaal naar binnen.

'Oost west, thuis best,' zong Rosa terwijl ze door de hordeur liep. 'Ik douch als eerste!'

Harriet liep achter Rosa aan door het halletje. Het was allemaal zo bekend, zo heel anders dan haar eigen keurige rijtjeshuis in Sydney en haar moeders penthouse en ze voelde zich, zoals altijd, onmiddellijk thuis. Er was een bos veldbloemen in een jampot gepropt die op de ladekast was gezet. Er stond een stuk papier tegenaan geleund dat hen welkom heette.

'Je moet een goede indruk hebben gemaakt,' zei Rosa toen ze de bloemen zag. Ze smeet haar tas op het bed en pakte twee handdoeken en haar toilettas. 'Dat heeft Connor nog nooit eerder gedaan.'

Harriet zette haar tas op de grond en probeerde de verwelkte bloemen te redden. Ze deelde de bos in tweeën, vond nog een jampot in de keuken en zette die op de kaptafel. Het was een leuk gebaar, vond ze. Connor was duidelijk ingenomen met het feit dat zijn zus weer thuis was. 'Ik denk dat hij ons gewoon wilde opvrolijken,' zei ze voor zich uit.

Rosa trok een pikzwarte wenkbrauw op. 'Connor doet niet aan binnenhuisarchitectuur, Hat. Of hij voelt zich ergens schuldig over, of hij probeert indruk op je te maken.' Ze giechelde. 'Ik durf te wedden dat hij dat stiekem heeft gedaan. Kun je je voorstellen wat hij zou moeten verduren als een van de anderen hem daarmee bezig had gezien?'

Dat kon Harriet zich maar al te goed voorstellen en ze voelde even medelijden met Rosa's broer. Het moest verdraaid lastig zijn om steeds maar het imago van macho op te moeten houden. 'Er zijn momenten dat ik erg blij ben dat ik een vrouw ben.' Ze ging naar de keuken en nam het aanbod voor een kop thee aan. 'Al moet ik toegeven dat ik niet direct het juiste beroep heb gekozen. Advocaten voelen zich heel loyaal aan hun oude school en met dat en de hechte band tussen mannen, is het niet bepaald de eenvoudigste manier om de kost te verdienen.'

'Precies. Uit de hand gelopen kameraadschap, als je het mij vraagt, maar wat doe je er als meisje tegen? Als je ze niet kunt verslaan, moet je maar meedoen. Meidenmacht is aan het groeien, Hat. Hou het in de gaten.' Ze beende naar de badkamer en enkele ogenblikken later konden ze haar enthousiast en vals horen zingen.

Harriet en Catriona keken elkaar tevreden glimlachend aan – ze waren weer allemaal bij elkaar.

De slaapkamer die ze altijd deelden wanneer Harriet kwam logeren, was geen spat veranderd. Het was alsof de klok was teruggedraaid. De kamer zat vol jeugdherinneringen en lag nog steeds bezaaid met Rosa's poppen en boeken en was versierd met de rozetten die ze allebei hadden gewonnen bij de plaatselijke behendigheidswedstrijden. De bedden waren bedekt met quilts en er lagen zachte, dikke tapijten op de geboende houten vloer. Het deed Harriet ook denken aan hun studententijd toen Rosa en zij een klein appartement in King's Cross hadden gedeeld. De kleine kamers waren nog schaarser gemeubileerd geweest dan dit, maar ze hadden de boel opgevrolijkt met kussens en gordijnen en grote posters om de vochtplekken op de muren te bedekken. Papieren bloemen, geurkaarsen en wierook hadden er een exotisch tintje aan toegevoegd en het gezellig gemaakt.

Haar moeder vond het afschuwelijk en had haar best gedaan om Harriet ertoe over te halen in een duur appartementencomplex in de stad te trekken, maar Harriet wilde niet het gevoel hebben dat ze anders was dan andere studenten en had de boot afgehouden, omdat ze wist dat ze haar studententijd veel meer zou waarderen wanneer ze in dezelfde omgeving verkeerde als haar vriendinnen.

Terwijl ze elkaar in de smalle ruimte tussen de twee bedden verdrongen, leek Rosa hetzelfde te denken. 'Net als vroeger,' zei ze, terwijl ze zich langs Harriet perste en haar haar met een handdoek begon af te drogen. 'Maar het is wel erg vol en kan wel een opruimbeurt gebruiken.'

Harriet glimlachte. 'We zijn verwend,' zei ze terwijl Rosa een spijkerbroek en een overhemd aantrok. 'Ik weet nog dat je me meenam naar dat huisje waar jullie met je oma woonden. Dat was lang niet zo luxueus als dit hier.'

Rosa woelde door haar vochtige haar tot het als de blaadjes van een chrysant om haar gezicht viel en ze er weer als achttien uitzag. 'Je hebt gelijk,' gaf ze toe. 'Het was een hok, om eerlijk te zijn. Dat is waarschijnlijk de reden dat het zo lang heeft leeggestaan.'

Omdat zijn huisje geen eigen badkamer had, moest Connor op zijn beurt in de gemeenschappelijke douches wachten. Hij kon het niet helpen dat hij moest lachen om de gesprekken die om hem heen klonken en de moeite die de mannen deden voor hun uiterlijk. Zoiets had hij niet meer gezien sinds de laatste jaarmarkt in Drum Creek. Het was onvoorstelbaar wat de aanblik van een paar vrouwen teweeg kon brengen, zelfs al kende het merendeel van de mannen Rosa en Harriet al van kindsbeen af.

Hij kreeg eindelijk de kans een korte douche te nemen en zich te scheren; hij trok een schone spijkerbroek en een pasgewassen overhemd aan en ging vervolgens achter de anderen aan naar het kookhuis waar hij het eten voor de bewoners van de boerderij moest halen.

Het kookhuis was net als Belvedère bijna honderd jaar oud. Het was zo hier en daar vervallen, en kon wel een lik verf en nieuwe ramen gebruiken, maar in zijn algemeenheid was het een stevig gebouw dat het nog wel honderd jaar kon uithouden, vooropgesteld dat de termieten en bosbranden het voor die tijd niet te pakken kregen.

Het kookhuis was zo lang en zo breed als een kerk en het dak verhief zich hoog in de lucht boven stevige balken. Een enorme, met de hand gemaakte tafel stond in het midden van de stoffige houten vloer met aan weerszijden lange banken. Er lag geen tafelkleed op, er stond alleen maar een rij sausflessen en specerijen en manden versgebakken brood.

Connor stapte door de deur naar binnen en werd begroet door een muur van geluid. Hij was onder de indruk van de hoeveelheid lawaai die dertig mannen konden maken. De stemmen weerkaatsten tegen de balken terwijl de mannen verhalen uitwisselden en lachten en grappen maakten, ontspannen als ze waren aan het einde van weer een lange dag. Het geluid van bestek op de borden werd begeleid door het geschraap van stoelen en laarzen op de vloer. En aan het hoofd van dat alles stond een kolos van een kerel: Kokkie.

Niemand wist hoe hij werkelijk heette, en als ze dat al ooit geweten hadden, dan was die naam al lang weer vergeten, want hij was hier al sinds mensenheugenis. Kokkie was van onbestemde leeftijd, en had een dik rood gezicht dat glom van het zweet terwijl hij dampende groenten en gegrilde biefstukken serveerde. Zijn armen waren zo groot als hammen en zijn enorme buik getuigde van een voorliefde voor zijn eigen kookkunst. Zijn humeur was legendarisch en de enige die het zich kon veroorloven om brutaal tegen hem te doen, was Rosa, die hij aanbad vanaf het moment dat ze als magere achtjarige voor het eerst voet zette op Belvedère. 'Hallo, Connor,' riep hij boven het lawaai uit. 'Hoe gaat het met m'n meisje? Ze is me nog niet komen opzoeken. Zeg tegen haar dat ze haar kont 's optilt en langskomt bij haar goede oude oom Kokkie.' Hij boog zich voorover. 'Ik heb gehoord dat ze deze keer Hattie heeft meegenomen?'

'Nou en?' riep hij terug.

Het werd onmiddellijk stil. Connor was zich ervan bewust dat alle ogen op hem waren gericht en ieder oor gespitst was om een flard van een roddel op te vangen. 'Zet het eten maar op een blad,' mompelde hij. 'Ik eet vanavond op de boerderij.'

'Dus je houdt ze allebei voor jezelf, hè?' schreeuwde een van de veedrijvers.

'Ja,' zei Connor lijzig. 'Ik laat een stelletje straathonden als jullie niet in de buurt van mijn zus komen.'

'En hoe zit het met die andere? Da's een stuk. Ik vind dat je moet delen, Connor, m'n ouwe vriend. Ik zou haar wat laten beleven.'

'Weinig kans,' riep hij boven het bulderende gelach uit dat op deze opmerking volgde. Hij grinnikte toen tot hem doordrong dat de spreker een klein, miezerig mannetje was die een eind in de vijftig moest zijn en de meeste van zijn voortanden miste. Dat gold overigens ook voor zijn manieren. 'Ik denk niet dat ze zo'n ouwe knakker als jij zou kiezen, maat. Maar ik wil het telefoonnummer van haar oma wel vragen als je wilt.'

Dit veroorzaakte een nieuw lachsalvo en Connor laadde snel het dienblad vol en ging ervandoor. Toen hij over het erf liep zag hij dat Harriet en Rosa op de veranda op hem stonden te wachten. Ze hadden zich tenminste fatsoenlijk aangekleed, dacht hij dankbaar.

Rosa gaf hem een knuffel en een zoen. 'Waarom moesten ze zo vreselijk lachen?' vroeg ze terwijl ze de hordeur voor hem openhield en achter hem aan naar de keuken liep.

'Wat denk je?' zei hij en hij hielp haar het eten op tafel te zetten. 'Het wordt nog een hels karwei om dat stelletje in bedwang te houden zolang jullie twee hier zijn,' voegde hij eraan toe, ondertussen een blik op Harriet werpend.

'Kom, kom,' zei Rosa. 'Je weet hoe ze zijn, Con. Een grote mond en een klein hartje. Ik durf te wedden dat als Harriet en ik daar nu naartoe gingen, ze hun mond niet open zouden durven doen. Dan zouden ze braaf hun bordje leegeten en er muisstil vandoor gaan.'

Hij grinnikte, want hij wist dat het waar was. De mannen van het platteland waren niet gewend aan vrouwen als Rosa en Harriet; ze waren al verlegen in aanwezigheid van de meisjes in de kroeg in Drum Creek en meer op hun gemak in de mannelijke omgeving van de fokkerij waar ze veel meer begrepen van het vee en het gras en de grillen van de elementen dan van de behoeftes van welke vrouw dan ook. Ze zouden de gestudeerde Rosa en Harriet als een bedreiging zien, als buitenaardse vrouwen uit de stad, en daarom onbenaderbaar. Niet dat hij zoveel beter was, gaf hij toe, terwijl hij aanviel op zijn biefstuk. Rosa kon hij begrijpen, ook al waren hun levens zo verschillend geworden door haar opleiding en het leven dat ze in Sydney leidde. Maar bij Harriet lag dat anders.

Hij had door Rosa's brieven gevolgd wat ze allemaal deed en hoewel hij haar al kende sinds ze een kind was, was ze nu uitgegroeid tot een heel aantrekkelijke jonge vrouw. Het was om zenuwachtig van te worden en hij was zich maar al te zeer bewust van het feit dat ze tegenover hem aan tafel zat. Ze zag er zo koel en werelds uit, al voelde ze zich hier op Belvedère duidelijk volledig op haar gemak.

Hij keek op van zijn bord en zag dat hij in een paar ogen keek die de kleur hadden van een diepe poel. Hij hield haar blik lange tijd gevangen, tot hij begon te glimlachen en wegkeek. Harriet was een koele kikker, daar was geen twijfel over mogelijk, maar wat vond ze werkelijk van Belvedère, van hem? Het was misschien wel interessant om daar eens achter te komen.

Harriet stapte uit bed en rekte zich uit. Ze had prettig gedroomd en goed geslapen en nu voelde ze zich verfrist en klaar voor de dag die voor haar lag. Ze rilde een beetje van de kou en trok een trui aan over haar T-shirt dat ze als nachthemd gebruikte, greep een paar dikke sokken en keek naar het andere bed. Rosa lag begraven onder de dekens, alleen een paar sprieten van haar haar waren zichtbaar en er klonken gedempte snurkgeluiden uit de kussens. Het zou niet eerlijk zijn om haar wakker te maken.

Harriet liep de slaapkamer uit en ging naar de keuken. Het licht stroomde door het venster naar binnen en ze was stomverbaasd toen ze zag dat het nauwelijks halfzes was, een tijdstip waarop ze normaal gesproken nog voor dood lag. Ze rilde weer en warmde zich dankbaar aan de Aga. Het was verrassend koud, ook al was de zomer nog niet helemaal voorbij, maar ze herinnerde zich de vorige bezoeken die ze in de loop der jaren had gebracht en ze was op alles voorbereid en had dikke skisokken meegenomen die ze als pantoffels gebruikte.

Ze bewoog zich zonder lawaai te maken door de keuken, zette een kop sterke thee voor zichzelf en ging een oud tijdschrift zitten lezen dat Catriona op de kast had laten liggen. Het was heerlijk om 's morgens tijd voor jezelf te hebben, om lekker in de stilte te zitten zonder het dwingende gerinkel van de telefoon of het geratel van typemachines dat de rust verstoorde.

'Ik hoop dat er nog meer thee is?' Rosa schuifelde de keuken binnen. Haar haren stonden overeind en haar oogleden waren gezwollen van de slaap. Ze trok een gezicht. 'Nee maar, Hat, jij ziet er leuk uit. Geweldige sokken.'

'Het is hartstikke koud,' zei Harriet. 'En ik wilde je niet wakker maken door naar mijn kleren te zoeken.' Ze keek naar Rosa's pyjama, waar ze in verdronk, zodat ze eruitzag als een kind. 'Je bent zelf nou ook niet het toppunt van elegantie,' verweerde ze zich. 'Is die pyjama van Connor?'

'Ja, onder in een la gevonden. Ben zo halsoverkop vertrokken dat ik vergeten heb iets in te pakken om in te slapen.' Rosa schonk een kop thee in en liet zich in een stoel bij het fornuis vallen; de mouwen van haar veel te grote pyjama hingen over haar handen terwijl ze in haar pakje sigaretten grabbelde.

De vroege ochtend was niets voor haar, tenzij ze net terugkwam van een feestje of uit een club en Harriet wist dat het maar het beste was om haar langzaam wakker te laten worden en haar alleen te laten met een kop thee en een sigaret. Ze ging de kamer uit, waste zich en trok een losvallende katoenen broek en een dun T-shirt aan en sloeg een trui om haar schouders om zich tegen de ochtendkilte te beschermen. Ze haalde een borstel door haar haar, bond het in een slordige wrong en maakte die vast met een serie felgekleurde spelden. Ze onderwierp haar uiterlijk aan een kritische blik in de kleine spiegel boven de wastafel en besloot dat ze geen zin had de moeite te nemen om make-up op te doen – ze moest zich in de stad al elke dag opmaken en dat nu eens niet te doen was een aangename verandering.

Toen ze zo'n twintig minuten later terugkwam in de keuken, zag ze dat Rosa niet van haar plek was geweest, maar nu wakker genoeg was om het tijdschrift te lezen. 'Ga maar douchen. Ik maak wel ontbijt,' zei Harriet. 'Heb je Catriona al gezien?'

Rosa ging met haar hand door haar haar. 'Ze is niet in haar kamer,' antwoordde ze terwijl ze uitgebreid geeuwde. 'Ze is waarschijnlijk haar ochtendrit aan het maken.' Ze hees de pyjamabroek op en schuifelde naar de badkamer.

Harriet zette thee en maakte toast terwijl ze luisterde naar Rosa's afschuwelijke gezang dat uit de badkamer klonk. Ze was tenminste wakker, dacht ze met een grijns, maar ze moest maar nooit overwegen haar baan op te geven. Met een stem als die van haar zou ze er nooit in slagen daar carrière mee te maken.

Ze nam haar ontbijt mee naar buiten naar de veranda en terwijl ze haar kop thee op de balustrade balanceerde, keek ze toe terwijl Belvedère langzaam tot leven kwam. Er kwam rook uit de schoorsteen van het kookhuis en uit deuren kwamen mannen tevoorschijn, die met hun handen in hun zakken en met lange, gemakkelijke passen over het erf liepen. Het geluid van een hamer op metaal verbrak de ochtendstilte en een dunne stofwolk begon op te stijgen uit de kraal waar de paarden onrustig werden in afwachting van de dag die voor hen lag.

Connor kwam het kookhuis uit en zwaaide voor hij om een hoek verdween. Harriet at haar toast op en nam een slok van haar thee. Hij is een aardige man, gaf ze in stilte toe. Hij was duidelijk helemaal idolaat van Rosa en Catriona en hoewel hij de indruk wekte een taaie te zijn, was ze geraakt door de gedachte achter zijn jampot met veldbloemen. Connor was blijkbaar een stil water met diepe gronden.

'Ik ga even bij Kokkie op bezoek,' zei Rosa met een mondvol toast terwijl ze door de hordeur naar buiten kwam. 'Hij zal nooit meer een woord tegen me zeggen als we nog langer wachten.' Ze at haar ontbijt en keek naar Harriet. 'Ga je mee?'

Harriet nam de zedige broek en de pas gestreken katoenen blouse in ogenschouw. Rosa's haar was in een glimmend kapje van zwart en roze geborsteld en ze had maar een vleugje lippenstift en mascara opgedaan. Haar sieraden waren achtergebleven in de slaapkamer, behalve het zilveren horloge aan haar slanke pols. Rosa zag er bijna respectabel uit. 'O!' zei ze ademloos. 'Je ziet er goed uit, meid. Ik herkende je nauwelijks.'

Rosa haalde haar neus op. 'Ik kan me hier niet achter make-up en kleren verstoppen, daarvoor kennen ze me allemaal te goed,' zei ze. 'Kom op.'

Harriet stak haar voeten in gemakkelijke schoenen en ze stapten de veranda af en staken het erf over in het volle zicht van dertig paar ogen.

Connor kwam de hoek om met zadels en hoofdtuigen in zijn armen. Hij leek niet al te blij om ze te zien. 'De boerderij is die kant op,' zei hij streng tegen Rosa.

''Kom op zeg, Con. We gaan alleen maar even Kokkie gedag zeggen.'

Connor keek kwaad, liet zijn blik in de richting van Harriet gaan en keek toen naar de mannen verderop die nu maar wat rondhingen. 'Laat het niet te lang duren,' mompelde hij. 'We hebben een hoop te doen vandaag.'

Rosa gaf hem een snelle kus op zijn wang. 'Weet je, Connor, je begint een echte ouwe mopperkont te worden. Geen wonder dat geen enkele vrouw je moet.' Ze was ervandoor voor hij een antwoord kon bedenken en Harriet kon niet anders doen dan haar schouders ophalen, grinniken en achter haar aan gaan.

Catriona had opnieuw niet goed geslapen en ze was al voor zonsopkomst van de boerderij vertrokken voor haar ochtendrit. Ze had Billy Birdsong bij de kraal getroffen en gevraagd of hij zin had om mee te gaan. Ze hadden de tijd vergeten en terwijl ze in korte galop door het weidse landschap reden en kletsten en hun plannen met de plek bespraken, voelde Catriona haar zorgen afnemen.

Toen ze terugkwam, zag ze de meisjes in het kookhuis verdwijnen. De mannen hingen maar wat rond en staarden hen na en ze moest glimlachen toen ze zag dat de mannen merkten dat zij hen gadesloeg en ze gauw weer aan het werk gingen. Het was verbazingwekkend hoe de aanwezigheid van twee aantrekkelijke vrouwen het hele leven hier tot stilstand kon brengen.

'Denk meisjes beter goed uitkijken,' zei Billy met een brede grijns. 'De mannen kijken goed.'

Catriona grijnsde terug. 'Ik denk dat die twee heel goed in staat zijn voor zichzelf op te komen, Billy. Maak je maar geen zorgen.' Ze zwaaide naar hem bij wijze van afscheid terwijl hij wegliep om te zien wat zijn vrouw en kinderen aan het uitspoken waren.

Billy's familie had hier al een kamp voor haar tijd, maar ze weigerden in huisjes te gaan wonen die zij voor hen had willen bouwen. Ze gaven de voorkeur aan de hutten en tenten die aan de westelijke kant van de open plek in een kluitje bij elkaar stonden. Dat kamp was niet hygiënisch; het lag vol rommel en de resten van hun vuren. Honden en kinderen speelden in het vuil en de vrouwen zaten het grootste gedeelte van de dag onder de bomen hun baby's borstvoeding te geven en roddels uit te wisselen.

Catriona draaide zich om en begon haar paard af te wrijven. Ze had geprobeerd hen de eerste beginselen van hygiëne bij te brengen en had ze uiteindelijk zo ver gekregen dat ze een bezoekje brachten aan de dokter wanneer die langskwam om hun baby's in te enten, maar verder wilden ze niet gaan. Billy was uiteindelijk naar haar toe gekomen en had haar verteld dat zijn mensen de medicijnen van blanken niet nodig hadden en dat zij er de voorkeur aan gaven zich bij hun stamgebruiken te houden.

Ze liet het paard los in de omheinde wei. Billy's uitgebreide familie was verrassend gezond en de meesten waren goedgemanierd en nuttig om in de buurt te hebben; het enige probleem was alcohol. Billy en zij hadden daarover gesproken en hij had de overige stamoudsten erbij gehaald en verordonneerd dat niemand het spul mocht aanraken. Maar zo nu en dan bracht een van de jonge knechten zijn loon naar de kroeg en kwam dan in een vechtlustige stemming terug.

Ze zuchtte. Het eigendom bracht verantwoordelijkheden met zich mee, maar ze zou absoluut niets ervan willen ruilen voor de stad. Ze keerde de kraal de rug toe en liep in de richting van de boerderij en het ontbijt. Ze was uitgehongerd.

Guit klaagde lang en luidruchtig dat het al lang etenstijd was geweest en toen hij zich om haar benen wond en in de weg liep, trapte Catriona op een van zijn poten en viel bijna terwijl hij wegschoot. Ze greep de stang aan de voorkant van de Aga om haar evenwicht te bewaren en brandde haar hand. 'Kolereding,' zei ze tussen haar tanden terwijl ze haar hand onder de koude kraan hield. 'En wat jou betreft, Guit, jij wordt m'n dood nog eens.'

Guits kreten klonken luider en dwingender. Ze liet hem wachten en daar hield hij niet van.

'Mam? Alles goed met je?'

Ze keek op en zag Rosa en Harriet terwijl alles begon te draaien.

'Het komt wel goed,' hijgde ze. 'Ik moet alleen even gaan zitten.' Ze liet zich door Rosa in een stoel helpen en nam een kop sterke thee van haar aan. 'Het is echt wel in orde,' hield ze vol. 'Ik heb alleen te veel willen doen op een lege maag, dat is alles.' Ze nam een slok van haar thee en trok een gezicht. Rosa had er een heleboel suiker in gedaan.

'Je hebt suiker nodig voor de energie,' zei Rosa vastbesloten. 'Dus zit nou maar geen gezichten naar me te trekken en drink op. Vooruit.'

Catriona trok vragend een wenkbrauw op naar Harriet. 'Bazig type. Denk erom, zelf wilde ze nooit luisteren, hoor. Nu geeft ze me het gevoel dat ik haar stoute meid ben en helemaal de weg kwijt ben.' Ze keek Rosa boos aan over de rand van haar kop, trok weer een gezicht en dronk haar thee. Het was smerig, maar ze moest toegeven dat ze er aardig van opknapte.

'Ik zal ontbijt voor je maken,' zei Harriet. 'Waar heb je zin in?'

'Wat toast en eieren met spek, alsjeblieft.' De duizeligheid was voorbij en ze voelde zich een stuk beter.

Rosa ging in de weer met de koekenpan terwijl Harriet in de koelkast op zoek ging naar spek. 'Suikertekort,' stelde ze vast. 'Je moet echt eten voor je op pad gaat, mam. Kokkie maakt maar wat graag iets voor je klaar. Dat heeft hij vanmorgen nog tegen me gezegd.'

Catriona deed haar ogen dicht en haalde diep adem. Rosa klonk als een bazige schooljuffrouw. 'Als ik zijn hulp nodig heb, zal ik er wel om vragen,' zei ze kortaf. 'Er is niets mis met mijn eetlust, nooit geweest ook en ik zou het op prijs stellen als je je met je eigen zaken bemoeit, Rosa.' Ze deed haar ogen weer open. 'Ik weet dat je het goed bedoelt, maar Kokkie hoeft nog niet achter me aan te lopen.' Ze glimlachte naar haar om het venijn uit haar terechtwijzing te halen. 'Guit en ik worden allebei een dagje ouder en minder lenig, we zijn te veel aan onze manieren gewend om nog te veranderen en we vinden het leuk om ons eigen eten klaar te maken.'

'Die stomme Guit is een verwend kreng,' mopperde Rosa terwijl ze naar de dikke rode kater keek die zich voor de Aga zat te wassen. 'Hij doet niet anders dan slapen en eten en je voor de voeten lopen.'

'Hij is mijn maatje,' zei Catriona. 'En als ik het niet erg vind dat hij op m'n bed slaapt en voor m'n voeten loopt, dan hoef jij dat ook niet te doen. Laat hem met rust.' Ze negeerde Rosa's gemopper, dronk haar thee op en kwam overeind. 'Als je me wilt helpen, schenk dan nog een kop thee voor me in, maar met minder suiker deze keer, en breng m'n ontbijt naar de zitkamer.' Ze wuifde Rosa's protesten weg. 'Harriet, kom eens mee. Ik moet je iets laten zien.'

Harriet liep achter haar aan naar de zitkamer en vroeg zich af wat Catriona in hemelsnaam van plan was. Ze had meer kleur in haar gezicht en leek weer de oude, maar het was een schok geweest toen ze de keuken binnenkwamen en zij zo duidelijk uit haar doen was.

Catriona wees naar het cilinderbureau en ging op de bank zitten. 'Mijn testament zit daarin,' zei ze. 'En alle papieren die Rosa nodig heeft als ik er niet meer ben.' Ze moest de ontkenning op Harriets gezicht hebben gezien, want ze schudde ongeduldig haar hoofd. 'Kijk niet zo, Hattie. Ik ben altijd al realist geweest en er komt een dag dat je dit allemaal moet weten.'

Harriet zei niets en beet op haar lip. 'Denk je niet dat het beter zou zijn als Rosa...' Ze kreeg niet de kans haar zin af te maken.

'Als ik had gewild dat Rosa die papieren uit zou zoeken, dan had ik het haar wel gevraagd,' zei ze kortaf.

Harriet beet op haar lip. 'Die documenten moeten bij een notaris worden gedeponeerd en niet ergens blijven rondslingeren waar ze kwijt kunnen raken of worden vernietigd.'

'Dat weet ik. Daarom wilde ik met jou praten. Wil je ze even pakken, liefje?'

Harriet liep naar het bureau en maakte het deksel open. Er kwam een waterval uit van papieren en oude programma's uit Londen, Parijs en New York, affiches van wereldberoemde theaters en een hele serie brieven van bewonderaars.

'Dat is maar een stukje van mijn leven,' zei Catriona vanaf de andere kant van de kamer. 'De rest zit in die oude hutkoffer, maar dat weet je al, aangezien Rosa en jij die jurken vaak genoeg hebben aangehad.' Ze lachte. 'Ik denk dat ik het eigenlijk zelf allemaal eens definitief zou moeten uitzoeken. Het meeste is gewoon rommel.'

Harriet veegde alles bij elkaar en legde de stapel aan een kant. Ze zocht in de verzameling souvenirs in het bureau en vond uiteindelijk waar ze naar op zoek was. Ze gaf de papieren aan Catriona die ze vlug doorkeek en toen weer teruggaf. 'Lees het door en kijk of alles in orde is.'

Harriet nam de aktes door. Catriona had Belvedère tien jaar eerder al op naam gezet van Rosa en haar broer, zodat er geen successierechten betaald hoefden te worden. 'Weten ze dat ze al eigenaar zijn?' vroeg ze.

Catriona schudde haar hoofd. 'Mijn accountant heeft me geadviseerd het zo te doen en ze hoeven het niet te weten tot ik dood ben.'

Harriet nam de rest van de documenten door. Haar ogen werden groot toen ze de lange lijst las van onroerend goed, aandelen en effecten die Catriona bezat. Haar ogen werden nog groter toen ze de hoeveelheid kostbare juwelen zag die ze had verzameld. 'Ik hoop dat die juwelen ergens veilig zijn opgeborgen,' zei ze ademloos. 'Ze moeten een fortuin waard zijn.'

'Het meeste ligt in een kluis in Sydney. Er moet tussen de papieren een brief zitten van de bank waarin staat dat ze in trust worden gehouden voor de kinderen van Rosa en Connor – als ze ooit aan kinderen toekomen, tenminste,' voegde ze eraan toe. 'De schilderijen zijn permanent uitgeleend aan de Victorian Art Gallery in Melbourne.'

Harriet keek haar vol bewondering aan. Catriona was een slimme, vindingrijke vrouw. Ze had haar zaken keurig op orde en de hebberige vingers van de belastingdienst zouden niet veel te pakken krijgen. Het testament was het laatste document en Harriet nam het snel door. Het was meer dan twintig jaar geleden opgesteld en als getuige getekend door twee directieleden van een welbekende bank. Er was slechts één aanhangsel dat er vijf jaar later aan was toegevoegd. Ze las de woorden, las ze nog een keer en nog een derde keer. Ze keek naar Catriona. 'Dit bijvoegsel,' begon ze, en haar stem klonk hees en haar handen trilden. 'Weet je zeker...?'

Catriona wuifde haar bedenkingen weg. 'Je bent als een dochter voor me geweest, Harriet. En als ik jou een kleinigheid wil nalaten, dan doe ik dat.'

'Drie appartementengebouwen is meer dan een kleinigheid,' wierp ze tegen. 'Eén van die gebouwen moet al meer dan een miljoen waard zijn.'

23

Catriona viel aan op haar ontbijt en at haar bord schoon leeg. Toen ze klaar was, dronk ze haar thee op en bracht de lege borden naar de keuken. 'Ik ga even naar de vrouw van Billy. Ik heb haar en de andere meiden nodig voor een voorjaarsschoonmaak voordat de meute arriveert.' Ze wuifde hun aanbod om te helpen weg. 'Jullie zijn hier op vakantie en aangezien ik niet van plan ben m'n eigen huishoudelijke werk op te knappen, zie ik niet in waarom jullie dat wel zouden moeten doen.'

'Maar we vinden het niet erg,' protesteerde Harriet.

'Maar ik wel,' was Catriona's weerwoord. 'Zoek maar iets leuks om je de rest van de dag mee bezig te houden. Je moet je jeugd niet verspillen aan karweitjes.'

Harriet en Rosa keken elkaar aan terwijl Catriona de hordeur achter zich dichtsloeg. Ze luisterden naar het staccato geluid van de hakken van haar laarzen op de verandavloer en hoorden hoe ze een van de mannen toeriep dat hij aan het werk moest gaan in plaats van rond te hangen bij de boerderij.

'Toen zij gemaakt was, hebben ze de vorm weggegooid,' mompelde Harriet. 'Ze is absoluut enig in haar soort.'

'Ze is een vreselijke lastpost,' snoof Rosa. 'Ze laat zich door niemand helpen en ze is zo koppig als een ezel.' Ze stak een sigaret op en blies een rookwolk in de richting van het plafond. 'Je beseft toch wel dat ze loog toen ze het over die minnaar en de chantage had, hè?'

'Ja,' antwoordde Harriet. 'Ze vermijdt het onderwerp volledig en het wordt net zo moeilijk om uit te vinden wat haar werkelijk dwarszit als veren van een kikker plukken.'

'Wat was dat allemaal daarbinnen? Waar wilde ze dat je naar keek?'

Harriet beet op haar lip – dat was vertrouwelijk. 'Ze wilde gewoon dat ik wat papieren van haar doornam,' zei ze ten slotte.

'Wat waren dat voor papieren?'

'Gewoon, haar testament en wat aktes en zo.' Harriet aarzelde. 'Je hoeft je geen zorgen te maken, Rosa. Alles is in orde.'

Rosa maakte haar sigaret uit. 'Laten we hopen dat het nog lang duurt voor ze het daglicht weer zien,' zei ze ten slotte. Ze schudde haar hoofd alsof ze haar sombere gedachten van zich af wilde schudden. 'Wat dacht je ervan als we een lunch klaarmaakten en naar ons favoriete picknickplekje reden?'

Ze werkten een tijdje in stilte tot Rosa plotseling in lachen uitbarstte. 'Geen wonder dat mam het zo goed deed op toneel,' zei ze terwijl ze de sandwiches in vetvrij papier pakte. 'Ze is een geboren actrice.'

'Ja, ik was er ook bijna ingetrapt.'

Rosa grinnikte terwijl ze een fles wijn uit de koelkast pakte en de zadeltassen begon in te pakken. 'Ik heb je dit nooit verteld, maar toen ik heel klein was, wilde ik dolgraag actrice worden.' Ze giechelde toen ze Harriets verbijsterde uitdrukking zag. 'Ik heb zelfs overwogen in Catriona's voetsporen te treden en bij de opera te gaan.'

Harriet begon te lachen. 'Je maakt een geintje,' proestte ze. 'Met die stem van jou?'

Rosa's gelach kwam diep vanuit haar keel. 'Ik wist niet dat die zo slecht was, toen in ieder geval niet. Ik was twaalf toen een buitengewoon eerlijke zangleraar tegen me zei dat hij nog liever naar een koor brulkikkers luisterde en dat ik me maar beter op iets anders kon richten. Omdat ik nu eenmaal een realist ben, heb ik zijn advies ter harte genomen en ik geloof dat mam tamelijk opgelucht was.' Ze schudde haar hoofd. 'Het moet afschuwelijk zijn geweest om te luisteren terwijl ik aan het repeteren was en ik verdenk haar ervan dat ze die leraar heeft laten komen om me de mond te snoeren.'

Rosa's gegiechel was aanstekelijk en Harriet deed met haar mee terwijl ze de kaas en salade pakten en de laatste hand legden aan het inpakken van de zadeltassen. Ze kon zich Catriona's kwelling voorstellen terwijl ze naar Rosa's gezang moest luisteren. Naar de poging van vanochtend te oordelen was het er niet beter op geworden. 'Het recht heeft er een andere soort diva mee gewonnen,' zei ze ten slotte. 'Je krijgt dan misschien geen open doekjes en bossen bloemen, maar je hebt wel datgene gevonden wat je het beste kunt. Daar zou ik me maar bij houden, als ik jou was.'

Connor was de ochtend bezig geweest met de boeken en het plegen van telefoontjes naar verschillende leveranciers. Hij was voortdurend gestoord door mannen die binnenkwamen met stomme vragen over dingen die ze gemakkelijk zelf hadden kunnen oplossen als ze er ook maar een ogenblik over hadden nagedacht. Met een zucht van ergernis klapte hij de boeken dicht en gooide ze op het bureau.

Zijn kantoor was een vierkante kamer die was aangebouwd aan de zijkant van het kookhuis en hoewel de plafondventilator zijn uiterste best deed de lucht een beetje in beweging te krijgen, kleefde de geur van duizenden maaltijden nog aan de muren. Hij schoof zijn stoel achteruit en ging naar buiten om te controleren of de mannen de taken voor die dag behoorlijk uitvoerden.

Billy Birdsong zat gehurkt in de schaduw van de werktuigenloods en rolde met vaardige vingers een sigaret. 'Môgge, baas,' zei hij lijzig en zijn bloeddoorlopen ogen keken Connor door een bos grijzend okerkleurig haar aan.

Connor keek omlaag naar de Aboriginal. Niemand wist hoe oud hij was en hij vermoedde dat Billy zelf ook geen idee had. Billy Birdsong was de steun en toeverlaat van Belvedère. Hij had Connor alles geleerd wat hij wist en hij was zijn mentor en zijn beste vriend. 'Goeiedag, maat. Ben je klaar met de pick-up?'

'Ja, baas.' De Aboriginal stak zijn shagje op. 'Ik denk die wel weer tijdje goed. Maar versnellingsbak is rot – binnenkort nieuwe nodig.'

Connor knikte. Dat vermoedde hij al. De pick-uptruck was al een oud beestje en had zo veel kilometers op de teller dat het een wonder mocht heten dat hij het überhaupt nog deed. Zonder Billy's meesterschap van de techniek, was hij jaren geleden al in elkaar gestort. Hij stond op het punt verder te lopen toen Billy's stem hem een halt toeriep. 'Wat is er met de juffrouw, baas? Zij niet goed?'

Connor schudde zijn hoofd. 'Niet dat ik weet,' mompelde hij. Er kon hier niet veel gebeuren zonder dat iedereen ervan op de hoogte was, maar hij was verrast te horen dat Catriona misschien niet in orde was. Ze had er gisteravond goed uitgezien, een beetje vermoeid misschien, maar dat was te verwachten gezien de plannen die ze voor het feest had. 'Hoezo, Billy? Wat heb jij dan gemerkt?'

'Nop,' zei hij door de rook van zijn sigaret. 'Beetje moe, met mij mee vanochtend. Is alles.'

'Iedereen is op dat tijdstip van de ochtend moe, maat.'

Billy knikte en begon toen te grijnzen. 'Goed Rosa weer te zien,' zei hij. 'Echt groot nu. Als mijn jongens.' Hij zuchtte. 'Tijd gaat snel, baas. Denk gauw tijd voor Billy Birdsongs laatste zwerftocht, vrede sluiten met totemgeesten.'

Connor schrok van deze verklaring van de man die hij sinds zijn kindertijd had bewonderd. Billy was toch nog niet zó oud? 'Je hebt nog jaren voor de boeg, ouwe schooier,' zei hij liefhebbend. 'Wat moet de vrouwbaas zonder jou beginnen als jij er niet meer bent om al die machines te repareren en sterke verhalen te vertellen? Als je uit bent op een paar vrije dagen, neem die dan maar. Maar ik heb je hier nog een tijd nodig, dus haal het niet in je hoofd te verdwijnen.'

De Aboriginal schudde langzaam zijn hoofd en zijn ogen stonden bedachtzaam terwijl de sigarettenrook langs zijn gezicht kringelde. 'Als geesten Billy roepen, dan moet hij gaan,' zei hij zachtjes. 'Denk dat vrouwbaas weet wat ik bedoel.'

Connor keek hem onderzoekend aan. Hij had de verhalen over de Droomtijd van deze man geleerd. Hij had uren naar zijn zangerige stem zitten luisteren terwijl hij het belang uitlegde van zwerftochten en de tradities van de nachtelijke dansen, de corroboree, maar er waren andere, sterkere en mysterieuzere krachten in de stammencultuur van de Aboriginals die geen blanke, zelfs Connor niet, logisch kon verklaren. 'Wat probeer je me te vertellen, Billy?' vroeg hij.

Billy staarde in de verte. 'Geesten zingen,' zei hij. 'Wij moeten volgen.' De amberkleurige ogen weerspiegelden een eeuwenoude kennis terwijl ze in de zijne keken. 'Net zo voor juffrouw. Alleen hoort zij ander lied dan zwarte man.'

Connor ramde zijn handen in de zakken van zijn spijkerbroek. 'Laat haar je maar niet horen, maat,' zei hij nors. 'Ze lust je rauw.'

Billy grinnikte, waardoor zijn gele tanden zichtbaar werden. 'Denk dat ze erop slaat, baas. Geen zorgen. Zij nog niet klaar, nog werk te doen hier.'

Connor fronste zijn voorhoofd en wilde Billy verder ondervragen, maar de Aboriginal stond op en wandelde op zijn gemakje weg en maakte zo een einde aan het gesprek. Connor draaide zich om en liep naar de boerderij. Al dat gepraat over zingende geesten en dood was verontrustend en hij wilde nu wel eens precies weten wat er gaande was.

Hij kwam net aan bij de voet van de trap toen Rosa de hordeur opengooide en de veranda opstapte. Ze werd op de hielen gevolgd door Harriet; ze lachten allebei en zagen er opgewekt uit. 'Hoe gaat 't?' vroeg hij.

Rosa grijnsde en omhelsde hem. 'Prima,' antwoordde ze terwijl ze met haar hand door haar haar ging. 'We gaan picknicken.'

Connor realiseerde zich dat hij waarschijnlijk te sterk reageerde op Billy's duistere, geheimzinnige gedachtespinsels. Als er iets mis was met mam, dan zou Rosa er vanaf weten en zo te zien was er niets om zich druk over te maken. Hij keek lachend op haar neer en probeerde in deze jonge, wereldse vrouw de deugniet te zien die zijn zus altijd was geweest.

Ze keek met samengeknepen ogen naar hem op. 'Zijn hier ergens fatsoenlijke paarden te vinden?' vroeg ze. 'Ik heb behoefte aan snelheid.'

Connor krabde aan het litteken op zijn kin en deed zijn best twijfelachtig te kijken. Zijn zus was een duivelse ruiter, misschien zelfs een beetje te enthousiast en te roekeloos naar zijn smaak, maar hij kon haar elk paard dat ze hadden toevertrouwen. Hij keek naar Harriet. 'Ik neem aan dat dat een bestelling is voor twee van de snelste en meest nukkige paarden die we kunnen vinden?'

Harriet glimlachte en haar gezicht lichtte op van genoegen. 'Vanzelfsprekend,' antwoordde ze. 'Je kent me, Connor. We kunnen niet hebben dat Rosa in haar eentje loopt op te scheppen.'

'Waarom ga je ook niet mee, Con?' vroeg Rosa en ze beschermde haar ogen tegen de zon. 'Laat de teugels een beetje vieren en ontspan je eens.'

Connor schudde zijn hoofd. 'Er is te veel te doen,' zei hij met spijt in zijn stem. Toen kreeg hij plotseling een ingeving. 'Maar wat dacht je van vanavond? Weet je nog hoe het altijd was met Billy Birdsong?'

Rosa's glimlach werd zacht bij de herinnering en ze keek met starende ogen naar de horizon. 'O, ja,' zei ze zachtjes. 'Hoe kan ik dat ooit vergeten?'

'Misschien kan ik mam zelfs overhalen om met ons mee te gaan,' mompelde Connor. 'Net als in die goeie ouwe tijd.'

Rosa wendde zich tot Harriet. 'Herinner je je de eerste keer nog, Hat? Geweldig was dat, hè?'

Harriet zou die keer nooit vergeten en de gedachte om er 's nachts weer op uit te trekken, alle aardse beslommeringen van zich af te laten glijden en naar de sterren te zweven was verlokkelijk. 'Dacht het wel,' zuchtte ze.

Connor gaf ze allebei een arm en gedrieën staken ze het erf over naar de tuigkamer. Toen hij laarzen en hoeden voor ze had gevonden, bleef hij bij de verweerde reling staan en keek hoe ze hun paarden optuigden en vervolgens het erf af lieten stappen. Zijn zus had de dwarse gevlekte vos er uitgepikt, net zoals hij al had gedacht dat ze zou doen, maar Harriet had gekozen voor de kastanjebruine vos, een trotse ruin met een schofthoogte van ruim een meter zestig en een ego zo groot als heel Queensland.

'Nou, dat is nog eens een lust voor het oog,' mompelde een van de veedrijvers.

Het drong tot Connor door dat hij niet de enige was die bewonderend stond te glimlachen bij de aanblik van Harriets prachtige achterste dat uit het zadel omhoogkwam toen ze de vos aanzette tot galop. Ze was een mooie meid, geen twijfel mogelijk. En ze kon paardrijden. Die chique school waar zij en zijn zus op hadden gezeten was ten minste ergens goed voor geweest.

Tom Bradley keek naar Belinda en grinnikte. Ze had geen plezier in de reis. Dat zag hij aan de lichte, groenige teint van haar huid en aan de manier waarop haar vingers zich om haar armleuning klemden.

Alsof ze zijn gedachten kon lezen, trok Belinda op dat moment met stijf dichtgeknepen ogen een gezicht. 'Ik snap niet dat ik erin heb toegestemd met je mee te gaan,' zei ze tussen opeengeklemde kaken. 'Ik heb altijd al de pest aan vliegen gehad, maar dit ding lijkt elk ogenblik neer te kunnen storten.'

'Deze helikopter is hartstikke veilig,' schreeuwde hij in de microfoon die aan zijn helm zat bevestigd. 'Hij is helemaal gecontroleerd en de piloot is een oude rot in het vak, of niet soms, maat?'

'Absoluut,' antwoordde de Vietnamveteraan over zijn schouder en zijn stem ging bijna verloren in het gerammel en gekletter van het toestel. 'Deze kist en ik hebben een hele geschiedenis. Ze zou het na al die jaren dat we samen zijn geweest niet wagen om uit de lucht te vallen.' Als om dat te bewijzen liet hij de helikopter heen en weer slingeren en voerde een paar snelle wendingen uit. Hij had meer dan honderd missies gevlogen in 'Nam en vloog nog steeds alsof hij onder vijandelijk vuur lag; wat hem betrof was dat de enige manier om te vliegen.

Tom lachte en pakte Belinda's hand. 'Zie je wel?' En naar de piloot: 'Maak je geen zorgen, maat. Het komt wel goed met haar.'

'Ja misschíén,' snauwde Belinda. 'Maar dat is nou typisch mannen. Eén woord van jou en Biggles hier en ik word geacht me te ontspannen en te geloven dat we niet ieder ogenblik te pletter kunnen vallen. Stel dat we een zwerm vogels raken? Wat als het harder gaat waaien? Of... of...' Ze leek geen woorden en adem meer te kunnen vinden.

'Vertrouw me nou maar,' zei hij.

Ze deed een oog open en wierp hem een minachtende blik toe. Haar uitdrukking vertelde hem dat hij opnieuw het verkeerde had gezegd. Sommige mensen wilden ook niet geholpen worden. Hij liet haar alleen met haar angsten en keek uit het raam. Diep onder hen lag de outback als een enorme quilt van rood en groen, waarvan de lappen aan elkaar waren genaaid met plukjes bomen, zoutpannen en bergketens. Het glinsterende water van de kreken en meren en het eindeloze grasland maakten plaats voor bergen en watervallen, en verder ging het, naar kilometers stoffig oker dat werd onderbroken door hectare na hectare vol wuivend graan dat golfde als een gele oceaan in de door de helikopter veroorzaakte valwinden. Tom voelde de enorme trots in zich opwellen die hij altijd ervoer wanneer hij door zijn land reisde. Want dit was zijn land, zijn erfenis en nergens op de hele wereld was er zoiets te vinden.

Hij wendde zich weer naar Belinda omdat hij het uitzicht met haar wilde delen, maar ze zat nog steeds verstijfd in haar stoel, ogen stijf dicht en handen om de stoelleuning geklemd. In deze staat zou ze nergens van genieten, besloot hij. Hij keek een poosje naar haar en bewonderde haar om de strijd die ze uitvocht met haar vliegangst. Belinda was een prima politievrouw, leuk om mee te werken en zo eerlijk als goud. Hij had haar niet hoeven overhalen om met hem mee te gaan, niet nadat hij had uitgelegd waarom hij Catriona moest spreken. Hij zuchtte. Hij was in ieder geval een tijdje van Wolff af en dat was mooi meegenomen.

Belinda kreunde toen de helikopter in een lange bocht naar het westen afboog en toen zo laag ging vliegen dat hij bijna de boomtoppen raakte. 'Hoe lang gaat deze marteling nog duren?'

Tom nam haar op. De groene teint was ontegenzeggelijk dieper geworden. 'Ik hoop niet dat je de regenboog-geeuw gaat doen?' vroeg hij niet op zijn gemak.

'Als het zo ver komt, zal ik ervoor zorgen dat je helemaal onder komt te zitten,' antwoordde ze met op elkaar geklemde kaken.

Tom beet op zijn lip en deed zijn best om niet te lachen. 'Over een uur of twee zouden we er moeten zijn,' zei hij met onzekere stem. 'Probeer je op iets anders te concentreren. Misschien voel je je dan beter.'

'Ik betwijfel het,' bracht ze uit. 'En waag het niet om te lachen, want ik zweer je, dan vermoord ik je.'

Hij snoot zijn neus en verborg zijn glimlach in zijn zakdoek tot hij er zeker van was dat hij zijn gezicht weer onder controle had. Arme Belinda. Ondanks al haar bezieling en verve, bleek ze toch een achilleshiel te hebben. Het leven op een boerderij in de binnenlanden had haar blijkbaar niet voorbereid op helikoptertochtjes met Sam Richmond.

Tom wendde zich af en keek opnieuw uit het raam terwijl Sam de kleine machine door de Great Dividing Range manoeuvreerde. Ze kwamen in de buurt van Belvedère en hij hoopte dat Belinda's aanwezigheid Catriona Summers ertoe zou brengen met hem te praten. Wilde ze dat niet, dan hadden ze een probleem, want zijn baas had hem duidelijk gemaakt dat dit reisje wel iets op moest leveren.

Harriet en Rosa waren al uren op pad. Ze lieten hun paarden langzamer gaan toen ze dichter bij Belvedère kwamen, alsof ze de grote open vlakte waar ze gereden hadden en die ze zo goed kenden met tegenzin achter zich lieten. De hitte was intens en trilde in een waterige fata morgana waarin de boerderij en de bijgebouwen leken te verdrinken en die de bomen eruit deed zien alsof ze in een enorme, rusteloze zee groeiden. Een troep kangoeroes lag kriskras door elkaar te soezen in het lange gras onder een bosje eucalyptusbomen. Hun oren draaiden vanwege de hinderlijke vliegen die om hen heen zoemden en ze keken slechts even nieuwsgierig naar de ruiters, om daarna weer snel te gaan slapen. De bosjes gonsden van het geluid van miljoenen insecten en de kreten van de vogels klonken gedempt, alsof ze in die hitte de energie niet konden opbrengen om te tsjilpen en te kwetteren.

'Wat is dat in vredesnaam?' Rosa hield haar paard in en schermde haar ogen af terwijl ze tegen de zon in keek.

'Klinkt als een helikopter,' zei Harriet terwijl ze de eindeloze hemel afzocht. 'Ja. Kijk. Daar.'

'Wel verdorie,' riep Rosa uit en ze zette haar paard aan tot een geschrokken draf. 'Hij komt deze kant op. De hemel mag weten wat voor chaos dat onder het vee zal veroorzaken.'

Ze galoppeerden het erf op waar ze Connor en de overige mannen tegen het lijf liepen die het werk hadden neergelegd om te komen zien wat dat lawaai te betekenen had. Harriet en Rosa gleden uit het zadel terwijl de helikopter boven de thuisweide hing. Het stof werd in een verblindende wolk opgestoven, terwijl de bomen bogen en zwiepten en het gras werd platgedrukt. De paarden bokten en steigerden en sloegen met hun benen, oren plat tegen hun hoofd en ogen groot van angst. De fokkoeien loeiden en stampten en renden heen en weer in hun hokken terwijl de loslopende honden samen met de Blueheelers, de Australische veedrijvershonden, blaften dat het een lieve lust was. De paarden hinnikten en klauwden in de lucht en renden vervolgens naar het uiterste puntje van de omheinde wei. Het was complete chaos.

Harriet en Rosa worstelden om hun rijdieren te kalmeren en ze dreigden in de blinde woede van de stofstorm ten val te komen en te worden vertrapt. Harriet kon niets zien en horen behalve het verschrikkelijke machinegeweergeratel van de helikopter en het angstige geluid van de paarden. Ze had geen idee waar ze naartoe ging in die dikke rode deken van prikkend stof en verblindende zandkorrels en de ruin trok zo hard aan de teugels dat het nog slechts een kwestie van tijd zou zijn voor hij losbrak. Maar ze moest volhouden, ze moest beschutting zien te vinden, hoe armzalig ook, want als de ruin zou weten te ontsnappen zou hij zichzelf ongetwijfeld iets ernstigs aandoen.

Een sterke arm werd om haar middel geslagen en een bekwame hand bedekte die van haar en nam de teugels van haar over. Ze merkte dat ze door de razernij werd geleid naar de luwte van de stallen waar ze het zand uit haar ogen knipperde en voldoende op adem probeerde te komen om haar redder te bedanken.

'Geloof dat het nu wel goed komt, juffrouw,' zei Billy Birdsong terwijl hij de ruin kalmeerde. Zijn donkere gezicht spleet uiteen in een brede glimlach, maar er lag weinig humor in de amberkleurige ogen toen hij over zijn schouder naar de helikopter keek die in de omheinde weide was geland. 'Stomme idioten,' zei hij. 'Komen hier. Maken problemen.'

'Dank je, Billy,' hijgde ze terwijl ze haar gezicht met een zakdoek afveegde en probeerde het ergste stof uit haar ogen te krijgen.

'Geen probleem,' zei hij lijzig. 'Jij naar juffrouw. Heeft je nodig, denk ik.'

'Kom op, Hat,' gilde Rosa. 'Ik zal die eikels eens even vertellen wat ik van ze denk.'

'Ik kom je wel achterna als ik voor de paarden heb gezorgd,' riep Connor naar hun verdwijnende ruggen. 'En wees aardig, Rosa,' voegde hij eraan toe. 'Denk eraan dat je een dame bent,' zei hij binnensmonds.

'Had je gedroomd,' riep Rosa terug.

Harriet was ook al niet in de stemming voor een beleefd gesprek. Ze had de herrie beslist niet op prijs gesteld en het gevaar waar ze door die idioten in hun helikopter in waren gebracht al helemaal niet en met elke stap die ze door het lange gras deed, nam haar woede toe.

De rotor draaide nog steeds en de herriemakende, neerwaartse wind die op hen neer beukte dwong hen aan de rand van de wei te blijven staan. De deur ging open en twee gestalten kwamen tevoorschijn. Ze bogen zich voorover terwijl ze onder de wieken uitrenden en zich in veiligheid brachten. Hun rugzakken bonkten op hun rug. 'Het ziet ernaar uit dat ze van plan zijn te blijven,' snauwde Rosa. 'Wat denken ze wel dat het hier is, een camping?'

Harriets antwoord ging verloren in het gebrul van de helikoptermotor toen de machine weer het luchtruim koos en in de richting van de heuvels vloog. Rosa en zij keerden zich af toen hun haren hun gezicht geselden in de loeiende wind die hen dreigde op de grond te gooien.

'Het spijt ons van daarnet. Ik hoop dat niemand gewond is geraakt.'

Harriet en Rosa draaiden zich als één vrouw om en keken de donkerharige man woedend aan. 'Dat was anders meer geluk dan wijsheid,' gilde Rosa boven het lawaai uit.

'Waar dacht je in hemelsnaam dat je mee bezig was? Om dat ding zo dicht bij de stallen en de boerderij te laten komen! Van alle stomme, gedachteloze, achterlijke en idiote...' Harriet merkte dat ze naar woorden zocht onder de geamuseerde blik in die bruine ogen die haar onafgebroken aankeken.

Zijn metgezel draaide zich eindelijk om. 'Ik zei nog tegen die idioot van een piloot dat het geen goed idee was,' zei ze. 'Maar zoals alle mannen meende hij het beter te weten.'

'Belinda.' Ze renden allebei naar voren en smoorden haar in een omhelzing. 'Wat kom jij hier doen?' vroeg Rosa toen ze zich had losgemaakt. 'Je zei dat je niet kon komen.'

Belinda grijnsde en probeerde een beetje orde te scheppen in de chaos van haar kapsel. 'Dat weet ik,' zei ze quasi-zielig. 'Maar er deed zich iets voor.'

'Hoe zit dat met die heli?' wilde Harriet weten en ze wierp weer een boze blik op de man naast haar. 'En wie is dit?'

Er werd een hand uitgestoken. 'Inspecteur Tom Bradley,' zei hij. 'Het spijt me van daarnet, maar Sam laat zich soms een beetje meeslepen.' Hij grijnsde. 'Hij denkt dat hij nog steeds in Vietnam zit.'

Tom verdronk in een paar blauwe ogen. Hij zag vlekjes groen en violet die hem deden denken aan een stormachtige zee. Hij zag hoe de zon goud sprankelde in de dikke wimpers en hoe de manier waarop de sproeten over dat prachtige, stoffige gezicht verspreid lagen de tere huid nog beter deden uitkomen. Ze had lang haar dat in een blonde vracht tot op haar schouders viel en waarvan losse lokken haar wangen liefkoosden en de hoeken van de fijn gevormde mond kusten. Hij wilde niets liever dan die lok te zijn. Wilde niets liever dan in die ogen te kijken en te zien hoe ze met haar stemming van kleur veranderden. De scherpe por in zijn ribben bracht hem terug naar de werkelijkheid. Hij had niets gehoord van wat er was gezegd. Hij keek naar Belinda, zag de geamuseerdheid in haar ogen en bloosde toen het tot hem doordrong dat hij de hand van de blonde vrouw nog steeds vasthield. 'Hallo,' zei hij. 'Zeg maar Tom.'

Ze had een stevige, bijna bruuske handdruk, maar het was genoeg geweest om een schok door hem heen te sturen. 'Harriet,' zei ze zonder te glimlachen. 'Dit is Rosa.'

Tom maakte zijn blik los van Harriet en keek omlaag in een elfachtig gezicht en intelligente ogen. 'Aangenaam,' zei hij. 'Het spijt me van daarnet.' Het was interessant om eindelijk een gezicht te zien bij de persoon over wie Belinda hem had verteld, maar hoe aantrekkelijk ze ook was, ze haalde het niet bij Harriet en hij kon er niets aan doen dat hij even in haar richting keek in de hoop dat hij nog een kans zou krijgen om haar in de ogen te zien.

'Ik had me niet gerealiseerd dat je een vriend had, Belinda,' zei Rosa terwijl ze haar vriendin met haar puntige elleboog een stevige por in de ribben gaf. 'Je hebt hem verborgen gehouden. Wat is er mis met hem?'

Belinda pakte haar rugzak en slingerde die over haar schouder. 'Dat is mijn vriend niet,' siste ze. 'Dat is mijn baas.'

'Je baas?' Rosa en Harriet draaiden zich om en keken naar hem. 'Waarom heb je je baas meegenomen naar mams feestje?' Er viel een ongemakkelijke stilte voor Rosa weer iets zei. 'Dit is geen bezoekje voor de gezelligheid, of wel Belinda?'

'Nee,' bemoeide Tom zich er haastig mee. 'Luister, het is allemaal niet zo dramatisch, dus er is niets om je overstuur over te maken. We moeten alleen even met Dame Catriona praten.'

'Waarom?' Harriet ging met een strak gezicht en fonkelende ogen voor hem staan.

'Dat is iets dat ik alleen met Dame Catriona kan bespreken,' antwoordde hij en zijn ogen smeekten haar om te proberen te begrijpen in wat voor lastig parket hij verkeerde. 'Mijn chef vond het een goed idee als we hier naartoe zouden gaan om met haar te praten. Belinda is hier omdat ik haar gevraagd heb mee te gaan.'

'Hoe heb je dat kunnen doen, Belinda?' Rosa had haar armen over elkaar geslagen en een defensieve houding aangenomen. 'Je had ons op z'n minst even kunnen bellen om ons te waarschuwen.'

'Dat heb ik gedaan,' antwoordde ze. 'Ik heb gistermiddag met Catriona gesproken.'

'Daar heeft ze niets van gezegd,' mompelde Harriet, terwijl haar gouden wimpers schitterden in de zon.

Tom ging weer kopje-onder en moest een bewuste inspanning leveren om zijn gedachten en de situatie onder controle te houden. 'Ik heb het grootste respect voor Catriona Summers,' zei hij met nadruk. 'En ik ben absoluut niet van plan ergens stiekem over te doen. Ik wil dat jullie geloven dat Belinda noch ik iets zal doen dat haar van streek kan maken. Maar ik moet wel m'n werk doen.'

Harriet zag hoe de zon het goud in de bruine ogen deed oplichten en hoe de draden zilver glansden in het verwarde haar bij zijn slapen. Ze had zijn hand maar even aangeraakt toen ze aan elkaar werden voorgesteld, maar dat was genoeg om een indruk van kracht te wekken; er lagen eerlijkheid en oprechtheid in die handdruk. Nu zag ze de ferme controle die hij had over zijn emoties terwijl hij zijn zaak bepleitte. Er was iets aan Tom Bradley dat ze vreselijk aantrekkelijk vond en hoewel ze elkaar nog maar net hadden ontmoet, was ze er op een vreemde manier rotsvast van overtuigd dat ze hem kon vertrouwen.

'Dat is aan Catriona,' zei ze terwijl de bruine ogen haar blik gevangen hielden. 'Maar als haar advocaten hebben we het recht om er te allen tijde bij te zijn wanneer ze besluit je haar medewerking te verlenen.'

Hij glimlachte, zijn gezicht lichtte op en de donkere ogen keken opgelucht. 'Dank je.'

'Je hoeft mij niet te bedanken,' zei Harriet die op haar beurt glimlachte. 'Catriona heeft nog nergens in toegestemd en geen van ons heeft ook maar een flauw idee van wat er aan de hand is.' Dat was een stille wenk, maar beide politiemensen gaven er de voorkeur aan die te negeren.

Connors knie stond in brand. Het paard had hem in zijn angst geschopt en de oude wond met een enorme voltreffer geraakt. Hij kwam hinkend aangelopen vanaf de kraal, vastbesloten de idioten die de chaos op zijn erf op hun geweten hadden de les te lezen. Hij kon de man duidelijk zien, maar zijn metgezel, een vrouw, stond in zijn schaduw. Maakt niet uit, dacht hij boos. Hij zou ze allebei stevig hun vet geven en ze vervolgens wegsturen.

Hij was nog een paar meter verwijderd van het groepje dat aan de rand van de omheinde weide stond toen de vrouw uit de schaduw stapte. Ze had iets bekends waar hij niet direct de vinger op kon leggen, maar hij wist dat als hij haar eerder had gezien, hij zich haar zeker herinnerd zou hebben. Ze zag er geweldig uit. Maar daar zou hij zich niet door laten afleiden. 'Ik ben de voorman hier,' schreeuwde hij. 'En de volgende keer dat jullie idioten een helikopter op mijn erf laten landen krijgen jullie een claim aan je kont waar je scheel van ziet.'

'Beloftes, beloftes. Hallo, Connor. Hoe gaat 't?'

Hij stond plotseling stil. Die stem maakte elke vergissing onmogelijk. 'Belinda?' Hij bleef met open mond kijken naar dat weelderige figuur in de strakke spijkerbroek, het mooie gezicht dat werd omkranst door de donkere krullen.

'In één keer goed. Lang niet gezien, Con.' Ze grijnsde. 'Voorzichtig, maat. Zo vang je vliegen.'

Hij deed met een klap zijn mond dicht en werd rood tot achter zijn oren. Dat nam hem de wind behoorlijk uit de zeilen, geen twijfel mogelijk. Maar hij kon niet ophouden naar haar te kijken. Dit kon toch zeker niet dat kleine dikke mormel zijn dat hem overal achternaliep en zijn leven tot een hel maakte?

'Je ziet er zelf ook niet slecht uit,' plaagde ze hem, alsof ze zijn gedachten kon lezen.

'Kijk eens wie we daar hebben,' riep Catriona terwijl ze naar hen toe kwam gerend en Belinda omhelsde. 'Geweldig om je na zo'n lange tijd weer te zien,' zei ze in het dikke haar. Ze deed een stap achteruit en bekeek haar eens goed. 'Wauw,' zei ze. 'Geen wonder dat Connor van slag is. De laatste keer dat ik je heb gezien had je nog vlechten en rende je rond in een overall.'

Belinda omhelsde haar nog een keer, deed toen ook een stap achteruit en keek haar openhartig en een beetje opgelaten aan. 'Luister, Catriona,' begon ze. 'Ik heb dit allemaal niet zo gewild, maar het leek me het beste dat ik mee zou komen om er zeker van te zijn dat alles in orde was met je.' Ze keek even naar Tom. 'Tom en ik hebben allebei een paar dagen verlof genomen om hierheen te komen, dus eigenlijk is het een officieus officieel bezoek, als je begrijpt wat ik bedoel. En het spijt me dat we op het verkeerde moment zijn gekomen. Ik had het verjaardagsfeest helemaal vergeten.'

Catriona schudde haar hoofd. 'Maak je geen zorgen, schat. Ik weet dat dit jouw schuld niet is.'

Connor realiseerde zich dat het weinig zin had om te proberen uit te vinden waar dit allemaal over ging. Belinda was hier duidelijk voor politiezaken, maar wat dat in vredesnaam met mam te maken kon hebben, was hem een raadsel. Iemand zou het hem vroeger of later ongetwijfeld vertellen. Hij keek naar Belinda en haar expressieve ogen schitterden. Het was niet moeilijk om deze volwassen, fantastisch uitziende Belinda te mogen en hij bewonderde haar stijl. Hij keek naar de zware rugzak aan haar voeten en boog zich voorover om hem op te pakken.

Belinda was hem voor. 'Nee. Je hebt gelijk. Ik red het wel,' zei ze opgewekt terwijl ze hem met groot gemak op haar rug slingerde. 'Maar ik heb wel even een badkamer nodig.' Ze trok een gezicht. 'Ik heb de pest aan vliegen. En nog meer de pest aan helikopters. Ik voel me een beetje verkreukeld, als je begrijpt wat ik bedoel.'

Hij bekeek haar wat nauwkeuriger en zag de groene teint om haar karakteristieke mond. 'Kom maar mee naar de boerderij. Je kunt in je oude kamer.'

'Dank je,' zei ze zachtjes. Met de zware tas op haar rug bleef ze keurig met hem in de pas terwijl hij haar voorging naar de boerderij.

Rosa liep langzaam achter haar broer en Belinda aan over het erf. Wat was er in hemelsnaam aan de hand? Mam wist duidelijk waar het allemaal over ging en zou het hun ongetwijfeld vertellen als ze daar de behoefte toe voelde, maar het was frustrerend om niet over alle feiten te beschikken, te meer daar Harriet tegen Bradley had gezegd dat ze Catriona's advocaten waren. Ze schrok op uit haar gedachten toen ze besefte dat de politieman naast haar liep. Ze wierp een blik op de zware plunjezak die hij over zijn schouder droeg. 'Die kun je maar beter in de slaapzaal leggen. We hebben hier geen gastenverblijven.'

Tom leek zich weinig aan te trekken van haar bitsheid. 'Ik heb een tent bij me,' antwoordde hij.

'Kijk eens aan, een echte padvinder,' zei ze vijandig.

'Er is niks mis met overal op voorbereid zijn,' reageerde hij.

Harriet ging tussen hen in lopen. 'Time-out, jongelui.' Ze glimlachte en schudde haar hoofd. 'Jullie lijken wel een stelletje kinderen. Wat dacht je van een kopje thee, Rosa? Ik weet zeker dat we daar allemaal wel aan toe zijn.'

'Dat klinkt als een geweldig idee,' zei Catriona. 'En wat attent van je, Tom, om voor je eigen slaapgelegenheid te zorgen,' zei ze met een glimlach. 'Maar er staan hier genoeg extra bedden. Je hoeft je niet te behelpen.'

'Geen probleem,' zei hij lijzig. 'Ik hou van kamperen, vooral hier.'

'In dat geval... Harriet, laat hem zien waar hij zijn tent kan opzetten. Onder de oude coolibah is waarschijnlijk de beste plek.'

Harriet keek woedend en deed haar mond al open om te protesteren. Catriona keek boos terug en Harriet beende in de richting van de grote eucalyptus zonder zich erom te bekommeren of Tom haar volgde.

Catriona keek glimlachend naar Rosa. 'Kom op, laten we maar een pot thee gaan zetten.'

'Wat is er aan de hand?' wilde Rosa weten terwijl ze haar passen groter maakte om haar bij te houden. 'Waarom heb je ons niet verteld dat Belinda zou komen en waarom wil de politie zo graag met jou praten?'

Catriona liep snel de trap op en stormde door de hordeur. Guit liep, zoals gewoonlijk, om eten te brullen. Ze schepte wat van een mengelmoesje uit een blik en deed dat in zijn etensbakje. 'Misschien heb ik het een beetje ruim genomen met de waarheid,' begon ze. 'Maar het is echt niets waar jullie je zorgen over hoeven te maken.'

'Als het dan niet zo belangrijk is,' zei ze met haar handen op haar heupen, 'dan is er ook niks op tegen om het ons te vertellen.'

Catriona ging aan tafel zitten en haar vingers plukten aan de pagina's van een oude krant die daar lag. 'Ik weet dat je het goed bedoelt, schat,' zei ze met een diepe zucht. 'Maar ik hoef niet beschermd te worden.'

Rosa sloeg haar armen over elkaar en keek boos voor zich uit. Ze ergerde zich groen en geel en stond voor de tweede keer die dag op het punt te ontploffen. 'Nou, vertel nou eens waar dit allemaal over gaat,' snauwde ze.

Catriona rechtte haar rug en de vastberadenheid stond op haar gezicht te lezen. 'Ik zal het iedereen vertellen wanneer ik daar aan toe ben, Rosa. Voorlopig zul je me m'n zin even moeten geven.'

'Rosa bedoelt het allemaal niet zo kwaad,' zei Harriet terwijl ze naast Tom over het erf liep. 'Maar Catriona is altijd net een moeder voor ons allemaal geweest en we proberen er alleen maar achter te komen wat er aan de hand is.'

Tom kon haar alleen maar van opzij zien omdat ze strak voor zich uit keek. De zachte ronding van haar wang en de boog van haar fijne wenkbrauw boven haar wipneus waren zo aantrekkelijk dat hij bijna vergat waarom hij hier was. Met een enorme inspanning raapte hij al zijn wilskracht bij elkaar om zich te concentreren. 'Dat begrijp ik,' antwoordde hij. 'Ik voel me ook een beetje beschermend ten opzichte van haar.'

Harriet bleef staan. Ze had haar handen in haar zakken en keek hem met een vragende blik in haar ogen aan. 'Waarom?'

Hij hees de plunjezak in een iets comfortabeler positie op zijn schouder. 'Omdat ik dol ben op haar muziek,' antwoordde hij eerlijk en eenvoudig. 'Haar stem was zo zuiver, ze had zo veel passie, dat ik elke keer kippenvel krijg wanneer ik haar hoor zingen.'

Harriet trok een wenkbrauw op en er blonken pretlichtjes in haar ogen. 'Je verbaast me,' zei ze. 'Ik had niet zo gauw achter je gezocht dat je een operaliefhebber bent.'

'Niet alle politiemensen zijn barbaren,' mompelde hij.

Ze bloosde en keek de andere kant op. 'Sorry. Het was niet mijn bedoeling grof te doen.'

Hij probeerde het weg te wuiven, want hij wilde niet dat ze verkeerd over hem dacht. 'Geen probleem. Het is een wijdverbreid misverstand dat politiemensen uilskuikens zijn.' Ze liepen weer verder en hij legde uit waarom hij Catriona zo bewonderde. 'Mijn vader was een enorme fan van haar en ik ben opgegroeid in een huis dat bijna letterlijk weergalmde van de opera. Rock-'n-roll en heavy metal zijn leuk voor feestjes, maar opera raakt alle zintuigen en geeft je verbeelding de kans om met je op de loop te gaan.' Hij werd rood toen hij zich realiseerde dat hij begon te klinken als een treinspotter en veranderde van onderwerp. 'Woon je hier in de buurt?'

Harriet schudde haar hoofd. 'Ik woon in Sydney. Maar dit is mijn tweede thuis,' antwoordde ze. 'Al zijn er mensen die liever hadden dat dat niet zo was.'

Haar antwoord intrigeerde hem en hij meende even een schaduw over haar gezicht te zien gaan die in tegenspraak was met de bijna luchtige toon waarop ze had gesproken. Het zou interessant zijn om meer te weten te komen, maar nu nog niet. Ze moest hem eerst gaan vertrouwen.

Catriona had een prima plek gekozen, zag hij toen hij klaar was met zijn tent opzetten. Het was maar een klein stukje lopen naar het kookhuis en de wasruimten en ten opzichte van de boerderij aan de andere kant van het erf. Het lag op een vlak stuk boven de oever van de kreek, in de beschutting van bomen en was vrij van pollen Australisch gras waar slangen zich konden verbergen. Het was een eersteklas plek om uren door te brengen met een vishengel. Als hij er een had meegenomen, dacht hij spijtig.

'Dit is toch geen vakantie,' mopperde hij in zichzelf. 'Ik zal helemaal geen tijd hebben om te vissen.'

Hij realiseerde zich dat hij zich, ondanks de reden waarvoor hij gekomen was, volkomen op zijn gemak voelde. Het was jaren geleden dat hij had gekampeerd. De laatste keer was in de Blue Mountains geweest, samen met zijn zoons, maar die vonden zich nu te groot en te werelds voor zulk soort dingen en gingen liever surfen. Hij grinnikte bij de gedachte aan de enige keer dat hij had geprobeerd de golven te berijden bij Surfers' Paradise. Hij was bijna verdronken en was daarna zo stijf geweest en had zo'n erge spierpijn gehad dat hij een week lang bijna niet kon lopen. De jongens hadden het hilarisch gevonden en zich uitgeput in grapjes over leeftijd en gebreken en zo, en sommige waren aangekomen, gaf hij toe. Maar het was desalniettemin leuk geweest.

Hij rolde zijn slaapzak uit, zocht tussen de paar kleren die hij had meegenomen en verzamelde alle papieren die hij later nodig zou hebben. Hij ritste de eenpersoonstent dicht om te voorkomen dat iets naar binnen zou kruipen omdat het wel een goed schuilplaats leek, ging op de houten bank zitten die rond de voet van de grote coolibah was aangebracht en dacht aan Harriet en het verrassende effect dat ze op hem had gehad.

Zijn werk betekende dat hij realist moest zijn, sommigen zouden zelfs zeggen: een cynicus. En dat was hij ook, vermoedde hij. Een man kon niet zoveel jaren werken in dergelijke omstandigheden vol verwording en geweld zonder daar iets aan over te houden. De dingen die hij had gezien, de geluiden die hij had gehoord en de verhalen waar hij dag in, dag uit naar moest luisteren, waren als waterdruppels op een steen die langzaam maar zeker de zachtheid weghaalden en uiteindelijk de harde, scherpe kantjes overlieten van de man die hij ooit was geweest. Zijn vrouw was niet erg gesteld geweest op die nieuwe Tom en had hem verlaten. Zijn kinderen waren vreemden voor hem geworden en gaven tegenwoordig de voorkeur aan het gezelschap van hun stiefvader. Dus hoe kon het nu dat hij als een blok was gevallen en waarom voelde hij zich daar volkomen gelukkig mee en waarom was hij zo vol vertrouwen dat Harriet hem aantrekkelijk vond, ook al had ze daar helemaal niets van laten blijken? Al met al, zo redeneerde hij, wat kon een vrouw die zo mooi en duidelijk zo intelligent was in hem zien?

Tom pakte een steentje en gooide het in het heldere stroompje dat een weg zocht over het kiezelbed. Liefde op het eerste gezicht was een mythe, iets waarover in vrouwentijdschriften werd geschreven en dat je niet serieus kon nemen. Het was belachelijk zulke sterke gevoelens te hebben na zo'n vluchtige kennismaking, vooral wanneer de andere partij hem waarschijnlijk als een bedreiging zag.

Hij probeerde het hele idee van zich af te zetten. Hij was te oud en aftands voor zulke onzin, hield hij zichzelf streng voor. Maar hij kon niet ontkennen dat hij was getroffen door een bliksemschicht toen hij voor het eerst in die ogen keek. Hij kon evenmin de rilling van genoegen negeren die hij had gevoeld toen hij naast haar liep en met haar praatte, of de onbedwingbare behoefte die hij voelde om naar haar te kijken. Als dat geen liefde was, dan wist hij niet hoe je het dan wel moest noemen.

Hij gooide nog een steentje en keek hoe de diamanten waterdruppels fonkelden in het zonlicht. De hele situatie was belachelijk. Harriet was het soort vrouw dat hem onder andere omstandigheden nog niet eens had willen vertellen hoe laat het was. Ze was mooi en bovendien advocaat en had duidelijk geprofiteerd van een exclusieve opleiding en een rijke achtergrond. Alle tekenen waren aanwezig, maar hij was te blind geweest om ze te zien. Haar stem, de manier waarop ze bewoog, zelfs de vrijetijdskleding die ze met zoveel zwier droeg waren allemaal tekenen die wezen op een vrouw die zich volkomen op haar gemak voelde met wie ze was en waar ze vandaan kwam.

'Verdorie,' mompelde hij, terwijl hij overeind kwam en zijn handen in zijn zakken propte. Want ondanks alle tekenen die op het tegendeel wezen, had hij nog steeds het gevoel dat het iets kon worden tussen hen. Hij moest meer over haar te weten zien te komen. Ze had iets binnen in hem weer tot leven gewekt, hem weer een goed gevoel over zichzelf gegeven, en hij wist zonder een spoortje twijfel dat ze het waard was om achteraan te gaan.

'Die politieman ziet je helemaal zitten,' giechelde Rosa toen Harriet en zij de theemaaltijd klaarmaakten.

'Doe niet zo stom,' reageerde Harriet. 'Hij denkt dat hij door met mij te flirten gemakkelijker bij Catriona kan komen.' Ze vond ergens wat cake en legde dat op een bord dat ze midden op de keukentafel zette.

'Ja, dag hoor, Hat. Heb je er nooit bij stilgestaan dat hij met je flirt omdat hij je echt leuk vindt?' Haar donkere ogen glinsterden van plezier terwijl ze Harriet van hoofd tot voeten opnam. 'Je ziet er niet slecht uit, weet je.'

Harriet sloeg naar haar met een theedoek. 'Met jaloezie kom je nergens,' giechelde ze. 'We kunnen nu eenmaal niet allemaal een huid hebben die nooit bruin wordt en bij het eerste zonnestraaltje begint te vervellen. En wat het haar betreft, bedenk wel, Rosa, dat natuurlijke blondines nooit grijs worden, ze vervagen gewoon op een elegante manier.'

'Duvel op met je elegant,' was Rosa's reactie. 'Grijs is niet de kleur waar ik ooit bekend mee wens te worden. Geef mij maar een kleurtje.' Ze haalde adem. 'Hoe dan ook, Harriet, je vermijdt het onderwerp. De man ziet je zitten en ik krijg het gevoel dat hij jou ook wel aanstaat. Dus wat ben je van plan daaraan te gaan doen?'

'Helemaal niks,' antwoordde Harriet.

'Waar zitten jullie twee over te fluiseren?' Catriona kwam de keuken binnen en begon borden op tafel te zetten. 'Een mens zou denken dat jullie een stelletje tieners zijn, zo gaan jullie tekeer.'

'We hadden het er net over hoe ver mensen bereid zijn te gaan om hun zin te krijgen,' zei Harriet.

Rosa legde het uit terwijl ze ondertussen de theespullen op tafel zette. 'Romantiek is komen aanvliegen in een helikopter,' zei ze opgetogen. 'En Harriet heeft een bewonderaar. Ik kan niet wachten om te zien wat er gaat gebeuren.' Ze rolde met haar ogen en maakte dramatische gebaren met haar handen. 'Zal ze zich gewonnen geven en flauwvallen in zijn sterke armen? Of zal ze hem afwijzen en hem met de staart tussen de benen terugsturen naar Brizzy?' Ze glimlachte schalks. 'Blijf kijken.'

'Hm,' snoof Catriona. 'Ik ben blij dat jullie in deze omstandigheden nog iets om te giechelen vinden. Dit is verdorie geen spelletje, Rosa.'

Terechtgewezen haastten de twee meisjes zich naar haar toe om haar te omhelzen. 'We wilden de situatie helemaal niet belachelijk maken,' zei Harriet. 'Maar we zijn op van de zenuwen omdat jij ons niet wilt vertellen waar het allemaal over gaat. En ik vind dat Belinda wel lef heeft om nu ineens zo op te duiken.'

Catriona schudde haar hoofd. 'Belinda en ik hebben een lang telefoongesprek gehad,' zei ze. 'Het kind doet alleen haar werk, dus geef haar hier niet de schuld van.' Ze glimlachte, maar ze was moe en de glimlach bereikte niet haar ogen. 'Het is mijn rotzooi, en ik ruim het ook op. Geen probleem.'

Catriona hield zich bezig in de keuken met de voorbereidingen voor de maaltijd. Het was waarschijnlijk simpeler geweest om Kokkie iets te laten brengen, maar ze wilde niet nog meer complicaties. De mannen hadden de politiemensen zien aankomen en het gonsde waarschijnlijk al van de geruchten. Er was maar één verkeerd woord nodig om die geruchtenstroom nog verder aan te wakkeren en ze had al genoeg aan haar hoofd zonder ook nog eens een opstootje.

'Hoe gaat 't?' Belinda kwam tevoorschijn uit een van de logeerkamers en liep de keuken door om Catriona even te omhelzen. 'Verdikkeme, wat is het toch fijn om terug te zijn. Ik vind het alleen jammer dat het onder deze omstandigheden is.'

Catriona glimlachte warm, maakte zich los uit de omhelzing en nam de jonge vrouw die voor haar stond eens goed op. Het donkere haar vormde een krans om haar mooie gezicht en viel over haar rug in een waterval van zwarte krullen. Haar ogen waren heel donkerbruin en haar figuur, hoewel weelderig te noemen, was perfect geproportioneerd. 'Heb je je vader en moeder verteld dat je hier bent? Ik weet dat Pat je dolgraag wil zien.'

Belinda stak haar handen in de zakken van haar strakke jeans. 'Ik zal proberen er even langs te gaan voor ik terug moet,' antwoordde ze. 'Misschien blijf ik wel een tijdje om even bij te praten met m'n broers.'

Catriona draaide zich om toen Connor de keuken binnenkwam, boos naar Tom keek en aan tafel ging zitten. Ze zag dat hij zich er niet van kon weerhouden even naar Belinda te kijken; hij zag haar nu tenminste staan, dacht ze met een glimlach. Het zou ook niet meevallen haar nu nog over het hoofd te zien.

'Wil iemand me alsjeblieft eens vertellen wat er allemaal aan de hand is?' zei Connor boos.

'Alles op z'n tijd,' antwoordde Catriona. 'Laten we nu eerst maar eens lekker gaan eten.' Ze negeerde de protesten, ging in een stoel aan het hoofd van de tafel zitten en wendde zich tot Tom. 'Belinda is de dochter van vrienden van ons die een fokkerij een eindje verderop hebben. Toen we haar voor het eerst ontmoetten, was ze een mollig schoolmeisje met vlechten. Ze was een echte deugniet, rende altijd overal rond en haalde samen met Rosa allerlei kattenkwaad uit.' Ze glimlachte naar Belinda. 'Je bent heel wat veranderd sinds die tijd. Eerlijk gezegd,' voegde ze daaraan toe terwijl ze de tafel rondkeek, 'geldt dat voor jullie allemaal.'

Belinda schudde de waterval van haren uit haar ogen en lachte. 'De hemel zij dank,' zei ze. 'Ik zie er niet uit met vlechten en mee-eters.'

Catriona's vreugde om haar weer te zien werd getemperd door de reden van haar aanwezigheid. 'Ik heb nooit begrepen waarom je voor de politie hebt gekozen,' zei ze.

'Het is een uitdaging en een waar ik het grootste deel van de tijd van geniet,' antwoordde Belinda. 'Maar ik mis thuis en het open land hier.' Ze keek naar Tom die tot dusver geen woord had gezegd, maar met grote ogen naar Harriet zat te kijken. 'Maar het is en blijft een mannenwereld, geen twijfel mogelijk, en het is maar goed dat ik ben opgegroeid met oudere broers en veedrijvers. Daar ben ik taai van geworden en dat ik meteen al een dikke huid had, heeft me geholpen me staande te houden tegenover de machohouding van mijn collega's.'

'Ik ben geen macho,' flapte Tom eruit. 'Je weet dat dat niet eerlijk is.'

Ze glimlachte naar hem en haar ogen waren donker van pret. 'Heb ik jou persoonlijk ergens van beschuldigd?' Ze keek naar Rosa die aan tafel was komen zitten. 'Zijn ze niet allemaal hetzelfde?' vroeg ze. 'Ego's zo kwetsbaar als een eitje. Bij het minste of geringste teken van kritiek reageren ze alsof je hun speelgoed afpakt.'

'Dat klopt,' zei Rosa. 'Maar als je denkt dat politiemannen moeilijk zijn, dan moet je eens bij ons komen kijken. Advocaten zijn het ergst.' Ze gaf Connor een por met haar elleboog. 'En broers zijn al niet veel beter,' plaagde ze.

Connor bloosde en Tom en hij wisselden een blik van verstandhouding. 'Ik denk dat je van zussen ook wel pijn in je hoofd krijgt,' teemde hij. 'En als je een vrouw ergens de leiding over geeft, dan scheurt ze een nagel en moet ze een week gaan liggen om het trauma te verwerken.'

Er ging een koor van protesterende stemmen op en Rosa gaf hem een stomp op zijn arm die hard genoeg was om hem zijn gezicht te laten vertrekken.

Catriona genoot, ondanks de reden voor deze bijeenkomst. Het was al jaren geleden dat ze een stel jonge mensen aan haar tafel had gehad en het herinnerde haar aan die goeie ouwe tijd, toen Rosa en Connor hun vrienden van school meebrachten. Ze zat daar en keek naar hen, verrukt dat er weer zoveel leven in haar oude huis was.

Terwijl de stemmen boven het gekletter van de messen en vorken uit klonken, realiseerde ze zich hoe eenzaam ze was geworden, ondanks al haar beslommeringen in de buitenwereld. Haar leven was tot stilstand gekomen en voor het eerst in vele jaren verlangde ze terug naar vroeger toen ze de wereld rondreisde, nieuwe mensen ontmoette en steeds de opwinding voelde bij weer een nieuwe stad, weer een nieuwe opera. Dat waren onstuimige tijden geweest, herinnerde ze zich, maar die hadden haar nooit de diepe bevrediging gebracht als het leven op Belvedère.

De stemmen werden luider en de gezichten roder naarmate de discussie heen en weer vloog over tafel. Ze kwam met enige tegenzin tot de conclusie dat de zaken uit de hand begonnen te lopen en om weer een beetje orde te scheppen sloeg ze met haar lepel tegen het aardewerk. 'Stil allemaal,' riep ze. Ze schudde quasi-afkeurend haar hoofd. 'Ik snap het niet. Jullie doen net alsof jullie generatie de eerste is die voor zichzelf op moet komen.'

'Het glazen plafond is aan het verdwijnen,' zei Harriet terwijl ze het toetje ronddeelde. 'En we hebben gelijke betaling en gelijke rechten. Geen enkele generatie vrouwen voor ons heeft dat gehad.'

Catriona keek naar hen drieën, zo jong en naïef ondanks al hun opleiding, en besloot tegen haar eigen regels in te gaan en de discussie nog wat aan te wakkeren. 'Mijn moeders generatie was bevrijd, waarschijnlijk nog veel meer dan jullie ooit zullen zijn.' Ze stak een hand op om het koor van protesten die deze uitspraak veroorzaakte tot zwijgen te brengen. 'Ze ging op haar zeventiende het huis uit en was voor haar achttiende getrouwd en naar de andere kant van de wereld gevaren. Ze was avontuurlijk, had een drang om dingen te zien die maar weinig mannen hadden gezien. Ze was de steun en toeverlaat van ons reizende gezelschap en deed alles wat gedaan moest worden. Ze mende de wagen, hakte hout, ging vissen en zette vallen. Haar thuis was de wagen, haar bed een stapel dekens achterin, maar dat weerhield haar er niet van mij op te voeden, het weerhield haar er niet van haar ambities als zangeres na te jagen. Als dat niet bevrijd is, dan weet ik niet hoe jullie het wel noemen.'

Catriona haalde diep adem en keek hen triomfantelijk aan. Daar konden ze niks tegenin brengen.

'Dat was een ander soort vrijheid, mam,' zei Rosa. 'Als ze geprobeerd had werk te vinden, echt werk, dan was ze er wel achter gekomen dat ze minder zou hebben verdiend dan een man en dat ze nooit de kans zou hebben gekregen om hogerop te komen. Vrouwen konden geen dokter of advocaat worden, die beroepen waren niet toegankelijk voor hen. Je hebt het over het duistere tijdperk, toen vrouwen geacht werden thuis te blijven en kinderen te baren. Je moeder was uniek.'

Catriona moest op de binnenkant van haar lip bijten om niet in lachen uit te barsten. Je kon erop rekenen dat Rosa een geldig argument zou vinden.

'Vertel eens over die tijd, Catriona,' zei Belinda in de stilte die was gevallen.

'Waarom?' Catriona was onmiddellijk op haar hoede. Dit was noch de tijd, noch de plek om over Kanes dood te praten.

Belinda grijnsde. 'Omdat het me interesseert en omdat het al jaren geleden is dat je ons een van je verhalen hebt verteld.'

Catriona keek naar de gezichten rond de tafel. Rosa en Harriet leunden voorover, hun uitdrukking alert. De arme Connor keek alleen maar verdwaasd. Tom Bradley was erin geslaagd zijn blik los te rukken van Harriet en leunde achterover in zijn stoel met zijn armen over elkaar geslagen. Catriona zag dat hij ondanks zijn ontspannen houding alles in de gaten hield en besefte dat inspecteur Tom Bradley nooit vrij van dienst was.

Ze keek weer naar Belinda en zag geen enkele valsheid in dat lieve gezicht. 'Waarom niet. Maar het is een verhaal dat ik vaak heb verteld, dus ik hoop dat jullie je niet vervelen.'

24

Connor was net zo geboeid als de anderen, maar hij kon zien dat mam moe werd. Hij wierp een blik uit het raam en keek op zijn horloge. 'Je zit nu al een uur te praten, mam,' zei hij. 'Het is al donker en je hebt je rust nodig,' zei hij resoluut.

'O jee,' zei ze met een glimlach. 'Is dat zo?' In haar vraag klonk een smeekbede door – ze had duidelijk geen zin om te stoppen met verhalen vertellen.

'Het is al laat, ma,' zei hij streng en hij wierp een blik op Tom. 'Ik weet zeker dat je bezoekers je niet langer willen ophouden. Ik weet niet waar ze voor gekomen zijn, maar het zal tot morgen moeten wachten.'

De spanning in het vertrek was bijna tastbaar en de aangename sfeer was in één klap verdrongen door de gedachte aan waarom ze hier waren. 'Belinda weet waar haar kamer is,' zei Catriona in een poging de spanning wat te verlichten. 'Maar de meisjes hebben waarschijnlijk een heleboel bij te praten en ik vermoed dat ze liever bij hen intrekt.'

Harriet wierp Belinda een ijzige glimlach toe. 'Misschien heeft Belinda er gezien de omstandigheden niet zo'n behoefte aan om over de goeie ouwe tijd te praten?'

Connor vroeg zich af wat ze in haar schild voerde. Hij overwoog of hij wel of niet moest proberen de toestand te verlichten, maar besloot het niet te doen. Belinda was heel goed in staat om alles wat Harriet voor haar in petto had het hoofd te bieden; ze hadden jaren geoefend.

'Dat heb ik zeker wel,' zei Belinda opgewekt. 'Het is jaren geleden dat we de kans hebben gehad om eens lekker bij te kletsen. Ik verheug me erop,' zei ze liefjes, en in haar blik lag een duidelijke uitdaging aan het adres van Harriet. 'Ik doe mee, als jij dat ook doet.'

Harriet klemde haar kaken op elkaar terwijl ze de overblijfselen van de maaltijd begon op te ruimen. 'Dit is geen wedstrijd,' mompelde ze. 'Ik wilde je alleen maar de kans geven je terug te trekken.'

'En daar ben ik je dankbaar voor,' antwoordde Belinda met een strakke glimlach.

Connor fronste zijn voorhoofd. Vrouwen waren een mysterie en hun gedachtegang was niet te volgen. Vanwaar die kilheid terwijl het zoveel eenvoudiger zou zijn geweest om gewoon te zeggen waar het op stond, zodat de lucht kon opklaren?

Catriona gniffelde. 'Ik ben er dol op om de kat op het spek te binden,' proestte ze. 'Dat maakt het leven zo'n stuk interessanter.'

'Dat hangt ervan af wie de kat is,' mopperde Harriet terwijl ze met veel misbaar de borden op elkaar stapelde en ze op het afdruiprek zette.

Connor deed zijn best om niet te lachen. Belinda was altijd al in staat geweest om Harriet op de kast te krijgen en die had, zoals gebruikelijk, onmiddellijk gehapt. Maar toch maakte hij zich zorgen om de wrijving tussen de twee meisjes. Ze zouden hun kinderlijke vijandigheid nu toch wel moeten zijn ontgroeid.

'Laat dat allemaal maar,' zei Catriona met een wegwerpend handgebaar. 'Een paar vuile borden doen niemand kwaad en volgens mij kun je beter schone lakens voor Belinda zoeken en haar helpen een plekje voor haar in orde te maken.' Ze wierp Harriet een vals glimlachje toe en wendde zich tot Tom. 'Maak alsjeblieft geen vuur bij de coolibah,' zei ze. 'Het is mijn favoriete plekje en ik wil niet dat het verpest wordt.' Ze zuchtte. 'Ik was er altijd dol op om onder de blote hemel te slapen. Ik benijd je.'

'Dat doet me eraan denken,' zei Connor, 'ik heb 's met Billy Birdsong gepraat en hij is bereid ons vanavond allemaal mee te nemen.'

'Klinkt mysterieus,' zei Tom zachtjes.

'Dat is het ook,' zei Harriet en op haar bedrukte gezicht verscheen onmiddellijk een brede, oprechte glimlach. 'Het wordt een van de meest bijzondere ervaringen van je leven. Geloof me maar.'

Connor grijnsde en keek weer naar Tom. 'Heb je zin in een avontuur?' vroeg hij uitdagend.

Hij knikte bedachtzaam.

'We gaan een aardig stuk bij de boerderij vandaan en onze paarden kunnen lastig te hanteren zijn.' Hij wendde zich tot Belinda. 'Ik neem aan dat je nog steeds kunt rijden?'

'Is het achtereind van een eend waterdicht?' zei Belinda bestraffend en ze kaatste de uitdaging onmiddellijk terug. 'Ik durf te wedden dat ik jou er uit rij wanneer ik maar wil.'

Connor keek haar recht in de ogen. 'Daar twijfel ik geen moment aan,' zei hij rustig en zijn bewondering voor deze jonge vrouw nam steeds meer toe, ondanks de reden waarvoor ze hier was. 'En hoe zit het met jou, Bradley?'

Tom werd rood en keek naar zijn laarzen. 'Ik heb nooit de behoefte gevoeld, maat. De stad is niet bepaald een plek voor paarden.' Hij keek op en zag vijf paar ogen op zich gericht die hem met verbazing en afschuw aankeken.

'Wat?' riep hij uit. 'Het lijkt wel of ik een vreselijke misdaad heb begaan. Ik kan niet paardrijden, nou en?'

'Dan kun je dus ook niet met ons mee. Het spijt me, vriend.'

Tom klemde zijn kaken op elkaar en voelde een klein spiertje in zijn wang trillen. 'Ik zou een pick-up kunnen lenen en achter jullie aan kunnen komen,' zei hij.

Connor schudde zijn hoofd. 'We gaan naar heilige grond, maat. Machines mogen daar niet komen.'

Tom wist wanneer hij verslagen was. Hij keek even vlug naar Harriet die in ieder geval het fatsoen had om eruit te zien alsof ze in verlegenheid was gebracht door de korte woordenwisseling en hij vrolijkte wat op bij de gedachte dat ze hem niet helemaal waardeloos vond. Hij besloot zijn eigen plan voor die avond te trekken. 'Hoe is het nachtvissen hier?' vroeg hij. 'Kan ik van iemand een hengel lenen, of is dat soms ook verboden?'

Connor was zo netjes om de andere kant op te kijken. 'Helemaal niet,' mompelde hij. 'Kokkie heeft genoeg visgerei om een winkel te beginnen. Ik weet zeker dat hij je wel iets wil lenen.'

'Goed, dat is dan allemaal geregeld,' zei Catriona terwijl ze de kat van haar schoot zette en opstond. 'Ik ga deze keer niet mee. Het is een lange dag geweest en ik moet morgen fris en uitgerust zijn voor de ondervraging,' zei ze opgewekt.

Tom zag hoe teder Harriet, Rosa en Connor haar welterusten wensten en hij voelde zich ondanks de aanwezigheid van Belinda een buitenstaander. Het was lang geleden dat hij iemand had gehad om welterusten te wensen en een avond in het gezelschap van Catriona had hem eraan herinnerd hoeveel hij van zijn eigen moeder had gehouden en hoe erg hij haar nog steeds miste.

Ze liepen naar buiten het maanlicht in en hij ging langzamer lopen tot Belinda en hij achteropraakten terwijl de overigen naar de kraal liepen. 'Wat gaat iedereen daar vannacht precies doen?' vroeg hij.

Belinda vertelde hem over Billy's magische reis naar de Melkweg. 'Ik heb het al heel vaak gedaan,' zei ze ten slotte. 'Het is echt een wonderbaarlijke ervaring. Het is zo jammer dat je niet kunt paardrijden, Tom. Je mist iets heel moois.'

'Let goed op jezelf daar,' zei hij zachtjes. 'Harriet heeft haar klauwen gescherpt en zelfs Connor is defensief.'

Belinda grijnsde en veegde een lok uit haar ogen. 'Ik ga mee omdat Harriet me er niet bij wil hebben,' antwoordde ze opgewekt. 'En omdat het me de gelegenheid geeft om bij de man te zijn die ik al sinds ik klein ben aanbid. Veel plezier met vissen.'

Catriona was moe, maar haar geest was nog te actief om in slaap te kunnen vallen. Ze schoot haar oude bontmantel aan over haar nachthemd en liep blootsvoets naar buiten naar de veranda. Ze stond in de baan maanlicht die op de vloer viel en keek naar de nachtelijke hemel. De maan stond aan de wolkeloze hemel die bezaaid was met miljoenen twinkelende sterren en terwijl ze ernaar stond te kijken, was ze in staat te zien welke blauw licht uitstraalden in plaats van rood en welke koud en wit schitterden. Dat was iets dat ze als kind had geleerd en ooit had ze geweten waarom ze verschillende kleuren hadden, maar in de loop der jaren was ze die les vergeten en nu deed het er niet meer toe.

Ze zuchtte. De Aboriginals hadden hun eigen vertellingen over de schepping en de sterren en ze benijdde de jongelui de ervaring die ze op dit moment hadden en wou dat ze was meegegaan. Het was al weer even geleden dat ze met Billy Birdsong was meegegaan naar de heilige heuvels en op de Melkweg naar de maan was gedreven.

Catriona trok haar bontjas strakker om zich heen en huiverde. Het was koud vannacht, maar dat had weinig te maken met het kille voorgevoel dat haar overviel, want Billy wist dingen die het begrip van de moderne blanke ver te boven gingen. Hij zag voortekenen in de wind, kon stemmen horen die van de andere kant riepen en de aantrekkingskracht van het zingen voelen dat hen uiteindelijk allemaal naar hun laatste rustplaats riep. Nu, hier in de nachtelijke stilte, meende ze ook het verraderlijke gefluister te kunnen horen, meende ze te kunnen voelen hoe de geesten naderbij kwamen en te kunnen zien hoe hun vluchtige schaduwen verstoppertje speelden op de weiden en onder de bomen.

Ze glimlachte om haar eigen dwaasheid. De stemmen die ze hoorde kwamen van de twee mannen bij de rivier. Kokkie was vermoedelijk bezig Tom dodelijk te vervelen met zijn opschepperij over zijn visserskwaliteiten en ze hoopte dat Tom geduld met hem zou hebben. 'Arme Kokkie,' zei ze voor zich heen. 'Hij krijgt niet vaak de kans zijn passie voor vissen met iemand te delen.'

Catriona keek naar het dansende lichtje van de lamp terwijl de twee mannen bij het kamp aan de kreek rondscharrelden en moest sterk denken aan haar kinderjaren. Wat leek dat nu lang geleden en zo ver weg en wat waren de herinneringen op een vreemde manier onpersoonlijk geworden – alsof het allemaal een ander kind was overkomen, een andere Catriona.

Haar gedachten werden onderbroken door het schelle gerinkel van de telefoon. 'Wie belt er nou op dit tijdstip?' mopperde ze terwijl ze het huis binnenrende. De hordeur sloeg met een klap achter haar dicht. 'Wat is er?' snauwde ze in de hoorn.

'Spreek ik met Dame Catriona Summers?' De stem was mannelijk, doelgericht en klonk niet bekend.

Catriona was onmiddellijk op haar hoede. 'Met wie spreek ik?' wilde ze weten.

'Mijn naam is Martin French en ik heb uiterst belangrijke informatie voor Dame Catriona.'

'Ik heb nog nooit van u gehoord,' antwoordde ze. 'Ik ben er helemaal niet van gediend om op dit uur van de avond te worden lastiggevallen.' Ze stond op het punt om de hoorn op de haak te leggen toen zijn volgende woorden haar deden verstijven.

'Ik bel u om uw reactie te horen op een artikel dat morgen in de *Australian* verschijnt.'

Het kille voorgevoel keerde terug en ze klemde de hoorn in haar hand. 'Ga verder,' commandeerde ze met vaste stem.

'We hebben informatie ontvangen aangaande het moordonderzoek dat wordt uitgevoerd door inspecteur Tom Bradley.' Hij pauzeerde, en Catriona wist niet zeker of dat was vanwege het effect of omdat hij naar woorden zocht, maar hij had wel doel getroffen. Haar hart ging tekeer en haar benen trilden zo erg dat ze een stoel bij moest trekken en gaan zitten. Hij ging verder. 'We hebben begrepen dat u in Atherton heeft gewoond waar het lichaam is gevonden en dat u rechercheur Bradley nu helpt bij zijn onderzoek. Ik vroeg me af of u een verklaring wilt afleggen.'

Catriona klemde haar kaken op elkaar en haalde een paar keer diep adem in een poging haar opkomende woede te onderdrukken. 'Hoe komt u aan die valse informatie?' wilde ze weten.

'We kunnen onze bronnen niet prijsgeven, Dame Catriona,' was zijn gladde reactie. 'Maar ik bied u de gelegenheid om een paar dingen op te helderen en uw kant van het verhaal te vertellen.'

Catriona smeet de hoorn op de haak en keek er woedend naar toen het toestel onmiddellijk weer begon te rinkelen. Ze trok de stekker uit de aansluiting en kwam in de verleiding om het verrekte ding tegen de muur te pletter te gooien. 'Hoe dúrven ze,' zei ze naar adem snakkend.

Ze bleef een tijdje zitten en haar gedachten gingen alle kanten op. Ze verwierp onmiddellijk de mogelijkheid dat een van haar gezinsleden hier verantwoordelijk voor was, want geen van hen wist waarom Tom hier was. Maar de politie wist dat wel en dus moest daar het lek zitten. Het deed haar pijn om te denken dat het Belinda kon zijn geweest en ze deed heel erg haar best om niet te geloven dat zij haar na al die jaren dat ze elkaar kenden had verraden. Dan had je Bradley nog. Ze was bereid geweest Bradley te vertrouwen, was hem zelfs gaan mogen. Maar nu had het er toch de schijn van dat de verlokking van het grote geld van de kranten te veel voor hem was geweest, of voor iemand in zijn directe omgeving, zoals zo vaak het geval was.

Ze schoof de stoel naar achteren en trok haar oude bontmantel stevig om haar nachtkleding. Ze stak haar voeten in een paar afgetrapte laarzen en beende naar buiten. De lantaarn bij de rivier brandde nog en Tom Bradley stond op het punt een andere kant van Dame Catriona Summers te leren kennen.

Kokkie was een halfuur geleden weggegaan en Tom genoot nog even van de stilte voor hij onder de wol zou kruipen. De gezette kok was goed gezelschap en de twee mannen hadden samen een paar blikjes bier gedronken en visverhalen uitgewisseld en wat vage plannen gesmeed om eens te gaan vissen in een nabijgelegen meer waar Kokkie zijn boot had en het water diep was.

Het vissen had die avond weinig opgeleverd, niet meer dan een paar kleine visjes die ze hadden teruggezet. Maar het simpele feit van aan de oever van een rivier te zitten met een hengel in de hand was voldoende geweest om hem te ontspannen en Tom voelde zich aangenaam slaperig en verheugde zich op zijn nacht in de tent, toen hij werd opgeschrikt door het geluid van iemand die dichterbij kwam. 'Wie is daar?' vroeg hij scherp en hij probeerde de duisternis buiten de kring van licht van de lantaarn met zijn blik te doorboren.

'Ik,' snauwde Catriona terwijl ze met grote passen het licht binnenstapte en in haar bontjas boven hem uittorende met haar armen boos over elkaar geslagen.

Tom keek naar haar. De woede straalde gewoon van haar af. 'Wie heeft u zo van streek gemaakt, Dame Catriona?'

Ze keek woedend op hem neer en haar gezicht was vertrokken van woede. 'Jij,' zei ze kortaf.

Hij was geschokt door haar heftigheid. 'Hoezo? Wat dan?' wist hij uit te brengen.

'Ik hou niet van doortrapte leugenaars,' snauwde ze.

Haar woorden schokten hem en terwijl hij overeind krabbelde en boven haar uittorende begon hij boos te worden. Niemand, zelfs een Dame niet, kon hem ongestraft een leugenaar noemen. 'U kunt maar beter een goede reden hebben om me zo te noemen,' zei hij op rustige toon.

Ze keek woedend naar hem op en haar blik was hard en vol verachting. 'Je hebt beloofd dat je discreet zou zijn,' zei ze kortaf. 'Je hebt beloofd dat alles wat ik je zou vertellen vertrouwelijk zou blijven. Dat was de enige reden dat ik erin heb toegestemd dat je hierheen kwam.'

'Ja,' zei hij ferm. 'En ik hou me aan die belofte.'

'Leugenaar,' zei ze opnieuw en de verachting droop van haar woorden.

Tom propte zijn handen in zijn zakken om te voorkomen dat ze zouden gaan trillen. Hij wilde haar niet laten merken hoezeer haar woorden hem troffen. Hij was volledig in verwarring en zocht wanhopig naar een teken dat enig licht kon werpen op deze buitengewone en plotselinge aanval. 'Waar gaat dit allemaal over?' vroeg hij ten slotte.

Ze vertelde hem over het telefoontje van de verslaggever. 'Dus hartelijk bedankt dat je mijn naam uit het nieuws hebt gehouden,' zei ze cynisch. 'Daar ga je dan met je beloftes.' Ze keek woedend en met een uitdagende blik naar hem op. 'De informatie was veel te gedetailleerd om ergens anders vandaan te zijn gekomen dan van jou, of van iemand in je directe omgeving. Wat heb je daarop te zeggen, meneer de rechercheur?'

Hoewel hij opgelucht was dat hij nu de reden van haar woede kende, was Tom inwendig woedend over deze onverhoedse aanval van de vrouw die hij al zo lang bewonderde. 'Ik ben het niet geweest,' zei hij vastberaden. 'Ik heb u mijn woord gegeven.'

'Bewijs dat maar,' wierp ze tegen. 'Anders kun je hier als de wiedeweerga opduvelen.'

Tom balde zijn vuisten. Dit kon hij op dit moment helemaal niet gebruiken. Catriona was begonnen hem te vertrouwen, had zich zo ver laten gaan dat ze hem dingen over haar jeugd had verteld. Wie was er in godsnaam naar de krant gelopen en waarom? Wat viel daarmee te bereiken? Hij woelde gefrustreerd met zijn handen in zijn haar. Verdorie, wat een ellende.

Hij keek omlaag naar de vrouw die boos naar hem stond te kijken en hij voelde zich ongemakkelijk door de verachting in haar blik. Allemachtig, dacht hij. Als blikken konden doden, dan was hij allang zo dood als een pier geweest. De hele situatie was absurd, maar er nu luchtig over doen zou alle hoop die hij had om de waarheid uit Catriona te krijgen de grond in boren. Hij moest op de een of andere manier zien te bewijzen dat hij hier niets mee te maken had. Terwijl ze daar tegenover elkaar stonden, kraakten zijn hersenen.

Toen hij de gezinsleden als mogelijke kandidaten had verworpen, bleef alleen Wolff nog over, een plausibele mogelijkheid. Zijn mond trok samen tot een woedende streep. Wolff liep graag langs het randje, hij was niet vies van wat smeergeld en verdiende een extraatje door af en toe een oogje dicht te knijpen. Hij had een dure levensstijl en kwam graag in het casino. Toen herinnerde hij zich glashelder de sleutels. Hij had ze op zijn bureau laten liggen, was ze kwijtgeraakt onder allerlei papieren en had ze uiteindelijk teruggevonden in een la. Dat had hem toen verbaasd, maar nu was alles duidelijk. Wolff had de sleutels gebruikt om zijn la te openen en het dossier te lezen; hij was bezig zijn dreigement waar te maken dat hij het hem betaald zou zetten en problemen zou veroorzaken.

'Ik moet een paar telefoontjes plegen,' zei hij zakelijk. 'Waarom gaat u niet terug naar bed? Ik laat u morgen wel weten hoe het ervoor staat.'

'Zo gemakkelijk kom je er niet vanaf,' zei ze vastbesloten. 'Ik blijf bij je tot alles is uitgezocht.'

Tom keek haar gefrustreerd, maar met genegenheid aan. Ze was een taaie tante en in haar woede helemaal geweldig. Maar hij zag de angst die onder die woede schuilging en hij wilde haar beschermen. Ze liepen samen naar de boerderij en hij pakte de telefoon. Hij had een vriend die op de sportredactie van de *Australian* werkte en hem een dienst verschuldigd was. Het nam vier telefoontjes in beslag om hem te pakken te krijgen en hij hing pas na een gesprek van een halfuur weer op. 'Hij moet een paar telefoontjes plegen,' legde hij uit aan Catriona die hem nog steeds boos stond aan te kijken. 'Hij heeft beloofd dat hij zo snel mogelijk terugbelt, maar dat kan wel even duren.'

Catriona liet haar kin op haar borst zakken en haar woede verdween in een langgerekte zucht.

Hij keek haar nadenkend aan. 'Ik vind echt dat u weer naar bed moet gaan,' zei hij op vriendelijke toon. 'Dit wordt vannacht niet meer opgelost.'

'Het kan me niet schelen wat jij vindt,' repliceerde ze. 'Als ik de hele nacht op wil blijven in mijn bontjas en rubberlaarzen, dan doe ik dat.'

Daar viel niets tegenin te brengen en Tom keek haar gefrustreerd aan. Wat was het toch met vrouwen van een bepaalde leeftijd dat ze dachten dat ze onbeschoft en zuur en volslagen maf konden doen? Hij grijnsde. Omdat ze ermee wegkwamen, realiseerde hij zich.

'Waarom sta jij nou te grijnzen?' zei ze terwijl het begin van een glimlach om haar mondhoeken speelde.

'Om de gedachte dat ik, wanneer ik eenmaal zo oud ben als u nu, ook zo grof kan doen als ik zelf wil en kan zeggen wat er in me opkomt en ermee wegkomen,' zei hij zacht. 'Kom op, Catriona. Het is al laat, het is koud en we hebben allebei onze slaap nodig.'

Ze glimlachte naar hem en keek hem nadenkend aan. 'Je bent een goede vent, Tom Bradley,' zei ze. 'Maar ik zal niet m'n excuses aanbieden voor mijn beschuldigingen. Die Wolff waar je het aan de telefoon over had, is dat er een van jou?'

Hij knikte. 'Als hij het is geweest, dan raakt hij z'n baan kwijt,' zei hij. 'Daar zal ik voor zorgen.'

Het telefoontje van de verslaggever had Catriona meer van haar stuk gebracht dan ze had gedacht. Toen Tom vertrokken was, zette ze een kop thee om de kou te verdrijven en met Guit achter zich aan liep ze naar haar slaapkamer. Ze ging in de oude rieten stoel zitten en de kat draaide zich op haar schoot in een bal en snorde als een goed geoliede machine. Ze wikkelde de door de motten aangevreten bontjas om zich heen en krulde haar koude handen om het kopje terwijl ze nadacht over het telefoontje.

Ze mocht dan de laatste jaren als een kluizenaar hebben geleefd, maar haar carrière en reputatie hadden door haar platen die nog steeds werden verkocht in die grote boze buitenwereld verrassend genoeg voortgeleefd. Ze had duidelijk nog steeds nieuwswaarde door haar werk voor de academie en de goede doelen. De roddelaars zouden ongetwijfeld uit hun dak gaan, en de doos van Pandora zou eindelijk ten overstaan van iedereen worden geopend.

Met een boze zucht kwam ze tot de conclusie dat ze de controle over de situatie kwijt was en hoewel Tom een keurige jongeman leek, was er, nu de dam eenmaal gebroken was, niet veel dat hij kon doen om de stroom speculaties in toom te houden.

Ze sloot haar ogen en gaf in stilte toe dat het tijd was om de waarheid te vertellen. Ze had de geheimen te lang bewaard, was haar hele leven bezig geweest de duistere herinneringen te verdringen, net zo lang tot het vergeelde kiekjes waren geworden van een spookachtig verleden dat haar niet langer kon raken. Nu moest ze de moed zien te vinden om overal voor uit te komen, iets wat ze jaren geleden al had moeten doen. Er moest altijd een prijs worden betaald – een boetedoening voor de vreselijke dingen die waren gebeurd – en nu was het tijd om dat toe te geven en zich te bevrijden van de ketens van het verleden.

Maar haar zorg gold niet alleen haarzelf, maar ook haar dochter. Hoe moest ze haar beschermen en hoe kon ze haar naam overal buiten houden? Catriona's ogen vulden zich met tranen van spijt en de zucht kwam van diep vanbinnen; hij was geladen met spijt over dingen die achterwege waren gelaten en de gemiste kansen om dingen weer recht te zetten. Ze was haar leven lang op de vlucht geweest en had steeds alles ontkend – maar het maakte niet uit hoe hard ze rende, het verleden kwam altijd een paar stappen achter haar aan – en nu had het haar ingehaald en ze zou het onder ogen moeten zien.

Geurige damp steeg op toen ze de kop naar haar lippen bracht en een slokje van de thee met eucalyptus nam. Er zat geen melk in en maar een paar korrels suiker om de thee wat zoeter te maken, maar het was een oude gewoonte om een eucalyptusblad in de pot te doen, een gewoonte die ze al op jonge leeftijd had geleerd toen thee nog in een zwartgeblakerde ketel boven een kampvuur werd gezet. De maan scheen door het raam naar binnen en de overhangende takken van de boom zorgden ervoor dat het licht in spikkels op de vensterbank viel. Maar haar gedachten waren ver verwijderd van deze kleine kamer. Flikkerend als de stomme film die de levenswijze van haar ouders had vernietigd, verschenen de herinneringen aan voorbije jaren voor haar geestesoog, elke scène een karakterschets van wie zij was en hoe die tijd haar had gevormd tot de vrouw die ze was geworden.

Harriet stootte Rosa aan en knikte in de richting van de figuur die uit de boerderij tevoorschijn kwam. 'Ik dacht dat hij zou gaan vissen?' fluisterde ze, terwijl ze het hoofdstel pakte en de poort van de kraal dichtdeed.

'Dat zou hij ook,' antwoordde Rosa en haar ogen waren donker van achterdocht. 'Maar ik denk dat hij meer wilde vangen dan een paar visjes. Ik zou wel eens willen weten hoe lang hij bij mam is geweest.'

'Als Tom zei dat hij ging vissen, dan is dat ook zo,' zei Belinda verdedigend.

Harriet en Rosa keken haar zwijgend aan en Connor snoof minachtend voor hij wegbeende om de paarden te gaan verzorgen. Rosa had hem op de weg terug op de hoogte gebracht van de situatie en zijn achterdocht jegens Tom leek gerechtvaardigd.

'Waarom vragen jullie het hem niet als jullie me niet geloven?' zei Belinda uitdagend. 'Hij komt deze kant op.'

Harriet verplaatste haar zadel van de ene arm naar de andere en wachtte terwijl Tom met grote passen het erf overstak en naar de kraal liep. Hij was een knappe man, de maan glinsterde in het grijs aan zijn slapen en zijn mannelijkheid straalde bij iedere stap van hem af. Hij had haar niet achterbaks geleken, alleen maar ongemakkelijk met de situatie waarin hij was beland en ze was verrast dat ze zich zo teleurgesteld voelde bij de gedachte dat hij Catriona had ondervraagd terwijl zij ergens anders waren.

Rosa deed haar mond al open voor hij de kans had gekregen hen te begroeten. 'Hoe ging het vissen?' Het sarcasme droop van haar woorden.

Zijn hartelijke glimlach verflauwde en hij keek verwonderd naar de drie vrouwen. 'Goed,' zei hij. 'Maar niks gevangen om te eten, allemaal onder de maat.'

Rosa keek hem woedend aan. 'Ik had het niet over vis,' zei ze kortaf. 'Ik doelde op jouw gevis naar inlichtingen bij mam.'

Zijn mond viel open en hij staarde Rosa aan. 'Daar was geen sprake van,' zei hij verbijsterd.

'Leg dan maar eens uit wat je in de boerderij deed,' zei ze uitdagend, met haar armen over elkaar geslagen. 'En ontken maar niet dat je er bent geweest. We zagen je naar buiten komen.'

Zijn trekken werden strak en zijn blik verhardde. 'Ik hoef jullie geen verantwoording af te leggen,' zei hij kil. 'Maar als jullie je zoveel zorgen maken over mijn betrouwbaarheid, waarom vraag je het dan niet aan Catriona?' Hij keerde zich af van Rosa en keek naar Belinda. 'Even een babbeltje,' zei hij. 'Nu.'

Harriet zag hoe boos hij was en zag ook de verwarde blik die Belinda Rosa toewierp voor ze hem de donkere schaduwen van de bijgebouwen in volgde. Ze draaide zich om naar Rosa. 'Dat was nogal pittig,' zei ze. 'Wat is er toch met je aan de hand, Rosa?'

Rosa tuurde in de duisternis terwijl de twee figuren druk in gesprek dicht bij elkaar stonden. 'Ik vertrouw hem niet,' zei ze. 'En ik durf te wedden dat hij alleen maar heeft gezegd dat hij niet kon paardrijden om mam te spreken te krijgen terwijl wij er niet waren.'

'Ja, hallo,' antwoordde ze. 'Dat weet je helemaal niet zeker en misschien is er wel een heel onschuldige verklaring voor waarom hij in de boerderij was.' Harriet verschoof het tuig in haar armen en begon in de richting van de schuur te lopen om het op te bergen. 'Zo heb ik je nog nooit meegemaakt, Rosa, en het baart me zorgen. Misschien ben je er te nauw bij betrokken om onpartijdig te zijn – het is helemaal niks voor jou om zo... zo kattig te doen.'

Rosa gooide het zadel neer en hing de halster op. Ze draaide zich om en keek een ogenblik naar Harriet en begon te grijnzen. 'En ik denk dat jij een beetje medelijden met hem hebt,' verklaarde ze. 'Die verliefde blikken die hij je steeds toewierp beginnen effect te krijgen.' Haar glimlach vervaagde en haar blik stond nadenkend. 'Maar ik vertrouw hem niet verder dan ik hem kan zien.' Ze draaide zich om naar Connor die net de schuur was binnengekomen. 'Wat denk jij ervan?'

Hij borg het tuig op en leunde tegen een van de stevige palen die het dak ondersteunden. 'Ik denk dat Harriet gelijk heeft,' zei hij. 'Je bent het spoor bijster. De man is van de politie, wat had je dan verwacht?' Hij zocht in zijn zakken naar zijn pakje tabak. 'Als je de waarheid wilt weten, waarom doe je dan niet wat hij zei en vraag je mam waarom hij in huis was? Er brandt nog licht, dus ik denk niet dat je haar stoort.'

Harriet kwam tot de conclusie dat het maar het beste was om Rosa de gelegenheid te geven eerst wat stoom af te blazen door haar alleen te laten gaan. 'Ik ga Kokkies voorraden plunderen en wat te eten voor ons maken.'

'Ik ga met je mee,' zei Connor. 'Ik ben uitgehongerd na die rit.'

'Ik kom terug,' zei Rosa boos voor ze het erf begon over te steken.

'Mijn god,' verzuchtte Harriet. 'Ze klinkt als een Arnold Schwarzenegger van drie turven hoog.'

Tom keek Belinda aan en zijn opluchting was enorm, want als er ook maar de kleinste kans had bestaan dat Belinda achter het lek had gezeten, dan zou hun werk hier ten einde zijn. 'Ik moest het vragen,' zei hij bij wijze van verontschuldiging.

'Ik dacht dat je me vertrouwde,' antwoordde ze. 'Ik zou jou zelf nooit hebben verdacht, laat staan dat ik je zo aan een kruisverhoor zou hebben onderworpen zoals jij net met mij hebt gedaan.'

Hij haalde diep adem en liet die langzaam weer ontsnappen. De nacht was nog relatief jong, maar het leek alsof hij sinds hij hier was aangekomen met de ene na de andere vrouw ruzie liep te maken. Op dit moment zou hij er de voorkeur aan hebben gegeven om een troep doorgewinterde criminelen tegenover zich te hebben. Dan wist je ten minste waar je aan toe was. Met vrouwen lag dat heel anders. 'Ik heb hier te maken met een ingewikkelde zaak,' legde hij uit. 'Hier is misschien de enige nog levende getuige van een moord die meer dan een halve eeuw geleden is gepleegd en zolang ze me wantrouwt, krijg ik niets uit haar. Daar komt nog bij dat ze mij de schuld geeft van het lek en ik heb beloofd dat ik alles zou regelen en het geheim zou houden. Je mag hier niks over tegen de anderen zeggen, oké?'

'Als jij dat zegt,' mompelde Belinda. 'Maar ze hoeven alleen maar een krant te lezen of een nieuwsuitzending te horen om erachter te komen. Geloof je niet dat deze hele kwestie al ingewikkeld genoeg is zonder alles geheim te willen houden?'

Hij glimlachte vermoeid terwijl hij zijn handen in zijn zakken propte en met de neus van zijn laars tegen een pol gras schopte. 'Het is wat Catriona wil, Belinda. We zien wel wat ervan komt.' Hij zuchtte. 'Het spijt me dat ik aan je heb getwijfeld, maar ik moest zeker weten dat je aan mijn kant staat.'

'Natuurlijk doe ik dat, idioot,' zei ze vol genegenheid. 'Maar het zou zoveel eenvoudiger zijn geweest als je gewoon had uitgelegd wat je vanavond bij Catriona deed.' Ze keek hem onderzoekend aan. 'Vind je ook niet dat je ze moet vertellen wat je, om te beginnen, allemaal hebt moeten doen om tijd vrij te krijgen en hierheen te mogen? Zou je ze niet vertellen welke moeite je hebt moeten doen om ervoor te zorgen dat ik mee mocht?' Ze glimlachte. 'Weet je, Tom,' zei ze zachtjes. 'Soms ben je zelf je grootste vijand.'

Hij ging gefrustreerd met zijn hand door zijn haar, waardoor het rechtovereind bleef staan. 'Ik wilde alleen maar het raadsel van mijn grootvader oplossen,' zei hij boos. 'Het was nooit m'n bedoeling dat alles zo uit de hand zou lopen. Catriona is nationaal bezit, een vrouw wier leven en talent ik al jaren bewonder, en ik ben vastbesloten deze kans om alles tot een goed einde te brengen door niets om zeep te laten brengen.'

'Vertel ze dat dan,' zei ze een tikkeltje ongeduldig. 'Wees openhartig met ze, in plaats van met Harriet te dwepen of een stapje terug te doen elke keer dat Rosa je dwarszit. Ze is defensief en aanval is de beste verdediging, dat zou je moeten weten, Tom. Geef haar de kans en dan kom je er misschien achter dat ze nog niet zo kwaad is.'

'Ik dweep niet met Harriet,' ontkende hij vol vuur en de kleur kwam vanuit zijn nek en trok over zijn gezicht.

Belinda grinnikte. 'O, jawel,' zei ze liefjes. 'Maar ja, smaken verschillen.'

Hij was verbaasd over haar toon. 'Je mag haar niet, hè? Maar ik dacht dat jullie elkaar al jaren kenden, ik dacht dat jullie zo dik waren met elkaar?' Hij was nieuwsgierig naar de relatie tussen haar en de andere twee en zeer geïnteresseerd in hoe Harriet er in de ogen van een andere vrouw vanaf kwam.

Belinda beet diep in gedachten verzonken op haar onderlip. 'Ik kon prima met haar opschieten toen we nog klein waren en een tijdlang had ik zelfs medelijden met haar. Haar moeder is een eersteklas trut.'

Tom trok een wenkbrauw op, maar hij was verstandig genoeg om Belinda's gedachtegang niet te onderbreken.

'Ik denk dat het eigenlijk allemaal nogal stom is,' ging ze verder. 'Maar Rosa was mijn vriendin en toen Harriet erbij kwam, voelde ik me buitengesloten. Toen ik besloot niet naar de universiteit te gaan maar voor de politieacademie te kiezen, groeiden we uit elkaar.' Ze staarde in de duisternis. 'We hebben wel contact gehouden, maar dat lag vooral aan Rosa.'

'Wat vind je nu van haar?'

Ze grinnikte. 'Ze is niet zo prikkelbaar als Rosa, dat is een ding dat zeker is, maar ik heb haar altijd een beetje te koel en afstandelijk naar mijn smaak gevonden. Ze is ook aantrekkelijk en heel intelligent, hetgeen waarschijnlijk de reden is dat ze je tamelijk zielige pogingen om haar het hof te maken negeert.' Hij stond op het punt haar beschuldiging te ontkennen toen ze grinnikte en verderging. 'Ik denk dat het komt omdat ik op het platteland ben opgegroeid,' zei ze. 'Maar ik ben nooit zo'n fan geweest van die gladde stadse dames die alles lijken te hebben, en geloof me, Tom, die daar heeft echt alles.'

'Wat bedoel je?' Tom was geïntrigeerd.

Ze keek hem met een ernstige uitdrukking op haar gezicht aan. 'Haar vader was Brian Wilson, een multimiljonair die zijn rijkdom heeft vergaard met de levering van installaties en machines voor de olie-industrie. Hij stierf toen Harriet nog klein was. Haar moeder was prima ballerina bij de Sydney Ballet Company en een fanatieke societyfiguur.'

Tom had instinctief geweten dat Harriet uit een rijke familie kwam, maar hij had geen idee dat ze zulke connecties had.

'Harriet hoefde tijdens haar rechtenstudie niet in bars en clubs te werken om het hoofd boven water te houden. Ze kreeg een baan bij een van de meest prestigieuze advocatenkantoren in Sydney in de schoot geworpen en kreeg na verloop van tijd steeds meer in het oog springende zaken toegewezen. Ongetrouwd, geen kinderen, heeft een eigen huis in de Rocks, geen hypotheek, en een van de jongste firmanten van haar advocatenkantoor, Jeremy Prentiss, zit achter haar aan. Hij is ook vrijgezel en uitzonderlijk rijk.'

Het nieuws dat Harriet misschien al bezet was, schokte hem. Wat voor kans had een eenvoudige politieman tegenover een rijke advocaat? Het drong tot hem door dat Belinda hem geamuseerd stond aan te kijken. 'Nou, nou,' bracht hij uit. 'Je mag haar echt niet, hè?'

Ze keek hem nadenkend aan. 'Ik zou gisteren niet met je hebben ingestemd, maar nu weet ik het niet zo zeker,' zei ze zachtjes. Toen haalde ze haar schouders op. 'Harriet valt best mee, maar de vriendschap die we als kind hadden, is voorbij. We hadden al nooit veel gemeen en de verschillende werelden waarin we leven hebben de kloof alleen maar breder gemaakt.'

'En hoe zit het met Rosa? Ben je nog steeds bevriend met haar?'

Ze knikte. 'We hebben dezelfde achtergrond en Rosa stelt zich niet zo aan als Harriet. Ze is al mijn maatje sinds ik in luiers rondliep. Ik ken haar stemmingen en ik weet wat ze denkt, en hoewel ze soms een vreselijke lastpost kan zijn, is onze vriendschap nog net zo hecht als hij altijd is geweest.'

Toen Belinda het kookhuis binnenstapte, stond het eten op tafel. 'Bedankt dat je wat voor me hebt bewaard,' zei ze dankbaar terwijl ze een stoel bijschoof. 'Ik ben uitgehongerd.'

Harriet glimlachte stijfjes. 'Ik heb niet op Tom gerekend, maar er is genoeg.'

'Hij heeft worstjes en bonen gegeten samen met Kokkie toen ze aan het vissen waren,' zei Belinda terwijl ze aardappelpuree op haar bord schepte.

'Is alles in orde?' vroeg Harriet, die nieuwsgierig was naar wat er tussen de twee was voorgevallen. 'Tom zag er niet zo heel gelukkig uit.'

Belinda haalde haar schouders op. 'Hij heeft wat problemen, maar niks dat niet valt op te lossen.' Ze forceerde een glimlach. 'Het enige wat hij nodig heeft is dat jullie hem een beetje de ruimte geven,' zei ze. Ze draaide zich om naar Rosa die zich op haar biefstuk concentreerde. 'Heb je Catriona gesproken?'

Rosa at haar mond leeg en nam een slok wijn. 'Ja,' zei ze kortaf. 'Mam ging een eindje wandelen en heeft Tom uitgenodigd wat te komen drinken.'

Belinda accepteerde deze magere verontschuldiging en viel aan op haar maaltijd. Toen ze haar eerste honger had bevredigd, legde ze haar bestek neer en nam genietend een flinke teug van haar wijn. Ze keek de tafel rond en zei toen in de stilte: 'Tom zal het waarschijnlijk niet zo op prijs stellen dat ik dit vertel, maar ik vind dat jullie moeten weten dat hij vreselijk zijn best heeft moeten doen om toestemming te krijgen om mij mee te nemen. Ik hoor niet echt bij zijn team.' Ze keek naar de anderen, en haar blik bleef even op elk van hen rusten om haar woorden kracht bij te zetten. 'Hij bewondert Catriona en weet heel goed wat wij allemaal van haar vinden.'

'Wat kan hem dat schelen?' mompelde Harriet. 'Hij is een politieman die gewoon z'n werk doet. Hoe je het ook bekijkt, hij is vastbesloten zijn zin te krijgen en dat hij jou gebruikt om haar te bewerken is nou niet wat je noemt eerlijk spel.'

'Dat is waar,' gaf Belinda toe. 'Maar of jullie het nou willen of niet, Catriona heeft erin toegestemd te worden verhoord.' Ze pauzeerde. 'Tom is bereid hier zo lang te blijven als nodig is,' legde ze uit. 'Er zijn niet veel rechercheurs die dat willen doen. Catriona heeft heel veel geluk.'

Harriet keek Belinda een tijdje aan voor ze haar mond opendeed. 'Dat ben ik met je eens,' zei ze zachtjes. 'Kun je ons nu misschien zeggen waarom jullie twee eigenlijk hier zijn?'

'Dat kan ik niet,' antwoordde ze. 'Dat moest ik beloven van Catriona.'

Harriets gezicht werd harder. 'Je geniet hiervan, hè?'

'Niet echt,' reageerde Belinda.

Connor verliet het kookhuis en liep in de richting van zijn huisje, maar in plaats van daar naar binnen te gaan, liet hij zich in een stoel op de veranda zakken en staarde in gedachten in de verte. Zijn bezorgdheid om Catriona werd gevoed door hun lange geschiedenis van wederzijdse genegenheid en dankbaarheid, door Catriona's rotsvaste geloof in zijn zuster en hem en door haar ruimhartigheid voor hen beiden. Hij wreef over de stoppels op zijn kin en zijn vingers gingen in een automatisch gebaar over het halvemaanvormige litteken dat de erfenis van zijn vader vormde. Catriona was er voor hem geweest toen hij haar nodig had; nu was het zijn beurt om er voor haar te zijn.

Connor zocht in zijn zakken en haalde zijn tabakszak tevoorschijn. Hij rookte niet veel, maar zo nu en dan hielp de nicotine hem zich te ontspannen en het simpele feit dat hij in het donker een perfect shagje draaide, was meestal voldoende om hem tot rust te laten komen.

Maar vanavond was het anders, realiseerde hij zich. Zijn gedachten waren te verward, zijn bezorgdheid te groot en de herinneringen te sterk om weggeblazen te worden op een wolk sigarettenrook. Hij voelde tranen van woede in zijn ogen prikken toen hij zichzelf weer als die kleine jongen zag. Een kleine jongen wiens kindertijd uit hem was geslagen nog voor hij de kans had gehad iets anders te kennen. Connor zat daar en voelde de oude woede weer de kop opsteken, zoals altijd gebeurde wanneer hij aan Michael Cleary dacht.

Hij zat een tijdje in de verte te staren voor hij uit zijn stoel opstond, waarbij hij zijn stijve kniegewricht ontzag, en door de hordeur naar binnen stapte. Rosa en hij hadden geleerd opnieuw te vertrouwen. Mam was de eerste persoon geweest met wie hij over zijn vader kon praten zonder zich te schamen, de eerste persoon die hem hulp had geboden en hem van praktisch advies had gediend. De eerste persoon die de liefhebbende genegenheid had getoond die Rosa en hij zo vreselijk hadden gemist toen Poppy dood was. Belvedère was hun toevluchtsoord geworden. 'Ja,' zuchtte hij. 'Er is een heleboel waar we haar dankbaar voor moeten zijn. Ik hoop dat we iets terug kunnen doen.'

Connor gaf het eindelijk op om nog te proberen in slaap te komen; het was te heet en zijn hersenen weigerden tot rust te komen. Hij gooide het laken van zich af, trok een comfortabele korte broek aan, greep zijn tabakszak en liep naar buiten. Hij liep blootsvoets over het erf en genoot van de warmte van de aarde onder zijn voeten en de verkoelende bries die zijn borst streelde. Dit was geen nacht om in huis opgesloten te zitten. De magie van hun tochtje naar de sterren hing, ondanks de herinneringen aan zijn kindertijd, nog om hem heen.

Hij wreef met zijn hand over zijn borst en over zijn nek. De hitte was draaglijker, de maan stond helder aan de hemel, de vredigheid van het land omringde hem en bevestigde nogmaals de liefde die hij voor deze plek voelde. Hij leunde tegen de omheining van de kraal en keek hoe de paarden stonden te doezelen in het maanlicht.

'Kun jij ook niet slapen?' zei een zachte stem naast hem.

Hij schrok op uit zijn gedachten, verrast maar op een aangename manier, door haar gezelschap. Hij grinnikte, plotseling verlegen. 'Ik kom hier vaak 's nachts,' zei hij zacht. 'Dat geeft me de gelegenheid om na te denken en alles op een rijtje te zetten.'

Belinda's blik ging over zijn blote borst, de sterke benen en de blote voeten. 'Ze zeggen dat reflectie goed is voor de ziel,' antwoordde ze. 'En ik moet toegeven, je bent absoluut een lust voor het oog.' Ze grinnikte terwijl hij zijn gezicht warm voelde worden. 'Maar dat wist je waarschijnlijk al.'

Hij keek haar grinnikend aan en zijn blik was plagerig. 'Ik zie dat je nog geen spat veranderd bent, Belinda.'

'Ik kan jou niet voor de gek houden, hè?' antwoordde ze en de lach sprankelde in haar ogen.

'Waarom kun jij vanavond niet slapen?' vroeg hij.

'Rusteloos,' mompelde ze. 'Het is lang geleden dat ik in het Land van Niets ben geweest en ik wil die magie vasthouden zolang ik kan.'

'Mis je Derwent Hills niet?' vroeg hij terwijl hij tegen de kraal leunde en een shagje begon te draaien. 'Ik kan me niet voorstellen dat ik ergens anders dan hier zou zijn.'

'Dat kon ik ook een hele tijd niet,' antwoordde zij. 'Maar het leek niet zoveel zin te hebben om hier te blijven hangen. Ik realiseerde me dat er een grote, wijde wereld was om te ontdekken, dus ging ik bij het korps. De rest is, zoals ze zeggen, geschiedenis.'

Connor zag hoe de verschillende uitdrukkingen op haar gezicht en in haar ogen elkaar opvolgden. Ze was een genoegen om naar te kijken en makkelijk in de omgang en hij kon er nog steeds niet over uit dat het weerzien na zo'n lange tijd zo'n schok bij hem had veroorzaakt. Hij kwam er ook achter dat hij zich niet meer ongemakkelijk voelde in haar gezelschap, zelfs al was hij dan halfnaakt. 'Maar je mist het hier wel, of niet soms?' drong hij aan.

'Ja,' verzuchtte ze. 'En op momenten als dit mis ik het het meest.' Ze draaide zich om en leunde tegen de omheining van de kraal met haar handen in haar zakken en haar ogen op zijn gezicht gericht. 'De tocht van avond heeft het allemaal weer naar boven gebracht,' zei ze zachtjes. 'Weet je nog toen we kinderen waren? Billy werd verondersteld op ons te letten terwijl Catriona weg was en dan hypnotiseerde hij ons en liet ons daar uren achter, in de wetenschap dat ons niets kon overkomen.' Ze giechelde. 'Ik verdenk hem ervan dat hij ons alleen maar bezig wilde houden terwijl hij aan het zwerven sloeg.' Ze nam zijn shagje van hem aan, nam een trekje en liet de rook langzaam ontsnappen en meevoeren op het zuchtje wind.

'Was je nooit bang?' vroeg hij. 'Ik herinner me de eerste keer nog dat ik vloog. Ik was doodsbenauwd dat ik zou neerstorten en op de aarde te pletter zou slaan. En toen ik me realiseerde dat ik me helemaal niet kon bewegen of kon landen wanneer ik dat wilde, was ik als de dood dat ik daar voor altijd achtergelaten zou worden.'

Ze knikte. 'Dat had ik ook. Maar je komt er al snel achter dat het niet blijft duren. De magie van de hele ervaring verdringt uiteindelijk elke logische redenering.'

Ze rookten de rest van de sigaret in stilte op, elk in beslag genomen door zijn eigen gedachten. Elk zich bewust van de nabijheid van de ander.

'Ze staat daar buiten met m'n broer te kletsen,' mopperde Rosa terwijl ze het gordijn voor het raam liet vallen en weer in bed klom.

'Laat ze toch met rust,' mompelde Harriet terwijl ze een lekker plekje op haar kussen probeerde te vinden. 'Ze heeft al jaren een oogje op Connor en dit is waarschijnlijk haar laatste kans om hem te pakken te krijgen.' Ze trok het laken op tot aan haar kin. 'Trouwens,' voegde ze eraan toe, 'ze kan waarschijnlijk niet slapen en dat kan ik haar niet kwalijk nemen. Je snurkt hard genoeg om het hele huis wakker te houden.'

'Ik snurk niet,' kaatste Rosa terug.

Harriet gaf het op en kwam onder het beddengoed vandaan. 'Dat doe je wel,' antwoordde ze. 'En hard ook.'

'Kyle klaagde daar ook altijd over,' gaf Rosa toe. 'Maar ik dacht dat hij overdreef zodat hij ruzie kon maken.'

Harriet trok een wenkbrauw op. Rosa had het maar zelden over haar ex. 'Waarom moet je ineens aan Kyle denken?' vroeg ze.

Rosa ging overeind zitten en sloeg haar armen om haar opgetrokken knieën. 'Ik weet het niet,' gaf ze toe. 'Misschien omdat ik me plotseling erg oud voel en erg vrijgezel.' Ze legde haar kin op haar knieën en staarde in het duister. 'Ik ben bijna dertig, Hat, en er is nog geen spoor te bekennen van de ware.'

Harriet fronste haar voorhoofd. Rosa had nooit eerder de behoefte aan de ware getoond en ze vroeg zich af wat de oorzaak was geweest van deze gedachtegang. 'Je zegt altijd dat je van je vrijheid geniet.'

'Dat doe ik ook, het grootste deel van de tijd tenminste,' zei ze zacht. 'Maar hier thuiskomen heeft me laten zien hoe leeg mijn leven eigenlijk is.' Ze ging met haar vingers door haar piekhaar en maakte de chaos daarmee nog groter. 'Ik heb werk waar ik gek op ben, en een goed sociaal leven, maar er is geen speciaal iemand. Niemand die er iets om zou geven als ik ineens zou verdwijnen en nooit meer terug zou komen.'

'Verdorie, Rosa. Dat is heftig, zelfs voor dit tijdstip van de nacht.' Harriet klom uit bed en ging in kleermakerszit op dat van Rosa zitten. 'Ik zou er iets om geven,' zei ze zacht. 'En dat geldt ook voor Connor en Catriona en de tientallen mannen die je al jaren aan het lijntje houdt.' Ze strekte haar arm en raakte de strak gevouwen handen aan. 'Je bent gewoon een beetje melancholiek. Je zult je wel beter voelen na een nacht lekker slapen.'

Rosa trok een gezicht en haalde haar schouders op. Ze strekte haar hand uit naar haar sigaretten en kneep haar ogen dicht tegen het felle licht van het vlammetje van de aansteker. Terwijl ze tegelijk met een diepe zucht een dikke rookwolk uitblies, grinnikte ze. 'Ik denk dat je gelijk hebt, zoals altijd,' zei ze. 'Kyle was een vergissing – een huwelijk uit lust in plaats van liefde – en ik ben niet van plan dat nog eens te doen. Dan ben ik nog beter af in m'n eentje.' Ze keek door het raam toen Harriet het opendeed om de sigarettenrook naar buiten te laten. 'Ik had mijn hoop erop gevestigd dat Connor en jij verkering zouden krijgen, maar het ziet ernaar uit dat Belinda uiteindelijk toch haar zin krijgt.' Ze grijnsde. 'Maar jij was nooit in hem geïnteresseerd, hè?'

Harriet sloeg haar armen om haar knieën en grinnikte. 'Helemaal niet,' zei ze opgewekt. 'Maar dat wil niet zeggen dat ik hem niet mag, Rosa. Hij is gewoon mijn type niet.'

'Mmm,' zuchtte Rosa. 'Ik ben het met je eens dat jullie niet veel gemeen hebben en het sterke, zwijgzame alfamannetje kan behoorlijk onuitstaanbaar zijn als je een reactie uit hem probeert te krijgen.' Ze grinnikte weer en de elfachtige ondeugendheid schitterde in haar ogen. 'Misschien moet jij de aantrekkelijkheden van Jeremy Prentiss nog eens heroverwegen. Ik heb hem maar even in het voorbijgaan gezien, maar hij is rijk, knap en duidelijk verliefd en je moeder zou in de zevende hemel zijn als je met hem trouwde.'

'Laat mijn moeder er alsjeblieft buiten,' mopperde Harriet. 'En Jeremy ook, wat dat aangaat. Ik geef toe dat ik hem waarschijnlijk erger laat klinken dan hij verdient, maar dat is gewoon mijn verdedigingsmechanisme tegen mams koppelarij.' Ze beet op haar lip en slaakte toen een zucht. 'Hij is eigenlijk een heel aardige man, maar het klikt gewoon niet.'

'Jij hebt tenminste een keuze,' snifte Rosa terwijl ze haar sigaret uitmaakte. 'Tom Bradley staat in de coulissen te wachten.' Ze zweeg toen Harriet haar een boze blik toewierp. 'Denk erom,' zei ze zachtjes. 'Ik zou het niet erg vinden hem wat beter te leren kennen nu ik begrijp wat zijn bedoeling is. Hij lijkt me best aardig en als mam hem mag, dan is dat voor mij voldoende.'

Harriet keek haar vol verbazing aan. 'Laat die arme man met rust,' proestte ze. 'Je hebt sinds zijn aankomst niets gedaan om jezelf geliefd bij hem te maken. Gun die knul even de tijd, Rosa.'

Rosa trok een dunne wenkbrauw op. 'De dame protesteert te heftig, dunkt mij,' zei ze nuffig. 'En te oordelen naar de manier waarop hij zich in jouw nabijheid gedraagt, zou het jammer zijn al die seksuele spanning te moeten missen.' Ze keek Harriet aan met een vragende grijns op haar gezicht. 'Maar als je echt niet geïnteresseerd bent – en waarom zou je ook, hij is maar een politieman – dan moet je een stapje opzij doen, zodat een echte vrouw je kan laten zien hoe je zoiets aanpakt.'

Harriet gaf haar een klap met haar kussen. 'Ga nou eens slapen en hou op met die belachelijke onzin,' zei ze vastbesloten. Rosa lachte luid terwijl Harriet weer in haar eigen bed kroop en het laken over haar hoofd trok. Echt, dacht ze, Rosa is onmogelijk. Alsof zij, Harriet Wilson, iemand die zo alledaags en gewoon was als Tom Bradley seksueel aantrekkelijk zou vinden. Een belachelijk idee.

25

Catriona keek naar de telefoon en trok de stekker weer los. De journalisten zouden ongetwijfeld opnieuw proberen te bellen en ze had geen zin om zich door hen lastig te laten vallen. Ze moest haar favoriete radioprogramma die ochtend maar vergeten, besloot ze, want het nieuws zou daar ook op te horen zijn. Voor het eerst in jaren was ze dankbaar voor het feit dat de kranten maar eens in de maand werden bezorgd.

Ondanks het vroege uur was ze al volledig aangekleed en hoewel het een onrustige nacht was geweest, voelde ze zich op een vreemde manier energiek toen ze Guit te eten gaf en zelf aanviel op een kom vol cornflakes. De reden voor deze nieuwe uitbarsting van energie was de wetenschap dat ze over een paar uur bevrijd zou zijn van de last die ze al die jaren met zich meedroeg en naarmate de lange nacht was gevorderd, was ze gaan beseffen dat dit was waar ze onbewust op had gewacht sinds ze dertien was. Het was een kans om eindelijk iemand te vertellen wat haar was overkomen – in de wetenschap dat ze zou worden geloofd.

Guit volgde haar naar de zitkamer en liep tussen haar benen door terwijl zij op de hutkoffer afliep. Ze keek er een ogenblik diep in gedachten naar, en slaakte vervolgens een diepe zucht. Ze had de dingen die ze daar had weggestopt willen doornemen, ze wilde een paar van de geheimen die ze zo lang verborgen had gehouden met iemand delen, maar de tijd was er niet rijp voor, niet nu Tom hier was. Ze besloot de dingen voorlopig te laten voor wat ze waren en ging op weg voor haar ochtendrit.

Tom kwam tot de conclusie dat hij vandaag meer dan genoeg tijd in het gezelschap van vrouwen zou doorbrengen en besloot daarom in het kookhuis te gaan ontbijten. Zoals in elk mannenbolwerk was het er luidruchtig en vrolijk, en werd er uit volle borst gelachen om de verhalen die werden verteld, het werk van die dag werd besproken en de taken werden toegewezen. Hij voelde zich op zijn gemak, ondanks een paar vijandige blikken, en hij at met smaak zijn biefstuk, gebakken eieren en gebakken aardappelen en spoelde alles weg met hete, geurige koffie. Het eten was beter dan in de kantine bij de politie, besloot hij, en het gezelschap minder gespannen. Hier was voor zover hij kon overzien, geen sprake van blinde ambitie, geen slijmen bij superieuren of collega's onderuithalen. De mannen van Belvedère leken tevreden met hun lot en de kameraadschap zorgde voor een sterke binding.

'Môgge,' zei Connor terwijl hij z'n volgeladen dienblad op tafel zette en ging zitten. 'Hoe was het in de tent?'

'Prima,' antwoordde Tom en hij vertrok zijn gezicht toen hij zijn tong verbrandde aan de hete koffie. Hij had cafeïne nodig voor hij aan de dag kon beginnen. Hij keek even naar Connor die diep in gesprek was met een van de veedrijvers. Het leek erop dat de man een beetje toeschietelijker was geworden en daar was hij dankbaar voor. Het enige wat hem nu nog te doen stond, was Catriona zo ver zien te krijgen dat ze hem alles vertelde en dan kon hij hier opkrassen.

Hij sloot zijn hersenen af voor het vrolijke geklets om zich heen en dacht aan Harriet. Hij had de afgelopen nacht van haar gedroomd, wat tamelijk infantiel was, aangezien ze al een vriendje had en voor hem veel te hoog gegrepen was, maar dat veranderde niets aan het feit dat er van alles met hem gebeurde wanneer hij aan haar dacht of dat hij zich erop verheugde haar vanochtend weer te zien. Zijn aangename gedachten werden verstoord door een norse stem bij zijn schouder.

'Wat kom je hier precies doen, maat?' De man die naast hem was gaan zitten had een gezicht dat was verweerd door de elementen en waarin tientallen lijnen verdiepten tot een netwerk van kloven wanneer hij sprak.

'Gewoon, op bezoek,' antwoordde Tom terwijl hij een waarschuwende blik in de richting van Connor wierp.

'Ik heb gehoord dat het om iets ernstigers ging,' zei de man die tegenover hem zat lijzig. 'Om een moord of iets dergelijks.'

Er viel een doodse stilte en alle ogen gingen in de richting van Tom en Connor.

Door de schok van deze, bijna terloopse woorden, begon Toms hart als een bezetene tekeer te gaan. Het nieuws kon toch niet zo snel op deze plek hier zijn doorgedrongen? Hij dwong zichzelf kalm te blijven onder de kritische blikken van de mannen om zich heen. 'Moord, zei je,' mompelde hij zo nonchalant als hij onder de omstandigheden maar kon. 'Waarom denk je dat?'

'Ik heb er vanmorgen iets over op de radio gehoord,' teemde de man en zijn doordringende blauwe ogen bleven strak op Toms gezicht gericht.

Hel en verdoemenis. Dit kon niet beroerder. Hij had geweten dat het een vergissing was om het geheim te willen houden en hij had niet toe moeten geven toen Catriona hem de belofte afdwong dat hij het voor zich zou houden. Dit was dan misschien wel de outback, duizenden kilometers van de bewoonde wereld, maar radio, telefoon en allerlei andere moderne snufjes betekenden dat de mensen in de binnenlanden niet langer van de beschaving waren afgesneden. Hij klemde zijn kaken op elkaar, schoof zijn stoel naar achteren en ging staan. Hij was zich bewust van de stilte, van de opgeheven gezichten en van de beschuldigende blikken van de mannen van Belvedère. Catriona was meer dan alleen maar hun werkgever, realiseerde hij zich plotseling. Ze hielden van haar en ze bewonderden haar en hij kreeg de indruk dat ze hem als haar beul zagen.

'Je moet niet naar roddels luisteren, maat,' zei hij. Zijn toon was kalm, ondanks de woede op Wolff die binnen in hem raasde. 'De pers heeft het altijd bij het verkeerde eind.'

Kokkie stond met zijn armen voor zijn enorme borst gevouwen. Zijn gezicht stond bars. 'Zo verkeerd kunnen ze het toch niet hebben gehad,' gromde hij. 'Er zijn wetten tegen smaad en ze zullen alles toch wel twee keer hebben gecheckt voor ze het verhaal publiceerden.'

Daar had Tom niets op te zeggen en hij was eerlijk gezegd verrast door Kokkies kennis. Dat bewees maar weer eens dat je niets zomaar mocht veronderstellen.

'Dus jij bent die hond die hier naartoe is gestuurd om haar te arresteren, hè?' De lelijke vent tegenover hem duwde zijn stoel achteruit en nam een dreigende houding aan. 'Ik denk dat wij daar ook nog wel wat over te zeggen hebben – maat.'

Tom herkende de bedreiging en zag hoe de andere mannen overeind kwamen en in stille afkeuring toekeken. De stemming was akelig en er was maar weinig voor nodig om alles tot een uitbarsting te laten komen. Waarom kon die verdomde pers z'n mond niet houden? Waarom moesten ze zo nodig alles rondbazuinen voor hij de tijd had gehad om alles uit te zoeken? 'Er wordt niemand gearresteerd,' zei hij op vastberaden toon. 'Tenzij een van jullie besluit om te proberen mij te pakken te nemen.'

Connor kwam langzaam overeind en ging vierkant naast hem staan. 'Dan krijg je eerst met mij te maken,' zei Connor kalm.

Er klonk geschuifel van laarzen op de vloer en een hoop gemompel terwijl Connor zijn blik op hun gezichten gericht hield en iets tegen Tom zei. 'We moeten praten.'

'Ja,' antwoordde Tom. 'Maar niet hier.' Tom wist niet of hij opgelucht moest zijn dat Connor zijn kant had gekozen, of dat hij zich schrap moest zetten voor een kaakslag.

'Dus het is allemaal niet waar, hè?' hield veedrijver aan. 'En deze schoft is niet hier om de bazin te arresteren?'

'Wat komt hij hier dan wel doen?' wilde een andere stem weten. 'Hij is toch van de politie, of niet soms?'

'Ja. Ze heeft niks verkeerd gedaan en ik sla iedereen op z'n gezicht die zegt van wel.'

'Hou je kop, Sweeney, en eet je ontbijt,' gromde Connor tegen de jonge knecht die duidelijk stond te trappelen om te gaan knokken. Hij keek woedend naar de overige mannen. 'Er ligt een berg werk te wachten en de dag is al half om,' blafte hij. 'Ma zal niet blij zijn als jullie het daglicht verspillen, dus til je luie reet op.'

Connor liep met grote passen het kookhuis uit, met Tom op zijn hielen. Hij draaide zich onmiddellijk met een ruk om naar Tom toen ze buiten gehoorsafstand waren van de mannen die uit het kookhuis waren gekomen om te zien wat er zou gebeuren. 'Je kunt maar beter met een heel goeie verklaring komen voor dat gesprek van daarnet,' zei hij met een doodse kalmte. 'Anders sla ik je compleet verrot.'

Harriet kwam de keuken binnengeschuifeld en zag dat de telefoonstekker niet in het contact zat. Nog half in slaap vroeg ze zich niet af waarom, maar stak hem er weer in voor ze koffie ging zetten. De telefoon begon vrijwel onmiddellijk te rinkelen en ze nam hem op. Het was haar moeder en Jeanette was niet in de stemming voor beleefdheden. 'Heb je de kranten vanmorgen al gelezen?'

'Nauwelijks,' antwoordde ze, terwijl ze een raam openzette en wat van de frisse bries probeerde te vangen die was opgestoken. Haar ogen traanden van de rook van Rosa's sigaretten.

'Harriet? Ben je daar? Ik kan je bijna niet verstaan,' eiste haar moeder.

'Nou, het is ook een heel eind van Sydney,' antwoordde Harriet terwijl ze naar buiten naar het geweldige uitzicht keek. De zon was net boven de bergen in de verte uit en over de weiden lag een roodoranje gloed.

'Doe niet zo bijdehand,' snauwde Jeanette.

Jeanettes stem klonk als een nijdige wesp in haar oor terwijl Harriet toekeek hoe Tom en Connor het kookhuis uitkwamen en verwikkeld raakten in een langdurig en blijkbaar verhit gesprek. De overige mannen bleven in de buurt rondhangen en probeerden op te vangen wat er werd gezegd en ze brandde van nieuwsgierigheid om te weten wat daar gaande was. Haar moeders stem zeurde maar door en ze keek op haar horloge en fronste haar voorhoofd toen ze zich realiseerde hoe vroeg het nog was. 'Meestal lig je op dit uur van de dag nog in coma,' zei ze, de woordenstroom onderbrekend. 'Waar wind jij je zo over op?'

'Ben je bij Rosa?'

Harriet keek naar haar vriendin en fronste opnieuw haar voorhoofd. 'Dat heb ik je toch gezegd?' zei ze rustig. 'Wat is daarmee?'

'Er zijn problemen op komst op Belvedère. Het staat in alle kranten.'

'Wel allemachtig,' zei Harriet ademloos. 'Dat is snel.'

'Wat?' schreeuwde haar moeder in haar oor. 'Wat zei je daar?'

Harriet zette haar gedachten snel op een rijtje. 'Niks, moeder,' zei ze haastig. 'Wat bedoel je precies met problemen?' Ze wierp een blik op Rosa en haalde haar schouders op bij wijze van antwoord op de in stilte gestelde vraag.

Jeanettes hoge stem snerpte door de telefoonlijnen terwijl ze een snelle samenvatting van de nieuwsberichten gaf. Harriet verbleekte bij het aanhoren van haar moeders woorden en ze was verbijsterd over de hachelijke situatie waarin Catriona verkeerde. Het maakte een heleboel duidelijk, maar het lek naar de pers was duidelijk van een goed ingelichte bron gekomen, te goed ingelicht om je nog op je gemak te voelen.

Ze gluurde uit het raam. De twee mannen schudden elkaar de hand en leken het eens te zijn geworden. Maar was hun ruzie over dat lek gegaan? En als dat het geval was, dan was Rosa's aanvankelijke achterdocht ten opzichte van Tom en Belinda misschien toch gerechtvaardigd geweest. Maar Connor leek er geen probleem mee te hebben hem de hand te schudden. Het was een raadsel.

Ze was volkomen in verwarring toen ze zich van het raam afwendde. 'Staat er iets in het artikel over de bron van dat verhaal?' vroeg ze, toen haar moeder eindelijk het hele artikel had voorgelezen.

'Niks.' Haar moeders stem klonk vlak.

Harriet beet op haar onderlip. Ze had geweten dat de vraag een schot in het duister was. Verslaggevers beschermden altijd hun bron en alleen een gerechtelijk bevel kon daar verandering in brengen. Maar ze was nog meer in verwarring door haar moeders reactie op het nieuws. 'Het is niks voor jou om je zorgen te maken over het welzijn van Rosa's familie. Vanwaar die plotselinge verandering?'

'Rosa kan me helemaal niets schelen,' snauwde Jeanette. 'Ik maak me zorgen om jou. Als jullie bij elkaar zijn en jij raakt ook betrokken bij dat moordonderzoek, dan kan dat het einde van je carrière en van je eventuele kansen bij Jeremy betekenen.'

Aangezien ze wist hoe Jeanette zou reageren, hield ze haar mening over haar carrière en Jeremy maar voor zich. Er waren eerlijk gezegd belangrijker zaken om zich zorgen over te maken. 'Het is fijn te horen dat je zo betrokken bent, moeder,' zei ze droog. 'Maar je hoeft je nergens zorgen over te maken. Ik ben prima in staat om voor mezelf te zorgen.'

'Ik ben blij dat te horen,' was Jeanettes antwoord. 'En ik hoop dat dat betekent dat je naar huis komt. Wie met pek omgaat... Je moet zo snel mogelijk bij die afschuwelijke familie uit de buurt zien te komen.'

Harriet voelde de woede in zich opkomen, zoals altijd gebeurde wanneer haar moeder dit stokpaardje bereed. 'Catriona is mijn vriendin,' zei ze kil. 'Ik blijf bij haar zo lang als ze me nodig heeft en als dat inhoudt dat ik mijn diensten als advocaat moet aanbieden, dan zij het zo.'

'Je wáágt het niet.' Jeanettes afschuw spetterde gewoon van de lijn.

'Dag, moeder,' zei Harriet. Ze verbrak de verbinding en ging de keuken weer in waar ze werd begroet door het geluid van opgewonden stemmen. Rosa had duidelijk voldoende gehoord om Belinda te confronteren.

'Nou, het is ergens vandaan gekomen,' snauwde Rosa.

'Als je nou eens lang genoeg je mond hield om iemand anders de kans te geven iets te zeggen, dan zou het misschien tot je doordringen dat het helemaal niet in ons belang zou zijn om zoiets te doen,' zei Belinda woedend.

Harriet nam de twee tegenstanders in ogenschouw en kon er ondanks de ernst van de situatie niets aan doen dat ze moest lachen. Rosa verdronk in de pyjama van Connor, haar haar stond rechtovereind en ze had de uitdrukking van een pruilend kind op haar gezicht. Belinda torende boven haar uit, ging gekleed in shorts en een T-shirt, haar haar was een wilde bos en haar ogen schoten vuur. 'Als jullie jezelf eens konden zien,' zei ze. 'Jullie lijken wel twee kleine kinderen.'

'Het is helemaal niet leuk,' snauwde Rosa. 'Wacht maar tot je het laatste nieuws hebt gehoord.'

'Dat heb ik,' zei ze kalm. 'Dankzij mijn toegewijde moeder, die vindt dat ik mezelf zo snel mogelijk van jullie moet distantiëren.'

'Ik wou dat ik dat kon,' zei Connor die met Tom de keuken kwam binnenvallen. 'Jullie hebben niets anders dan problemen veroorzaakt vanaf het moment dat jullie hier zijn gekomen.' Hij stak een hand op toen Rosa op het punt stond te protesteren. 'Hou je mond,' zei hij streng. 'Dit zooitje kan allemaal worden uitgelegd.' Hij keek naar Tom. 'Kom op dan, en schiet op. Die strijdlustige blik in de ogen van mijn zus staat me helemaal niet aan.'

Harriet luisterde terwijl Tom uitlegde waarom hij hier was en dat Catriona had geëist dat het lek naar de pers geheim zou blijven. De opluchting die ze voelde was enorm, want ze had niet willen geloven dat hij zo achterbaks kon zijn. Hij had een leuke stem, besefte ze, en ze hield van de manier waarop hij met zijn handen gebaarde als hij iets wilde benadrukken. Die handen zagen er groot en capabel uit, de nagels waren schoon en niet afgekloven.

Ze keek naar haar eigen handen terwijl allerlei gedachten door haar hoofd spookten. Het viel niet langer te ontkennen, gaf ze zichzelf toe. Tom was een aantrekkelijke man. Ze hield van de gemakkelijke manier waarop hij de leiding nam, het middelpunt werd van iedereen in de kamer, verhitte gemoederen tot bedaren bracht en gekwetste ego's streelde. Ze vermoedde dat onder dat kalme uiterlijk een ingehouden kracht lag die elk ogenblik met verbluffend effect kon losbarsten.

Nog meer eigenzinnige gedachten staken de kop op waardoor ze de warmte langs haar hals naar boven voelde kruipen en ze boog haar hoofd en verborg haar gezicht achter haar neerhangende haar. Dit is belachelijk, dacht ze boos. Hij is alleen maar een man, een doodgewone man die zich oprecht druk maakt om wat er is gebeurd en diep bezorgd is over de gevolgen die dat voor Catriona kan hebben. Waarom zou haar dat in vredesnaam van streek maken? Verman je, zei ze bestraffend tot zichzelf, gedraag je naar je leeftijd en denk eraan dat Catriona je nodig heeft. Tom was duidelijk doodziek van de hele affaire – en wie kon hem dat kwalijk nemen – maar het zag ernaar uit dat ook hij hun steun nodig had. Want ze mocht het feit niet over het hoofd zien dat hij met Catriona had ingestemd om het lek geheim te houden, en ze vermoedde dat hij die beslissing danig moest bezuren. Want ze had de sterke indruk dat Tom Bradley een man van eer was, een man die er helemaal niet van hield om dingen geheim te houden, een man voor wie de waarheid op de eerste plaats kwam, ongeacht hoe hard die kon zijn.

Catriona had genoten van haar rit, de vermoeidheid van de lange nacht was verdwenen en ze was klaar om de nieuwe dag onder ogen te zien. Ze hoorde het geschreeuw toen ze bij de boerderij kwam en bleef op de veranda staan terwijl ze hoorde hoe Tom de leiding nam. Haar geheim was niet langer een geheim.

'Dank je wel voor jullie steun,' zei ze toen ze de keuken binnenkwam, het paardentuig op een stoel gooide, een kop thee inschonk en zich omdraaide en hen aankeek.

'Goedemorgen, mam,' zei Rosa. 'Dank je wel dat je ons niks hebt verteld.'

'Sarcasme past niet zo bij je, schat,' zei Catriona liefjes. 'En hou in hemelsnaam op zo boos te kijken. Daar word je hartstikke lelijk van.'

Rosa grinnikte, niet in staat haar sombere stemming lang te laten duren. Ze kuste Catriona op de wang. 'Waarom heb je ons niks verteld?' vroeg ze. 'Vertrouw je ons niet?'

'Ik was er gewoon nog niet aan toe om het met iemand te delen,' zei ze. Ze glimlachte naar de drie meisjes. Rosa was een vleugje jeugdigheid, een koele lentebries die af en toe haar leven binnenkwam en haar vreugde bracht. Harriet was ook jong en mooi en haar lange benen kwamen goed uit in de prachtig gemaakte lange broek. Haar haar was weelderig en ze verlangde ernaar haar hand uit te steken en het aan te raken. Ze was een mooie jonge vrouw; geen wonder dat Tom Bradley zijn ogen niet van haar af kon houden. En wat Belinda betrof, ze zag nog steeds die twinkeling van de wildebras in haar ogen, de levenslust, de nuchtere eerlijkheid die uit alles bleek – hopelijk kwam Connor daar zelf achter en nam hij het initiatief voor ze terugging naar de stad en voor altijd uit zijn leven zou verdwijnen.

Connor liep het vertrek door en gaf haar een kus op haar wang. 'De volgende keer moet je zulke dingen niet voor jezelf houden,' waarschuwde hij zachtjes. Hij grijnsde. 'Je had kunnen weten dat je hier iets niet lang geheim kunt houden.'

Ze knikte voor ze zich tot Belinda en Tom wendde. 'Ik geloof dat ik dan maar beter op kan schieten,' zei ze vastberaden. 'De journalisten zitten nu waarschijnlijk hun eigen verhalen te verzinnen, dus je kunt de waarheid maar beter rechtstreeks van de bron horen dan via via.'

Ze ging hen voor naar de zitkamer en ging op de bank zitten met Guit op schoot. Ze wachtte tot iedereen een plekje had gevonden. Haar moment was aangebroken.

'De anderen hebben mijn levensverhaal al vaker gehoord, Tom,' begon ze. 'Maar het verhaal dat je nu zult horen is er een dat ik nog nooit heb verteld. Het gaat om een relatief korte periode in mijn leven, maar die is me altijd blijven achtervolgen.'

Tom zat naar de schaduwen te kijken die over haar gezicht speelden en wist hoe pijnlijk het voor haar moest zijn om zo'n verhaal te vertellen. Hij wou met heel zijn hart dat hij deze zaken had kunnen laten rusten. Maar terwijl hij zat te luisteren, realiseerde hij zich dat ze zichzelf moest verlossen van het kwaad dat ze het grootste deel van haar leven met zich had meegedragen, want in die dagen waren er geen instanties geweest waar ze met dergelijke problemen terechtkon.

Hij keek naar Belinda en zag aan haar ogen dat zij ongeveer hetzelfde dacht, maar er was nu geen weg meer terug, en alle spijt moest terzijde worden geschoven. Catriona was zich heel goed bewust van waar ze mee bezig was en leek zelfs kracht te putten uit deze bekentenis. Haar kracht en haar vastberadenheid waren bewonderenswaardig en hij realiseerde zich dat als ze niet uit dat hout gesneden was geweest, ze destijds waarschijnlijk aan de gebeurtenissen onderdoor zou zijn gegaan. Maar, hier was ze, zo sterk als altijd. Ze had tegen alle verwachtingen in overwonnen en haar leven tot een succes gemaakt. Ze was een overlever.

Hij controleerde snel de kleine bandrecorder en zette er een nieuw bandje en nieuwe batterijen in. Catriona was al meer dan een uur aan het woord en zou uitgeput moeten zijn, maar daar zat ze, hoofd omhoog en met een bijna koninklijke minachting voor het verhaal dat ze aan het vertellen was.

Tom stelde de recorder in en zette hem weer op de armleuning van de stoel. Hij stak zijn hand in zijn zak en voelde aan het kleine plastic zakje. Het was een belangrijk bewijsstuk, maar tot dusverre leek het niet in het verhaal te passen dat Catriona vertelde.

Ze liet haar adem in een lange zucht ontsnappen toen haar verhaal ten einde was en haar boosheid eindelijk was uitgewoed. Ze boog haar hoofd. 'Het was voorbij,' zei ze zacht. 'Kane was dood en begraven.'

Er viel een doodse stilte en ze keek haar gehoor aan. Wat ze zag brak haar hart. Rosa's gezicht was doodsbleek, haar ogen groot van afschuw en terwijl ze haar hand voor haar mond sloeg, stroomden de tranen over haar wangen. Belinda en Harriet vochten tegen hun eigen tranen en hun gezichten waren asgrauw. Toms ogen stonden dof en zijn mond was een boze streep terwijl hij zijn armen over elkaar sloeg en heen en weer begon te wiegen. Connor zat met zijn kin op zijn borst, ellebogen op de knieën en zijn grote handen in elkaar gevouwen op zijn achterhoofd. Zijn stille tranen drupten op de vloer. 'Treur niet om mij,' smeekte ze. 'Hij is dood. Hij kan me geen kwaad meer doen.'

Rosa vloog haar in de armen en hield haar net zo stevig vast als Velda die nacht had gedaan. Haar woorden waren vrijwel onverstaanbaar terwijl ze op haar schouder uithuilde. Connor ging staan en keek lange tijd naar hen, zijn gezicht grauw van verdriet en bedekt met de sporen van zijn tranen. Toen draaide hij zich om en liep doelbewust de kamer uit.

Catriona troostte Rosa en zag hem weggaan. Hij zou zijn eigen manier vinden om met de vreselijke dingen die ze had verteld om te gaan; hij was net zo sterk als zijn grootmoeder was geweest, en Poppy's genetische erfenis zou hem erdoorheen halen.

Belinda en Harriet haastten zich naar haar toe en sloegen hun armen om haar heen. Hun omhelzingen zeiden meer dan woorden hadden kunnen doen. Ze kuste hen allebei, gaf Rosa toen haar zakdoek en ging even met haar hand door het korte piekhaar. De liefde die ze voor alle drie de meisjes voelde, was zo sterk dat het bijna te veel werd.

Toen de rust was weergekeerd, ging ze zitten en wendde zich tot Tom. 'Dat is het dan, Tom,' zei ze zachtjes. 'Geen mooi verhaal, hè?'

'Catriona, ik kan geen woorden vinden om uit te drukken wat ik voel bij wat je allemaal hebt moeten doormaken.' Tom was opgestaan om ruimte voor Rosa te maken op de bank; hij stond nu bij de open haard en zijn gelaatsuitdrukking paste helemaal niet bij zijn woorden. 'Uiteraard zul je niet worden aangeklaagd voor de moord op Kane.'

'Dat mag ik hopen,' antwoordde ze en ze voelde zich alweer wat beter.

'Maar ik zit met een probleem, Catriona.' Hij schuifelde met zijn voeten, keek even naar Belinda en toen weer naar zijn laarzen.

'Nou, voor de draad ermee, man,' zei ze kortaf. 'Ik wil hier een einde aan maken en verdergaan met mijn leven.'

'Catriona,' begon hij, 'toen ik je een paar dagen geleden opbelde, leek je precies te weten waarom ik hier naartoe moest komen om met je te praten. Je wist dat er in Atherton een moord was gepleegd en dat het lichaam was ontdekt tijdens de renovatie.'

Catriona's geduld begon op te raken. 'Ja,' siste ze. 'En ik heb je precies verteld wat er is gebeurd en waar het begraven lag. Ik zie je probleem niet zo.'

'Het was niet Kanes lichaam dat is gevonden,' zei hij in de stilte.

26

'Doe niet zo belachelijk,' snauwde Catriona terwijl ze overeind vloog en hem woedend aankeek. 'Natuurlijk was dat Kane.'

Hij schudde met een treurige uitdrukking op zijn gezicht het hoofd. 'Het spijt me, Catriona. Het lichaam dat we hebben gevonden was verborgen achter een valse muur in de kelder. Omdat de ruimte luchtdicht was, is het lichaam goed bewaard gebleven, bijna gemummificeerd. Er was niets dat erop wees dat het slachtoffer was doodgeslagen.' Hij slikte en haalde diep adem. 'Om precies te zijn,' ging hij verder, 'was hij gewurgd met een lus van ijzerdraad.'

Catriona vertrok haar gezicht toen ze het beeld voor zich zag dat deze woorden opriepen. 'Maar ik begrijp het niet,' fluisterde ze. 'Wie kan het...' Haar woorden stierven weg toen een vreselijk vermoeden in haar opkwam.

Tom stak zijn hand in zijn zak en haalde het plastic zakje tevoorschijn. 'We hebben dit in een van zijn zakken gevonden,' zei hij zachtjes.

Catriona kon niets meer denken. De halsketting was een perfecte replica van de ketting die zij altijd droeg. Ze liet zich terugvallen op de bank terwijl ze haar blik er strak op gericht hield. 'Dus Demetri heeft me toch niet in de steek gelaten.' Ze sloot haar hand om het sieraad en voelde de warmte terwijl ze het in haar hand geklemd hield. Ze voelde geen terughoudendheid vanwege de plek waar ze het hadden aangetroffen, geen enkele weerzin om deze herinnering aan het verleden aan te raken, alleen maar een diep verdriet dat hij zo aan zijn einde was gekomen. 'Waar is hij nu?' vroeg ze met gebroken stem.

Tom ging voor haar op zijn hurken zitten, zijn warme vingers omklemden de hare en zijn expressieve gezicht straalde medeleven uit. 'Hij ligt in het mortuarium in Cairns,' zei hij zacht. 'We waren niet in staat hem met honderd procent zekerheid te identificeren en hoewel de autopsie de tijd van zijn dood en de manier waarop hij om het leven is gekomen heeft aangetoond, hadden we alleen maar vermoedens waar we ons op konden baseren. Het rapport van de vermissing dat mijn grootvader heeft opgesteld is al drie generaties deel van onze familiegeschiedenis, en toen zijn lichaam was gevonden, besefte ik dat alleen jij de antwoorden kende.'

Ze staarde hem aan. 'Dus jullie wisten niet van Kane?' vroeg ze ademloos.

Hij schudde zijn hoofd. 'Ik had een lichaam, dat was alles. Ik wist niet wie het was, maar ik had het vermoeden dat het waarschijnlijk om Demetri Yvchenkov ging. Na een heleboel onderzoek kwam ik tot de conclusie dat jij de enige uit die tijd was die nog in leven was.'

Ze maakte zich los uit zijn handen. 'Dat had je moeten zeggen,' zei ze kortaf. 'Je had duidelijk moeten maken waar zijn lichaam was gevonden.'

Zijn gezicht werd knalrood. 'Toen ik je voor het eerst aan de telefoon sprak,' bracht hij haar in herinnering, 'toen zei je dat je wist waarom ik je wilde spreken en ontkende je niet dat je iets afwist van het ongeïdentificeerde lichaam dat we hadden gevonden. Aangezien jij ten tijde van de moord nog maar een kind was, had ik geen flauw idee dat je erbij betrokken kon zijn geweest. En omdat ik je altijd heb bewonderd en je zo min mogelijk in verlegenheid wilde brengen, leek het me het beste om hierheen te komen en je het verhaal in je eigen woorden te laten vertellen.'

'Dus je hebt me een diepe kuil voor mezelf laten graven en toegekeken hoe ik erin viel,' zei Catriona kwaad. Ze was woedend en haar gezicht werd rood terwijl ze hem aankeek. 'Ik had mijn familie niet aan dit alles bloot hoeven stellen, had ze niets hoeven vertellen over de moord op Kane, of wel soms? Al deze zelfanalyses en pijn waren allemaal voor niets.'

Hij zuchtte beschaamd en stak zijn handen in zijn zakken. 'Geloof me, Catriona, ik had geen idee dat we het over verschillende dingen hadden. Je leek zo zeker van je zaak, zo overtuigd van de identiteit van het slachtoffer en de manier waarop hij om het leven was gekomen. Hoe kon ik weten dat je het over een heel andere moord had?'

Catriona's woede zakte wat en ze keek van hem weg. 'Je hebt gelijk,' mompelde ze. 'Ik had het in mijn hoofd gehaald dat jullie Kane hadden gevonden en hoewel ik er niet op zat te wachten om die gebeurtenissen op te rakelen, denk ik dat ik je moet bedanken omdat je me bevrijd hebt.'

'Dat begrijp ik niet,' antwoordde hij.

Ze keek hem weer aan. 'Ik heb al levenslang gehad voor de moord op die man,' zei ze kil. 'Er is geen dag voorbijgegaan zonder dat ik dacht aan wat mijn moeder en ik al die jaren geleden hebben gedaan. Maar het verhaal vertellen heeft me bevrijd, heeft me een nieuw contract gegeven om te leven. Ik ben er eindelijk in geslaagd hem hier te begraven.' Ze tikte tegen haar hoofd. 'Hij is weg. Hij kan me geen kwaad meer doen.'

'Dan is er tenminste nog iets goeds uit voortgekomen,' zuchtte hij. 'Het spijt me Catriona. Het is nooit m'n bedoeling geweest je zo veel pijn te doen.'

'Dat weet ik,' zei ze en ze wist een glimlach op te brengen. 'Maar als je me meteen over die hanger had verteld, zouden we nu dit gesprek niet voeren.' Ze hield haar hoofd schuin. 'Waarom heb je dat eigenlijk niet gedaan?'

Hij maakte zijn lippen nat en draalde, terwijl de neus van zijn schoen met het kleed speelde. 'Er was iets fout gegaan,' gaf hij toe. 'Toen het dossier werd opgestuurd, zat de ketting er niet bij. Ik heb toen een van mijn collega's daar gebeld en hij vertelde me dat het zakje met bewijsmateriaal op de een of andere manier apart was geraakt van de rest en dat niemand het kon vinden.'

Catriona keek hem aan en hij durfde haar niet in de ogen te kijken.

'De man zat tot over zijn oren in het werk en had het dossier aan een groentje gegeven die het tussen een paar andere heeft gestopt waar ze op dat moment mee bezig waren.' Hij keek naar een plekje ergens achter haar. 'Het kwam uiteindelijk tevoorschijn tussen de spullen van een ander moordslachtoffer. Gelukkig was de echtgenoot van het slachtoffer eerlijk genoeg om erop te wijzen dat het niet van haar was.'

Catriona's gezicht stond ernstig toen ze Rosa aankeek. 'Is onze politie niet fantastisch?' vroeg ze sarcastisch. 'Je kunt altijd op ze rekenen als ergens een zooitje van moet worden gemaakt.'

'Kom op, Catriona,' protesteerde Tom.

'Dat doet er allemaal niet toe,' zei ze scherp. 'Ik wil weten wat je hebt gedaan om de moord op Demetri op te lossen.'

'Na wat jij ons hebt verteld kan ik alleen maar een beredeneerde gok doen,' zei hij terwijl hij een blik wierp op Belinda. 'Ik vermoed dat hij het idee had dat Kane iets in zijn schild voerde, afgezien van het misbruik. Ik denk dat hij onmiddellijk de politie ingelicht zou hebben als hij het idee had dat je gevaar liep. Kane wist dat de man in staat was hem om te brengen als hij erachter kwam wat hij van plan was. Hij was waarschijnlijk doodsbang dat jij hem zou vertellen wat er gaande was en daarom heeft hij zo z'n best gedaan jullie vriendschap te ondermijnen.'

'Als Demetri ook maar een vermoeden heeft gehad van wat voor man Kane was, waarom heeft hij dan niet beter op me gelet? Waarom heeft hij niks tegen mij of tegen mam gezegd?'

Tom haalde zijn schouders op. 'Wie weet?' zuchtte hij. 'Het is een gevoelig onderwerp en niet iets dat je gemakkelijk met een jong meisje bespreekt dat misschien niet eens begrijpt waar je het over hebt. Hij was een ongeschoolde vreemdeling in een vreemd land wiens familie tijdens de Russische pogroms was uitgeroeid. Toen kwam jij en je deed hem denken aan de dochter die hij had verloren. Hij raakte erg op je gesteld en stelde zich beschermend op. Misschien dacht hij dat Kane het niet zou wagen je iets aan te doen als hij wist dat Demetri je onder zijn hoede had genomen.'

'Maar Kane misbruikte me al en wilde niet het risico lopen dat ik het Demetri zou vertellen,' zei Catriona terwijl ze de draad van zijn verhaal oppikte. 'Hij werd ongeduldig, hij wilde verdergaan in zijn misbruik. Demetri moest uit de weg.'

'Het is ironisch,' zei Tom zacht. 'Uit wat je ons hebt verteld is duidelijk dat je nooit iemand iets hebt laten merken van wat er gaande was. Kane had je te goed onder de duim, dus hij zou er waarschijnlijk mee zijn weggekomen.'

Catriona knikte. 'Hij gaf me het gevoel dat ik degene was die schuldig was. Dat ik het was geweest die hem had aangemoedigd. Het heeft jaren geduurd voor ik me realiseerde dat dat natuurlijk helemaal niet het geval was, maar toentertijd dacht ik dat de mensen wel zouden zien wat er aan de hand was als ik brutaal en ongehoorzaam en slechtgehumeurd deed.' Ze glimlachte triest. 'Stom eigenlijk, want niemand besteedde daar de geringste aandacht aan tot het te laat was.' Ze liet de ketting over haar hoofd glijden en voelde hoe zwaar die was. 'Ik wil dat Demetri een fatsoenlijke begrafenis krijgt, Tom. Kun je dat voor me regelen?'

Hij knikte. 'Natuurlijk. Wil je bij de dienst aanwezig zijn?'

Catriona dacht daarover na. 'Nee,' zei ze ten slotte. 'Ik zal me hem altijd blijven herinneren en rouwen om zijn dood, maar de doden moeten de doden begraven, het gaat nu om de toekomst.' Ze keek glimlachend naar hem op. 'Hoe zit het met mijn toekomst, Tom?'

'De zaak wordt gesloten. Demetri is geïdentificeerd en zijn dood komt te boek te staan als moord door een onbekende dader of daders. Ondanks onze verdenkingen kunnen we niet bewijzen dat Kane het heeft gedaan.' Hij liet zijn adem in een lange zucht ontsnappen, alsof hij hem te lang had ingehouden. 'We zullen de grond onder de schuur open moeten leggen en alles wat we tegenkomen moeten bewaren, al betwijfel ik of dat veel zal zijn, gezien het zuur dat je over het lichaam hebt gegoten.'

'Zal ik worden beschuldigd van moord?' Ze hield hem nauwlettend in de gaten en zag de emoties die afwisselend over zijn gezicht trokken.

Hij schudde zijn hoofd. 'Je moeder heeft hem vermoord en zij is dood. Jij was toen nog een kind en hoewel je zou kunnen stellen dat je je moeder hebt geholpen bij het verdonkeremanen van het lichaam, zal ik ervoor zorgen dat jouw naam hier buiten blijft.'

'En hoe denk je dat voor elkaar te krijgen? Dat betekent dat je de waarheid geweld aan moet doen.'

'Waarschijnlijk wel,' zei hij en hij grinnikte terwijl Belinda en hij samenzweerderige blikken wisselden. 'Maar aan de andere kant, alleen de mensen in deze kamer weten waarom de moorden zijn gepleegd en wij vertellen het aan niemand – jij wel?'

Ze glimlachte terug. 'Je bent een stoute jongen,' plaagde ze. 'Maar ik ben nog niet helemaal overtuigd. Hoe zit het met die kleine recorder die je de hele dag aan hebt gehad? Daar moet alles op staan.'

Hij haalde het tevoorschijn en keek er met een quasispijtige blik naar. 'Je gelooft het niet,' zei hij ademloos. 'Ik geloof dat ik vergeten heb hem weer aan te zetten toen ik het bandje en de batterijen had verwisseld.'

Belinda liep na een kort gesprek met Tom over het erf op zoek naar Connor. Haar gedachten werden nog in beslag genomen door het verhaal dat ze vandaag had gehoord, en ze wist dat Connor verdriet had. Terwijl ze bij de omheining stond en over het land uitkeek, zuchtte ze. Catriona's verhaal was niet zo ongewoon; ze had al eerder versies van hetzelfde verhaal gehoord toen ze nog bij de kinderpolitie werkte. Maar die verhalen lieten nooit na haar diep te raken en ze wist dat ze de komende nachten last zou hebben van nachtmerries. Er was iets sinisters aan het werken met slachtoffers van kindermisbruik, iets dat haar het gevoel gaf smerig te zijn en waardoor ze zich schaamde deel uit te maken van het menselijk ras. Maar ze wist ook dat ze onderdeel was van het systeem dat deze kinderen bijstond; de enige persoon die luisterde, de enige persoon die het in zijn macht had om er een einde aan te maken. Het was een gruwelijke en vaak frustrerende taak, en ze was er achter gekomen dat ze maar een bepaalde hoeveelheid aankon en dat was de reden geweest dat ze overplaatsing naar de narcoticabrigade had aangevraagd. Drugdealers waren beter te pruimen dan die perverse figuren.

'Blijf je nog een tijdje op Belvedère?' vroeg Connor toen hij naast haar kwam staan.

'Alleen vannacht nog,' antwoordde ze. 'Tom en ik gaan morgen naar Cairns om de losse eindjes weg te werken en de papierwinkel af te doen. Dan gaan we weer naar Brisbane om onze baas op de hoogte te brengen.'

'O.'

Het was maar een klein woord, maar Belinda hoorde de emotie die erachter lag. Ze had zo lang gewacht op een teken dat hij haar zou missen wanneer ze weer weg zou gaan, en ze wist dat ze net zo min in staat was bij deze man weg te gaan, als naar de maan te vliegen. Ze had hem zo veel te vertellen, maar hoe kon ze de juiste woorden vinden? Ze was nooit erg goed geweest in het verbergen van haar gevoelens en stortte zich vaak zonder na te denken in het diepe, maar dit was te belangrijk om te verpesten.

Terwijl ze in de zinderende middaghitte stonden, bleef Connor blikken in haar richting werpen en Belinda zag aan zijn houding dat hij, net als zij, wanhopig op zoek was naar iets om te zeggen zodat hun gesprek langer zou duren. Ze waren zo verdiept in hun gedachten dat ze Catriona niet hoorden aankomen.

'In hemelsnaam, jullie twee, sta daar niet zo schaapachtig te kijken. Als jullie elkaar iets te zeggen hebben, doe dat dan ook.' Ze omhelsde Belinda even en gaf haar een kus alvorens zich om te draaien naar Connor. 'Het is niet zo dat jullie volslagen vreemden voor elkaar zijn,' zei ze ruw. 'En als ik Belinda was, dan gaf ik je een schop onder je kont omdat je zo'n slome duikelaar bent.'

Connor en Belinda keken haar na terwijl ze wegbeende. Hij keek Belinda weer aan en zijn ogen spraken boekdelen. Belinda legde haar hand in de zijne en voelde hoe haar hart een sprongetje maakte. 'Ik hoef niet meteen weg,' zei ze met onzekere stem. 'En ik kom heel snel weer op bezoek.'

'Wanneer?' Zijn gretigheid was duidelijk zichtbaar in de uitdrukking van hoop die op zijn gezicht was verschenen.

'Gauw,' beloofde ze. Ze maakte haar lippen nat. 'Luister Connor, ik weet dat ik in het verleden een paar tamelijk stomme dingen heb gezegd. En ik weet dat ik een vreselijke lastpak was toen ik nog klein was, dus ik zou het je niet echt kwalijk kunnen nemen als je me nooit meer zou willen zien, maar...'

Hij legde een vinger tegen haar lippen om de woordenstroom tot staan te brengen. 'Maak je geen zorgen,' fluisterde hij. 'Toen waren we nog kinderen. Nu is alles anders.'

Ze deed even haar ogen dicht en genoot van de aanraking van zijn vinger op haar lippen terwijl zij zich naar hem toe boog. 'Je brengt me helemaal van mijn stuk, Connor,' bekende ze. 'Je brengt gevoelens in me naar boven die ik niet voor mogelijk heb gehouden en dat beangstigt me.' Ze keek naar hem op en zag zo'n tederheid in zijn uitdrukking dat ze wel kon huilen van vreugde. 'Geloof je dat jij hetzelfde zou kunnen voelen?'

'Ik geloof dat je me eindelijk hebt weten uit te putten,' zei hij met een lichte twinkeling in zijn ogen. 'Maar jij woont in Brisbane en ik zit hier, dus hoe denk je dat we erachter moeten komen of dit werkt?'

'We verzinnen wel iets,' mompelde ze terwijl ze dichter naar elkaar toe bogen. 'En wil je nu je mond houden en me kussen?'

Zijn lippen waren gretig toen ze haar mond overweldigden. Zijn armen trokken haar dicht tegen zich aan, zo dicht dat ze het kloppen van zijn hart tegen haar borst kon voelen en in dat enkele ogenblik werd de droom die ze al sinds haar zesde koesterde bewaarheid. Het zou niet lang duren voor ze de stad achter zich zou laten en voorgoed naar Belvedère zou komen, want dit was de man die ze aanbad, de man van wie ze vastbesloten was de hare te maken.

Catriona was naar de oude coolibah gelopen. Ze had even wat tijd voor zichzelf nodig om de afloop van de gebeurtenissen van die dag te verwerken en alles op een rijtje te zetten. Ze was diep in gedachten toen ze tussen de bomen een glimp van Harriet opving. Ze had haar tas bij zich terwijl ze de trap afrende en in de auto sprong.

Catriona stond op het punt te roepen, toen de auto er in een grote stofwolk vandoor ging. Waar ging zij in vredesnaam heen? En waarom nam ze haar tas mee? Ging ze weg zonder iemand gedag te zeggen? Ze beet op haar lip terwijl ze daar stond en niet wist wat ze moest doen. Rosa was nergens te bekennen en ze vroeg zich af of de meisjes misschien ergens ruzie over hadden gekregen. Een andere verklaring voor dat plotselinge vertrek was nauwelijks mogelijk.

Ze besloot het kalm aan te pakken en wandelde langzaam terug naar het huis. Er was al genoeg drama geweest voor één dag, en ze had geen zin er nog een in gang te zetten. 'Het is ongelooflijk wat een dag vol dramatische gebeurtenissen allemaal teweeg kan brengen,' zei ze toen ze de hal binnenkwam en haar laarzen uitschopte. 'Connor en Belinda zijn er eindelijk achter dat ze verliefd zijn op elkaar.'

Rosa liep heftig aan een sigaret te trekken terwijl ze in de gootsteen druk in de weer was met potten en pannen en bestek. 'Het werd tijd dat Connor z'n verstand 's kreeg,' zei ze vinnig. 'Hij liep het gevaar een oud wijf te worden.'

'Er is anders helemaal niks mis met een ouwe vrouw zijn,' zei Catriona. 'Wacht maar. Op een dag ben jij er ook een.' Ze sloeg haar armen over elkaar en keek naar Rosa die duidelijk in een vreselijk humeur was.

'Wat is er aan de hand?' vroeg ze op kalme toon.

'Niks,' antwoordde Rosa.

Catriona keek haar lange tijd aan. 'Weet je, Rosa, je kunt soms vreselijk irritant zijn. Hou daarmee op en vertel me waarom Harriet net naar buiten is komen stormen en ervandoor is gegaan en waarom jij eruitziet alsof je elk ogenblik kunt ontploffen.'

Rosa keerde zich af van het aanrecht. 'Ze moest terug naar Sydney,' snauwde ze.

'Waarom?'

Rosa ging met haar hand door haar haar en slaakte een zucht. 'Geen flauw idee,' mompelde ze terwijl ze haar sigaret uitmaakte en een nieuwe opstak.

Catriona's mond vertrok toen het meisje boos naar haar keek. Rosa was nooit in staat om een toneelstukje lang vol te houden. Ze zou haar al snel alles vertellen, dat gebeurde altijd.

Terwijl de stilte bleef duren, gaf Rosa toe. 'Oké, oké,' zei ze en ze stak haar handen in de lucht ten teken van overgave. 'Harriet en ik hebben ruzie gehad. We kwamen allebei tot de conclusie dat het beter was als ze weg zou gaan om ons allebei even de ruimte te geven.' Ze liet as op de grond vallen en wreef het met haar laars in de vloer. 'Bovendien,' zei ze gemaakt nonchalant, 'heeft ze dingen te doen in Sydney die niet kunnen wachten.'

Catriona liet haar hoofd op haar borst zakken. Ze begon het te begrijpen. 'Echt waar?' zei ze zachtjes. 'En ik vermoed dat jij geen flauw idee hebt wat die "dingen" kunnen zijn?'

'Echt geen idee,' zei Rosa terwijl ze haar blik vermeed. 'Harriets zaken gaan me niks aan.'

Catriona snoof. 'Ik ben dan misschien oud en niet meer zo bij de tijd, liefje, maar je moet niet net doen of ik gek geworden ben.'

'Ik heb nooit gezegd dat je oud, niet bij de tijd of gek bent,' zei Rosa woedend. 'Harriet en ik hadden ruzie. Het ging om iets dat ik in de hitte van het gevecht had gezegd, en laten we er niet omheen draaien, de sfeer is na jouw onthullingen tamelijk gespannen en je zegt gemakkelijk de verkeerde dingen.'

Catriona stak haar handen in haar zakken. 'Ik geef toe dat het vandaag een moeilijke dag was. Maar het moet toch wel een heel ernstige ruzie zijn geweest aangezien Harriet er zonder afscheid te nemen vandoor is gegaan.' Ze wachtte even en likte haar lippen. 'Mij hou je niet voor de gek, Rosa,' zei ze zacht. 'Ik weet wat je hebt uitgehaald.'

Rosa trok een wenkbrauw op en deed haar best onschuldig te kijken, maar de kleur in haar gezicht verried haar en het feit dat ze niet in staat was Catriona in de ogen te kijken was het definitieve bewijs dat ze schuldig was. Ze stak haar kin uitdagend in de lucht, klaar om tot het bittere einde te vechten. 'En wat denk je dan precies dat ik heb gedaan?'

'Je hebt je met zaken bemoeid die je niet aangaan,' zei Catriona. 'Ik hoop dat je bereid bent de gevolgen te dragen, Rosa. Niets is zo eenvoudig en voor de hand liggend als het op het eerste gezicht lijkt. Het vertrek van Harriet is daar een bewijs van.'

Rosa beet op haar lip terwijl twijfel de plaats van haar woede innam. 'Wat bedoel je?'

'Ik denk dat je precies weet wat ik bedoel,' antwoordde Catriona.

Connor keek omlaag naar het meisje dat naast hem stond. Ze droeg een spijkerbroek en een overhemd en ze had een trui losjes om haar middel gebonden. Haar bos haar viel over haar schouders en op haar gezicht ontbrak elk spoor van make-up. Zijn gedachten gingen even naar de koele, wereldse Harriet en hij kon het niet helpen dat hij een vergelijking trok. Hij had zich tot haar aangetrokken gevoeld, welke man zou dat niet hebben gedaan, maar afgezien van het feit dat ze een vriendin van Rosa was en een lust voor het oog als ze op een paard zat, kon Harriet niet tippen aan het meisje dat naast hem stond.

'Je kijkt een beetje nadenkend, maat,' zei Belinda. 'Zit je iets dwars?'

Hij werd rood terwijl hij in de donkere, twinkelende ogen keek. Het was net of ze zijn gedachten kon lezen en het drong tot hem door dat hij moest oppassen dat hij zich niet net zo dwaas zou gaan gedragen als Tom Bradley. 'Het wordt al laat,' zei hij nors. 'Ik moet bij de mannen gaan kijken.'

Belinda glimlachte naar hem en leunde tegen de omheining en begroef haar vingers in haar haar terwijl ze uitgebreid geeuwde. Connor kon het niet helpen dat hij de ivoorkleurige welving van haar borsten zag die zichtbaar waren in de opening van haar overhemd. Hij bloosde opnieuw toen ze hem betrapte en haar hese lach die diep vanuit haar keel leek te komen, maakte hem maar al te bewust van het effect dat ze op hem had.

'Doet me genoegen dat het uitzicht je wel bevalt,' zei ze en haar gezicht straalde van plezier.

Connor bestudeerde de grond. Ze liep met hem te flirten en hij wist niet goed hoe hij daarmee om moest gaan. Hij besloot vuur met vuur te bestrijden. 'Ik kijk daar liever naar dan naar het achtereind van een stier,' bracht hij uit.

Ze gooide haar hoofd in de nek en brulde het uit van het lachen. 'Dank je,' bracht ze ten slotte proestend uit. 'Denk ik. Ik neem ten minste aan dat dat bedoeld was als een compliment?'

Hij grijnsde en voelde zich weer net een kind. 'Ik geloof het wel,' zei hij lijzig terwijl hij zijn sigaret uittrapte.

'Je ziet er zelf ook niet slecht uit,' zei ze terwijl ze haar blik over zijn lichaam liet gaan. 'Je ziet er bijna nog beter uit dan Max, maar die heeft weer iets dat jij niet hebt.' Er speelde een glimlach om haar mondhoeken en haar ogen schitterden van pret.

'Max?' Hij wist dat hij dat niet had moeten vragen, wist dat dit een spelletje was, maar hij kon niet anders dan meespelen.

'Dat is mijn partner,' zei ze en haar lach klonk als een diep en sexy gegorgel in haar keel.

'O,' zei hij en zijn opgewektheid verdween. 'Ik wist niet dat je al met iemand was.'

Haar gelach ging over in gebulder. 'Arme Connor,' zei ze. 'Ik moet je niet zo plagen, hè?'

Hij keek haar in totale verwarring aan. Hij zou waarschijnlijk nooit begrijpen hoe de hersenen van een vrouw werkten, maar hij wou dat ze niet voortdurend in raadsels spraken.

'Max is mijn partner op mijn werk,' legde ze uit terwijl ze zich naar hem toewendde. 'Hij is slim, trouw en waarschijnlijk de beste vriend die ik ooit zal hebben.' Ze pauzeerde even, keek naar zijn gezicht en schonk hem een lieve glimlach. 'Max is een Duitse herder, met een koude, natte neus, veel te veel haar en de neiging om een hekel te hebben aan katten en boeven, niet noodzakelijk in die volgorde. Dus ik denk niet dat hij een bedreiging voor je vormt,' besloot ze met zachte stem.

Zijn opluchting was enorm. 'Dat is prima dan,' zei hij en hij wou dat hij een snedig antwoord had weten te bedenken.

Ze glimlachte naar hem en haar ogen werden donker en geheimzinnig terwijl de stilte bleef voortduren en de elektriciteit tussen hen zoemde. 'Het is weer zo'n dag,' zei ze ten slotte. 'Wat zou je zeggen van een ritje?'

Connor vond dat een geweldig idee, maar besloot, voorzichtig als altijd, de kat een beetje uit de boom te kijken. 'Ik had gedacht dat je nog werk te doen had,' zei hij.

Ze haalde haar schouders op. 'Dat kan tot morgen wachten. Ik kan toch niet veel doen tot we in Cairns zijn.' Ze stak haar kin omhoog en keek hem ernstig aan; ze stond nu dichterbij en hij kon de geur van haar haar ruiken. 'Nou, wat dacht je ervan? Ik word geacht op vakantie te zijn en ik kan best wat frisse lucht en lichaamsbeweging gebruiken.' Haar hand lag op zijn arm. Hij was zacht en warm en de rillingen liepen langs zijn ruggengraat. 'Kom mee,' zei ze zacht. 'Laten we hier vandaan gaan.'

De zon stond laag boven de heuvels toen zij hun paarden de sporen gaven en over het grasland galoppeerden. De avondlucht legde een vuurrode gloed over de outback, zette de toppen van de bergen in vuur en vlam en veroorzaakte diepe schaduwen in het naaldbomenbos dat zich aan de flanken vastklampte.

Connor en Belinda wisselden genietende blikken terwijl zij naast hem reed met haar haar wapperend in de wind en haar gezicht oplichtend van pure vreugde vanwege de vrijheid in deze weidse, lege ruimte die Belvedère omringde. Hij voelde zich niet langer slecht op zijn gemak bij haar, niet langer verlegen en onhandig, want hij wist dat dit de vrouw was met wie hij zijn koninkrijk wilde delen.

De hemel was bezaaid met oranje en paars, de vogels keerden terug naar hun nest en de kangoeroes en wallaby's kwamen uit de bosjes tevoorschijn en begonnen te grazen. Diepe schaduwen vielen over het grasland en de bomen staken scherp af tegen de prachtige avondlucht, terwijl de geur van de veldbloemen samenkwam met die van de naaldbomen en eucalyptus in de verkoelende avondbries. Terwijl de avond viel met de snelheid waaraan ze gewend waren geraakt, lieten ze hun paarden overgaan in een rustige stap. Er viel niet veel te zeggen, want zij voelden zich op hun gemak in elkaars gezelschap, en een knikje en een glimlach volstonden. Het was alsof ze één waren met het land dat hen omringde en in harmonie met elkaar.

Connor keek uit over het land dat zo veel voor hem was gaan betekenen en hij realiseerde zich hoe veel mooier het was wanneer je het met iemand kon delen die het net zo waardeerde als hij. Hij keek naar haar en zag dat zij naar hem keek.

'Wat?' vroeg hij, bijna verdedigend.

'Je houdt echt van deze plek, hè?' vroeg ze zachtjes.

'Het is hier beter dan in welke stad dan ook,' antwoordde hij.

'Dat ben ik met je eens,' zei ze. 'Ik hou er ook van, en ik kan maar al te goed begrijpen dat je er nooit weg wilt...' Ze zuchtte en hij meende een wereld van spijt in die zucht te horen. 'Ik wou...' begon ze.

'Wat zou je willen?' vroeg hij terwijl ze de rij lage heuvels naderden waar ze de avond ervoor hadden gereden.

Ze ging rechter in het zadel zitten en trok haar schouders recht terwijl ze met een glimlach rond haar lippen naar hem keek. 'Ik wou dat ik een man was geweest,' zei ze ten slotte. 'Dan had ik thuis kunnen blijven om voor Derwent Hills te zorgen en tegen mijn broers kunnen zeggen dat ze de pot op konden.'

Hij was buitengewoon opgelucht over het feit dat ze geen man was en dat het donker was, want terwijl ze naar hem glimlachte voelde hij zijn temperatuur stijgen en zijn hart als een wilde tekeergaan. 'Er zijn gevallen bekend van vrouwen die met veel succes een fokkerij hebben gedreven,' zei hij terwijl hij probeerde beheerst over te komen. Ze had een krachtig effect op hem en het enige waar hij aan kon denken was een gelegenheid zien te vinden om haar weer te kunnen kussen.

'Ja, dat is zeker waar,' antwoordde ze. 'Maar die vrouwen hebben geen vier broers die allemaal de fokkerij willen bestieren. En natuurlijk ben ik het enige meisje in de enige familie die de manier van leven hier geweldig vindt.' Ze zuchtte. 'Maar de fokkerij is niet groot genoeg voor ons allemaal, dus wat moet een meisje dan, Connor?'

Connor besefte dat ze niet echt een antwoord verwachtte en dat ze waarschijnlijk geschokt zou zijn als ze op dit moment zijn gedachten had kunnen lezen. Hij wees de weg door de stille, majesteitelijke heuvels en hield stil aan de voet van een smal pad dat naar een oude grot en een met gras begroeid plateau leidde dat bijna schuilging achter een rotspartij. Ze stapten met een zwaai uit het zadel en gingen naast elkaar staan en hij kon de vonken bijna tussen hen voelen overslaan toen ze elkaar aankeken.

Belinda was de eerste die het oogcontact verbrak en zich omdraaide en naar het steil oplopende spoor in het gras keek. 'Wat is daarboven?' wilde ze weten.

Haar stem klonk hees en veroorzaakte aangename rillingen bij hem. Hij schraapte zijn keel.

'Het mooiste uitzicht van de wereld,' antwoordde hij. 'Klaar om een stukje te klimmen?'

'Ik wel, als jij dat ook bent,' zei ze uitdagend glimlachend. Voor hij antwoord kon geven was ze er al vandoor en verdween met zwoegende armen en benen uit het zicht.

Hij griste een paar dingen uit de zadeltas en ging haar achterna. Een hele tijd later kwam hij zwetend en buiten adem aan op het plateau, waar zij hem stond op te wachten.

'Waar bleef je nou?' plaagde ze.

Hij boog zich voorover en plantte zijn handen op zijn knieën. Het zweet droop van zijn gezicht terwijl hij weer op adem probeerde te komen. 'Waar heb je zo leren rennen?' wist hij eindelijk uit te brengen. 'Potver, je moet een record hebben gebroken.'

'Politietraining,' antwoordde ze een tikkeltje zelfvoldaan. 'Een agent moet in conditie zijn.' Ze ging met haar armen achter haar hoofd achterover in het gras liggen en keek naar de sterren. 'Bovendien,' zei ze zacht, 'ben ik een stuk jonger dan jij.'

Connor stond op het punt om te protesteren toen ze haar hoofd omdraaide, hem recht aankeek en begon te giechelen. 'Maar voor een ouwe knakker heb je het nog niet zo slecht gedaan,' plaagde ze.

Connor liet zich naast haar neervallen en nam een flinke teug uit de veldfles die hij had meegenomen. Hij negeerde haar uitgestoken hand, draaide de dop er weer op en zette de veldfles buiten haar bereik op de grond. Dat spelletje kan ik ook, dacht hij. 'Ouwe knakkers denken eraan om water en eten mee te nemen,' antwoordde hij terwijl hij zijn lachen probeerde in te houden dat hij in zijn keel voelde opborrelen en de boterhammen begon uit te pakken die hij uit het kookhuis had meegenomen. 'Maar aangezien jij zo jong en fit bent, zul je wel geen honger of dorst hebben.'

Ze gaf hem een por in zijn ribben. 'Geef me wat te drinken, anders zal ik je eens laten zien hoe fit ik ben,' grauwde ze dramatisch.

'O ja?' Hij nam een hap van een overheerlijke boterham met kip en kauwde tevreden. 'En wie breng je daarvoor mee?'

Ze gaf hem opnieuw een por en de restanten van de sandwich vlogen door de lucht.

Connor pakte haar polsen beet toen zij de veldfles te pakken probeerde te krijgen en binnen een paar tellen zat hij schrijlings op haar benen. 'Drinken?' plaagde hij, terwijl hij de dop losdraaide en water in haar gezicht liet druppelen.

'Schoft,' proestte ze terwijl gelach en gekwetste trots om voorrang streden. 'Wacht maar af, Connor Cleary, dit zal ik je betaald zetten. En goed ook.'

'Ja, ja,' lachte hij terwijl hij haar stevig tegen de grond gedrukt hield. 'Dat heb ik allemaal al eens eerder gehoord.'

Ze bleef plotseling heel stil liggen en hij verstijfde, onzeker wat hem nu te doen stond. Belinda was alles, behalve voorspelbaar. De stilte duurde voort terwijl ze naar elkaar keken in het licht van de maan en Connor was ervan overtuigd dat ze zijn hart kon horen hameren.

'Waar wacht je op?' vroeg ze zacht. 'Je weet dat je me wilt kussen.'

Connor aarzelde. Er lag een ondeugende schittering in haar ogen en een elfachtige glimlach rond die verleidelijke lippen. Ze was hem weer aan het plagen. Maar het was onmogelijk om weerstand te bieden aan zo'n aanbod. Hij boog zijn hoofd en ging, na een moment van aarzeling, vluchtig en behoedzaam met zijn lippen over haar wang.

'Is dat het beste wat je in huis hebt?' plaagde ze. 'Voor een ouwe knakker weet je er niet veel van, hè?' Ze sloeg haar armen om zijn nek en trok hem naar zich toe. 'Ik zal je eens laten zien hoe we dat in de stad aanpakken,' mompelde ze.

Haar lippen waren warm, ze bewogen tegen de zijne en zogen hem in een draaikolk van genot dat doordrong in elke vezel van zijn lichaam. Hij voelde hoe ze met haar vingers door zijn haar woelde en hoe haar volle borsten tegen zijn borst drukten. De adem stokte in zijn keel terwijl al zijn zintuigen op volle kracht werkten. Ze rook naar frisse lucht en gras, naar paarden en hooi, naar alle goede dingen. Hij kuste de fijn gevormde neus, de donkere bogen van haar wenkbrauwen, en de perzikachtige zachtheid van de huid onder haar oor die zo zachtjes klopte.

Hij hoorde haar zuchten terwijl ze zijn overhemd omhoog deed en met haar vingers over zijn ruggengraat ging als een vioolvirtuoos die precies wist welke snaren te beroeren. Hij besefte dat ze zich bewust was van zijn opwinding, toen ze haar heupen stevig tegen hem aan duwde, en hoewel het het laatste was wat hij wilde, maakte hij zich van haar los omdat hij voelde dat er al snel geen weg terug meer zou zijn.

Haar handen trokken hem weer naar zich toe, ze sloeg haar benen om hem heen en hield hem stevig vast. 'Niet ophouden,' zei ze ademloos. 'Alsjeblieft niet ophouden. Ik heb hier zo lang op moeten wachten.'

Connor voelde zich aangemoedigd; hij liet zijn hand over haar nek glijden, begroef zijn vingers in haar haar en kuste haar. Hij proefde haar tong, hij voelde zijn verlangen groeien, zijn hele lichaam stond in brand uit verlangen naar haar. Hij wilde haar bezitten, haar tot de zijne maken, zijn gevoelens voor haar bevestigen, hier in de nacht, onder de sterren en de maan van het Land van Niets.

Hun vingers waren onhandig terwijl ze worstelden met knopen en riemen en strak zittende spijkerbroeken en onwillig ondergoed. Toen, plotseling, waren ze naakt – ze pauzeerden even ademloos in dat moment van hoogspanning en puur genot alvorens zich over te geven aan hun verlangen.

Connor zag haar schoonheid in het gouden licht van de maan en zijn vingers gingen over het heerlijke paadje van haar navel naar de vallei tussen haar borsten. Die waren roomblank, stevig rond en vol en haar tepels waren donker en gezwollen van verlangen. Hij nam er een in zijn mond, liefkoosde hem met zijn tong en hij hoorde wellustig gekreun diep uit haar keel komen. Ze smaakte zoet en haar huid was zo geurig als de bloemen.

Haar handen gingen over hem heen, onderzoekend, plagend, trokken hem steeds dichter naar zich toe terwijl haar vingers het vuur in hem opstookten en haar verlangen groter werd. Connors verlangen was zeker zo groot, maar hij wist genoeg om zich te realiseren dat deze dame speciaal was; deze dame verdiende het beste dat hij te bieden had en dat betekende dat hij de tijd moest nemen, dat hij hen beiden de tijd moest gunnen om te ontdekken en op hun gemak van elkaar te genieten.

Hij streelde haar stevige dijen en ontdekte dat haar huid net zijde was, zacht en met een gouden glans door het maanlicht. Haar donkere schaamhaar glansde; hij drukte zijn gezicht erin en snoof haar muskusgeur op.

Belinda snakte naar adem en sloeg haar benen om hem heen terwijl hij haar naar een hoogtepunt bracht. Toen trok ze hem omhoog zodat ze de mond kon kussen die haar zo'n genot had bezorgd. Een ogenblik vol elektrische spanning, een moment van bijna ondraaglijk genot en toen waren ze eindelijk verenigd.

Hij voelde hoe haar fluwelen gladheid hem omsloot, hem vasthield en steeds verder in haar trok tot het enige dat hij nog kon voelen de kloppende noodzaak was om deze magische reis tot zijn natuurlijke einde te laten komen. Ze bewogen, huid op huid, en terwijl hun zweet zich vermengde dansten ze op dat eeuwenoude ritme dat zo natuurlijk was als ademhalen. Hij tilde haar op tot ze schrijlings op hem zat, zijn handen omklemden haar strakke billen terwijl ze elkaar hongerig verslonden en samen die laatste, glorieuze explosie van genot beleefden.

Ze waren eindelijk op de heuvel onder de sterren in slaap gevallen, en toen ze enige tijd later wakker werden, strekten ze hun armen weer naar elkaar uit en vrijden langzaam, sensueel en oneindig teder onder hun provisorische deken van kleren. Voldaan zweefden ze tussen slapen en waken, stevig in elkaars armen en keken hoe de maan langs de hemel trok en langzaam naar de verre horizon neigde.

Connor glimlachte terwijl hij op haar neer keek. Haar weelderige rondingen voelden zo goed in zijn omhelzing, haar huid tegen zijn huid, haar zachte adem die de haartjes op zijn borst beroerde. Ze zag er zo jong uit in haar slaap, bijna kwetsbaar, en de dikke wimpers krulden tegen haar wang en de genereuze mond lachte terwijl ze droomde. Wie had kunnen vermoeden dat dat zinnelijke lichaam zo veel vuur in zich herbergde en zo'n passie in hem had weten te wekken.

Hij ging licht met zijn lippen over haar wenkbrauw, volgde de boog boven haar ogen en ging naar het puntje van haar neus; de drang om haar te beschermen was allesomvattend. Zo had hij zich nog nooit gevoeld; hij had nog nooit zo sterk het gevoel gehad op zijn plaats te zijn en wist dat wat zij die avond hadden gedeeld goed was.

Belinda bewoog en deed haar ogen open. Ze kroop dichter tegen hem aan en ze sloeg haar armen en benen om hem heen terwijl ze slaperig en tevreden zijn lippen kuste. 'We moeten gaan,' zei ze met spijt in haar stem. 'De zon komt zo dadelijk op en ik heb een afspraak in Cairns.'

Connor kuste haar opnieuw; hij was bang dat hij haar zou verliezen en boos op de zonsopkomst die hen zou scheiden. Hij wilde dat deze nacht eeuwig zou blijven duren, wilde de rest van de wereld buitensluiten en hier onder de sterren in haar armen blijven liggen, maar dat was uiteraard onmogelijk.

Belinda leek zijn gevoel te delen, want toen ze ophielden elkaar te kussen om even adem te halen, maakte ze zich los uit zijn omhelzing en keek hem in de ogen. 'Ik zal vannacht nooit vergeten,' zei ze zacht. 'Het had niet beter kunnen zijn, en ik wou dat ik niet weg hoefde.'

'Er kunnen nog andere nachten volgen,' zei hij terwijl hij met zijn vingers door de woeste krullen ging die haar hoofd als een donkere stralenkrans omringden. 'En dagen. Ga niet terug naar Brisbane, Belinda.'

Belinda drukte een snelle kus op het puntje van zijn neus en begon zich aan te kleden. 'Ik moet wel, Con,' zei ze met klapperende tanden terwijl ze haar spijkerbroek aantrok en met haar laarzen worstelde. 'Maar ik ga niet voor lang.' Ze keek naar hem en glimlachte. 'Ik heb te lang op je moeten wachten om je nu nog te laten gaan.'

Connor kuste haar koude wang en kleedde zich vol verwarde gevoelens snel aan. Hij was een man die maar zelden zijn diepe emoties toonde. Een man die altijd op zijn hoede was en anderen niet zo snel vertrouwde, die altijd woorden als liefde en trouw vermeden had – hij wist waar die toe leidden. Maar Belinda had die barrières geslecht en hij had haar toegestaan zijn weerstand te overwinnen en in zijn hart te kijken. Ze had de kleine jongen in de man losgemaakt, had hem het licht laten zien en de warmte van de liefde waarnaar hij zo lang had gezocht.

Hij keek naar haar terwijl hij de gesp van zijn riem vastmaakte. Hoe kon het dat deze mooie, jonge vrouw na al die jaren nog steeds van hem hield? Ze was een wonder en hij was doodsbenauwd dat hij haar kwijt zou raken. 'Belinda,' begon hij. 'Belinda, als ik je iets vraag, beloof je me dat je dan niet zult lachen?'

Ze draaide zich om en keek hem aan. Het maanlicht wierp schaduwen op haar gezicht, deed haar wimpers zilver oplichten en tekende haar kaaklijn scherp af. Hij durfde plotseling geen woord meer uit te brengen, niet te zeggen wat in zijn hart leefde, bang als hij was dat hij zou worden afgewezen, want de lessen van zijn mishandelende vader waren diepgeworteld.

'Ik beloof je dat ik alles wat je zegt heel serieus zal nemen,' zei ze zacht. Ze kwam in zijn armen en hield hem stevig vast, waardoor hij de moed vond iets te zeggen.

'Wil je met me trouwen?' Daar, het was eruit, nu was er geen weg meer terug.

Ze keek hem met een glimlach vol vreugde aan. 'Waar haal je het idee vandaan dat ik dat niet zou willen?'

27

Catriona keek toe hoe Tom en Belinda met het vliegtuig naar Cairns vertrokken. Woody zou de Cessna die avond terugbrengen en hoewel er vandaag niet veel te beginnen zou zijn met Connor, was ze opgelucht dat er toch iets goeds was voortgekomen uit het hele gedoe. Hun nachtelijke verblijf in de wildernis was haar niet ontgaan en ze voelde zich gesterkt door de gloed van geluk die van hen tweeën afstraalde toen ze elkaar bij hun afscheid zoenden.

Ze liet Connor in de deuropening staan terwijl ze van de veranda stapte en zich een ogenblik koesterde in de ochtendzon, blij dat het ergste achter de rug was. Er was nog wel die ruzie tussen Harriet en Rosa die moest worden opgelost, en dat was al erg genoeg. Maar ze had het gevoel dat de kwestie binnen afzienbare tijd uit de wereld zou zijn geholpen. De meisjes waren per slot van rekening al sinds hun jeugd vriendinnen van elkaar en ook al leek deze laatste onenigheid tamelijk serieus, ze wist zeker dat hun vriendschap sterk genoeg was om dit te overleven.

Catriona schoof alle gedachten aan onenigheid aan de kant en keek naar de gebouwen die rond het erf verspreid stonden. Ze zuchtte van genoegen. Het was niet erg veel veranderd sinds ze de boerderij voor het eerst vanaf de heuvels had gezien – en ze vond troost in de aanblik van de vertrouwde bomen die er zo prachtig uitzagen wanneer de zon op ze scheen en hun zilveren bast gloeide alsof hij in brand stond. Ze nam de beelden en geuren van thuis in zich op en voelde hoe haar vertrouwen in het leven dat ze voor zichzelf op Belvedère had gemaakt werd hernieuwd. Ze kon de hitte ruiken in de geur van de aarde en het stof, hoorde de roep van de vogels en het blaffen van de honden en het niet-aflatende geluid van miljoenen insecten in het gras en in de bosjes. De noordelijke vlakten van Queensland waren best mooi, maar ondanks de levendige kleuren en het weelderige groen van het regenwoud, gaf ze toch de voorkeur aan deze vriendelijkere kleuren van thuis, de zachte tinten bruin en oker en de aanblik van de door de hitte gebleekte hemel.

De hitte hier was ook anders, herinnerde ze zich. Hij smoorde je niet zo, zoog niet zo alle energie uit je weg en gaf je niet het gevoel dat je voortdurend in een sauna verbleef. Het was eerlijke, zinderende hitte die het zweet op je huid deed verdampen en je ogen verblindde. Het licht was prachtig, zo helder en scherp dat de kleinste afwijking in het landschap werd uitgelicht en zelfs in de vlekkerige schaduwen zag ze de stille, waakzame figuur met gekruiste benen onder de bomen zitten.

'Kom je ontbijten, mam?' riep Connor.

'Ga jij maar vast,' zei ze toen ze zag dat de Aboriginal opstond. 'Ik moet Billy Birdsong even spreken.' Ze keek hoe hij naar haar toe kwam gelopen. Zijn lange, magere benen zagen er broos uit in het stof dat in de trillende hitte rond zijn voeten opdwarrelde. De zon stond achter hem laag aan de hemel, waardoor hij werd omgetoverd tot een lang, mager silhouet dat haar deed denken aan de nogal statige zwart-witte gestalte van de Jabiru, de steeds zeldzamer wordende Australische ooievaar.

Ze glimlachte terwijl ze wachtte tot hij bij haar was. De beschrijving was heel toepasselijk, aangezien zijn moeder een van die vogels had gezien op het moment dat de weeën begonnen. Ze had de gewoontes van haar volk gerespecteerd en vanaf dat moment was de totem van Billy Birdsong de Jabiru geweest.

'Goeiedag, juffrouw,' zei hij toen hij voor haar stond.

'Goeiedag, Billy,' antwoordde ze en de genegenheid voor haar oude vriend klonk in haar stem. Ze zag dat hij het shirt en de broek die hij normaal gesproken droeg had verruild voor een lendendoek en dat zijn donkere huid bedekt was met de tekens van zijn stam in witte klei. Ze werd overspoeld door weemoed toen het tot haar doordrong dat dit de laatste keer was dat ze hem zou zien.

Hij trok een lang been op en liet de eeltige zool van zijn voet in de knieholte van zijn andere been rusten terwijl hij zijn evenwicht bewaarde met behulp van een lange dunne stok die hij tot een primitieve speer had geslepen. 'Geloof jij boze geest bij je gezien, juffrouw. Juffrouw kracht genoeg om hem te verslaan.'

Catriona glimlachte terug. Ze bleef zich verbazen over zijn vermogen om dingen te begrijpen. We zullen samen wel een vreemd schouwspel zijn, dacht ze. Een oude Aboriginal die een Jabiru nadeed en een blanke vrouw op leeftijd in een modieuze broek en een zijden blouse die midden in de enorme leegte stonden te babbelen. Dat was niet iets dat je vaak te zien kreeg. En toch was het voor hen allebei de gewoonste zaak van de wereld. Billy en zij hadden zo veel vertrouwelijke zaken gedeeld en ze had zo veel van deze wijze, oude man geleerd over de geheimen van het land dat hen omringde, en ze was gaan begrijpen waarom ze zich er zo door aangetrokken voelde. 'De slechte dingen zijn weg, Billy. Ik heb gedaan wat goed was.'

Zijn oude gezicht vertrok in een netwerk van ontelbare lijnen en rimpels. 'Jij had zwarte moeten zijn, juffrouw,' zei hij met een grijns waardoor de afwezigheid van tanden zichtbaar werd. 'Je zou goeie Abo zijn – jij sterke geest.'

Ze gooide haar hoofd in de nek en lachte luidkeels. 'Billy,' zei ze ten slotte. 'Jij bent me er een. Ik denk dat als ik een Abo was ik je achter de vodden zou hebben gezeten, geloof dat maar.'

'Denk ik ook,' zei hij zacht. 'Jij plenty vurig. Blanke kerels moeten uitkijken.'

Ze werd weer ernstig toen ze goed naar hem keek en zag hoe de tijd hem had beroofd van zijn levendige jeugdigheid, al was zijn trots nog steeds ongebroken. Billy was de laatste van zijn stam die nog volgens de oude tradities leefde en ze wist dat hij zich terwijl ze elkaar daar stonden aan te kijken, voorbereidde op zijn laatste zwerftocht. 'Ik zal je missen, oude vriend,' zei ze zachtjes.

Hij knikte, en het zonlicht werd opgevangen door zijn bos verwarde grijze krullen. 'Geesten zingen, juffrouw. Ik hoor ze. Billy Birdsong gauw mee en naar de sterren.'

Catriona keek omhoog naar de hemel en herinnerde zich de keren dat hij haar had meegenomen naar de top van de heuvel waar ze in de armen van de schepping kon worden opgenomen en over de Melkweg werd gedragen. Die tochten hadden haar ziel hernieuwd en haar de kracht gegeven om met het verleden te leven. 'Dat zal een bijzondere reis worden, Billy,' zei ze met een tikkeltje weemoed.

Zijn amberkleurige ogen keken haar nauwlettend aan. 'Toen jij hier eerste keer kwam, jij erg ziek, juffrouw. Denk dat je nu goede geesten hebt gevonden,' zei hij en hij knikte alsof hij instemde met zijn eigen woorden. 'Goeiedag, juffrouw,' zei hij terwijl hij zijn voet weer op de grond zette.

Ze wilde haar arm uitsteken en hem aanraken, ze wilde voorkomen dat hij bij haar wegging. Ze waren al dertig jaar samen op Belvedère – hoe moest zij het redden zonder zijn vriendschap en wijsheid? Maar ze wist dat het taboe was om te proberen hem tegen te houden, of hem zelfs maar te volgen. Dit was zijn laatste en heilige tocht op zoek naar zijn voorouders. Billy zou lopen tot hij niet meer kon, dan zou hij een plekje zoeken om te zitten en wachten tot hij zou sterven. Zijn vrouw en de vrouwen van zijn stam zouden kapjes maken van klei en om hem rouwen en uiteindelijk zou hij stof worden en terugkeren naar de aarde – de aarde waarvan hij overtuigd was dat geen mens hem bezat. Zijn tijd van het beschermen van het land van de Droomtijd zat erop en zijn geest zou naar de hemel vliegen en een nieuwe ster worden.

Catriona keek toe terwijl hij zich omdraaide en langzaam bij haar vandaan liep. Zijn lange, slanke gestalte leek te krimpen toen de afstand tussen hen groter werd. Toen ging hij verloren in de trilling van de hitte en Catriona's tranen. 'Vaarwel, oude vriend,' fluisterde ze. 'Ga met God.'

Rosa was bezig de hutkoffer uit de zitkamer te slepen. 'Sta daar niet zo, Con,' zei ze kregelig. 'Help me dit ding weg te stoppen voor mam terugkomt.'

'Ik zie niet in waarom we dat zouden doen,' mompelde hij. 'Ze heeft me ten slotte gevraagd dat ding van de vliering te halen.'

Rosa ging op haar hurken zitten. 'Ze heeft de afgelopen vierentwintig uur al meer dan genoeg doorgemaakt en dit ding hier herinnert haar er alleen maar aan.' Ze greep de leren riem vast. 'Uit het oog, dan hopelijk ook uit het hart. Kom op, help eens een handje.'

'Laat die koffer met rust, Rosa.' Catriona stond in de deuropening en haar ogen waren rood van de tranen.

'Maar ik...' begon Rosa.

Catriona wuifde haar bezwaren weg. 'Daar zit niets in dat me nog kan kwetsen,' zei ze. 'Niet na gisteren.' Ze stapte kordaat de kamer binnen. 'Ik zeg niet dat ik geen spijt heb van de fouten die ik in mijn leven heb begaan, er zijn een paar dingen waarvan ik wou dat ik ze kon veranderen, maar ik ben gaan aanvaarden dat gedane zaken geen keer nemen.'

Rosa pakte haar hand. Mam zag er moe uit. 'Ik vind dat je al genoeg hebt doorgemaakt,' zei ze. 'Maar als je niet wilt dat de koffer wordt weggehaald, dan is dat jouw zaak.'

Catriona knikte en begon gin en tonic te mixen. Ze schonk voor ieder een glas in. 'Op Demetri,' zei ze terwijl ze het glas in de hoogte hield. 'En op Billy.'

Connor sleepte de hutkoffer naar de verste hoek van het vertrek. 'Waar hadden Billy en jij het over?' vroeg hij. 'Jullie keken allebei zo ernstig.'

Catriona nam nog een slok van haar drankje. 'Hij kwam afscheid nemen,' zei ze zachtjes. Ze keek op en het drong tot haar door dat Connor het misschien wel begreep, maar dat Rosa geen idee had waar ze het over had. 'De Aboriginals die nog geloven in de gebruiken van de Droomtijd voelen het ritme van hun lichaam en dat van de wereld waarin ze leven feilloos aan,' legde ze uit. 'Ze noemen het "zingen" en wanneer ze dat zingen horen weten ze dat het tijd is om aan de laatste, lange tocht naar de Droomtijd te beginnen. Hij gelooft dat hij zijn voorouders zal ontmoeten, getuige zal zijn van de geboorte van de wereld en alles zal moeten opbiechten wat hij verkeerd heeft gedaan in de tijd dat hij Hoeder van de Aarde was. Nadat hij de geesten van goed en kwaad onder ogen is gekomen en bewezen heeft dat hij klaar is om te worden ontvangen, komt hij bij de Zongodin en wordt meegenomen naar de sterren en wordt één met de Melkweg.' Catriona zuchtte. 'Ik benijd hem dat geloof.'

'Het verschilt niet zo heel veel van wat wij op zondagsschool leerden,' mompelde Rosa. 'Persoonlijk heb ik zo m'n twijfels over de volgende fase. Het is allemaal één grote bedotterij; omdat mensen zich er niet bij neer kunnen leggen dat ze zo onbetekenend zijn dat dit alles is wat er is, verzinnen ze een leven na de dood, een paradijs en zelfs dat is er alleen voor de elite.'

'O, lieve hemel,' verzuchtte Catriona. 'Je bent veel te jong om zo cynisch te zijn,' zei ze vol genegenheid terwijl ze door Rosa's piekhaar woelde. 'Maar ik heb het veel te druk om met jou een discussie over religie aan te gaan, ik moet nu alles gaan regelen voor het eten morgen op het feest en dan moet ik nog uitzoeken waar iedereen komt te zitten en zorgen voor slaapplaatsen voor de leden van de band.'

Tom en Belinda klommen uit de politieauto. De technische recherche zou binnen een uur arriveren en ze wilden wat tijd voor zichzelf om het huis te inspecteren dat Catriona de vorige dag zo levendig beschreven had.

De smeedijzeren hekken zagen er ondanks hun leeftijd en de mate van verval onheilspellend uit. Ze stonden open en hingen gevaarlijk scheef aan hun verroeste scharnieren en waren vergroeid met de grond door bosranken, klimop en plukken gras. De dikke ketting waar eens het hangslot aan vast had gezeten, was kapot en hing in grote roestige lussen door het smeedwerk. Belinda huiverde. Ze werden omringd door het donkere en mysterieuze regenwoud. Het was vreemd stil, alsof het bos hen in de gaten hield en op een of andere reactie wachtte.

Ze zag dat de overhangende takken diepe, bijna dreigende schaduwen wierpen over de verwaarloosde oprijlaan, aan het einde waarvan het huis stond. Dat doemde op uit het omringende bos als een kwaadaardige geestverschijning en wenkte haar, lokte haar dichterbij en daagde haar uit met zijn vreselijke geheimen die het zo veel jaren had bewaard.

'Gaat het wel?' Ze schrok van Toms stem.

'Jawel,' loog ze. 'Maar deze plek bezorgt me de rillingen.'

'We hoeven niet lang te blijven,' zei hij. 'Kom, laten we eens gaan kijken.'

Belinda volgde hem met tegenzin de afbrokkelende treden van de trap op.

Toen ze opkeek, zag ze de kop van een stenen leeuw die in de geveldriehoek van marmer was gezet die boven de enorme, gebeeldhouwde deuren uitstak en werd gedragen door twee met klimop begroeide pilaren. De kop was bedekt met mos en de helft was afgebrokkeld. Ze deed een stap achteruit terwijl Tom zijn schouder tegen de deur zette en die openduwde. Het gepiep en gekreun van de roestige scharnieren echode door de enorme hal en weerkaatsten tegen de brede trap naar het vervallen dak.

'Kom maar, Belinda,' paaide Tom. 'Geesten bestaan niet.'

Daar was Belinda niet zo zeker van. Door Catriona's verhaal leek het allemaal zo echt en nu ze hier was, werd de verschrikking van alles wat er was gebeurd alleen maar versterkt. Ze stapte de hal binnen. Er was weinig over van de pracht die Catriona had beschreven. De muren waren kaal, ontdaan van alle behang en schilderijen, en de marmeren vloer lag bezaaid met puin. Er was geen meubilair meer aanwezig, geen kroonluchter of bronzen figuur aan de voet van de trap, alleen nog koude as van een lang geleden gedoofd vuur in de open haard.

Ze ging achter Tom aan terwijl hij door de kamers op de begane grond liep.

Het vocht was doorgedrongen in de muren en had overal zijn vochtiggroene vingerafdrukken achtergelaten en de lucht doordrenkt met zijn muffe geur. Stof danste in de zonnestralen die door het kapotte metselwerk naar binnen vielen en weerkaatsten op de overblijfselen van de sierlijke glas-in-loodramen. Kapot meubilair was aan de kant gesmeten, het behang bladderde van de muren en de ooit elegante deur was gekrast en gesplinterd. De fluwelen gordijnen bij het hoge, sierlijke raam, hingen in flarden en zagen zwart van de schimmel.

'Ik heb genoeg gezien,' zei Tom. 'Laten we de schuur maar gaan zoeken.'

Belinda was blij toen ze weer buiten stond. Het huis was kwaadaardig, ze voelde het gewoon uit de muren sijpelen.

'Het lijkt de jungle wel,' klaagde Tom terwijl ze zich een weg baanden door de voorhoede van het oprukkende regenwoud.

Belinda zocht haar weg tussen de bosjes en de door onkruid overwoekerde bloembedden die ooit heel mooi moesten zijn geweest. Het grote, vierkante grasveld was weer naar zijn oorspronkelijke staat teruggekeerd en het gras kwam bijna tot haar middel. De stenen ornamenten en vazen en traptreden waren zwart van het slijm. 'Hoe lang staat het hier al leeg?' vroeg ze.

'Sinds negentienvierendertig,' antwoordde Tom terwijl hij de schade aan zijn dure schoenen in ogenschouw nam en een gezicht trok. 'Het was blijkbaar heel populair bij stelletjes die elkaar het hof maakten en voor de verdwaalde trekker of handelsreiziger. Tijdens de oorlog waren hier een tijdje soldaten gelegerd, sinds die tijd is het overgelaten aan de elementen.'

Ze bleven even staan om weer op adem te komen. 'Het had er in alle opzichten de schijn van dat Demetri het gebied had verlaten en was verdwenen. Zijn overlijden was nergens te boek gesteld, dus kon deze plek niet in handen van zijn erfgenamen worden gegeven – als die er al waren – of worden verkocht.' Tom grinnikte. 'Zelfs de belastingdienst kon er niet de hand op leggen zonder eerst te bewijzen dat Demetri dood was, en tijdens de oorlogsjaren verloren ze hun interesse en leken het bestaan ervan te vergeten.'

Belinda stond in het hoge gras en keek achterom naar de vervallen ruïne. De stenen zagen groen van mos en vocht en er groeiden planten uit sommige van de scheuren die waren veroorzaakt door uitgevallen metselwerk. Het zag er donker en onheilspellend uit. Ze huiverde. 'Dit is niet een plek waar ik me graag het hof zou laten maken,' mompelde ze.

Tom trok een gezicht. 'Ik ook niet, maar als je wanhopig bent...' Het leek niet nodig daar nog iets aan toe te voegen. Belinda was een moderne vrouw, ze begreep het wel.

Ze liepen verder. 'Als de eigenaar niet kon worden opgespoord, hoe kan het dan dat iemand hier bezig was met de renovatie?'

Tom grinnikte. 'Ik vroeg me al af wanneer je dat zou vragen,' zei hij. 'Het lijkt erop dat een plaatselijke aannemer het niet kon aanzien dat al deze bouwgrond ongebruikt bleef en zijn mensen eropaf heeft gestuurd. Hij heeft het gewoon in bezit genomen in de hoop dat de eigenaar of diens erfgenamen er nooit achter zouden komen. Hij zat net midden in de procedure om het eigendomsrecht te claimen toen zijn mensen aan de wijnkelder begonnen, de valse muur eruit sloopten en Demetri ontdekten.'

Hij grinnikte. 'Arme drommel,' zei hij zonder een spoortje medelijden. 'Hij dacht dat hij een fortuin zou verdienen aan al dit onbebouwde land, hij had zelfs al een aanvraag voor een vergunning ingediend om hier een heel complex luxehuizen neer te zetten. Maar nu Demetri is opgedoken...' Hij lachte. 'Hij kan wel dag met z'n handje zeggen tegen deze plek. Ergens moet een testament rondzwerven en als dat er niet is, dan is er altijd nog de belastinginspecteur die het zal verkopen, waarschijnlijk voor een vermogen. Grond is duur hier in de Tablelands.'

Belinda klauterde over een rottende boomstronk die stevig in de greep was van bosranken en klimop. 'Net goed,' zei ze. Toen ving ze haar eerste glimp op van de schuur. 'O, nee, hè,' kreunde ze. 'Dat gaat een eeuwigheid duren om daar doorheen te komen. Ik wou nu dat we de technische recherche niet hadden gewaarschuwd en hem daar gewoon hadden laten liggen.'

Tom haalde zijn schouders op. 'Dan zou hij later wel opduiken en weer de oorzaak zijn van allerlei ellende. Beter om hem nu maar op te graven zodat we voorgoed van hem af zijn.'

Ze stonden in de schaduw van het duistere regenwoud en keken naar de dikke lianen die de oude schuur in en weer uit waren gegroeid. Het dak was ingestort, de ramen waren stuk en de deur was van de ijzeren scharnieren gerot. Het regenwoud was in elke hoek en elke spleet doorgedrongen en de houten schuur was langzaam onder de aanval bezweken.

'Ik betwijfel of we ook maar iets vinden,' zei Tom. 'Het is te lang geleden.' Hij propte zijn handen in zijn zakken en slaakte een zucht. 'Maar wanneer ik weer in Brisbane ben zal ik beginnen met een ander soort graafwerk. Een man als Kane laat altijd wel een spoor na en ik ben nieuwsgierig naar wat voor soort man hij werkelijk was.'

Catriona had zich niet gerealiseerd hoe moe ze was, en toen haar verjaardag achter de rug was, had ze eindelijk de tijd om uit te rusten en te slapen. Dat deed haar goed; ze herstelde van lichaam en geest en ze voelde zich getroost. Het schuldgevoel dat ze zoveel jaren met zich had meegedragen was verdwenen toen het besef eindelijk tot haar doordrong dat zíj in werkelijkheid het slachtoffer was geweest. Wat was het toch eenvoudig om op dingen terug te kijken en te zien wat ze werkelijk waren, dacht ze. Maar toentertijd had ze Kane geloofd toen hij zei dat het haar schuld was, dat zij aanleiding gaf en had gewild dat hij die dingen met haar deed.

Catriona zette de ketel op het fornuis. Ze zou niet toestaan dat die walgelijke gedachten haar genezingsproces verstoorden. Ze was schoon, zonder last en weer heel. Hij was dood en begraven en zijn ziel werd verteerd door zijn zonden. Hij kon haar niet langer kwaad doen.

Terwijl ze stond te wachten tot het water kookte, luisterde ze naar de geluiden van Belvedère. Het oude huis kraakte en fluisterde en kreunde en de opossums maakten zoals gebruikelijk herrie op het dak. Ze kon de mannen op het erf horen, het geloei van de melkkoeien en het zachte geklok van de kippen in de ren. Ergens blafte een hond en Woody was aan het hameren en boren; waarschijnlijk was hij bezig de schuur te repareren – dat had allang moeten gebeuren. Ze hoorde voetstappen op de veranda en het geknars en daarna de klap van de hordeur. Ze keek op haar horloge en zag dat het al vier uur 's middags was. Dat moest Rosa zijn die terugkwam van haar rit.

'Hoe gaat 't?' Rosa stak haar opgewekte gezicht om de deur en haar wangen gloeiden van de frisse lucht en de zon.

'Goed,' antwoordde Catriona terwijl ze voor hen allebei een mok thee inschonk en zich opmaakte voor een langdurige roddel. Rosa rook naar zonneschijn en paarden, een sterke herinnering aan het feit dat Catriona al een week niet had gereden. 'Je ziet eruit alsof je van je ritje genoten hebt. Is Connor met je meegegaan?'

Rosa liet zich op een stoel neerploffen en ging met haar handen door haar haar. Dat was nat van het zweet en stak alle kanten uit, maar dat was blijkbaar hoe ze het het liefste had. 'Ja. Die klungel is er eindelijk achter dat het leven meer te bieden heeft dan koeien,' zei ze met een grijns. 'We zijn naar het oude huis gereden en hebben daar een beetje rondgekeken; het was wel raar om het weer te zien.'

Catriona glimlachte. 'Het is altijd raar om terug te gaan naar plekken uit je kindertijd,' zei ze. 'Ze lijken altijd veel kleiner dan in onze herinnering.'

Rosa trok een gezicht. 'Kleiner, slordiger, ik kan gewoon niet geloven dat we daar met z'n vijven hebben gewoond. Geen wonder dat ons leven zo'n zooitje was.'

'Je vader hielp ook niet echt,' zei Catriona.

'Ik heb geluk gehad dat hij toen vertrokken is,' zei Rosa terwijl ze aan een los draadje van haar overhemd pulkte. 'Ik kan me hem helemaal niet herinneren.' Ze maakte haar lippen nat. 'Arme Connor,' zuchtte ze. 'Hij zal de littekens altijd met zich meedragen, weet je. Hierbinnen.' Ze tikte tegen haar hoofd.

'Hij heeft veel meer zelfvertrouwen dan vroeger,' zei Catriona. 'Daar hebben de jaren voor gezorgd. En nu Belinda en hij eindelijk hun verstand hebben gekregen, denk ik dat we hem flink zullen zien opbloeien.'

Rosa grinnikte. 'Ik moet er niet aan denken hoe hoog de telefoonrekening zal zijn. Ze zitten de hele tijd maar met elkaar te kletsen. Is liefde niet iets geweldigs?' Rosa sprong op van tafel en ging in de voorraadkast op zoek naar koekjes.

Catriona liep naar het raam. Ze zag Connors zelfverzekerde pas terwijl hij over het erf liep, waarbij zijn beschadigde knie hem minder leek te hinderen nu hij meer op zijn gemak was. Zijn hele houding straalde een hernieuwd vertrouwen in zichzelf en in zijn leven uit, en Catriona bad met heel haar hart dat het zo zou blijven.

Rosa sneed voor hen beiden een plak cake af. 'Die heb ik vanmorgen gebakken toen jij bij Kokkie was,' zei ze zacht. 'Hij ziet er goed uit, maar ik heb geen idee hoe hij smaakt.'

Catriona nam een klein hapje van de chocoladecake en trok een wenkbrauw op. 'Hij is heerlijk. Ik wist niet dat je kon bakken.'

'Als ik er zin in heb, dan kan ik het wel,' kaatste ze terug. 'Het is gewoon dat ik geen zin heb om al die moeite te doen. Woolworths en ik hebben een overeenkomst: zij maken de cake en ik koop ze.'

Catriona keek naar Rosa en besefte ineens wat er achter al dat huiselijke gedoe zat. 'Volgens mij verveel je je, schat.'

'Het is niet zozeer dat ik me verveel,' antwoordde ze. 'Ik ben gewoon rusteloos. Het werk op kantoor stapelt zich op en mijn baas begint een beetje te mopperen.' Ze zette haar mok neer en keek Catriona aan. 'Ik zal binnenkort moeten vertrekken, mam. Mijn twee weken vakantie zitten er bijna op.'

'Ik zal je vreselijk missen,' zei Catriona terwijl ze haar hand pakte. 'Beloof me alleen dat je niet weer zo lang wacht tot je op bezoek komt.'

Rosa knikte. 'Ik zal mijn best doen om regelmatig op bezoek te komen.' Ze grinnikte. 'Al was het alleen maar om op de voet te volgen hoe de romance tussen Belinda en Connor verloopt.'

Ze dronken hun thee en aten hun cake en Rosa liep de keuken uit om te gaan douchen, terwijl Catriona verderging met de voorbereidingen voor een ovenschotel. Ze was verbaasd dat Rosa en Connor naar hun oude huis waren gereden. Dat was nou niet bepaald een plek die prettige herinneringen opriep. Maar zij was in gedachten teruggaan naar Atherton om haar geesten te bezweren. Misschien hadden Rosa en Connor de behoefte gehad hetzelfde te doen.

Catriona zong zachtjes in zichzelf en dekte ondertussen de tafel. De keuken was warm en stond vol stoom terwijl ze in de weer was met potten en pannen. Connor was binnengekomen; zat zijdelings aan tafel met zijn stijve knie uitgestrekt om de pijn wat te verminderen en was verdiept in de nieuwste boerderijcatalogus. 'Ben je nieuwe manieren aan het verzinnen om mijn geld uit te geven?' plaagde ze.

Hij legde de catalogus weg en leunde achterover tegen de rugleuning. 'Rosa en ik zijn vandaag naar het oude huis gegaan,' begon hij met een zekere aarzeling.

'Dat heeft Rosa me verteld,' zei ze en ze vroeg zich af welke kant dit opging.

'Het is gewoon aan zijn lot overgelaten en dat is zonde. Het zou een hartstikke leuke plek kunnen zijn als het wordt opgeknapt.' Hij friemelde aan de catalogus. 'Ik dacht dat Belinda en ik daar misschien zouden kunnen gaan wonen,' besloot hij.

'Dat is een geweldig idee,' zei ze warm. Ze zette een enorm bord eten voor zijn neus. 'Het verbaast me alleen dat je het weer wilt gaan gebruiken. Daar zullen toch niet zulke fijne herinneringen aan kleven.'

Connor zat te draaien in zijn stoel en wreef over zijn knie. 'Wat daar is gebeurd, ligt in het verleden. Dit is voor Belinda en mij voor de toekomst. Het voormanhuisje zal niet groot genoeg zijn als we een gezin gaan stichten.'

'Verdorie, Con,' kreunde Rosa die klaar was met douchen en nu op zoek was naar eten. 'Je loopt wel op de zaken vooruit, hè? Geef die meid een kans.'

Hij bloosde en grijnsde en ging verder met eten en de rest van de avond besteedden ze aan het maken van plannen. Catriona ging naar bed terwijl Connor zijn plannen opgewonden besprak met Belinda die nog in Cairns was.

Het ochtendkoor was al volop bezig toen Catriona de dekens van zich af gooide en uit bed klom. Ze had goed geslapen en omdat dit Rosa's laatste hele dag hier zou worden, was ze van plan er een heel bijzondere dag van te maken. Het was heerlijk geweest om haar onder de douche te horen zingen, ook al kon ze met haar stem een koe vanaf tien meter afstand de stuipen op het lijf jagen. Maar zonder haar zou het hier te stil zijn, want dit korte, zij het traumatische bezoek, had herinneringen aan Poppy bovengebracht. Wat leken die twee op elkaar in hun kleurige levenslust en in hun ontwapenende persoonlijkheid. Het was alsof de geest van Poppy voortleefde in haar kleindochter en daarmee was ze gezegend.

Ze nam een douche, kleedde zich aan en stond een tijdje voor het raam naar de rook te kijken die uit de schoorsteen van het kookhuis opsteeg en naar de mannen die buiten stonden te roken en te kletsen voor ze aan hun dagelijks werk gingen. Ze voelde zich tevreden en op haar gemak in haar huis, met haar familie en haar omgeving. En nu de geest van Kane was verdreven, kon ze verder met haar leven en zich verheugen op de komst van een nieuwe generatie.

Ze glimlachte vergenoegd toen ze naar de vogels keek. Ze zwermden met tientallen als kleurige wolken door het bleekblauwe ochtendlicht en terwijl ze hun vlucht volgde, realiseerde ze zich dat ze de glorie van deze dieren nooit beu zou raken omdat zij vrij waren van aardse beslommeringen, vrij om te gaan en te staan waar ze wilden.

De aanblik en het geluid van de vogels deden haar aan Billy Birdsong denken. Had hij de vrijheid gevonden die hij had gezocht, was hij terug in de Droomtijd bij zijn voorouders? Ze vermoedde van wel, want ze had het gejammer van zijn vrouwen gehoord en de meeste van de Aboriginalmannen waren drie dagen geleden vertrokken. Er zou een rouwceremonie worden gehouden, gevolgd door een nacht vol rituele dansen, wat waarschijnlijk inhield dat ze hier wankelend en volledig uitgeput door de drank terug zouden komen.

Catriona keerde zich af van het raam en liep naar de keuken. Het vermogen van de Aboriginals om dingen aan te voelen hield niet op haar te verbazen; er leek geen logische verklaring voor het feit dat ze op de hoogte waren van Billy's dood. Maar zij hadden, misschien wel door hun aard, kans gezien in contact te blijven met hun zesde zintuig – want anders dan hun broeders die in de steden woonden en heel andere zorgen hadden, leefden zij nog steeds hier en hielden zich voor het merendeel aan de stamgebruiken – misschien was dat het wat de oeroude kennis en instincten versterkte.

Rosa sliep nog; ze lag opgerold met Guit in bed. De rode kater had het niet zo gewaardeerd dat hij midden in de nacht van Catriona's bed was geschopt. 'Ouwe sukkel,' mompelde ze toen hij één verwijtend oog opendeed en haar boos aankeek. 'Je kunt zo kwaad naar me liggen kijken als je wilt, maar ik durf te wedden dat je honger hebt.'

Hij sprong van het bed en terwijl zij door de hal liep, slingerde hij zich om haar benen en dreigde haar in zijn verlangen naar eten beentje te lichten. De liefde gaat door de maag en dat was allemaal prima, dacht ze terwijl ze een blik openmaakte en het stinkende vlees in zijn bakje deed, maar dit ging toch wel een beetje te ver.

Rosa kwam de keuken binnen. 'Je verpest die kat,' zei ze luidkeels geeuwend. 'Hij weegt honderd kilo en hij heeft me de halve nacht wakker gehouden met zijn gesnurk. Je moet hem op dieet zetten.'

Catriona keek naar Guit en hij keek terug. Geen van tweeën vond het een goed idee en ze besloten het te behandelen met de minachting die het verdiende.

Catriona zette de ketel op het fornuis en deed brood in de broodrooster; ze was opgewonden over de plannen die ze voor die dag had, maar het was misschien een goed idee om uit te vinden of Rosa zelf geen plannen had gemaakt. 'Wat wil je op je laatste dag hier gaan doen, Rosa?'

Rosa ging aan tafel zitten met haar dat rechtovereind stond en ogen nog dik van de slaap. Ze geeuwde opnieuw. 'Ik zal de monteur moeten vragen om olie en water te controleren van de pick-up en te zorgen dat morgenmiddag alles in orde is voor de lange rit terug,' zei ze. 'Verder wil ik nog een keer naar het oude huis om wat ideeën op te doen voor meubels en het soort keuken en badkamer dat ze nodig zullen hebben. Als ik alle maten eenmaal heb, kan ik alles in Sydney bestellen als ik daar terug ben.'

'Ik denk dat Belinda het leuker vindt om die dingen zelf uit te kiezen,' zei Catriona licht bestraffend terwijl ze de theepot op tafel zette. 'Per slot van rekening is zij degene die er moet wonen.'

'Dat zal wel,' wierp Rosa tegen. 'Maar ze zal het toch niet erg vinden als ik help om alles op te knappen?'

Catriona ging zitten en pakte haar hand. 'Ik weet zeker dat ze het geweldig zal vinden als je haar helpt, maar zij is degene die van het huis een thuis voor Connor en haar moet maken, dus wees geduldig en wacht tot je wordt gevraagd.' Ze glimlachte naar Rosa om de scherpe kantjes van haar woorden te halen en moest opnieuw sterk denken aan Poppy. Rosa en haar grootmoeder waren even ongeduldig en onstuimig, hadden allebei dezelfde vurige levenslust, alhoewel het daar op dit moment bij de hevig geeuwende Rosa nogal aan ontbrak. 'Ik heb een beter idee,' zei ze. 'Dat zal ons de gelegenheid geven wat frisse lucht op te snuiven. Misschien dat je daar wakker van wordt.'

'Sorry,' zei Rosa. 'Dat is de schuld van die rotkat. Ik wou dat hij weer bij jou ging slapen.'

Catriona liep om de uitgehongerde Guit heen die zijn ontbijt naar binnen schrokte en ging aan tafel zitten. 'Guit loopt te mokken,' zei ze. 'Hij komt wel weer bij me terug, maar niet eerder dan wanneer hij daar klaar voor is.' Ze legde haar handen gevouwen op tafel en keek Rosa glimlachend aan. 'Ik vind dat we de oude wagen uit de schuur moeten halen,' zei ze. 'We kunnen een van de oudere en rustigere paarden ervoor spannen en op onderzoek uitgaan. Dan is het net als vroeger.'

'Ben je nou helemaal gek geworden?' Rosa keek haar met grote ogen van afschuw aan, helemaal wakker nu. 'Dat ding valt waarschijnlijk in duizend stukken uit elkaar op het moment dat je hem de schuur uitrijdt. En bovendien, ben je niet een beetje te oud om je door elkaar te laten schudden?'

'Dank je,' zei ze droog. 'Ik ben dan misschien over de zestig, maar dat wil niet zeggen dat ik al klaar ben voor m'n kist.'

Rosa bloosde. 'Sorry,' mompelde ze. 'Ik en mijn grote mond.'

'Het zou helpen als je mond een beetje samenwerkte met je hersenen,' zei ze. Ze smeerde goudkleurige boter op de warme toast en nam een hap. Toen ze het eerste stuk verorberd had, smeerde ze een tweede. Haar eetlust liet nog steeds niets te wensen over en het eten bezorgde haar de energie en het enthousiasme voor de dag die voor hen lag. 'Als we hier klaar zijn,' zei ze ten slotte, 'moet jij tegen Connor zeggen dat de mannen de wagen uit de schuur moeten halen en de oude Razor in moeten spannen.'

'Connor zal er niet blij mee zijn,' zei Rosa koppig.

'Connor hoeft niet met ons mee te gaan,' wierp Catriona tegen. 'Doe nou maar wat ik zeg, Rosa. Het wordt hartstikke leuk. We kunnen gaan picknicken, net als we deden toen jullie nog kinderen waren.'

Rosa slaakte een diepe zucht, dronk haar thee op en liep in zichzelf mopperend de kamer uit. Catriona grinnikte. Hoewel ze al achter in de twintig was, gedroeg Rosa zich zo nu en dan alsof ze nog maar twaalf was.

Een uur later stonden ze op het erf te kijken hoe de wagen voorzichtig uit de schuur werd gehaald. Catriona keek om zich heen en kon maar nauwelijks voorkomen dat ze een vervelende opmerking maakte over het gebrek aan werklust. De mannen waren in groten getale komen opdagen om te kijken, maar geen van hen leek in de verste verte van plan zijn salaris te verdienen.

Ze vergat al snel haar toeschouwers terwijl ze bij de picknickmand stond en haar vingers over de groene en gouden verf van de wagen liet gaan. Ze dacht aan de lange, zonnige jaren van haar kindertijd toen deze wagen haar thuis was geweest. Hij zag er veel kleiner uit dan ze zich herinnerde, en nogal beschadigd, ondanks de nieuwe laag verf en de fraaie wielen. Maar toch had hij iets majesteitelijks en ze kon niet wachten om op de bok te klimmen.

Connor stond bij het hoofd van het paard en hield hem vast bij het hoofdstel. Catriona ging bij hem staan. 'Je hoeft hem niet zo stevig vast te houden,' zei ze zacht. 'Hij is te oud en te dik om op hol te slaan.'

'Razor mag dan oud en dik zijn, hij is het niet gewend om een wagen te trekken,' mopperde Connor. 'Hij weet gewoon niet wat er van hem verwacht wordt. Net als jij, eigenlijk,' voegde hij er haar boos aankijkend aan toe.

'We weten precies wat we aan het doen zijn, hè, ouwe jongen?' antwoordde ze terwijl ze Razor op zijn grijze neus klopte. 'We hebben alleen even wat tijd nodig om er weer aan te wennen, dat is alles.'

Connor mompelde iets dat niet zo heel erg complimenteus klonk, tegen haar of tegen Razor, en ze verkoos het te negeren door naar de zijkant van de wagen te lopen. Het zou haar niet lukken om op de bok te klimmen, zag ze verdrietig in. Ze had de kracht niet meer in haar armen om zichzelf op te hijsen, of in haar benen om op de uitstekende as te balanceren en over de rand te zwaaien, en ze was niet van plan zichzelf onder het toeziend oog van iedereen compleet voor gek te zetten door het te proberen. 'Ik zal aan de achterkant instappen,' zei ze gebiedend. 'Laat iemand me even komen helpen.' Er klonk een hoop gemompel en er werd met voeten geschuifeld. 'Snel,' beval ze, en haar ongeduld klonk door in haar stem – het was net alsof ze weer in het theater was.

Met Rosa die haar van achteren een zetje gaf en Kokkie die haar naar boven trok, slaagde ze er uiteindelijk in om binnen te komen. Ze bleef een ogenblik in het halfduister van de wagen staan om weer op adem te komen. Ze kreeg de vergeten geuren van lang geleden in haar neus en ze ging op in herinneringen aan die ogenschijnlijk eindeloze dagen en nachten die ze ooit hierin had doorgebracht. Ze rook terpentine en cederhout, verse verf en een vleugje parfum. Toen ze haar ogen dichtdeed meende ze Vlekkies geblaf en Poppy's geroep te kunnen horen, dacht het geschitter van de namaakjuwelen en de kleur van haar moeders ogen te kunnen zien.

'Gaat het wel, juffrouw?' De ongeruste stem klonk bij haar schouders.

Catriona draaide zich om en werd geconfronteerd met Kokkies enorme lichaam. Hij leek de hele krappe ruimte te vullen. 'Natuurlijk gaat het,' zei ze kortaf. 'Help me eens op de bok.'

Kokkie keek haar nadenkend aan en voor ze een woord van protest kon laten horen, had hij haar al opgetild en droeg haar door de wagen naar de houten bank aan de voorkant. Nadat hij haar, iets te hard, op de bok had geplant, draaide hij zich om en scharrelde weg. 'Wel heb ik ooit,' zei ze ademloos.

Connor en Rosa klauterden naast haar, niet gehinderd door jaren of gebreken, en Connor nam de teugels in handen. 'Waarheen?' vroeg hij en zijn stemming was duidelijk maar een heel klein beetje beter geworden.

'Eerst naar het oude huis, dan naar de waterval. Ik wil zoveel mogelijk zien.'

Razor stapte rustig over het erf en Catriona hield zich vast aan de zitting tot ze weer gewend was aan het schokken en slingeren van de wagen. Ze hoorde het ratelen van de wielen en het gerammel van het paardentuig en alles kwam weer bij haar boven. Haar moeder en vader waren bij haar, dat wist ze zeker. En in de spookwagen die hen zo geluidloos volgde over de karrensporen in de outback, hoorde ze het gelach van de komediant en de danseresjes en de schelle blaf van de terriër die Vlekkie heette.

Terwijl de dag verstreek en de zon hoger aan de hemel kwam te staan, zwierven ze over de weidegronden en langs de kreken. Ze zagen een arend boven hen zweven en een groepje kangoeroes dat springend in de bosjes verdween. De met naaldbomen bedekte bergen stonden vandaag scherp afgetekend, elke boom was apart te onderscheiden, net als de enorme steenkolossen die als gestrande walvissen lagen te bakken in de zinderende hitte van de uitgestorven graslanden, en de hoge, roestkleurige termietenheuvels die uit de bosjes opdoken als evenzovele grafstenen.

Catriona dronk de geuren en het schouwspel en de geluiden van dit land dat Belvedère heette in en ze was tevreden.

Tom geeuwde, rekte zich uit en legde alle verklaringen netjes op een stapeltje. Hij had moeite met slapen sinds hij Catriona's verhaal had gehoord, achtervolgd als hij werd door de beelden die ze had opgeroepen en de werkelijkheid van de onheilspellende omgeving waar het zich allemaal had afgespeeld.

Belinda en hij waren tien dagen in Cairns gebleven. Het was bevestigd dat Wolff het verhaal aan de pers had verkocht, maar in plaats van dat dit had geleid tot zijn onmiddellijke ontslag, had hij slechts een tik op de vingers gekregen en was teruggestuurd naar Sydney. Tom keek er niet bepaald naar uit om zijn baas na dat debacle onder ogen te komen, maar hij wilde ook graag naar huis en zijn leven weer op de rails zien te krijgen.

Tom schoof de papieren in een map, pakte de rest van de documenten van zijn bureau en deed ze in zijn aktetas. Naar aanleiding van Catriona's verklaring was hij erin geslaagd dieper te graven in het leven van Demetri Yvchenkov en deze documenten moesten aan zijn erfgenamen worden overhandigd.

Zijn speurtocht naar Kanes verleden had ook vrucht afgeworpen en nu moest hij beslissen hoe hij zijn ontdekkingen aan Catriona zou vertellen.

Het had drie dagen gekost om de stoffelijke resten onder de schuur bloot te leggen en nog eens twee om de doodsoorzaak vast te stellen. Het zuur dat Catriona en Velda over hem heen hadden gegoten, had zijn werk gedaan, maar er was nog genoeg over om de forensische dienst zijn werk te laten doen. De resten zouden vandaag worden vrijgegeven voor crematie en de kosten van de eenvoudige ceremonie kwamen voor rekening van de staat. Hij betwijfelde of iemand zou rouwen om deze man.

'Ben je zover?' Belinda stond in de deuropening.

Tom pakte zijn jasje van de rugleuning van de stoel en trok het aan. 'Je ziet er netjes uit,' zei hij, toen hij de zwarte rok en het dito jasje en de nette witte blouse zag.

Belinda trok een gezicht. 'Dank je. Ik ben het speciaal gaan kopen. Ik vond dat ik dat verplicht was, maar ik zal nooit wennen aan een rok en hakken.' Ze vertrok haar gezicht terwijl ze een pump van haar voet schoof en haar tenen masseerde. 'Ik word nog kreupel van die verdomde dingen.'

Tom grinnikte en trok zijn das recht. Belinda zou altijd een kwajongen blijven, zelfs met een rok en nette schoenen aan. 'Ik moet dit nog even afgeven en dan kunnen we meteen weg. Ik heb ons op de vlucht van halfzes geboekt.'

'Is het je nog gelukt iets over Kanes verleden te achterhalen?' vroeg ze toen ze het kantoor van de chef verlieten.

'Nog aardig wat, eerlijk gezegd,' zei hij terwijl ze de trap afliepen. 'Hij is in 1922 in Australië aangekomen en heeft een tijdje in Sydney gewoond voor hij spoorloos verdween. Het is me gelukt het schip te vinden waarmee hij is gekomen en dat leverde een adres in Engeland op. Zijn echte naam was Francis Albert Cunningham en hij was de tweede zoon van rijke landeigenaren.'

'Dus Catriona had gelijk,' zei Belinda en ze bleven even op de trap stilstaan. 'Hij leefde van het geld dat hem vanuit Engeland werd opgestuurd.'

Tom knikte. 'Er was een schandaal waarbij een heel jonge dochter van een van de arbeiders op het landgoed betrokken was. De vader werd afgekocht, zodat hij zijn mond hield en Kane werd op het eerste schip gezet dat naar Australië vertrok. Zijn ouders betaalden hem een aardige toelage om te zorgen dat hij wegbleef.'

'Waren er nog andere kinderen?' vroeg Belinda zachtjes.

Tom knikte en zuchtte. 'Er waren geruchten over verschillende kinderen, maar hij zag steeds kans te verdwijnen voor er een aanklacht kon worden ingediend. Dat is waarschijnlijk de reden dat hij voor een zwervend bestaan heeft gekozen. Hij moet de rondreizende revue als een geschenk uit de hemel hebben gezien.'

'Zo te horen heb je behoorlijk grondig gezocht.'

'Ik heb een vriend die in Somerset House werkt. Toen we zijn identiteit eenmaal hadden vastgesteld, was het eenvoudig om de lege plekken in te vullen uit de tijd voor hij hierheen kwam. De periode die hij in Sydney doorbracht was ook eenvoudig te onderzoeken en een andere vriend van me heeft kans gezien iemand op te sporen die zich Kane zelfs nog kan herinneren. Hij was al een oude man, maar zijn geheugen was nog prima in orde.'

Ze kwamen in de foyer en stopten even. 'Hoe zit het met het geld dat zijn familie hem heeft gezonden? Kan dat worden opgespoord en op de een of andere manier worden gebruikt?'

Hij grijnsde. 'Allemaal al geregeld,' zei hij. 'Er zijn twee jaar lang betalingen gedaan die nooit zijn opgenomen voor de familie stopte met betalen. Dat was nog een aardig bedrag en ik heb het aan de kinderbescherming gedoneerd.'

Ze lachte terug. 'Heel toepasselijk.'

Hij knikte. 'Dat vond ik ook.'

'Ga je dit allemaal aan Catriona vertellen?'

'Ja. Ze heeft er recht op dat te weten.' Hij woelde met zijn vingers door zijn haar. 'Maar ze is verstandig genoeg om te beseffen dat een man zoals hij heel wat slachtoffers moet hebben gemaakt.'

'Maar hij heeft tenminste niet de kans gekregen nog meer kinderen te misbruiken,' zei Belinda met een wraakzucht die hem verbaasde. 'De klootzak is dood en opgeruimd staat netjes. Het is jammer dat de wet ons niet toestaat de overigen ook op te ruimen. Ze veranderen toch niet en ze kunnen ook niet worden genezen. Ze zouden moeten worden afgemaakt.'

Tom was geneigd haar gelijk te geven en ze liepen in stilte het gebouw uit.

Het was vreselijk heet; de zon weerkaatste in de ruiten en de hitte straalde van het trottoir. Ze zetten hun zonnebril op en stapten in de auto waarmee hun collega, Phil, langs het trottoir stond te wachten. Het zou meer dan een uur kosten om terug te keren naar Atherton en de Tablelands.

Het kleine kerkhof was de laatste rustplaats voor de mannen die de Kurandaspoorweg hadden aangelegd en voor de pioniers die hun woningen hadden gesticht op de koele hoogvlaktes van deze noordelijk gelegen buitenpost. Het kerkhof lag achter de protestantse kerk, een klein, houten gebouw dat sinds het midden van de negentiende eeuw in deze oase van rust had gestaan. Het hout was tot bijna wit verbleekt, het dak van golfplaat was zo rood als de aarde die de kerk omringde, en het eenvoudige glas-in-loodraam en kruis ademden de sfeer van een ander tijdperk.

Terwijl de drie politiemensen over het sintelpad liepen dat naar het kerkhof voerde, zagen ze dat de velden tot aan de achterkant van het kerkhof liepen en uiteindelijk overgingen in regenwoud. Het was een vredige plek, waar de zachte, warme wind fluisterde in het lange gras, een geluid dat werd begeleid door het gekwetter van vogels en het gezoem van insecten en in een omheinde wei verderop stonden een kastanjebruin paard en een kleine shetlandpony van het weelderige gras te eten, een bijbels tafereel dat zo uit een boek had kunnen komen.

Tom stond tussen Belinda en Phil tussen de grafstenen, terwijl de dominee sprak en Demetri Yvchenkov eindelijk te ruste werd gelegd in de volle rode aarde, die hem zijn fortuin had bezorgd. Er zou een marmeren grafsteen komen die zou aangeven waar hij lag, maar nu lag er alleen nog maar een krans van prachtige rode en witte rozen die Catriona had besteld. Toen de dienst voorbij was, keek Tom op het kaartje dat erbij zat.

Demetri, mijn vriend
De dood heeft ons gescheiden, maar in mijn hart zul je altijd bij mij zijn.
Rust zacht, en weet dat iemand van je houdt.
Kitty. x

'Het verbaasde me dat ze er niet bij wilde zijn,' zei Belinda nadat ze de dominee hadden bedankt en ze terugliepen naar de auto.

'Ik zou niet weten waarom wel,' zei Tom terwijl ze in de richting van Cairns reden. 'Het heeft geen enkele zin om helemaal hierheen te komen om een man te begraven die al meer dan vijftig jaar dood is en ze was gelukkig zo verstandig om dat in te zien. Maar de herinnering aan hem leeft in haar voort, en dat is waar het uiteindelijk om gaat.'

Ze zaten een tijdje in stilte, elk met zijn eigen gedachten terwijl Phil hen snel door de vallei reed, zodat ze op tijd zouden zijn voor hun vlucht naar Brisbane. Tom keek naar het landschap en dacht aan Harriet. Hij vroeg zich af of ze was teruggekeerd naar Belvedère, of dat ze in Sydney was gebleven. Hij had niet de kans gehad om haar gedag te zeggen en de reden waarom ze was weggegaan was nog steeds een mysterie. Hoe dan ook, dacht hij verdrietig, hij zou haar waarschijnlijk nooit meer zien.

Ze namen afscheid van Phil en liepen de vliegveldterminal binnen. Hun vlucht was op tijd en ze hadden maar een kwartier voor ze moesten instappen. Tom haalde koffie voor hen beiden en ze gingen bij het grote venster staan en keken naar de vliegtuigen die landden en opstegen. Vliegvelden hadden iets waar Tom opgewonden van raakte, en hij wou dat hij naar een interessantere plek vloog dan naar zijn eigen stad. Bali zou leuk zijn in deze tijd van het jaar, realiseerde hij zich, of Fiji. Hij was toe aan verandering; hij voelde een rusteloos verlangen om de belemmeringen van zijn werk af te gooien en op onderzoek uit te gaan. Maar hij besefte ook dat zijn rusteloosheid meer te maken had met zijn gedachten aan Harriet dan met zijn werk of zijn manier van leven. Hij wilde bij haar zijn, met haar praten en haar echt leren kennen.

'Wanneer ik terug ben, dien ik m'n ontslag in,' zei Belinda.

Tom schrok op uit zijn dagdromen en keek haar geschokt aan. 'Waarom? Ik dacht dat je je werk leuk vond?'

'Ik vind het leuk om met jou samen te werken en met de meeste andere mannen, maar ik heb er genoeg van,' zei ze vastbesloten. 'Ik kan niet overweg met mensen als onze chef die geen poot uitsteekt om tuig als Wolff de voet dwars te zetten. Dat was niet waarom ik met dit werk ben begonnen.'

'Dat geldt ook voor mij,' gaf hij toe.

Ze keerde zich af van het venster en keek hem recht in de ogen. 'Onze tocht naar Belvedère heeft me doen inzien hoe erg ik de outback mis,' zei ze.

'Maar je zei dat je niet kon wachten om er weg te gaan,' protesteerde hij. 'Je zei dat je het leuk vond om in Brisbane te wonen en dat je thuis niets te zoeken had.'

'Dat weet ik,' gaf ze toe. 'Maar na al dat gedoe met Wolff zie ik het niet meer zitten.' Ze deed haar jasje uit en hing het over de rugleuning van een stoel. 'Ik ben als een vis op het droge, Tom,' legde ze uit. 'Ik heb het geprobeerd, maar diep in mijn hart ben ik toch gewoon een boerenmeisje.' Ze keek naar hem op. 'Ik wil naar huis.'

Hij wist niet goed wat hij tegen haar moest zeggen. Ze was een goede politieagente, een loyaal, hardwerkend meisje dat hij was gaan bewonderen en op wie hij was gaan vertrouwen. Maar terwijl hij in die bruine ogen keek, besefte hij dat er niets was dat hij kon zeggen dat haar van mening zou doen veranderen. 'Het gaat om Connor, hè?' vroeg hij ten slotte. 'Je gaat terug vanwege hem.'

Ze knikte. 'Ik moet het proberen,' zei ze. 'Mannen als hij zijn niet zo dik gezaaid en ik heb er jaren op moeten wachten voor hij me zag staan.'

'Je zou heen en weer kunnen reizen,' zei hij hoopvol.

'Nee.' Ze schudde haar hoofd waardoor de donkere krullen heen en weer zwaaiden. Ze maakte de haarspelden los. 'Afstand maakt de liefde misschien wel sterker, maar ik ga mijn toekomst niet in de waagschaal stellen op basis van een bakerpraatje.' Ze haalde een stuk papier uit de zak van haar jasje. 'Dit heb ik vandaag ontvangen,' zei ze terwijl ze het onder zijn neus heen en weer zwaaide. 'Het is de bevestiging van het hoofdbureau in Queensland. Over een maand begin ik op mijn nieuwe post op het politiebureau in Drum Creek.'

28

De picknick was een succes geweest. Ze hadden de mousserende witte wijn, fruit, kaas en de kipsalade opgediend op een kleed dat ze onder de bomen hadden uitgespreid. Ze hadden gegeten tot ze niet meer konden en daarna had ze haar broekspijpen opgerold en zich bij Rosa en Connor gevoegd die in de poel tussen de rotsen liepen te spetteren. Door de droogte was de waterval niet meer dan een dun straaltje, maar het was er toch aangenaam, en het deed hen denken aan de tijd dat ze nog kinderen waren en in hun blootje in de poel zwommen, gillend van de lach terwijl ze elkaar nat spetterden en kreeftjes vingen in de modder. Dat waren heerlijke dagen, dacht ze toen ze het erf naderden.

Connor liet Razor stilhouden bij de schuur, hielp Catriona van de wagen en zette haar op de grond. 'Dank je, mam,' zei hij lijzig. 'Ik geloof dat het toch een goed idee was. Ik hoop dat jij er net zo van hebt genoten als wij.'

'Het was de mooiste dag die ik in tijden heb gehad,' antwoordde ze met een glimlach. Het uitstapje had haar op de een of andere manier verfrist en haar nieuwe energie gegeven, hoewel morgen alles haar waarschijnlijk pijn zou doen van dat gehobbel op de bok. Rosa had wat dat betreft gelijk gehad, misschien begon ze wel te oud te worden voor dergelijke dingen. Ze besloot die akelige gedachten terzijde te schuiven en gaf Connor een klopje op de wang en draaide zich toen om naar Razor en begon hem op de hals te kloppen. Hij was een brave, oude jongen en leek er zelfs lol in te hebben toen hij eenmaal was gewend aan het trekken van de wagen; hij liep met een behoorlijk veerkrachtige tred toen Connor hem uitspande en losliet in de kraal.

Ze gaf Rosa die de lege picknickmand droeg een arm en samen liepen ze terug naar de boerderij. De hemel was bezaaid met paarse en oranje linten door de zon die achter de heuvels dook en die warme kleurengloed viel over de bomen en de aarde terwijl de vogels nog een laatste keer door de lucht zwierden, alvorens een plekje te zoeken voor de nacht. Catriona glimlachte vergenoegd. Alles was in orde in haar wereld.

Toen ze naar de boerderij keek, zag ze een figuur op de veranda op hen staan te wachten. 'Ze is dus teruggekomen,' zei ze zachtjes. 'Ik wist wel dat ze zou komen.'

Rosa pakte Catriona bij een arm. 'Mam,' begon ze. 'Mam, er is iets wat ik je moet vertellen.'

'En er is ook iets wat ik jou moet vertellen, maar dat kan allemaal wachten.' Ze zwaaide naar Harriet. 'Ben je hier al lang?'

Harriet zwaaide terug. Ze zag er slank en koel uit in de linnen broek en het gestreken witte overhemd. Haar sluike, dikke blonde haar krulde onder haar kin en viel tot op haar schouders. 'De hele middag,' antwoordde ze toen ze aan de voet van het trapje waren. Haar blik ging kil over Rosa voor ze zich weer tot Catriona wendde. 'Waar hebben jullie in hemelsnaam gezeten? Ik begon me ongerust te maken.'

Catriona keek glimlachend naar haar op. 'We zijn met de wagen weggeweest,' zei ze terwijl ze de trap opklom. 'Jammer dat je niet eerder bent gekomen, dan had je met ons mee kunnen gaan.'

Harriet beantwoordde haar glimlach en nam haar bij de hand. 'Dat zou ik leuk hebben gevonden,' zei ze. 'Een andere keer misschien?' Ze gaven elkaar een kus op de wang en Harriet hield de deur voor hen open. 'Ik hoop niet dat je het erg vindt dat ik mezelf heb binnengelaten? Maar er was niemand in de buurt en ik snakte naar een kop thee.'

Catriona keek haar glimlachend aan. 'Sinds wanneer heb je daar toestemming voor nodig?'

Rosa maakte een geluid in haar keel en Catriona negeerde haar. Er zou meer dan genoeg tijd zijn om het hart te luchten als zij haar zegje eenmaal had gedaan. 'Zetten jullie twee maar een pot thee. Ik ga mijn magere achterwerk in een zachte stoel in de zitkamer parkeren.' Ze keek ze na terwijl ze naar de keuken liepen. Als de sfeer nog een beetje ijziger was geweest, dacht ze, dan had ze het gevaar gelopen onderkoeld te raken. Toen ze in de comfortabele stoel zat, hoorde ze het snel gevoerde gesprek dat tussen hen gaande was, en hoewel de woorden onduidelijk waren, hoorde Catriona wel boosheid in de stemmen doorklinken, de nauwelijks ingehouden woede van twee katten die op het punt staan elkaar de ogen uit te krabben. 'O, lieve hemel,' zuchtte ze. 'Wat een energieverspilling.'

De meisjes kwamen de kamer binnen, op de voet gevolgd door Connor. De duisternis was ingevallen en het werk voor die dag was gedaan. Ze zaten in de zitkamer, dronken thee en voerden een hortend, beleefd gesprek. Connor leek zich niet bewust van de stemming. Hij was ontspannen en zat diep weggedoken in zijn stoel met zijn benen voor zich uitgestrekt. Harriet en Rosa bleven maar blikken in elkaars richting werpen en Catriona voelde hun nervositeit. 'Ik ben blij je weer te zien, Harriet,' begon ze. 'Ik hoop niet dat het iets was dat ik heb gezegd waardoor je zo halsoverkop weg moest?'

'Nee.' Harriet zette haar kopje neer en haar hand was onvast, waardoor het kopje tegen het schoteltje rammelde. 'Ik vind dat je erg dapper bent geweest om al die vreselijke dingen weer op te rakelen. Ik weet niet of ik dat had gekund.'

Catriona haalde haar schouders op. 'Je weet niet waartoe je in staat bent tot het moment dat je ervoor staat,' zei ze zonder veel emotie. 'Maar ik heb de loutering overleefd en nu ben ik bijna vrij.' Ze deed er het zwijgen toe en keek naar de hutkoffer aan de andere kant van de kamer. 'Ik zeg, bijna, omdat ik niet het enige slachtoffer van Kane was.'

'Mannen zoals hij hebben vaak een geschiedenis,' mompelde Rosa. 'Hij heeft jou misbruikt en daarvoor heeft hij waarschijnlijk anderen misbruikt.'

Catriona knikte. 'Je hebt waarschijnlijk gelijk, schat, hoe vreselijk het ook is,' gaf ze toe. 'Maar dat is niet wat ik bedoelde.' Ze haalde diep adem. 'Weet je, wanneer iemand doormaakt wat ik heb moeten doorstaan, dan heeft dat een domino-effect. Het verandert hun leven en dat van degenen die ze liefhebben. Mijn moeder is die nacht nooit meer te boven gekomen, niet in haar geest, en zelfs mijn huwelijk liep op de klippen door wat Kane me had aangedaan.'

'Hoe kon dat nou?' vroeg Connor. 'Kane was toen al dood.'

'Kane was dood, maar zijn erfenis leefde voort,' antwoordde ze. Ze leunde achterover in haar stoel en nam een ogenblik de tijd om haar gedachten op een rijtje te zetten. Ze keek naar het portret van haar moeder voor ze hun vertelde over hun vlucht uit Atherton en wat er daarna allemaal gebeurde.

Er viel een diepe stilte, terwijl zij naar de hutkoffer liep en de babykleertjes tevoorschijn haalde. Ze pakte de kleine jurkjes en mutsjes en sokken en begroef haar gezicht in de zachte stof van de sjaal die ze heimelijk had gebreid terwijl haar moeder bezig was met haar administratie. 'Ik kon het niet over m'n hart verkrijgen om ze weg te doen,' verklaarde ze. 'Dat zou net zijn geweest alsof ik opnieuw afstand moest doen van mijn baby.'

'Heb je ooit geprobeerd haar op te sporen?' vroeg Harriet terwijl ze de stapel brieven in Catriona's schoot legde.

Ze keek ernaar en haar vingers plukten aan de linten die de stapel bij elkaar hielden. 'Mijn moeder wilde me niet zeggen waar ze was, niemand wilde dat. Het heeft jaren geduurd voor ik iets over haar hoorde.'

'Dit zal de relatie met je moeder allemaal geen goed hebben gedaan,' zei Harriet.

Catriona schudde haar hoofd. 'Ze was niet erg vergevingsgezind, zeker, en weigerde absoluut om over de baby te praten. Maar ik ben me later gaan realiseren dat ze een heleboel te verwerken had. Ze kon het zichzelf niet vergeven dat ze niet had gemerkt wat Kane allemaal deed. Ze kon mij niet vergeven dat ik haar niets had verteld en ze kon al helemaal niet overweg met de gedachte dat ik op m'n dertiende Kanes baby had gekregen. Ze kon niet begrijpen waarom ik het wilde houden, en ik denk dat ik haar nu wel begrijp. De baby zou een voortdurende herinnering zijn geweest en dat kon ze niet verdragen.'

'Mijn god,' zei Harriet ademloos. 'Wat een puinhoop.' Ze bleef even staan met haar handen diep in haar zakken terwijl ze naar de portretten aan de muur keek, voor ze zich omdraaide en naast Rosa ging zitten. 'Wat gebeurde er toen?' vroeg ze.

Catriona vertelde hun terwijl ze met de ringen aan haar vingers speelde, over Peter Keary en hoe hij haar liefde en vertrouwen had beschaamd. De vergane blaadjes van haar bruidsboeket herinnerden haar eraan hoe vluchtig geluk was.

'Maar je hebt haar uiteindelijk wel gevonden, hè?' drong Rosa aan.

Catriona knikte. 'Toen de jaren verstreken en de wet werd veranderd, kon ik eindelijk alle resultaten van mijn zoektocht gebruiken. Ze was zelf moeder geworden, zie je, en ik dacht dat ze mijn behoefte om contact te leggen zou kunnen begrijpen. Ik lapte alle regels aan mijn laars en stuurde haar een brief. Mijn brief werd teruggestuurd; het was de enige die ze ooit heeft geopend. Ik probeerde het telkens weer in de hoop dat ze nieuwsgierig genoeg zou worden om ze te lezen. Maar dat heeft ze nooit gedaan.' Catriona staarde in de duisternis achter het raam. 'Mijn dochter had me in de steek gelaten, net als ik haar in de steek heb gelaten. Hoe kon ik haar dat kwalijk nemen?'

'Waar is ze nu?' De stem van Harriet klonk zacht toen ze aan de andere kant van Catriona kwam zitten en haar hand pakte.

Catriona glimlachte en kneep even zachtjes in haar hand. 'Ik vermoed dat ze terug is naar Sydney, Harriet,' antwoordde ze en haar stem was verstikt door emotie. 'Het spijt me dat ze zo bitter is en niet met je mee kon komen, maar mijn kleindochter heeft het me blijkbaar vergeven. Dank je dat je bent thuisgekomen, Harriet.'

'Je hebt het al die tijd geweten, hè?' Harriet greep haar oma's hand.

Catriona knikte glimlachend. 'Vanaf het moment dat ik je daar in je schooluniform zag staan wachten tot de chauffeur je koffer had uitgeladen.'

'Maar hoe dan? Hoe kon je in vredesnaam weten wie ik was?'

Catriona glimlachte. 'Ik was jaren op zoek geweest naar mijn dochter. Ik kwam er ten slotte achter dat Susan Smith haar naam had veranderd in Jeanette Lacey. Het was toen niet moeilijk meer om in de gaten te houden waar ze uithing, om haar danscarrière te volgen en te zien hoe het met haar echtgenoot en dochter ging.'

'Daarom gingen we altijd naar ballet als we in de stad waren,' zei Rosa. 'Ik dacht dat je alleen maar probeerde mij een beetje cultuur bij te brengen.'

'Dat was de enige manier waarop ik haar kon zien,' antwoordde ze. Ze haalde diep adem. 'Toen Harriet hier voor het eerst kwam in de schoolvakantie, was ik overgelukkig. Ik kreeg in ieder geval de kans mijn kleindochter te leren kennen, ook al kon ik haar nooit vertellen wie ze werkelijk was.'

'Waarom heb je nooit iets gezegd?' Harriet voelde tranen opwellen en slikte ze weg. Dit was een emotioneel moment, maar ze moest nu het hoofd koel houden en geconcentreerd blijven.

'Dat zou niet goed zijn geweest, schat,' antwoordde ze. 'Je moeder wilde niets met me te maken hebben en jij had duidelijk geen flauw idee. Ik vond het prima om alles maar zo te laten.'

Harriet knikte. 'Het verklaart een heleboel,' zei ze. 'Mams houding, om mee te beginnen. Ik begreep maar niet waarom ze het zo erg vond dat ik hierheen ging en dat ik bevriend was met Rosa.' Catriona spreidde haar armen en Harriet gaf zich over aan haar omhelzing. Terwijl ze zich aan haar vastklampte, kregen haar emoties de overhand, want ze had er een groot deel van haar leven naar verlangd deel uit te maken van een echte familie, gesnakt naar dit moment vol liefde en genegenheid.

Toen ze elkaar eindelijk loslieten, veegde Catriona met een zacht gebaar en oneindig liefdevol de haren uit Harriets gezicht. 'Waarom vertel je ons nu niet hoe jij overal achter bent gekomen?' zei ze aanmoedigend.

Harriet keek even naar Rosa en dacht aan hun vreselijke ruzie. 'Ik wist hier helemaal niets van tot het moment dat je ons over Kane vertelde,' zei ze bitter. 'Het heeft er de schijn van dat ik ben belazerd door mijn zogenaamde vriendin Rosa.'

Rosa sprong op uit haar stoel. 'Dat is niet eerlijk,' schreeuwde ze. 'Ik heb je alles uitgelegd – je was alleen niet voor rede vatbaar.'

'Rede?' Harriet draaide zich met een ruk om en keek haar aan. 'Je hebt totaal geen idee wat dat woord betekent.'

'Kom op, Hat,' gromde Connor.

'En jij houdt je hier buiten, Connor Cleary,' gilde Rosa. 'Dit gaat je geen ene bliksem aan.'

'Zo is dat,' snauwde Harriet. 'Dit is tussen Rosa en mij.'

'Hou allemaal je mond,' riep Catriona boven het lawaai uit. 'Rustig jullie.' Ze zag hoe ze woedend naar elkaar keken en gingen zitten. 'Ik geloof dat je wat hebt uit te leggen, Rosa. En ik wil het hele verhaal, niet alleen de stukjes waarvan je denkt dat die je in een gunstig daglicht zullen stellen.'

Rosa keek boos naar Harriet en zocht toen steun bij Connor, maar besefte dat ze die niet zou krijgen. 'Ik heb de brief gelezen,' zei ze kwaad. Catriona's gezicht leek uit steen gehouwen en ze aarzelde even voor ze verderging met haar verhaal over haar strooptocht in de hutkoffer. 'Ik wilde iets bijzonders voor je doen,' zei ze zachtjes. 'Je bent zo goed geweest voor Con en mij en ik wilde je gelukkig maken.' Ze snoof en stak een sigaret op. 'Ik wist niet hoe en wanneer, en pas toen ik naar de middelbare school ging zag ik mijn kans schoon.'

'Ze is expres bevriend met me geraakt toen ze erachter kwam wie ik was,' zei Harriet bitter. 'Ze heeft extra moeite gedaan om aardig tegen me te zijn en mij te laten denken dat ze me echt mocht.'

'Dat is niet waar,' snauwde Rosa. 'Ik geef toe dat ik je in het begin achternaliep en het spijt me dat ik zo achterbaks ben geweest. Maar we raakten echt bevriend, veel hechter dan ik ooit had verwacht. En naarmate de jaren verstreken, besefte ik dat ik je nooit zou kunnen vertellen wat ik had gedaan, want ik wist dat je het me nooit zou vergeven.'

'Waarom dan nu wel?' Harriet zat daar met haar armen stevig om zich heen geslagen.

'Het was een traumatische dag,' gaf Rosa toe. 'De sfeer was zo geladen, dat ik m'n geheim niet langer voor me kon houden.'

'Maar zie je dan niet wat je hebt aangericht?' drong Harriet aan. 'Ik heb je altijd vertrouwd, altijd mijn geheimen met je gedeeld. Dat vertrouwen is nu weg en ik betwijfel of dat ooit wordt hersteld.'

'Ik geloof dat het tijd is dat we allemaal een beetje kalmeren,' zei Catriona terwijl ze wijn begon in te schenken. Ze deelde de glazen rond. 'Rosa, ik weet dat je het goed hebt bedoeld, maar echt, schat, ik wou dat je eens nadacht voor je iets deed.' Ze keek haar glimlachend aan en raakte even haar gezicht aan voor ze zich tot Harriet wendde. 'Als Rosa er niet was geweest, zou je nooit hebben geweten dat ik je grootmoeder ben,' zei ze zacht. 'Is het zo slecht om mij als oma te hebben?'

'Nee.' Harriet ging naar haar toe en pakte haar hand. 'Nee, natuurlijk niet. Het is alleen de achterbakse manier waarop Rosa alles heeft aangepakt die me dwarszit.'

'Dat is iets waar jullie allebei mee in het reine moeten zien te komen, maar ik ben ervan overtuigd dat Rosa met de beste bedoelingen heeft gehandeld, dus probeer niet al te streng voor haar te zijn.' Catriona glimlachte bemoedigend terwijl Harriet een blik in Rosa's richting wierp.

'Het spijt me,' mompelde Rosa.

'Mij ook,' zei Harriet met een diepe zucht.

Connor hief zijn ogen ten hemel toen de jonge vrouwen elkaar omhelsden en in huilen uitbarstten. 'Verdorie, mam. Daar komen de waterlanders. Over drama gesproken.'

'Ik had ook niet verwacht dat je zoiets zou begrijpen,' zei Catriona met een glimlach. 'Maar wees maar blij dat de storm is gaan liggen en dat ik een kleindochter heb.' Ze schonk nog een glas wijn in en wachtte tot de meisjes vrede hadden gesloten en hun tranen hadden gedroogd.

Toen ze allemaal weer zaten, wendde ze zich tot Harriet. 'Heb je je moeder nooit naar haar familie gevraagd?'

Ze knikte. 'Ik begon al vragen te stellen toen ik nog een klein meisje was,' antwoordde ze. 'Andere kinderen hadden grootouders en ooms en tantes en ik wilde weten waarom ik die niet had. Pap legde me uit dat hij allebei zijn ouders had verloren door een auto-ongeluk toen hij negentien was. Hij was enig kind, maar hij had wel foto's van zijn ouders en hun broers en zussen en een heleboel verhalen over zijn eigen kindertijd. Ik heb nooit iemand van zijn familie ontmoet, omdat die al lang overleden waren toen hij mam tegenkwam. Hij was een heel stuk ouder dan zij, weet je.'

Harriet beet op haar lip en Catriona hoorde aan de trilling in haar stem dat ze even een moment nodig had om haar emoties in bedwang te krijgen.

'Mam weigerde over haar jaren voor ze naar de balletschool ging te praten. Ze had geen foto's die ze kon laten zien, geen verhalen te vertellen en elke vraag die ik stelde spatte op een muur van stilte uiteen. Toen ik ouder werd, realiseerde ik me dat ze een ongelukkige, verbitterde vrouw was die werd gedreven door ambitie voor zichzelf en dientengevolge voor mij. Het leek wel of ze vastbesloten was te bewijzen dat ze beter was dan andere mensen van haar verwachtten en of ze alleen maar haar verleden wilde uitwissen en zichzelf opnieuw uitvinden. Ik begon verder te speuren, maar er waren geen foto's of dagboeken, geen brieven of souvenirs van vroeger, niets dat me op het juiste spoor kon zetten.'

'En jij, Rosa? Hoe heb jij kans gezien om zo veel te achterhalen aan de hand van een enkele brief?'

'Ik had een naam en een adres. Ik had de brief gelezen, dus ik wist dat Jeanette Wilson jouw dochter was.' Ze stopte even terwijl ze naar Harriet keek en de twee meisjes glimlachten naar elkaar. 'Ik ging helemaal uit m'n dak toen ik erachter kwam dat we bij elkaar in de klas zaten.' Ze nam een trek van haar sigaret. 'Het enige probleem was dat ik al die informatie had, maar niet wist wat ik ermee moest. Jij wist niet dat ik die brief had gelezen. Harriet wist niet dat ze familie van je was en haar moeder leek vastbesloten dat zo te houden.' Ze haalde haar schouders op. 'Ik kon geen kant op.'

Catriona lachte en klopte haar op haar hand. 'Lieve hemel, Rosa, wat ben je toch een slinkse boef,' zei ze vol genegenheid.

'Slinks? Zeg maar gerust een bedrieger,' zei Connor voor zich uit. 'Ik kan er niet bij dat je dit allemaal voor jezelf hebt gehouden, Rosa.'

'Eerlijk gezegd,' gaf Rosa toe, 'schaam ik me nogal voor het hele gedoe. Maar ik wilde zo graag iets voor mam doen. Ik had niet echt uitgewerkt hoe ik het allemaal zou aanpakken en hoewel de spullen in de kist er wel voor zorgden dat een paar stukjes op hun plaats vielen, ontbrak er één essentieel element. En ik kon niet verder zonder te bekennen wat ik had gedaan.'

Catriona knikte. 'En dat ontbrekende element was Kane. Hij was de aanstichter van alle ellende die mij en de volgende generaties is overkomen en als Demetri's lichaam niet was gevonden, zouden jullie waarschijnlijk nooit iets over hem te horen hebben gekregen.' Ze keerde zich naar Harriet. 'Het is niet iets om trots op te zijn.'

Connor stond op en schonk hun allemaal nog iets in. 'Welkom in de familie,' zei hij tegen Harriet terwijl hij zijn glas in de lucht stak.

Harriet zuchtte. 'Toen ik naar haar familie vroeg, heeft mam me gewaarschuwd me er niet mee te bemoeien, maar ik heb altijd het gevoel gehad dat er iets miste, iets waarvan ik op de hoogte zou moeten zijn.' Ze grinnikte. 'En nu heb ik een kant-en-klare familie.'

Rosa stak haar glas omhoog. 'Op Hat, een soort van zus en m'n beste vriendin.' Ze dronk haar glas in één teug leeg en nam het risico zichzelf in brand te zetten door een sigaret op te steken.

De tranen schitterden in Catriona's ogen. 'Ik vind het alleen zo jammer dat Jeanette het me niet heeft kunnen vergeven,' zei ze. Ze wendde zich tot Harriet. 'Heb ik haar erg gekwetst?'

Harriet ging staan en liep naar het venster; ze had haar handen diep in haar zakken gestoken en dacht terug aan die verschrikkelijke confrontatie met haar moeder. Jeanette was bijna buiten zichzelf van woede geweest terwijl ze door haar luxueuze appartement ijsbeerde met een strak en koud gezicht.

'Ik heb je toch gezegd dat je je niet met die familie moest inlaten,' snauwde ze.

Harriet keek toe terwijl Jeanette weer een sigaret opstak en diep inhaleerde. 'Het was inderdaad nogal een schok,' antwoordde ze. 'En het zal je ongetwijfeld plezier doen om te horen dat Rosa en ik hier geweldige ruzie over hebben.' Ze haalde diep adem; ze wilde geen ruziemaken. 'Maar ik had er recht op om te weten wie ik ben en waar ik vandaan kom. Dat kun je toch zeker wel begrijpen?'

Jeanettes ogen spoten vuur toen ze zich met een ruk omdraaide en haar aankeek. 'Recht,' snauwde ze. 'En hoe zit het met mijn rechten, Harriet? Tellen mijn gevoelens soms niet mee?'

'Natuurlijk wel.' Harriet stak haar hand uit, maar haar moeder negeerde dat. 'Alsjeblieft, mam,' probeerde ze opnieuw. 'Geef me de kans om je uit te leggen waarom oma je heeft afgestaan – dan zul je misschien inzien dat ze niet lichtvaardig, of willens en wetens tot dat besluit is gekomen.'

Jeanette keek haar woedend aan en haar mondhoeken trokken minachtend omlaag. 'Ik zie dat ze jou al heeft ingepakt,' siste ze. 'Oma, maar liefst.' Ze keerde haar de rug toe en keek door het grote venster naar Circular Quay. Haar schouders waren verstijfd en haar houding verdedigend terwijl ze haar sigaret rookte.

Harriet bleef een ogenblik naar haar kijken. De barrière die Jeanette tussen hen had opgetrokken was net zo onneembaar als de Chinese Muur, maar ze wist dat hij toch geslecht moest worden als ze wilde dat hun relatie het zou overleven. Ze begon te praten, eerst nog aarzelend, maar al snel soepeler naarmate het verhaal zich ontvouwde en ze was zich bewust van de pijn die dit haar moeder ongetwijfeld bezorgde, maar ze wist dat ze het moment niet voorbij mocht laten gaan.

Jeanette zweeg de hele tijd en hield haar armen om haar slanke middel geslagen. Harriet vroeg zich op een bepaald moment zelfs af of ze wel luisterde, want er kwam geen zichtbare reactie en er was geen enkel teken dat ze een beetje ontspande. Omdat ze met de rug naar haar toe stond, kon ze Jeanettes gezichtsuitdrukking niet zien en ze kon alleen maar proberen zich een voorstelling te maken van de gedachten die door haar hoofd moesten malen.

'Catriona is haar hele leven naar je op zoek geweest,' besloot ze. 'En toen ze je gevonden had, wees je haar af zonder haar de kans te geven alles uit te leggen. Ze wil vrede met je sluiten voor het te laat is, mam. Kun je het niet over je hart verkrijgen om te accepteren wat er is gebeurd en haar vergeven?'

Jeanette keerde zich af van het raam. Haar gezicht was lijkbleek en in haar ogen blonken onvergoten tranen. 'Het is een beetje te laat om het gelukkige gezinnetje te gaan uithangen,' zei ze kortaf.

'Ik vraag niet van je dat alles in één klap koek en ei is tussen jullie twee. Dat verwacht ik niet en Catriona al evenmin. Maar een telefoontje of een brief zou zo veel voor haar betekenen.'

Er trok een schaduw over het gezicht van Jeanette terwijl ze Harriet aankeek. Haar gedachten bleven verborgen onder een masker van onverschilligheid. 'Het is duidelijk waar jouw liefde ligt,' zei ze kil. 'Maar wat had ik anders kunnen verwachten na al dit verraad?'

'Ik ga Catriona niet negeren, alleen omdat jij haar niet tegemoet wil komen,' wierp Harriet tegen. 'Ze is mijn grootmoeder en ik ben van haar gaan houden en haar gaan bewonderen.' Ze temperde haar opkomende ongeduld en pakte haar moeders onwillige handen. 'Maar dat wil niet zeggen dat ik niet van jou hou, of slechter over je denk. Je bent mijn moeder en ik zal altijd van je houden.'

'Hoe kan dat nou, nu je je nieuwe familie hebt?' antwoordde Jeanette. 'Als die trut je eenmaal in haar klauwen heeft, zul je niets meer met mij te maken willen hebben.' Ondanks die wrede woorden, liet Jeanette plotseling haar terughoudendheid varen en ze zakte ineen op de bank, verborg haar gezicht in haar handen en begon luid te snikken. 'Ik kan haar niet vergeven,' zei ze tussen haar tranen door. 'Dat kan ik gewoon niet. En nu raak ik jou ook nog kwijt.'

Harriet ging naast haar zitten en de pijn die ze voelde was bijna ondraaglijk terwijl haar moeder haar hoofd op haar schouder legde en huilde. Hoe kon ze Jeanette duidelijk maken dat er zo veel was om blij om te zijn en hoe gemakkelijk het was om die stap te zetten waar ze zo bang voor was? Het enige wat Harriet op dit moment kon doen was haar geruststellen en troostende en bemoedigende woorden spreken tot de moeder die tot dat moment zo sterk en zelfverzekerd was geweest.

Veel later, toen de emoties wat waren gezakt en de tranen waren opgedroogd, viel Jeanette uitgeput in slaap. Harriet kuste zachtjes het door tranen bevlekte gezicht en dekte haar toe met een dunne deken voor ze de kamer uitliep. Toen ze zich in de deuropening omdraaide en naar haar slapende moeder keek, wist ze dat het nu aan Jeanette was om zich met haar eigen moeder te verzoenen.

Harriet keerde terug naar het heden en realiseerde zich dat Catriona en de anderen op haar antwoord zaten te wachten. 'Het was het moeilijkste dat ik ooit heb moeten doorstaan,' gaf ze fluisterend toe.

'Mam was bijna buiten zinnen van woede toen ik vertelde wat Rosa had ontdekt. Ze wilde me nauwelijks aankijken en kon bijna niet uit haar woorden komen. Zo had ik haar nog nooit gezien en ik werd er bang van.'

'Heb je haar alles verteld?' vroeg Catriona.

'Ik heb heel veel maar zijdelings aangestipt. Ik zag het nut er niet van in om het hele gruwelijke verhaal van Kanes misbruik te vertellen, dat had niet zo veel zin. Ik heb haar verteld dat je verkracht was en gedwongen werd haar af te staan voor adoptie. Ik heb haar ook verteld dat je altijd naar haar op zoek bent geweest.' Harriet zuchtte. 'Uiteindelijk maakte het niet uit voor hoe ze tegen je aan keek. Ze is te zeer verbitterd om naar rede te luisteren, of verder te kijken dan haar eigen pijn.'

Ze keek naar het portret van haar overgrootmoeder. Velda keek glimlachend op haar neer, de violette ogen warm en bemoedigend in het gave gezicht, en Harriet herkende iets van haar eigen moeder in die uitdrukking. 'Mam is een sterke, vastberaden vrouw die haar leven lang haar eigen weg heeft gevolgd. Daarom beangstigt haar reactie op dit alles me zo.'

Harriet wendde zich af van de portretten. 'Ze stortte helemaal in en smeekte me niet bij haar weg te gaan, niet te stoppen met van haar te houden. Ik besefte dat ze doodsbang was alleen achtergelaten te worden, niet langer bemind te worden en veroordeeld te worden omdat ze haar band met jou niet kon aanvaarden. Er was daar sprake van sterke emoties en het kostte heel wat tijd om haar ervan te verzekeren dat ik ondanks mijn genegenheid voor jou, altijd van haar zou houden, wat er ook gebeurt.'

'Arme Jeanette,' zei Catriona terwijl de tranen ongemerkt over haar wangen stroomden. 'Had ik er maar kunnen zijn om haar te troosten en haar een hart onder de riem te steken.' Ze haalde een zakdoek tevoorschijn en veegde haar tranen weg.

Harriet ging naar haar toe en sloeg haar armen om haar heen. 'Het zal tijd kosten om de dingen die ik haar heb verteld te laten bezinken,' fluisterde ze in haar haar. 'Ze heeft haar hele leven in ontkenning geleefd, dus het zal niet meevallen voor haar om de waarheid te accepteren.' Harriet maakte zich los uit de omhelzing en keek Catriona in de ogen en voelde een warme golf van liefde die veel sterker was dan wat ze ooit eerder had ervaren. 'Ik denk dat ze wel zal gaan beseffen hoeveel je van haar hield en wat het je heeft gekost om afscheid van haar te moeten nemen. Het zal veel tijd kosten, maar we moeten de hoop niet opgeven.'

'Ik hoop al jarenlang dat ze me zal vergeven,' zei Catriona. 'Ik ben bereid zo lang te wachten als nodig is.'

Harriet glimlachte. 'We hebben hier allemaal iets van geleerd, oma,' zei ze, genietend van dat heerlijke woord. 'Ik ben me er bewust van geworden dat moederliefde de sterkste vorm van liefde is die er bestaat. Velda heeft omwille daarvan gemoord, het heeft jou je huwelijk gekost en je hebt uit moederliefde je hele leven gezocht naar je verdwenen kind. Mijn moeder houdt van me, veel meer dan ik besefte en op een dag, waarschijnlijk al heel binnenkort, zal ze willen weten wat het betekent om de warmte van de liefde van haar eigen moeder te voelen. Want als we die speciale gift nooit ervaren, zullen we nooit compleet zijn.'

Epiloog: een jaar later

Harriet stuurde de krachtige wagen door de poort en zag dat de lange toegangsweg naar de boerderij eindelijk was verhard. De motor ronkte, de banden maakten een zoemend geluid op het gladde oppervlak en ze begon te ontspannen. Dit was een reis naar huis zoals ze die de afgelopen maanden al twee keer had gemaakt en toen ze op de top van de heuvel was, hield ze halt en glimlachte terwijl ze neerkeek op Belvedère.

De boerderij was speciaal voor deze gelegenheid opnieuw in de verf gezet en de rozen klommen in een kleurige overdaad langs de staanders van de veranda omhoog en over het dak waar ze zich vermengden met de bougainville. In de verte strekten de weiden zich uit, een vredige, na de regen groene achtergrond die in scherp contrast stond met de drukte rond de boerderij en de bijgebouwen.

Terwijl Harriet in de auto zat, keek ze neer op de wirwar van auto's en pick-ups die aan een kant van de grote schuur stonden geparkeerd. De zon weerkaatste op chroom en glas en danste op de vrolijke kleuren van de jurken en hoeden van de vrouwen, en zelfs van deze afstand kon ze het geluid van gelach en muziek horen.

Toen Harriet voldoende genoten had van het uitzicht, reed ze langzaam de heuvel af en hoe dichter ze bij de boerderij kwam, hoe meer het gevoel van opwinding toenam. Belvedère hield altijd al een betovering voor haar in, maar vandaag leek het of er elfenstof over was uitgestrooid en ze kon nauwelijks wachten tot ze er deel van uit kon maken. Ze volgde het uitgesleten spoor naar de verste omheinde weide en zette haar auto op het provisorische parkeerterrein. Het was midden in de winter, maar de hitte was nog intens en toen ze haar hoed en tas pakte en uit de koelte van de airconditioning stapte, trof hij haar als een mokerslag. Toen ze haar koffer uit de bagageruimte wilde pakken, werd ze opgeschrikt door een bekende stem die naast haar klonk.

'Het lijkt erop alsof je daar wel wat hulp bij kunt gebruiken. Je kunt erop rekenen dat een vrouw alles behalve het aanrecht met zich meesleept.'

Ze draaide zich met een ruk om terwijl haar gezicht al oplichtte van plezier. 'Tom,' zei ze ademloos. 'Wat doe jij hier?'

'Ik ben uitgenodigd,' zei hij lijzig, met een warme blik van genegenheid in zijn ogen. 'En ik kon de kans om jou weer eens te zien niet aan m'n neus voorbij laten gaan.' Hij glimlachte loom en nam haar hand. 'De telefoon is niks vergeleken bij de werkelijkheid,' zei hij zacht. 'Je ziet er geweldig uit.'

Zelf zag hij er ook niet beroerd uit, dacht Harriet terwijl ze het nette pak, het pas gestreken overhemd en de zijden das in ogenschouw nam. Ze voelde hoe een blos vanuit haar nek optrok naar haar gezicht. De warmte vond zijn weerslag in zijn handdruk en de elektrische spanning van het moment. 'Dat van die telefoon, daar ben ik het mee eens,' antwoordde ze en haar stem klonk gedempt door een plotselinge aanval van verlegenheid die zo ongewoon was, dat ze niet wist hoe ze daar mee om moest gaan. 'En als ik op mijn telefoonrekening af moet gaan, is het nog goedkoper ook.'

'Dat is de prijs die we moeten betalen voor het zo ver uit elkaar wonen,' zei hij, terwijl hij zijn blik langzaam over haar gezicht liet gaan en de indruk wekte dat hij elke trek in zijn geheugen wilde opslaan.

Ze staarden elkaar aan en Harriet realiseerde zich dat ze de drukte en het geluid en de rondhangende mensenmassa was vergeten. Het was alsof ze alleen waren, en alleen maar elkaar nodig hadden. 'Ik ben zo blij dat je bent gekomen,' zei ze zachtjes.

'Anders ik wel,' antwoordde hij. 'Want nu weet ik dat ik de juiste beslissing heb genomen.'

Ze hield haar hoofd schuin en keek hem lachend aan. 'Wat voor beslissing?'

'Ik heb de politie eraan gegeven,' zei hij terwijl hij haar bagage uit de kofferbak tilde en het deksel dichtsloeg. 'Ze hebben een baan voor me bij een beveiligingsbedrijf in Sydney. Ik heb een paar weken de tijd om de boel in Brisbane te verkopen en een nieuw huis te vinden, maar binnen ongeveer een maand kom ik jouw kant op.'

Harriet voelde hoe haar hart sneller ging slaan toen tot haar doordrong wat dat inhield. De telefoontjes waren gedurende de afgelopen maanden van toon veranderd en Harriet had zich afgevraagd of ze zich maar verbeeldde dat de gesprekken warmer van toon en intiemer werden, of dat de wens de vader van de gedachte was geweest. Nu leek het erop dat haar gevoelens werden beantwoord en ze kon geen woorden vinden om uitdrukking te geven aan haar blijdschap.

'Dat vind je toch niet erg, hè?' vroeg hij terwijl hij de koffer van de ene naar de andere hand overbracht. Hij had een bezorgde trek op zijn gezicht.

'Hoe kan ik dat nou erg vinden?' mompelde ze, en haar ogen glommen van plezier. 'Ik heb er alles voor over om op de telefoonkosten te bezuinigen.'

Hij pakte haar hand en legde die in de kromming van zijn elleboog. 'Dat is dan in orde,' zei hij met een glimlach. 'Nou, kom mee. Catriona zit de hele ochtend al op je te wachten en ze begint ongeduldig te worden.'

Catriona nam Guit mee naar buiten om het lawaai en de drukte in huis te ontvluchten en op de veranda te genieten van enkele ogenblikken van rust. Het huis was te klein voor zo veel mensen en het was een opluchting om er even aan te ontsnappen. Ze ging in de oude rieten stoel zitten en terwijl Guit op haar schoot begon te spinnen, deed ze haar ogen dicht en zei in stilte een dankgebed voor al het goeds dat haar de afgelopen maanden was overkomen.

Toms ontdekking dat Demetri een testament had achtergelaten bij een advocatenkantoor in Darwin had Catriona een tweeslachtig gevoel gegeven. De verrassing en de vreugde over zijn erfenis werden getemperd door het verdrietige besef dat ze aan hem had getwijfeld en had gedacht dat hij haar in de steek had gelaten. Maar naarmate de maanden waren verstreken, was ze zijn gift gaan beschouwen als iets waar niet alleen de volgende generatie van zou profiteren, maar ook als een manier om de herinnering aan hem op een andere manier levend te houden.

Demetri's huis was gesloopt en het land voor een fortuin verkocht aan projectontwikkelaars – het was belachelijk hoe de grondprijzen langs de hele oostkust volledig uit de hand waren gelopen, maar er kon tenminste worden afgerekend met de geesten uit het verleden en ze konden nu allemaal de blik vooruit richten. Connor en Rosa zouden er wanneer Catriona stierf en zij haar eigen erfenis doorgaf natuurlijk meer dan warmpjes bijzitten, maar Demetri's geld zou ervoor zorgen dat ze zich tot die tijd evenmin zorgen hoefden te maken. Harriets aandeel was gebruikt voor het opzetten van het Demetri Yvchenkov Fonds dat beurzen verstrekte aan getalenteerde, maar slecht bij kas zittende studenten, zodat die toch konden afstuderen.

Ze werd overvallen door een enorme triestheid toen ze uitkeek vanaf de veranda en wenste dat Demetri en Poppy er vandaag bij konden zijn. Ze zou hem willen bedanken voor zijn vriendelijkheid en Poppy voor het geschenk in de vorm van haar kleinkinderen. Maar terwijl ze hier in de schaduw zat, meende ze hun aanwezigheid te kunnen voelen. Ze leken over iedereen te waken en dolblij te zijn met deze blijde gebeurtenis en Catriona voelde zich gesterkt.

Ze zuchtte terwijl ze uitkeek over Belvedère dat baadde in het winterlicht. Hier lagen Harriets droomlandschappen te trillen in de hitte en te zoemen van het leven en de belofte van betere dingen die nog stonden te gebeuren. De boerderij was voor deze heel speciale gelegenheid helemaal opgeknapt met een lik witte verf op de houten muren en groene op de luiken en deuren. De veranda was versierd met bloemen en linten terwijl potten met palmbomen en voorjaarsbloemen de rode loper omzoomden die vanaf de trap aan de voorkant naar het grasveld aan de achterkant van het huis liep. Op het grasveld was een prieel met bloemen gemaakt en rijen vergulde stoelen stonden aan weerszijden van de rode loper die tijdens de ceremonie als gangpad zou fungeren. Het was een prachtige dag met de palissander die een violette waterval leek, de gombomen die dieprood bloeiden en de citroengele knoppen van de acacia die bijna barstten van uitbundigheid.

'Gaat het, oma?'

De zachte stem deed haar opschrikken uit haar plezierige mijmeringen en ze glimlachte. 'Prima,' zei ze. 'Een hoe staat het met jou?'

Harriet ging naast haar zitten en glimlachte. 'Heel gelukkig,' zei ze met een zucht. 'Het is altijd heerlijk om thuis te komen, maar vandaag hangt er iets magisch in de lucht dat ik voor geen goud had willen missen.'

Catriona drukte haar even tegen zich aan en gaf haar een kus. 'Je bent wel laat,' mopperde ze. 'Waar bleef je nou?'

'Honderd dingen te doen op kantoor en net nog een hele tijd met Tom gepraat.' Harriet lachte en haar gezicht straalde van geluk. 'Je had me moeten waarschuwen dat hij ook zou komen.'

Catriona lachte, dolblij dat haar plannetjes uitkwamen. 'Ik vind verrassingen altijd zoiets fijns,' antwoordde ze. 'Waarom zou je dat moment verpesten door van tevoren iets te zeggen?'

Harriet grinnikte. 'Je bent een ondeugd, weet je dat wel?'

Catriona knikte instemmend. 'En waarom niet? Gezien mijn leeftijd heb ik het recht om me overal een beetje mee te bemoeien en ik vond het tijd worden dat jullie tweeën eens verstandig werden.' Ze keek Harriet lange tijd aan. 'Heeft hij je al verteld over zijn verhuizing naar Sydney?'

Harriet lachte. 'Er ontgaat je ook niet veel, hè?'

'Niet veel,' gaf ze tevreden toe. 'Wat vind je ervan dat hij in jouw stad komt wonen?'

'O, ik denk dat ik dat wel prima vind,' antwoordde ze, en het geluk straalde van haar af alsof ze de zon zelf was.

Catriona keek achterom. 'Waar heb je hem gelaten?'

'Hij zit bij Connor.' Ze giechelde. 'De getuige heeft op het laatste moment een soort vrijgezellenfeest in elkaar gestoken.'

'As ze maar niet te veel drinken,' mompelde Catriona terwijl ze Guit van haar schoot zette en de haren van haar dure zijden jurk klopte. 'De gasten hebben hem allemaal al bijna om en de mannen hebben gisteravond al meer dan genoeg gedronken,' zei ze streng terwijl ze boze blikken wierp in de richting van de menigte die bij de biertent rondhing.

'Waar is Rosa?' vroeg Harriet na een tijdje. 'Ik heb haar al weken niet meer gezien en ik wil de laatste roddels horen.'

'Die hangt ergens rond met haar vriendje,' antwoordde Catriona. 'Ik moet zeggen dat hij nogal een verrassing was. Rosa's vriendjes zijn meestal buitengewoon verdacht.'

'Je kunt niet half zo verbaasd zijn geweest als ik,' lachte Harriet. 'Ik kan nog steeds maar moeilijk geloven dat Rosa en Jeremy Prentiss een stel zijn. Ze moeten elkaar heel wat keren tegen het lijf zijn gelopen, maar ik weet dat ze nooit aan elkaar zijn voorgesteld. Maar één blik tijdens het tuinfeest van ons kantoor en bam, liefde op het eerste gezicht, inclusief de roze wolken. Ik geloof niet dat ze daarna nog een nacht zonder elkaar zijn geweest.'

'Het leven zit vol verrassingen, schat,' antwoordde Catriona. 'Wie had nou gedacht dat jij met Tom Bradley zou gaan? Ik meen me te herinneren dat je zijn aanblik niet eens kon verdragen toen je hem net had ontmoet.' Ze knipoogde om haar woorden wat te verzachten, want ze mocht Tom eerlijk gezegd erg graag.

'Dat is waar,' gaf Harriet toe terwijl ze naar Tom keek die over het erf kwam aangelopen. 'Maar je weet hoe dat gaat, oma. Ik ben aan hem gewend geraakt.'

Catriona zag hoe Toms gezicht oplichtte terwijl ze elkaar glimlachend aankeken. Wat een heerlijke dag werd dit toch, en wat was ze blij dat ze leefde en er deel van uitmaakte. Ze zaten tevreden zwijgend bij elkaar en keken naar de stoet van gasten, tot ze vanuit het huis een seintje kregen dat het tijd was voor de plechtigheid. Harriet nam haar bij de arm. 'Kom,' zei ze zachtjes. 'De bruid staat op het punt te verschijnen en ik zie dat de bruidegom al onderweg is. We kunnen maar beter gaan zitten.'

'Laat mij jullie begeleiden,' zei Tom toen hij onder aan de trap stond. 'Ik krijg niet vaak de kans om met twee van die mooie dames te pronken.'

Van ieder ander zouden Catriona en Harriet hebben gedacht dat die woorden aan het slijmerige grensden. Maar ze zagen het plagerige lichtje in zijn ogen en namen met een galant gebaar zijn aanbod aan. 'Je bent een boef,' plaagde Catriona terwijl ze zijn arm nam en een kus op haar wang accepteerde.

'Dat geldt ook voor jou,' zei hij zachtjes.

Catriona zag hoe Harriet en hij naar elkaar lachten. Ze zou er niet van staan te kijken als er binnenkort weer een trouwerij op Belvedère zou zijn en misschien nog wel een derde als Rosa en Jeremy op dezelfde voet doorgingen. Haar hart zwol van liefde en geluk terwijl ze zich door Tom over de rode loper naar de voorste rij stoelen liet leiden. Het beloofde een emotionele dag te worden en ze hoopte dat ze zichzelf niet voor gek zou zetten door in tranen uit te barsten en haar make-up te ruïneren.

Met een knikje en een paar woorden aan het adres van Pat en John Sullivan en hun vrienden, ging ze naast Rosa en Jeremy zitten. Rosa zag er heel goed uit, dacht ze terwijl ze haar blik liet gaan over de rode jurk, het zwarte, glanzende haar dat naar haar elfachtige kaken krulde en de zigeuneroorringen die glinsterden in de zon. De buitengewoon knappe Jeremy Prentiss had duidelijk niet alleen een uitstekende invloed op haar voorkeur voor veelkleurig haar, maar ook op haar gevoel voor kleding. Ze wendde zich van Rosa af en glimlachte naar de bruidegom. Ze stond nu al op het punt te gaan huilen; de hemel mocht weten hoe ze eraantoe zou zijn wanneer dit allemaal achter de rug was, dacht ze gelukkig.

De dominee had hun het draagbare orgel van de kerk in Drum Creek geleend en de organist zette de eerste akkoorden van de Bruidsmars in. Terwijl Catriona ging staan dacht ze aan Poppy en haar aanwezigheid leek zo echt, dat ze meende dat ze het geblondeerde haar kon zien en de lach van haar liefste vriendin kon horen. Wat zou ze trots zijn geweest bij de aanblik van de knappe Connor op zijn huwelijksdag. Hoe dolgelukkig in de wetenschap dat Rosa eindelijk iemand had gevonden die van haar hield. Ze draaide zich tegelijk met de anderen om en zag hoe de bruid aan de arm van haar vader over de rode loper naar het bloemenprieel schreed.

Belinda zag er stralend uit. Haar haar omkranste haar gezicht in een waterval van donkere krullen die onder een kroontje van gele roosjes vandaan kwamen en de diamanten oorhangers schitterden in het zonlicht terwijl ze langzaam over de loper liep. Haar jurk was een nauwsluitende rechte jurk van ivoorkleurige zijde die aan haar zandloperfiguur leek te kleven en de gele rozen van haar bruidsboeket zagen eruit alsof ze nog maar net waren geplukt. Catriona realiseerde zich dat het kwajongensachtige meisje een mooie vrouw was geworden.

Ze keek naar Connor. Hij zag er zo knap uit in zijn donkere pak en witte overhemd en de gele roos in zijn knoopsgat kleurde perfect bij zijn stropdas. Zijn gezicht straalde net zo als dat van Belinda en zijn ogen glinsterden van emotie terwijl hij toekeek hoe zijn bruid naderbij kwam. Catriona voelde hoe de tranen over haar wangen liepen en depte ze weg. Wat zou Poppy trots zijn terwijl ze van bovenaf op hen neerkeek. Haar dierbare jongen had de verschrikkingen van zijn jeugd weggestopt en was bereid een nieuwe start te maken met het meisje dat hij liefhad.

Ze snufte en snoot haar neus terwijl Belinda bij Connor kwam. Ze was een sentimentele ouwe dwaas, dacht ze. Maar Connor was het jongetje van wie ze had gehouden vanaf de dag dat zijn zus en hij bij haar waren komen wonen. Hij was haar zoon en ze had het recht om trots op hem te zijn; ze had het recht om zich overmand te voelen door emoties terwijl ze toekeek en hij het meisje trouwde dat een nieuw gevoel van licht en leven op Belvedère had gebracht. Ze zouden gelukkig worden, dat wist ze zeker, en binnenkort, als het lot hun gunstig gezind was, zou er een nieuwe generatie zijn om van deze plek te houden.

De plechtigheid was veel te snel voorbij en het gelukkige koppel poseerde met de gasten voor de foto's die een plekje zouden krijgen in menig album. Leunend op Toms arm maakte Catriona haar koninklijke rondgang door de gelukkige, kletsende menigte en nam haar plaats in voor de familiefoto.

'Ik denk dat er binnenkort wel weer een bruiloft aankomt,' fluisterde Harriet terwijl ze zich door de fotografen in verschillende posities liet zetten en haar best deed om niet op Guit te trappen die vastbesloten leek pal voor de bruid en bruidegom te gaan zitten. 'Het lijkt wel of Rosa en Jeremy aan elkaar vastzitten en ik moet zeggen, ik heb haar nog nooit zo rustig en gelukkig gezien.'

Catriona keek lachend naar haar op en knipoogde vervolgens naar Tom. 'Je weet maar nooit,' zei ze. 'Maar dit is in ieder geval een prachtige plek voor een trouwerij, van wie dan ook.'

Harriet bloosde en Tom sloeg zijn arm om haar schouder en trok haar dicht tegen zich aan, zodat hij een kus op haar blonde haar kon drukken.

Catriona glimlachte. Bruiloften hadden iets dat zelfs in de grootste cynicus romantische gevoelens boven bracht. Die lieve Harriet, ze was zo vastbesloten geweest niet te trouwen, er zo van overtuigd dat haar carrière het enige was dat telde, en hier stond ze nu, stralend van een liefde waarvan ze waarschijnlijk niet eens wist dat ze die in zich had. Ze boog haar hoofd en verborg haar glimlach in haar zakdoek. Liefde had de neiging zich in je hart te nestelen op een moment dat je daar het minst op rekende.

'Wat een prachtige dag, ik ben zo blij dat ik erbij ben.'

Catriona draaide zich om naar de elegante vrouw naast haar en sloeg haar arm even om het slanke middel. 'Anders ik wel, mijn lieve, lieve meisje,' zei ze vol hartstocht.

Jeanette Wilson depte haar ogen. 'Dank je voor alles, mam,' fluisterde ze terwijl ze elkaar bij de hand pakten en zich naar de fotograaf wendden.

Dankwoord

Mijn welgemeende dank gaat uit naar mezzosopraan Liza Hobbs voor haar deskundige advies en voor alle tijd die ze heeft gestoken in de hulp bij mijn onderzoek naar de wereld van de opera. De e-mails en de glazen wijn werden zeer gewaardeerd. Mijn verontschuldigingen voor eventuele fouten – die zijn van mijn hand.

Ik ben het personeel van de muziekafdeling van de Newlands School in Seaford veel dank verschuldigd voor de enorme hoeveelheid boeken die ze mij uit hun bibliotheek hebben geleend. Zij hebben zich bronnen van onschatbare waarde getoond voor mijn onderzoek naar de opera's die ik in dit boek een rol wilde laten spelen.

Dank ook aan het adres van Gary en Karen Stidder voor hun ruimhartige gift van kaartjes voor Glyndebourne, zodat ik met eigen ogen heb kunnen zien hoe het er in het echt aan toe gaat.

Mijn hartelijke dank aan al deze mensen voor alles wat ze me hebben geleerd en voor de kans die ze me hebben gegeven om iets te ontdekken wat is uitgegroeid tot een passie voor opera.

Lees ook van Tamara McKinley:

Onderstromen

Vlak na de Tweede Wereldoorlog keert Olivia Hamilton vanuit Engeland terug naar haar geliefde Australië, nadat haar moeder is overleden. In haar geboortedorp Trinity hoopt ze de waarheid te vinden achter een aantal onthutsende documenten uit haar moeders nalatenschap. Daarbij heeft ze de hulp nodig van haar verfoeide oudere zus Irene en een oude vriendin van haar moeder.
Irene heeft Olivia van jongs af aan al met verachting behandeld, en de jaren hebben haar haat niet verminderd. Kan het zijn dat de papieren van haar moeder daar iets mee te maken hebben?
Olivia is vastbesloten in haar zoektocht naar de waarheid. Ze heeft geen idee welke uitdagingen en passies voor haar in het verschiet liggen, maar ze komt er snel achter dat stille wateren niet alleen diepe gronden hebben, maar ook gevaarlijke onderstromen verbergen…

Onderstromen is een ontroerende roman over de zoektocht van een jonge vrouw naar haar dramatische familiegeschiedenis tegen het decor van het zinderende Australië.

'Prachtige roman die je aan je stoel gekluisterd houdt!'
Women's Weekly

ISBN 978 90 325 1017 6
Paperback, 368 blz.

Lees ook van Tamara McKinley:

Zomerstorm

Om haar 75ste verjaardag te vieren, besluit Miriam Strong een familiereünie op haar landgoed Bellbird Station te houden. Ze ziet ernaar uit iedereen na lange tijd weer te ontmoeten.
Maar wanneer ze het eerste bewijs in handen krijgt over de toedracht van haar gestolen erfenis, weet ze dat ze het voor een tweede keer moet opnemen tegen een oude vijand en pijnlijke herinneringen uit het verleden.
Dan ontmoet ze de gescheiden, hulpvaardige advocaat Jake Connor. Samen met hem begint Miriam haar zoektocht naar de waarheid; een zoektocht die het leven van velen om haar heen zal veranderen. Zeker dat van haar kleindochters Fiona en Louise, want de een zal de ware liefde vinden en de ander durft eindelijk de vrouw te zijn die ze altijd had willen worden.

Zomerstorm is een roman over liefde en tegenspoed van drie verschillende vrouwen uit één, onverzettelijke familie. Over doorzettingsvermogen en moed maar bovenal over de kracht van familiebanden.

'Een krachtige roman. Een absolute bestseller.' *The Bookseller*

ISBN 978 90 325 1028 2
Paperback, 336 blz.

Lees ook van Tamara McKinley:

Windbloemen

Australië, 1936. Ellie wordt als 14-jarig weesmeisje dolend in de verzengende hitte van de outback gevonden door de tweeling Charlie en Joe. Ze brengen haar naar het enige familielid dat ze kent, tante Aurelia, op haar grote veehouderij Warratah. Hier groeien de drie op tot jonge volwassenen.
Dan breekt de Tweede Wereldoorlog uit. Ellie heeft Joe in haar hart gesloten, maar het is de vileine Charlie die als enige terugkomt. Ondanks alles heet Ellie hem welkom maar Aurelia wantrouwt Charlies motieven, en niet ten onrechte...
Jaren later is het aan Ellie om aan haar inmiddels volwassen dochters de waarheid te vertellen over wat er destijds is gebeurd. Maar daarvoor moet ze wel enkele beschamende geheimen van Warratahs geschiedenis prijsgeven. Ellie hoopt dat haar dochters sterk genoeg zijn voor de naderende storm.

'McKinley is een boeiende vertelster, die de verhaallijnen uitstekend weet te combineren en die oog heeft voor het specifieke van haar vaderland.' *Biblion*

ISBN 978 90 325 1016 9
Paperback, 384 blz.